知識ゼロからきちんと学べる！

Photoshop しっかり入門

増補改定 第3版

Mac & Windows 対応

まきのゆみ 著

SB Creative

本書の対応バージョン

Adobe Photoshop 2024

本書記載の情報は、2024年1月1日現在の最新版である「Adobe Photoshop 2024」の内容を元にして制作しています。パネルやメニューの項目名や配置位置などはPhotoshopのバージョンによって若干異なる場合があります。

サンプルファイルのダウンロード

本書で解説しているサンプルのデータは、以下の本書サポートページからダウンロードできます。

(サポートページ) https://isbn2.sbcr.jp/24293/

本書に関するお問い合わせ

この度は小社書籍をご購入いただき誠にありがとうございます。小社では本書の内容に関するご質問を受け付けております。本書を読み進めていただきます中でご不明な箇所がございましたらお問い合わせください。なお、お問い合わせに関しましては下記のガイドラインを設けております。恐れ入りますが、ご質問の際は最初に下記ガイドラインをご確認ください。

ご質問の際の注意点

・ご質問はメール、または郵便など、必ず文書にてお願いいたします。お電話では承っておりません。
・ご質問は本書の記述に関することのみとさせていただいております。従いまして、○○ページの○○行目というように記述箇所をはっきりお書き沿えください。記述箇所が明記されていない場合、ご質問を承れないことがございます。
・小社出版物の著作権は著者に帰属いたします。従いまして、ご質問に関する回答も基本的に著者に確認の上回答いたしております。これに伴い返信は数日ないしそれ以上かかる場合がございます。あらかじめご了承ください。

ご質問送付先

ご質問については下記のいずれかの方法をご利用ください。

Webページより

上記のサポートページ内にある「お問い合わせ」をクリックすると、メールフォームが開きます。要綱に従って質問内容を記入の上、送信ボタンを押してください。

郵送

郵送の場合は下記までお願いいたします。

〒105-0001
東京都港区虎ノ門2-2-1 住友不動産虎ノ門タワー
SBクリエイティブ　読者サポート係

はじめに

私は、みなさんがこれから学ぶPhotoshopをはじめとしたAdobe製品の講師をしています。これまでに、たくさんの受講者にお会いしてきました。「Photoshopを使えるようになりたい！」と思っている人が本当にたくさんいます。私は日々、そのような人たちが、Photoshopをできるだけ早く効率的に習得し、それぞれの目的を達成できるように、サポートしています。

一昔前は、Photoshopはデザイナーのような専門職の人が使う特殊なソフトで、敷居が高い印象がありました。しかし今では、気軽に試せる環境が整い、誰もが自分のデザインを実現できる道が開かれているように思います。Photoshopには、近年話題の生成AIの機能が搭載され、我々のクリエイティブなアイデアは無限に広がっていくことでしょう。

本書は、これからはじめてPhotoshopを学ぶ人に向けた本です。楽しく学んで頂けるように、できるだけ丁寧にやさしく解説しました。また、私の講師経験をもとに、「Photoshopを使えるようになりたい人」がつまずきやすいところをできるだけカバーし、「みなさんが知りたいこと」をできるだけコンパクトにまとめました。

はじめて学習する人は、まずは最初のLesson1から読み進めてみましょう。最初から読み進めることで、Photoshopの基本操作をしっかりと習得できるようになっています。理解を深めるために、サンプルファイルを使って、実際に手を動かしながら作業することをおすすめします。

一度通読してPhotoshopの全体像を把握できた人は、目的に応じて必要な箇所を参照することで、基本をおさらいすることもできます。

身近なところで何かを制作する機会があれば、ぜひ積極的に取り組んでみましょう。作品を作る過程で、得た知識は実用的なものになり、どんどんスキルアップしていきます。

この本をきっかけに、たくさんの人に「Photoshopは楽しい！」と思って頂けると嬉しいです。みなさんにとって、Photoshopは難しくない、楽しく便利で身近なものになりますように。

最後に、本書を完成させるにあたり、サポート・応援してくださった方々に、深く感謝致します。今後も一層精進し、たくさんの方のお役に立てる情報を発信できるように努めていきたいと思います。

まきの ゆみ

はじめに……3

Lesson 1 **Photoshopの基礎知識**
5分で学ぶPhotoshopの概要とデジタル画像の基本 7

1-1 Photoshopとは……8
1-2 ツールパネルの基本操作……10
1-3 パネル／パネルドックの基本操作……14
1-4 デジタル画像の基礎知識……20
1-5 画像のサイズと解像度……22
1-6 Creative Cloudアプリを利用する……24

Lesson 2 **はじめてのPhotoshop**
最初に知っておくべき基本の操作 25

2-1 ファイルを開く……26
2-2 ファイルを保存する……28
2-3 ワークスペースの操作……30
2-4 画像の表示領域の変更……32
2-5 画像の傾き修正……34
2-6 不要な部分のトリミング……36
2-7 操作の取り消し・やり直し……38
2-8 ガイドとグリッドの利用……40
2-9 ピクセルの色情報……42
2-10 カンバスサイズの変更……43
2-11 新規ファイルの作成……44

Lesson 3 **色調補正の基本**
今日から使える定番テクニック 45

3-1 色調補正とは……46
3-2 調整レイヤーの基礎知識……49
3-3 調整レイヤーの基本操作……50
3-4 明暗を調整する ［明るさ・コントラスト］……53
3-5 明暗を調整する ［レベル補正］……54
3-6 明暗を調整する ［トーンカーブ］……56
3-7 色相・彩度を調整する ［色相・彩度］……58
COLUMN **画像の一部の明暗や彩度を調整する**……61
3-8 色の偏りを取り除く ［カラーバランス］……62
3-9 色の偏りを取り除く ［レンズフィルター］……64
3-10 モノトーンにする ［白黒］……66
3-11 ［階調の反転］と［2階調化］……68
3-12 イラスト風にする ［グラデーションマップ］……69
COLUMN **画像補正の基本的な流れ**……70

Lesson 4 選択範囲の作り方

Photoshopの最重要機能を習得しよう! 71

4-1 選択範囲の基本 72
4-2 長方形や楕円形の選択範囲を作成する 74
4-3 フリーハンドで選択範囲を作成する 76
4-4 自動的に選択範囲を作成する 78
4-5 被写体を一瞬で選択する 82
COLUMN 自動的に選択範囲を作成するツールのオプション 83
4-6 選択範囲の解除と保存/読み込み 84
4-7 アルファチャンネルを理解する 86
4-8 アルファチャンネルで選択範囲を編集する 88
COLUMN [チャンネル] パネルの操作 91
4-9 クイックマスクモードで編集する 92
COLUMN アルファチャンネルとクイックマスクの違いと使い分け 95
4-10 カラー範囲の選択 [色域指定] 96
4-11 選択範囲を追加する [選択範囲を拡張] 98
4-12 パスを選択範囲に変換する 99
4-13 選択範囲の境界線を調整する 100
COLUMN 選択範囲の修正 104

Lesson 5 レイヤーの基本操作

画像合成の中核機能をしっかりマスターする 105

5-1 レイヤーをきちんと理解する 106
5-2 レイヤーの基本操作 108
COLUMN [レイヤーカンプ] を使ったデザイン案の比較 115
5-3 画像合成の基本 116
5-4 塗りつぶしレイヤーの基本 118
5-5 スマートオブジェクトの活用 122
5-6 レイヤーの不透明度 125
5-7 レイヤーマスクを編集する① 126
5-8 レイヤーマスクを編集する② 128
5-9 選択範囲内に画像をペーストする 130
5-10 テキストプロンプトを使って選択範囲を塗りつぶす 132
5-11 テキストプロンプトを使って画像を生成する 134
5-12 ベクトルマスクの使い方 136
5-13 クリッピングマスクの使い方 138
5-14 レイヤースタイルの使い方 140
COLUMN レイヤースタイルの関連項目 143
5-15 描画モードを理解する 144
5-16 レイヤーのフィルタリング 148

Lesson 6 色の設定とペイント機能

各種描画機能とグラデーション、パターンの活用 149

6-1 色の設定の基本 150
6-2 カラーの指定方法 151
6-3 [ブラシ] ツールの使い方 154
6-4 [塗りつぶし] ツールと [塗りつぶし] ダイアログ 158
6-5 グラデーションをマスターする 160
6-6 パターンでペイントする 162
6-7 さまざまな消しゴム系ツール 164

Lesson 7 画像修正の基本

画像品質を向上させるための基礎技術 165

7-1 手軽に不要物を削除する 166
7-2 囲むようにして不要物を除去する 168
7-3 周辺のコンテンツを使って不要物を除去する 170
7-4 採取したサンプルを使って不要物を除去する 172
COLUMN ［コピーソース］パネルの操作 175
7-5 生成塗りつぶしで不要物を除去する 176
7-6 生成拡張で足りない画像を伸ばす 178
7-7 被写体を移動する 180
COLUMN ［生成］（生成塗りつぶし／生成拡張）と［コンテンツに応じる］ 182

Lesson 8 フィルターの活用

特殊効果を気軽に試せる優れた機能 183

8-1 フィルターとは 184
8-2 シャープにする ［アンシャープマスク］ 186
8-3 ぼかしをかける ［ぼかし（ガウス）］ 188
8-4 フィルターを画像の一部に適用する 189
8-5 ニューラルフィルター 190
8-6 フィルターギャラリー 192

Lesson 9 文字、パス、シェイプ

Photoshopのベクター系機能を理解する 197

9-1 文字の入力と編集 198
9-2 文字を変形する 204
9-3 Adobe Fontsを利用する 206
9-4 シェイプとパスの基本 208
9-5 パスの描画と［ペン］ツール 210
9-6 選択範囲をパスに変換する 214
9-7 パスを使って塗りつぶす 215
9-8 カスタムシェイプの定義 216
9-9 Illustratorのパスを活用する 217
9-10 パターンの定義と描画 218

Lesson 10 総合演習

手を動かして学ぶ、実践的な画像合成の制作実習 221

10-1 実践的な画像合成をやってみよう 222
10-2 アップロード用のファイルを書き出そう 232

Lesson 11 便利な機能

操作性や作業効率を格段に向上させる設定と機能 235

11-1 環境設定の基礎知識 236
11-2 ショートカットの活用 239
11-3 カラーマネジメントとカラー設定 242
COLUMN プロファイルの「埋め込みなし」と「不一致」 244
11-4 頻繁に利用する設定を保存しておく 245
11-5 Adobe Stockを利用する 247
11-6 ［Bridge］で画像を閲覧・整理する 249
11-7 ファイル名を自動処理で変更する 252

索引 254

Lesson 1

Basic knowledge of Photoshop.

Photoshopの基礎知識

５分で学ぶPhotoshopの概要とデジタル画像の基本

本章では、画像編集ソフト「Photoshop」の画面構成と概要を簡単に紹介します。Photoshopを触ったことがない人や、デジタル画像の基本を押さえておきたい人はぜひ読み進めてください。

Photoshopとは

最初にPhotoshopの概要とワークスペースの構成要素を簡単に紹介します。Photoshopの特徴をしっかりと把握しましょう。

Photoshopは画像編集ソフトウェア

Photoshop（フォトショップ）は、アドビ社が開発・販売している画像編集ソフトウェアです。

Photoshopはとても高機能なソフトウェアですが、操作方法はシンプルであり、また洗練されているため、基本的な操作方法とデジタル画像編集の基礎さえ習得すれば、すぐにさまざまな加工・編集に活用できるようになります。

Photoshopの利用範囲は広く、中心となる画像編集をはじめ、次のような場面で使われています。

- デジタル画像の加工・編集
- フォトレタッチ（画像の修正・補正）
- 画像合成
- イラストレーション
- グラフィックデザイン
- Webデザイン

また、簡単なレタッチから、商用印刷向けの高品質なデータ作成まで、あらゆる品質の作業が行えます。そのためPhotoshopは、画像編集における必要不可欠なソフトウェアの1つとなっています。

Photoshopは難しくない

Photoshopには、たくさんのボタンや設定項目が用意されているため、はじめてPhotoshopの画面を見る人は「難しそう」と感じるかもしれません。

でも安心してください。はじめのうちは「操作の勘どころ」がわからないために、思い通りに操作できないこともあると思いますが、本書を読み進めながら少しずつ使い続けていけばすぐに慣れると思います。

また、Photoshopの全機能を理解する必要はまったくありません。すべてを完璧に理解するのは大変ですが、実現したい作業内容に応じて必要な機能だけを習得する心づもりでいれば、意外と簡単に使いこなせるようになります。

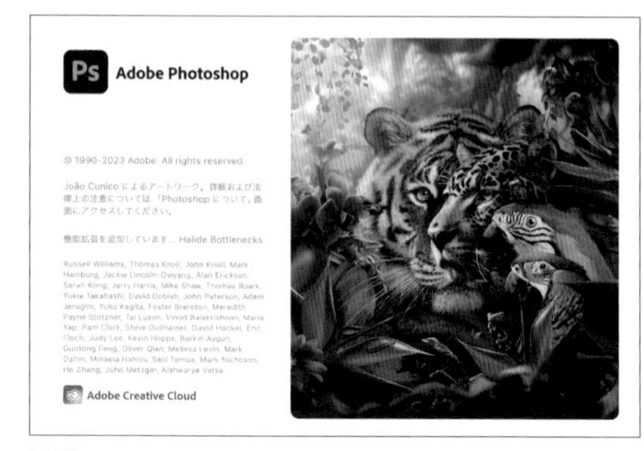

図1 Photoshopはアドビ社が開発・販売している画像編集ソフトウェアです。「ペイント系のソフトウェア」といわれることもあります。

図2 この例では、Photoshopを使って2枚の画像を合成しています。

図3 この例では、Photoshopを使って紙面をデザインしています。

Photoshopのワークスペース

Photoshopの具体的な使い方を解説する前に、Photoshopのワークスペースの構成要素を紹介します。ここでは各部の名称を覚えておいてください。次項以降の解説ではこれらの名称を用いて解説を行います。

Photoshopのワークスペースは大きく分けると次表の7種類で構成されています。

Photoshopのワークスペースの構成要素

名称	概要
メニューバー	ファイルの新規作成や保存といった基本操作や、ドキュメントウィンドウ上の画像に対するさまざまな処理項目が含まれている
ツールパネル	Photoshopで利用できるさまざまなツール(道具)が格納されている(p.10)
オプションバー	ツールパネルで選択した「選択中のツール」に関する各種オプションを設定できる。オプションバーに表示される内容は、選択中のツールによって自動的に変わる
パネル(パネルドック)	画像を加工・編集・管理するための一連の機能がまとめられたもの。関連性の高い機能が1つのパネルにまとめられている(p.14)。パネルは表示・非表示を切り替えられるだけでなく、アイコン化することも可能(パネルドック)
ドキュメントウィンドウ	処理対象の画像が表示されるエリア。ウィンドウ上部にある「ドキュメントタブ」をクリックして切り替えることで、複数の画像を同時に開いた状態で処理対象の画像を変更できる
コンテキストタスクバー	作業の流れで関連性の高い次のステップを表示するメニュー
ステータスバー	ドキュメントウィンドウに表示されている画像のファイル情報(サイズや解像度など)を確認できるエリア

ツールパネルの基本操作

Photoshopを使用した画像編集では、多くの場合で「ツールパネル」が作業の起点になります。そのため最初に基本的な操作方法を習得しておくことが大切です。

ツールの種類

Photoshopには70種類のツール（道具）が用意されています（種類の数は使用バージョンによって若干異なります）。そして、そのすべてのツールがツールパネルに格納されています。実際にPhotoshopを起動して確認してみてください。

なお、70種類と聞くと、とても多いように感じる人もいると思いますが、中には使い方が似たツールもたくさんありますし、滅多に使用しないものもあるため、覚えることはそれほど多くありません。

ツールパネルの構成

ツールパネルは「ツールの役割」によって、6つのエリアに分かれています。まずはこの大分類を把握しておいてください。

❶選択系のツール
❷切り抜き系のツール
❸測定系のツール
❹レタッチ・ペイント系のツール
❺描画・文字系のツール
❻画面表示系のツール

さらに、ツールアイコンの右下に［◢］のマークがついているものに関しては❶、そのアイコンを長押しすることで、同一グループの他のツールに切り替えることができます。この仕組みによって21種類しか前面に表示できないツールパネルで、70種類のツールを管理しています。

ツールパネルの表示切り替え

ツールパネルの左上にある［››］ボタンをクリックすると、パネル表示を一列から二列に切り替えることができます❷。同様に［‹‹］ボタンをクリックすると、二列から一列に切り替えられます。

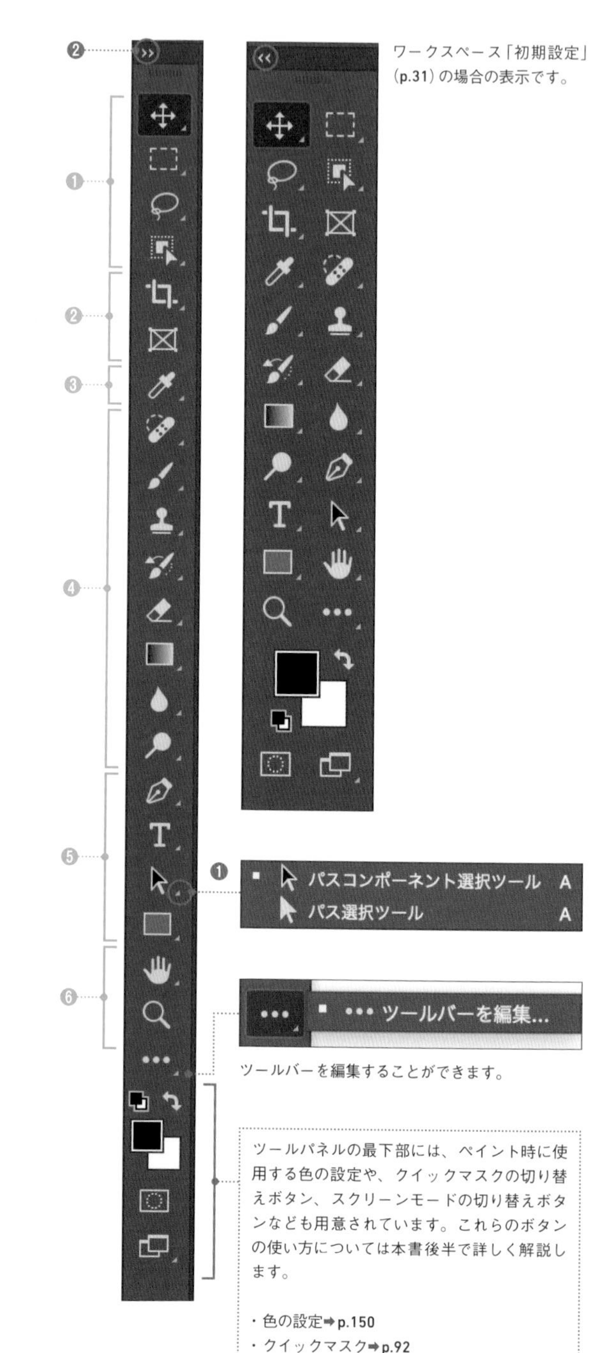

ワークスペース「初期設定」（p.31）の場合の表示です。

ツールバーを編集することができます。

ツールパネルの最下部には、ペイント時に使用する色の設定や、クイックマスクの切り替えボタン、スクリーンモードの切り替えボタンなども用意されています。これらのボタンの使い方については本書後半で詳しく解説します。

・色の設定➡p.150
・クイックマスク➡p.92

ツール一覧

ここではPhotoshopに用意されているツールの概要を簡単に紹介します。ただし、この時点ですべての名称や機能を覚える必要はありません。現時点では「こんなツールがあるんだ」くらいの感覚でざっくりと目を通していただき、今後、さまざまな作業を行っていくなかで、必要に応じてこのページを読み直してください。

❶選択系のツール

	アイコン	ツール名	概　要	ショートカット
A		移動	レイヤーや選択範囲、ガイドなどを移動する	V
A		アートボード	アートボードを作成する	V
B		長方形選択	長方形の選択範囲を作成する	M
B		楕円形選択	楕円形の選択範囲を作成する	M
B		一行選択	高さ1ピクセルの水平の選択範囲を作成する	なし
B		一列選択	幅1ピクセルの垂直の選択範囲を作成する	なし
C		なげなわ	ドラッグ操作の軌跡が選択範囲になる	L
C		多角形選択	クリックしたポイントが頂点となる選択範囲を作成する	L
C		マグネット選択	ドラッグして画像のエッジ(境界)に沿った選択範囲を作成する	L
D		オブジェクト選択	オブジェクトを検索して自動的に選択する	W
D		クイック選択	丸いブラシを使用して、画像内のエッジを検索して選択する	W
D		自動選択	クリック箇所の近似色を選択する	W

❷切り抜き系のツール

	アイコン	ツール名	概　要	ショートカット
E		切り抜き	画像をトリミングする	C
E		遠近法の切り抜き	遠近感を調整してトリミングする	C
E		スライス	Web用に画像を分割する	C
E		スライス選択	スライスした画像を選択する	C
F		フレーム	画像のプレースホルダーフレーム(マスク用のフレーム)を作成する	K

❸測定系のツール

	アイコン	ツール名	概　要	ショートカット
G		スポイト	画像内のカラーをサンプリングする	I
G		3Dマテリアルスポイト	選択したマテリアルを3Dオブジェクトから読み込む	I
G		カラーサンプラー	最大4箇所のカラー値をサンプリングし、[情報]パネルに表示する	I
G		ものさし	距離・座標・角度を測定する	I
G		注釈	注釈を作成して、画像に追加する	I
G		カウント	画像内のオブジェクトをカウントする	I

❹レタッチ・ペイント系のツール

アイコン	ツール名	概　要	ショートカット
	スポット修復ブラシ	不要物を除去する	J
	削除	不要物を塗りつぶすか囲んで除去する	なし
	修復ブラシ	サンプルを使って不要物をシームレスに除去する	J
	パッチ	選択範囲内を画像内の別ピクセルに置換して不要物を除去する	J
	コンテンツに応じた移動	選択範囲内をシームレスに移動する	J
	赤目修正	フラッシュで生じる赤目を修正する	J
	ブラシ	ブラシで描いたような線をペイントする	B
	鉛筆	鉛筆で描いたような輪郭のはっきりした線をペイントする	B
	色の置き換え	選択したカラーを新しいカラーに置き換える	B
	混合ブラシ	カラーの混合やにじむ度合いを調整してペイントする	B
	コピースタンプ	画像の一部から別の部分にピクセルをコピーする	S
	パターンスタンプ	パターンを使ってペイントする	S
	ヒストリーブラシ	ヒストリー・スナップショットのコピーを使ってペイントする	Y
	アートヒストリーブラシ	ヒストリー・スナップショットのコピーを使って、さまざまなスタイルでペイントする	Y
	消しゴム	ピクセルを消去する（背景レイヤー時は、背景色になる）	E
	背景消しゴム	ドラッグしてピクセルを消去する	E
	マジック消しゴム	クリック箇所の近似色のピクセルを消去する	E
	グラデーション	グラデーションでペイントする	G
	塗りつぶし	クリック箇所の近似色を、描画色かパターンで塗りつぶす	G
	3Dマテリアルドロップ	読み込んだマテリアルを3Dオブジェクトのターゲット領域にドロップする	G
	ぼかし	画像の一部をぼかす	なし
	シャープ	画像の一部をシャープにする	なし
	指先	画像の一部をこする	なし
	覆い焼き	画像の一部を明るくする	O
	焼き込み	画像の一部を暗くする	O
	スポンジ	画像の一部の彩度を調整する	O

ここも知っておこう！

▶ ツールの切り替え

上記表の右端にも記載していますが、Photoshopの多くのツールにはショートカットキーが割り当てられています。実際に作業をはじめると、頻繁にツールを切り替えることになるため、よく使うツールのショートカットキーは覚えておいたほうが便利です。作業効率が大幅に向上します。また、同一グループのツールが用意されているものに関しては❶、option（Alt）を押しながらツールアイコンをクリックすることで、ツールを順番に切り替えることができます。この方法も覚えておくと良いでしょう。

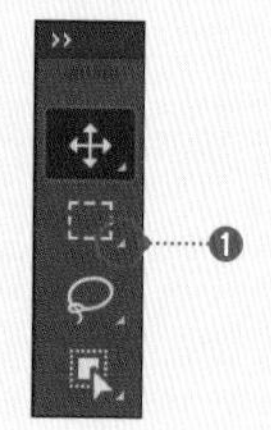

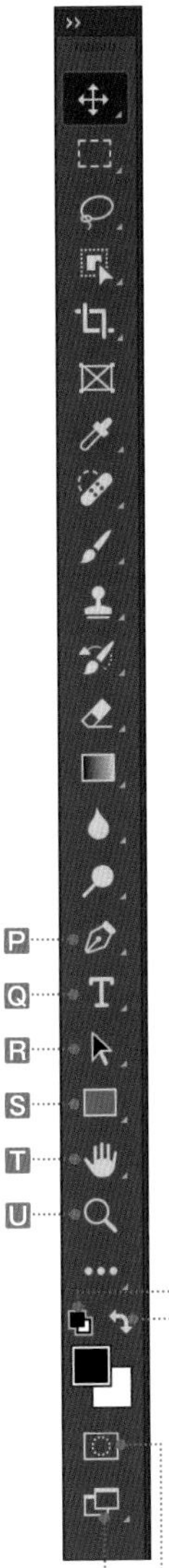

⑤描画・文字系のツール

アイコン	ツール名	概 要	ショートカット
P	ペン	直線や曲線のシェイプまたはパスを描画する	P
P	フリーフォームペン	フリーハンドで直線や曲線のシェイプまたはパスを描画する	P
P	曲線ペン	直感的に曲線のシェイプまたはパスを描画する	なし
P	アンカーポイントの追加	パス上にアンカーポイントを追加する	なし
P	アンカーポイントの削除	パス上のアンカーポイントを削除する	なし
P	アンカーポイントの切り替え	アンカーポイントを切り替える(スムーズポイント⇔コーナーポイント)	なし
Q	横書き文字	横書きの文字列やテキストエリアを作成・編集する	T
Q	縦書き文字	縦書きの文字列やテキストエリアを作成・編集する	T
Q	縦書き文字マスク	縦書き文字の形状の選択範囲を作成する	T
Q	横書き文字マスク	横書き文字の形状の選択範囲を作成する	T
R	パスコンポーネント選択	パス全体を選択する	A
R	パス選択	パスのアンカーポイントやセグメントを選択する	A
S	長方形	長方形のシェイプ、パス、ピクセルを描画する	U
S	楕円形	楕円形のシェイプ、パス、ピクセルを描画する	U
S	三角形	三角形のシェイプ、パス、ピクセルを描画する	なし
S	多角形	多角形のシェイプ、パス、ピクセルを描画する	U
S	ライン	線のシェイプ、パス、ピクセルを描画する	U
S	カスタムシェイプ	さまざまな形状のシェイプ、パス、ピクセルを描画する	U

⑥画面表示系のツール

アイコン	ツール名	概 要	ショートカット
T	手のひら	ウィンドウ内で画像を移動する	H
T	回転ビュー	非破壊でカンバスを回転する	R
U	ズーム	表示倍率を調整する	Z

● カラー設定、クイックマスク・スクリーンモードの切り替え

ツール名	概 要	ショートカット
初期設定の描画色と背景色	描画色と背景色を初期設定に戻す。描画色は黒、背景色は白になる	D
描画色と背景色を入れ替え	描画色と背景色を入れ替える	X
クイックマスクモードで編集/クイックマスクモードを終了	クイックマスクモードと画像描画モードを切り替える ダブルクリックすると[クイックマスクオプション]ダイアログが表示される	Q
スクリーンモードを切り替え	スクリーンモードを切り替える。[標準スクリーンモード][メニュー付きフルスクリーンモード][フルスクリーンモード]の3種類がある	F

Lesson 1-3 パネル／パネルドックの基本操作

Photoshopを使用した画像編集では、ツールパネルとともに、さまざまなパネルを使用します。ここではパネルの基本的な操作方法と、パネルの種類を簡単に紹介します。

パネルの種類

Photoshopには35種類のパネルが用意されています（種類の数は使用バージョンによって若干異なります）❶。

各パネルは、先述したツールパネルと異なり、全パネルが常にワークスペース上に配置されているわけではありません。目的のパネルが表示されていない場合は［ウィンドウ］メニューからパネル名を選択します❷。

なお、すでに表示されているパネルには、左側にチェックがついています❸。

オプションバーやツールパネル、コンテキストタスクバー

［ウィンドウ］メニューからは、オプションバーやツールパネル、コンテキストタスクバーの表示・非表示も切り替えられます❹。

通常の作業中にツールパネルを非表示にすることはあまりありませんが、誤って消してしまった場合などは、このメニューから［ツール］を選択することで、再表示できます。

アプリケーションフレームは、Mac版Photoshopのみに搭載されている機能です❺。この機能を有効にすると、Photoshopのメニューバーやパネルなどの要素がドッキングして表示されます。Macを利用している人は実際に有効・無効を切り替えて、表示の違いを確認してみてください。

［ウィンドウ］メニューの最下部には、現在開いているファイル名が一覧で表示されます。最前面にある、またはドキュメントタブで選択されているファイル名にはチェックが入っています❻。

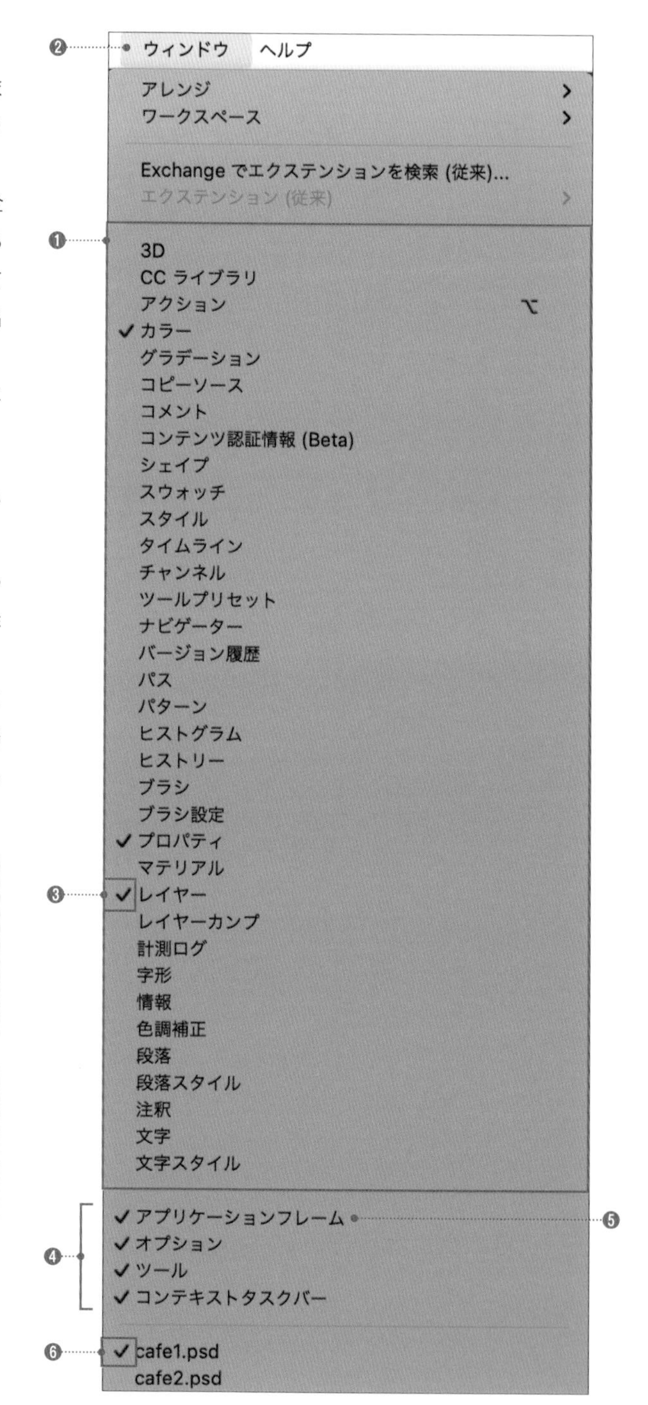

パネルメニューの表示

すべてのパネルには「パネルメニュー」が用意されています。パネル右上にある[パネルメニュー]ボタンをクリックして表示します❼。

表示されるメニュー内容は、パネルごとに異なります。パネルメニューには、各パネルに関する各種の詳細設定やさまざまな関連機能が含まれています。

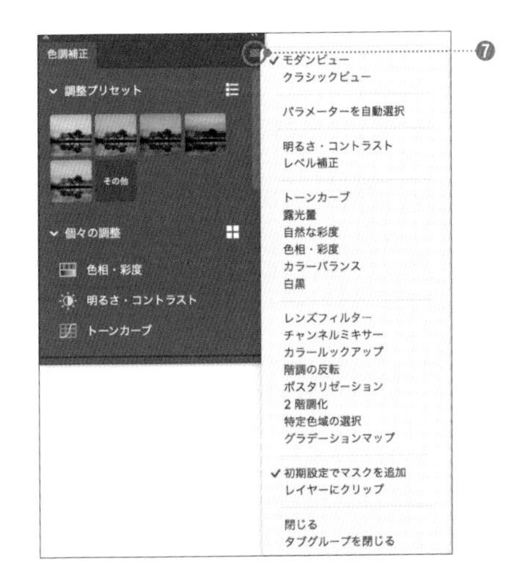

パネル下部のボタン

一部のパネルには、パネル下部に各種ボタンが配置されています❽。ボタンの種類はパネルごとに異なります。各パネルの具体的な操作方法については後述しますので、ここではパネル下部にボタンがあるということだけ覚えておいてください。

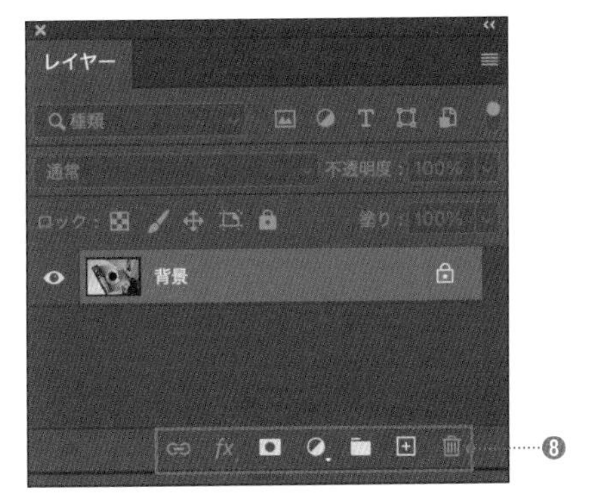

アイコン表示とパネル表示の切り替え

パネルの表示方式には、アイコンをパネルドックに格納した「アイコン表示」と、通常の「パネル表示」の2種類があり、これらはパネルの右上部にある[>>]アイコンをクリックすることで切り替えられます❾。

アイコン表示にすると作業スペースを節約でき、パネル表示にするとすぐにパネルを操作できます。それぞれにメリット・デメリットがあるので、作業内容に応じて使い分けてください。

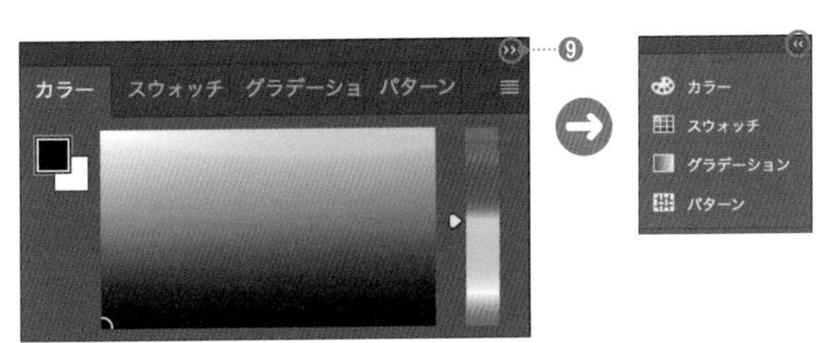

パネルの表示

アイコン表示のパネルを表示するには、アイコンをクリックします❿。再度アイコンをクリックすると閉じることができます。

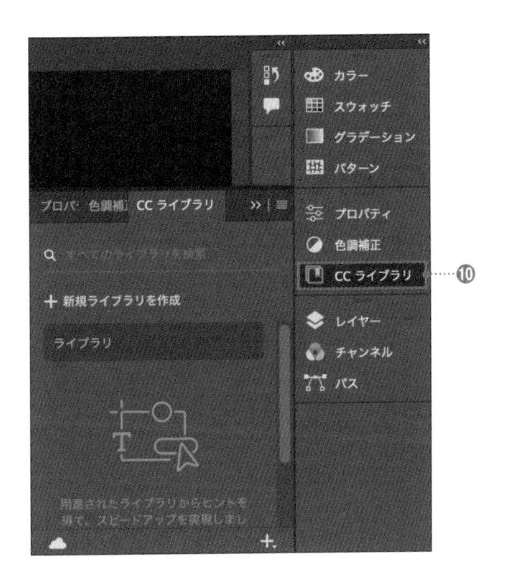

パネルグループの切り替え

複数のパネルがグループ化されている場合は、パネルタブをクリックすることで重なりの前後を切り替えることができます⓫。

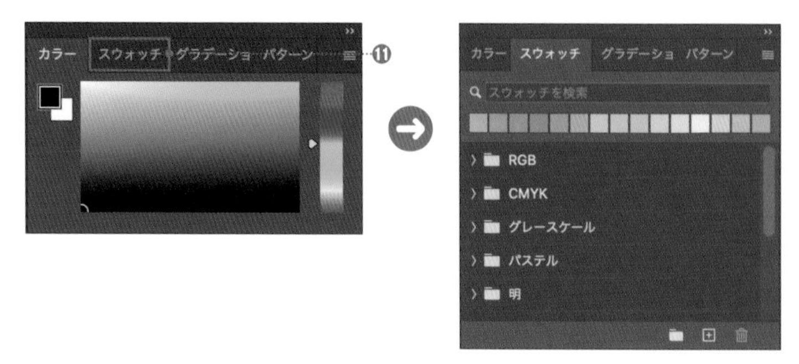

パネルのフローティング

グループ化されているパネルから一部のパネルを切り離したい場合（フローティングしたい場合）は、パネルタブをパネルグループの外にドラッグ＆ドロップします⓬。

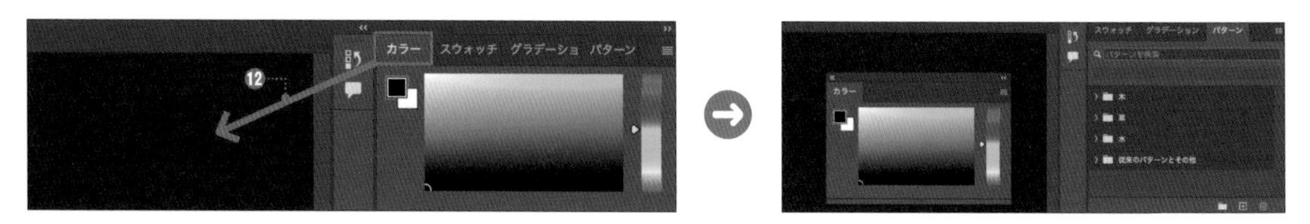

パネルのドッキング

フローティングパネルを、別のパネルとグループ化したい場合（ドッキングしたい場合）は、パネルタブを目的のパネルの上に重ねて、水色でハイライトされたところでドロップします⓭。

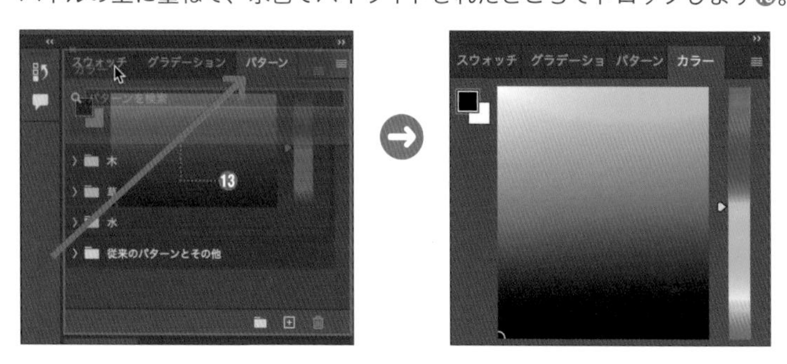

パネルの表示切り替え

パネルタブをダブルクリックすると⓮、パネルをたたんだり（タブだけの状態）、広げたりできます。一時的にたたんでスペースの節約をしたいときなどに便利です。

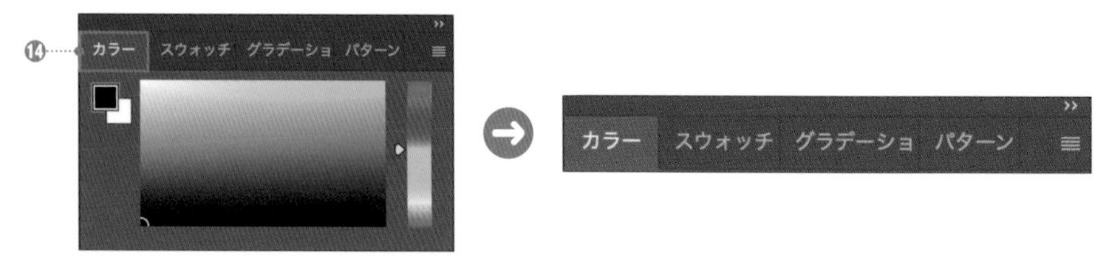

パネル一覧

ここではPhotoshopに用意されているパネルのうち、特に使用頻度の高い主要なものの概要を簡単に紹介します。なお、この時点で名称や機能を覚える必要はありません。現時点では「こんなパネルがあるんだ」くらいの感覚でざっくりと目を通しておいてください。

[ナビゲーター]パネル
パネルのサムネール(縮小画像)を使って、画像の表示をすばやく変更できます。

[ヒストリー]パネル
作業履歴(ヒストリー)を表示します。クリックして取り消しややり直しができます。

[パス]パネル
パスやシェイプを描画するとできる作業用パスやシェイプパスを管理します。

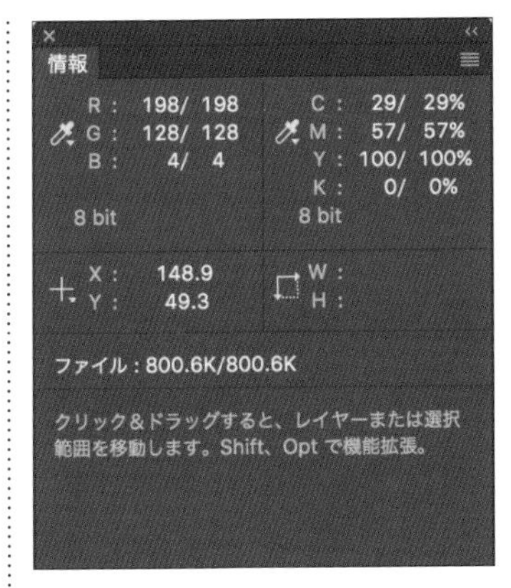

[情報]パネル
ポインターがある位置のカラー値や、使用中のツールに応じた役立つ情報が表示されます。

[レイヤー]パネル
ビジュアルを構成するレイヤーを管理します。

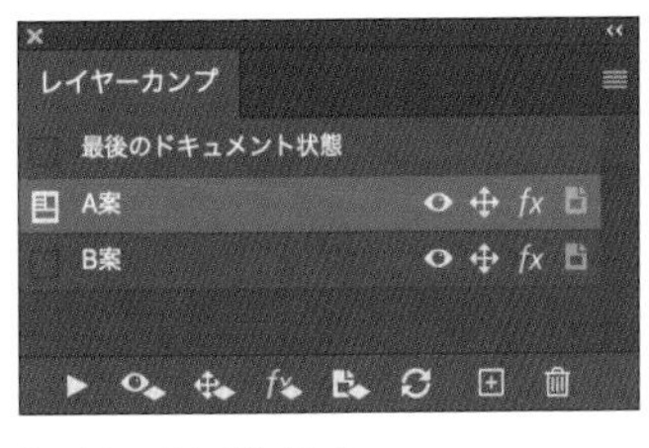

[レイヤーカンプ]パネル
レイヤーの状態を記録したカンプ(デザイン案)を管理し、バリエーションを比較します。

[色調補正]パネル
ボタンをクリックして[調整]レイヤーを追加し、目的の色調補正を行います。設定値を決める[属性]パネルが連動して表示されます。

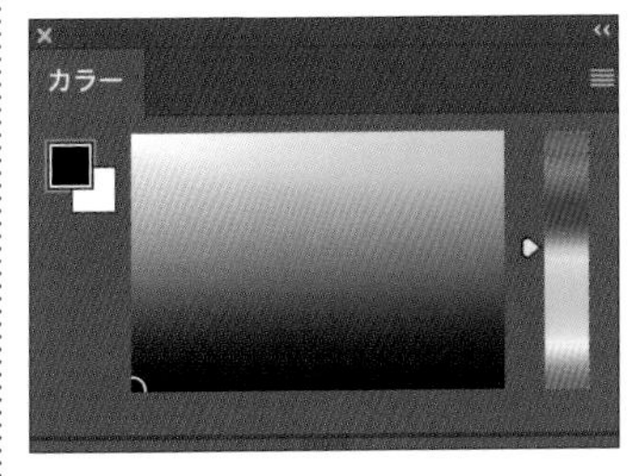

[カラー]パネル
描画色と背景色の設定をします。パネルメニューから表示形式を変更できます。

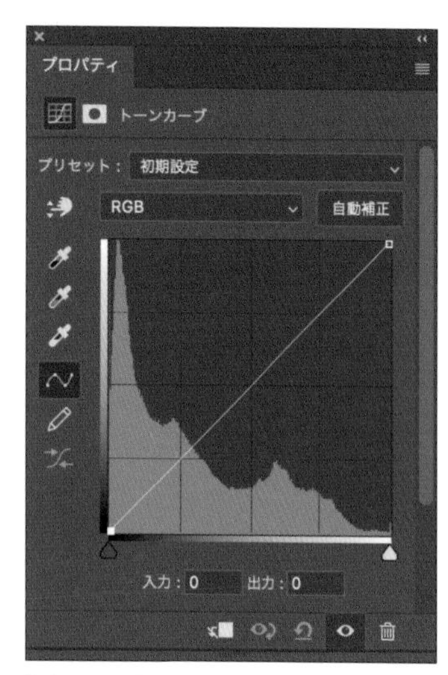

[プロパティ]パネル(トーンカーブ)
[調整] レイヤーを使った色調補正の設定を行います。

[プロパティ]パネル(マスク)
作成したマスクの設定を行います。

[ヒストグラム]パネル(拡張表示)
画像の持つ明るさのレベルの分布を表したグラフを表示します。

[チャンネル]パネル
さまざまな情報をグレースケールで表現するチャンネルを管理します。

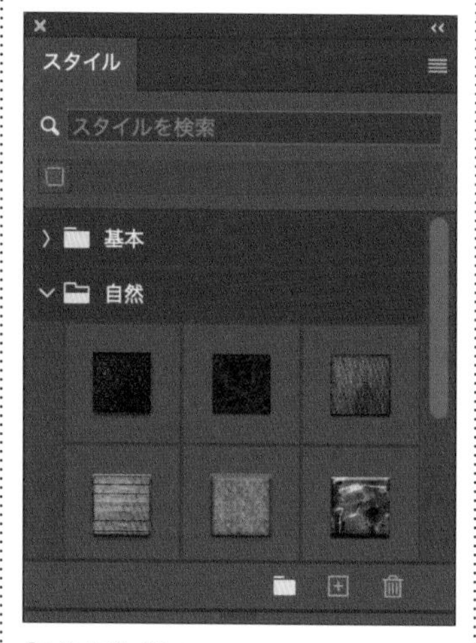

[スタイル]パネル
使用頻度の高いレイヤースタイルを登録することで、ワンクリックでレイヤーに適用できます。

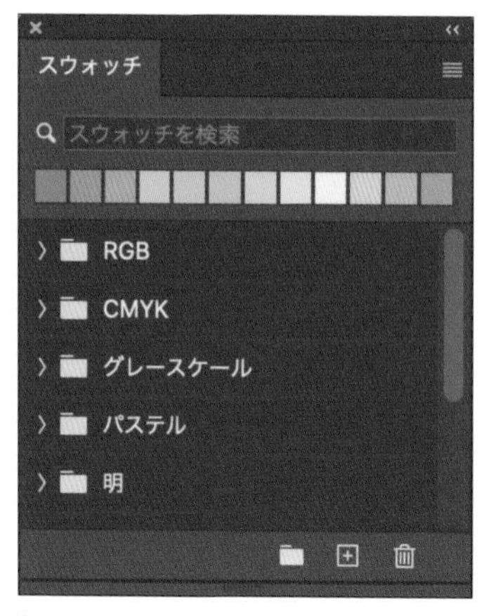

[スウォッチ]パネル
使用頻度の高いカラーを登録し、ワンクリックで、描画色や背景色に割り当てることができます。

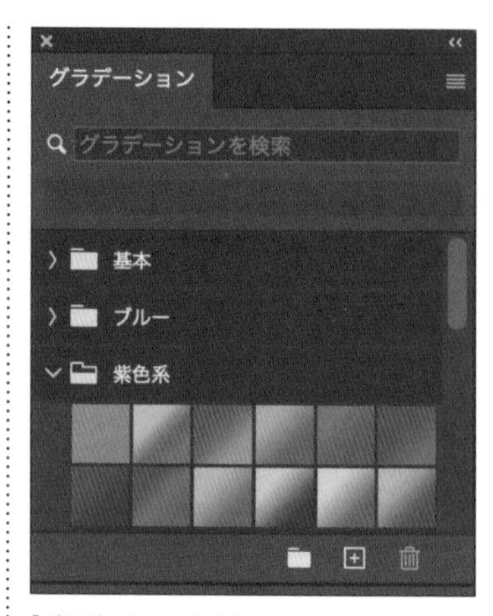

[グラデーション]パネル
さまざまなグラデーションが用意されています。使用頻度の高いグラデーションを登録することもできます。

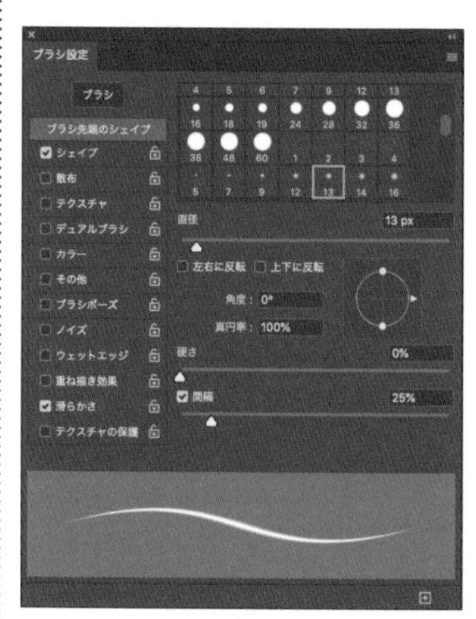

[ブラシ設定]パネル
ブラシの特性(形状や直径、間隔など)を詳細に設定できます。

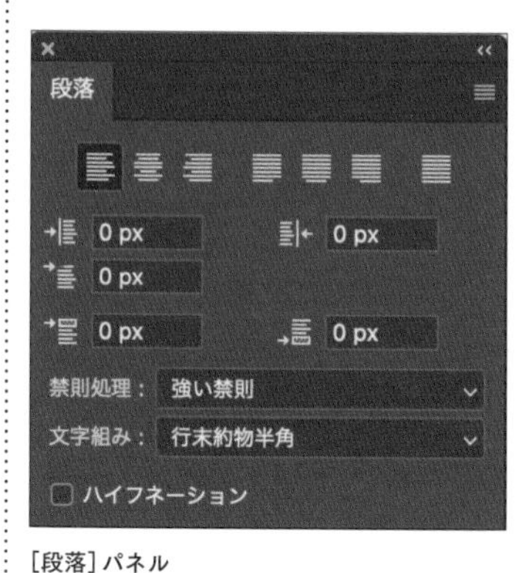

[段落]パネル
入力したテキストの行揃えやインデントなど、段落レベルの詳細な設定を行います。

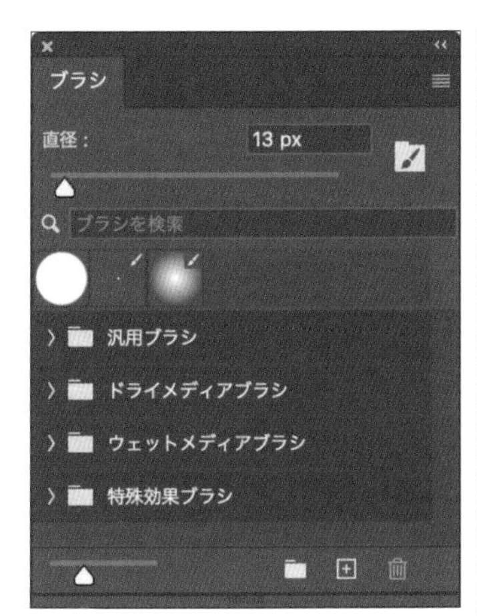

[ブラシ] パネル
ブラシの種類を管理します。

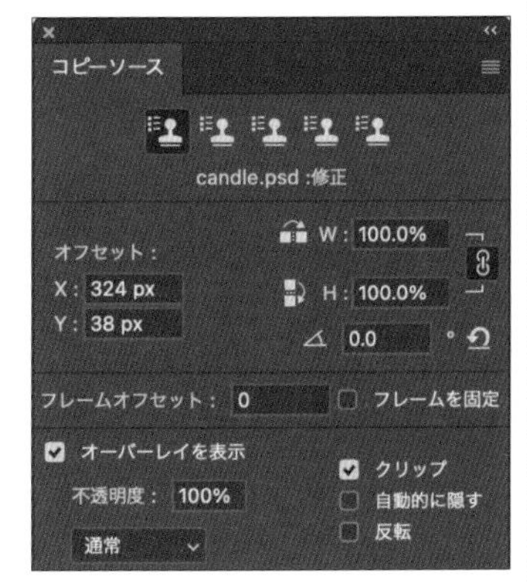

[コピーソース] パネル
[コピースタンプ] ツールや [修復ブラシ] ツール使用時のサンプルを登録できます。

[文字] パネル
入力したテキストのフォントやサイズなど、文字レベルの詳細な設定を行います。

[シェイプ] パネル
さまざまなシェイプが用意されています。使用頻度の高いシェイプを登録することもできます。

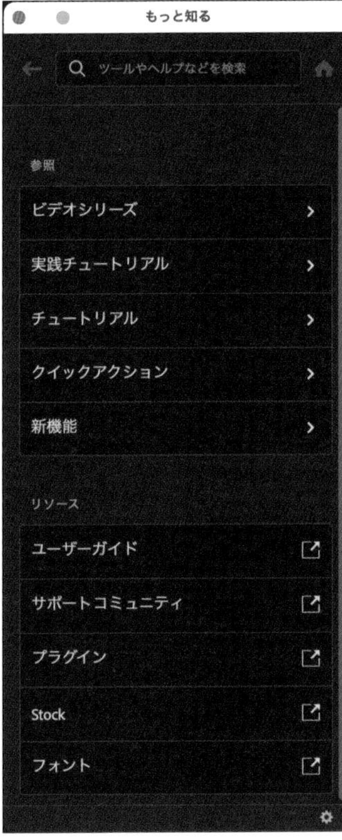

[検索] パネル
アドビ社が提供するPhotoshopのチュートリアルを利用できます。チュートリアルには、写真の基本的な扱い方やレタッチ方法、合成方法など、さまざまな内容のものが用意されています。メニューバーから [ヘルプ] → [Photoshopヘルプ] を選択して、パネルを表示します。

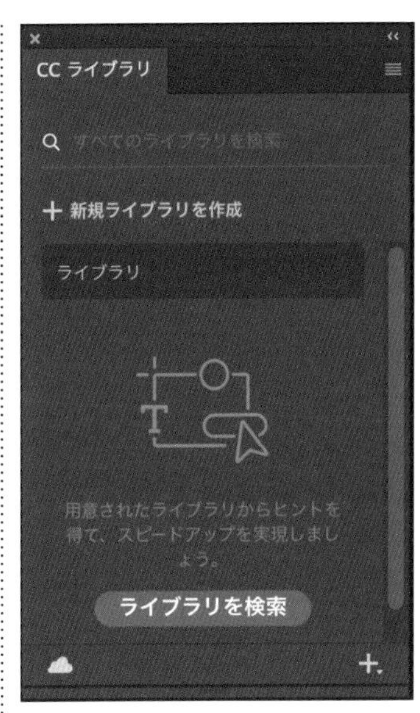

[CCライブラリ] パネル
グラフィックやカラーなどを追加し、複数のCreative Cloudアプリで共有して活用できます。

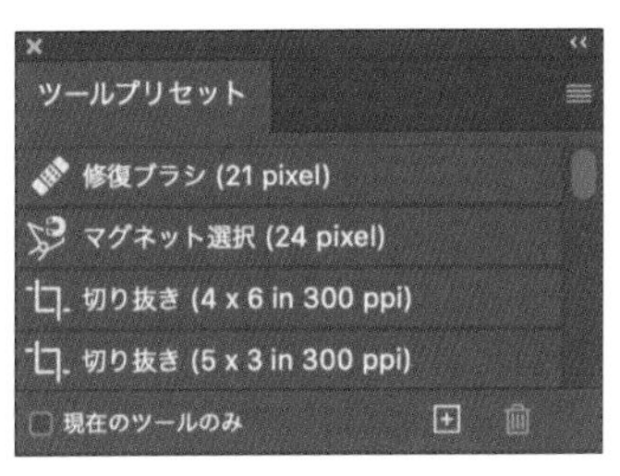

[ツールプリセット] パネル
さまざまなツールの設定が用意されています。使用頻度の高いツールの設定を登録することもできます。

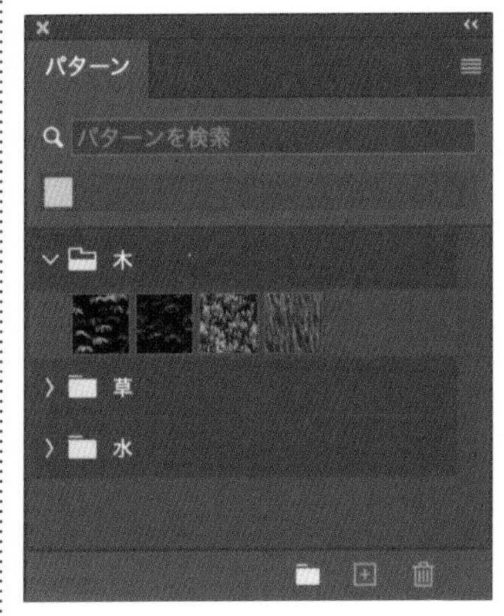

[パターン] パネル
さまざまなパターンが用意されています。使用頻度の高いパターンを登録することもできます。

Lesson 1-4

デジタル画像の基礎知識

Photoshopの処理対象はデジタル画像です。そのため、Photoshopを習得するうえではデジタル画像についての正しい理解が必要です。

デジタル画像とは

Photoshopで直接操作できるのは「デジタル画像」です。手書きのイラストであってもPhotoshopに取り込んだ時点で、その画像はデジタル化されます。

デジタル画像とは、画像全体が数値で表されている画像です。数値で表されているため、容易かつ正確に、画像を複製したり、加工したりできます。

デジタル画像は大きく、ビットマップ画像(ラスター画像)と、ベクトル画像(ベクター画像)の2種類に分類できます。

ビットマップ画像

ビットマップ画像とは、格子状に配置された無数のピクセル(画素)で構成される画像です。1つのピクセルは1つの色のみを表します。画像を拡大すると1つひとつのピクセルを確認できます(図1)。

ビットマップ画像では、色の濃淡やカラー階調の微妙なグラデーションを効率的に表現できるため、デジタルカメラで撮影した写真や、スキャナで取り込んだイラストなど、さまざまな分野でビットマップ画像が利用されています。Photoshopの処理対象も基本的にはビットマップ画像です。

なお、ビットマップ画像の品質は、画像解像度(p.22)によって決定されます。

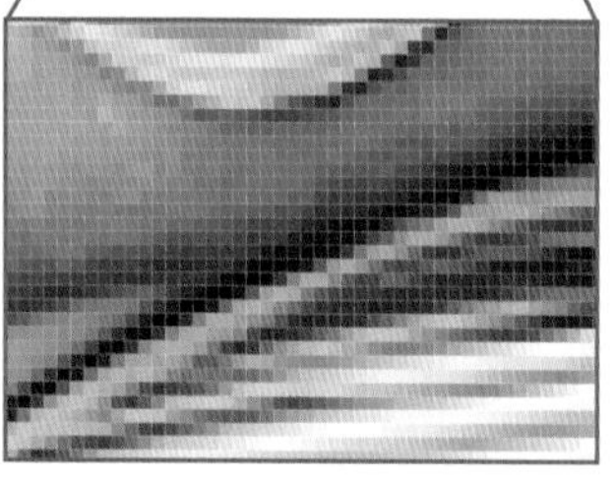

図1 ビットマップ画像は、無数のピクセルの集合によって画像を表現しています。そのため、その一部を拡大すると上図のように1つひとつのピクセルを確認できます。

ベクトル画像

ベクトル画像は、点(アンカーポイント)と線(セグメント)で構成される「パス」で表現される画像です(図2)。

ベクトル画像にはピクセルという概念はなく、表示するたびに座標値を計算し直して描画します。そのため、画像を拡大・縮小しても画像は劣化しません。また、大きく拡大してもエッジの滑らかさが保たれます。半面、ベクトル画像では写真のような複雑なカラー階調や微妙なグラデーションは表現できません。

ベクトル画像は主に、いろいろなサイズで使用されるロゴや図版などで使われています。

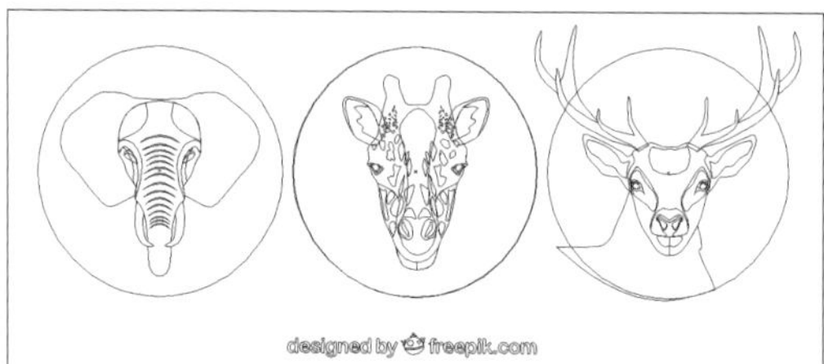

図2 ベクトル画像は、画像をパスで表現しており、表示が変わるたびに線や色を再計算して描画するため、図の形状を変更したり、大きく拡大しても滑らかな状態を保つことができます。

画像のカラーモード

Photoshopで画像を扱う際は、最初にカラーモード(カラーモデル)を確認するようにしてください。

カラーモードとは、デジタル画像の色情報の定義方式です。画像のカラー数やチャンネル数、ファイルサイズなどはカラーモードによって決まります。

カラーモードは画像編集においてとても重要なので、はじめのうちはよくわからない面もあると思いますが、「とにかく確認する」ことが大切です。

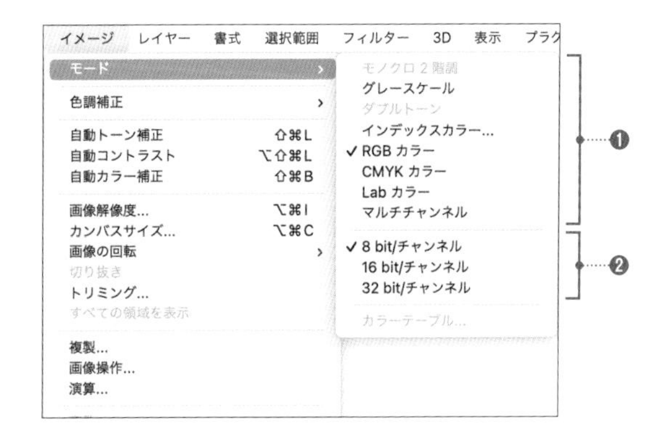

カラーモードの種類と確認方法

カラーモードは、メニューバーから[イメージ]→[モード]を選択すると確認・変更できます❶。Photoshopでは、下表のカラーモードを設定できます。ただし、RGBカラー以外にするとPhotoshopの一部の機能が利用できなくなるので、通常はRGBカラーで作業し、作業完了後に必要に応じて別のカラーモードへ変更します。

カラーチャンネルとbit数(ビット数)

カラーチャンネルとは、画像の各カラーの構成要素を表すグレースケール画像です。RGBカラーの画像の場合はR、G、Bの3つのカラーチャンネルで構成されます。

また、bit数とは、各ピクセルで使用できる色情報の量です❷。1ピクセルあたりのbit数が多くなればなるほど使用できる色数が増えるため、色の表現が正確になります。

8bitの画像では2の8乗(256)の値を取ることができます。そのため、8bitのRGBカラーの画像では、RGBの各色に0～255の範囲で数値が割り当てられます。つまり、RGBカラーでは最大で約1,670万色を再現できます(256色の3乗)。8bit/チャンネルの RGB画像は、24bit画像と呼ばれることもあります(8bit×3チャンネル)。

各カラーモードのカラーチャンネルは[チャンネル]パネルで確認できます。

● カラーモードの種類

カラーモード	説　明
モノクロ2階調	画像の色情報を黒／白の2色で管理するカラーモード
グレースケール	画像の色情報を黒～白への明暗で管理するカラーモード。8bit画像では0～255の256階調で表現する
ダブルトーン	1～4色のカスタムインキを使用して、モノトーン、ダブルトーン(2～4版)の画像を作成するカラーモード。1色印刷や2色印刷を行う際に利用する
インデックスカラー	カラールックアップテーブル(CLUT)と呼ばれるカラーパレットにカラー制限し、目に見える画質を維持しながら、ファイルサイズを小さくできる。マルチメディアプレゼンテーションやWebページなどに適している
RGBカラー	画像の色情報をR(レッド)、G(グリーン)、B(ブルー)の3色で管理するカラーモード。8bit画像では、RGBの各色に0～255の範囲で数値が割り当てられる。Webページなどのモニタでの出力で使用される
CMYKカラー	画像の色情報をC(シアン)、M(マゼンタ)、Y(イエロー)、K(Key tone:ブラック)の4色で管理するカラーモード。CMYKの各色に0～100%の範囲で数値が割り当てられる。商用印刷で使われる「プロセスインク」を想定している。印刷物の出力で使用される
Labカラー	人が色を認識する仕組みを利用してカラーを再現するカラーモデル。輝きの要素(L)を0～100の範囲で、a要素(グリーンからレッドへの軸)とb要素(ブルーからイエローへの軸)を-128～+127の範囲で設定できる
マルチチャンネル	チャンネルごとに256階調のグレーを使用するカラーモード。特殊なプリントに便利

Sample_Data/Lesson01/1-5/

画像のサイズと解像度

ビットマップ画像を適切に扱うには画像の解像度に関する理解が必要です。ここでは、画像のサイズと解像度について解説します。

ピクセル数と解像度

ピクセル数とは、画像を構成するピクセルの数です。ピクセル数は画像のサイズともいえます。ピクセル数が多くなればなるほど画像が大きくなり、ファイルサイズ(容量)も重くなります。

解像度とは、画像の密度のことです。具体的には、1inch(約25.4mm)あたりに何個のピクセルが並んでいるかを示した値です。単位はppi(pixel per inch)です。値が多ければ多いほど、画像の密度は高くなります。

解像度の確認

Photoshopで開いている画像の解像度は、画面左下のステータスバーを長押しすることで確認できます❶。例えば、画像の解像度が「72pixel/inch」の場合、これは「1inchに72個のピクセルが並んでいる」ということを意味します。

72ppiは、一般的なディスプレイと同じ解像度です。一方、商用印刷では300～400ppi程度の解像度が求められます。高解像度の画像を使用すると、印刷出力の品質が向上します。

ドキュメントサイズ

ドキュメントサイズとは、プリンタなどでの出力時のサイズです。

ここまでに3つの用語が出てきました。これらの関係は次の通りです。

- ドキュメントサイズ(inch) ＝ ピクセル数÷解像度
- ピクセル数 ＝ 解像度×ドキュメントサイズ(inch)
- 解像度 ＝ ピクセル数÷ドキュメントサイズ(inch)

※ドキュメントサイズ(inch)に25.4をかけると、mm寸法になります(1inch＝約25.4mm)。

各用語の意味をきちんと理解したうえで、適切な解像度やドキュメントサイズを指定してください。

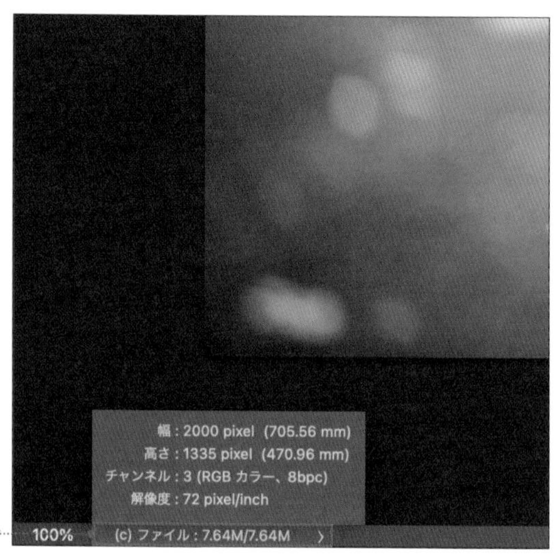

図1 ステータスバーでは、解像度の他に、画像の幅、高さ、チャンネル(p.86)なども確認できます。

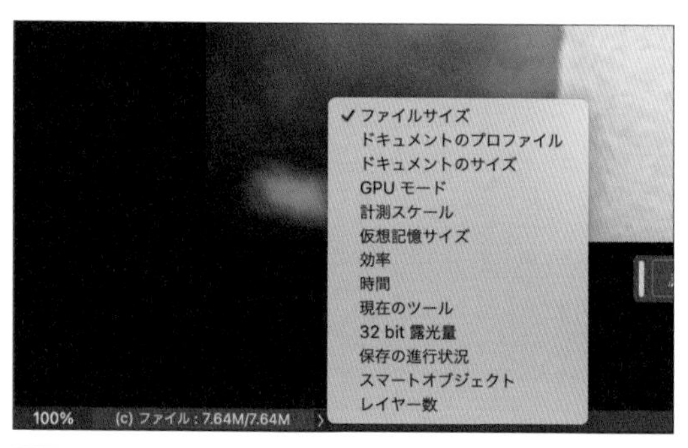

図2 ステータスバー右横の〉をクリックすると、ステータスバーの表示を切り替えることができます。

● 解像度の目安

出力先	求められる解像度
商用印刷	300～400ppi
簡易印刷	150ppi
ディスプレイ出力	72ppi

解像度やサイズの変更

Photoshopでは、解像度やサイズを自由に変更できます。

解像度を変更する場合は、次の手順を実行します。

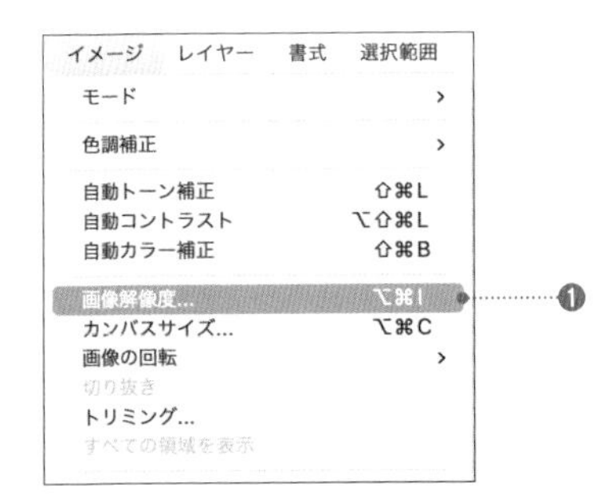

01 メニューバーから［イメージ］→［画像解像度］を選択して❶、［画像解像度］ダイアログを表示します。

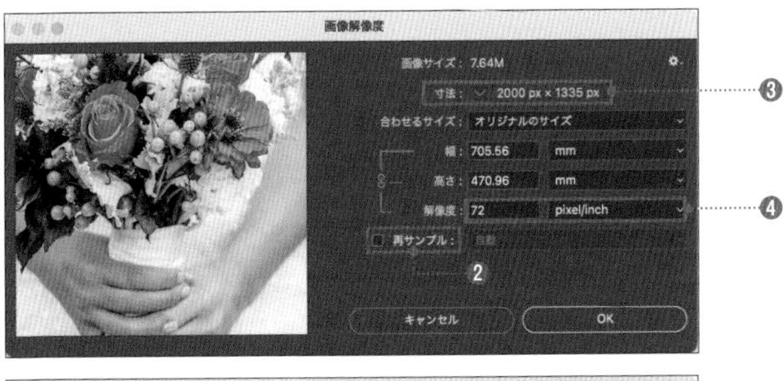

02 解像度を上げる場合、［再サンプル］のチェックを外して❷ピクセル数を固定し❸、［解像度］を変更します❹。解像度を上げると、画像の密度が高くなるため、サイズ（［幅］と［高さ］）は小さくなります❺。

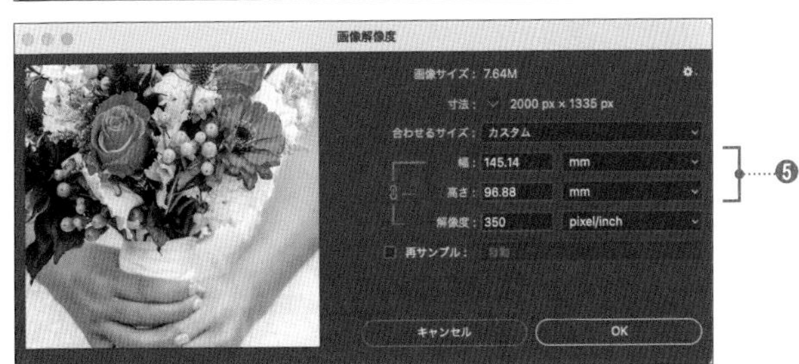

画像の解像度やサイズを小さくする場合、［再サンプル］にチェックを入れてから変更することで、ファイルサイズ（容量）を下げることができます。
また、［画像解像度］ダイアログが開いている状態で option（Alt）を押すと、［キャンセル］ボタンが一時的に［初期化］ボタンに切り替わります。

ここも知っておこう！ ▶ 再サンプルを理解する

Photoshopで画像サイズを大きくした場合に、増えたピクセル（元々存在しなかったピクセル）はどのように調整されるのでしょうか。逆に、画像サイズを小さくした場合も、減ったピクセルを調整する必要があります。これを「サンプリング（画像の補完）」といいます。

Photoshopでは、［画像解像度］ダイアログの［再サンプル］にチェックを入れた場合に、右表の補完方式を使用して画像がサンプリングされ、既存のピクセルのカラー値に基づいて新しいピクセルにカラー値が割り当てられます。「再サンプル」には、アップサンプル（ピクセル数を増やす）とダウンサンプル（ピクセル数を減らす）があり、補完方式を指定して、ピクセルをどのように追加または削除するかを決定します。［再サンプル］にチェックを入れない場合は、既存のピクセル数を変更することなく再配分され、画像のサイズや解像度が変わります。

ただし、画像のピクセル数を大幅にアップサンプルすると、画質が低下することがあるので注意してください。アップサンプルしなくても済むようにするには、用途に応じて必要な画像サイズと解像度を満たす画像を用意します。

● 主な画像補完方式

画像補完方式	説　明
自動	画像の状態と変更後のサイズから最適な補完方法が自動的に設定される。特に理由がない限り、これを選択することを推奨
ディテールを保持	ディテールを保持してピクセルを補完する方式 ・拡大：ノイズを軽減して拡大 ・2.0：人工知能を使って拡大
バイキュービック法	周辺のピクセルのカラー値をもとに、ピクセルを補完する方式。低速だが精度が高い ・滑らか（拡大）…拡大向き ・シャープ（縮小）…縮小向き ・滑らかなグラデーション…グラデーションに向いている
ニアレストネイバー法（ハードな輪郭）	ピクセルをそのまま複製する補完方式。高速だが精度が低い
バイリニア法	周辺のピクセルのカラー値を平均してピクセルを追加する補完方式。標準的な画質が得られる

Creative Cloud アプリを利用する

Creative Cloud アプリを使うと、Adobeのさまざまなアプリやライブラリ(p.248)、Adobe Fonts(p.206)、Adobe Stock(p.247)など、Creative Cloud が提供するすべてにデスクトップからアクセスできるようになります。

Creative Cloudアプリを利用する

Creative Cloud アプリを使うと、Adobe Creative Cloud が提供するすべてにデスクトップからアクセスできるようになります。

Creative Cloud アプリは、Adobeのサイトからダウンロードしてインストールすることができますが、最初にPhotoshopなどのアプリをインストールすると、自動的にインストールされます。

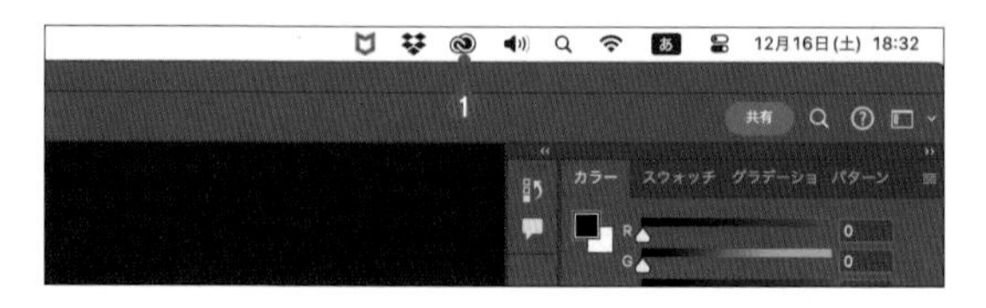

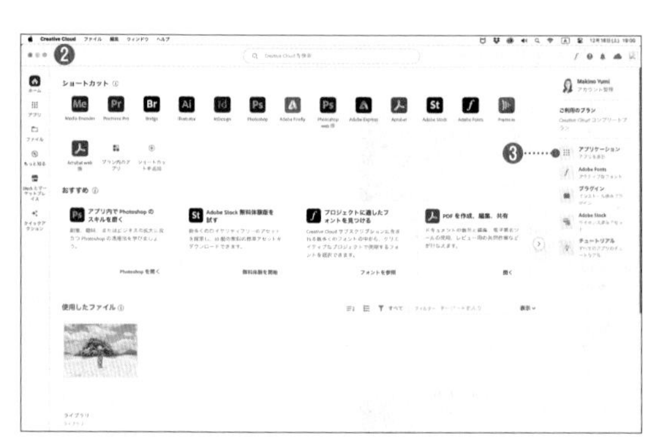

01 Creative Cloud アプリをインストールすると、メニューバーの右上にCreative Cloud アイコンが表示されます。アイコンをクリックすると❶、Creative Cloud アプリに切り替わります❷。

02 右側のリストの[アプリケーション]をクリックすると❸、[アプリケーション]画面に切り替わり、Adobeのさまざまなアプリのインストールやアップデートなどの管理ができます❹。

左側のアイコンの[アプリ]をクリックしても、画面を切り替えることができます。[ホーム]をクリックすると、ホーム画面に戻ることができます。

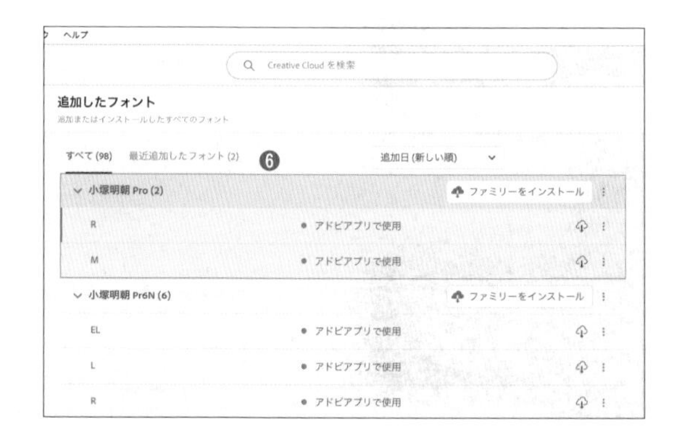

03 左側のリストの[フォントを管理]をクリックすると❺、Adobe Fonts(p.206)でアクティベートしたフォントの管理ができます❻。

ホーム画面の右側のリストの[Adobe Fonts]をクリックしても、画面を切り替えることができます。

ホーム画面の右側のリストの[Adobe Stock]をクリックすると、Adobe Stockのサイトにアクセスできます(p.247)。

Lesson 2

The first step of Photoshop.

はじめてのPhotoshop

最初に知っておくべき基本の操作

本章では、実際に画像編集をはじめる前段階として、全作業で必須となるPhotoshopの基本操作をいくつか解説します。ここで紹介する操作手順や機能は、今後も頻繁に利用することになるので、ここでしっかりと習得しておいてください。

Sample_Data/Lesson02/2-1/

ファイルを開く

Photoshopによる画像編集では、多くの場合に元となる画像ファイルが存在します。ここでは画像ファイルをPhotoshopで開き、そして並べる方法を解説します。

画像ファイルを開く

PhotoshopではPSDやJPEG、PNGなど、さまざまなフォーマットの画像ファイルを扱うことができます。Photoshopでファイルを開くには、次の手順を実行します。

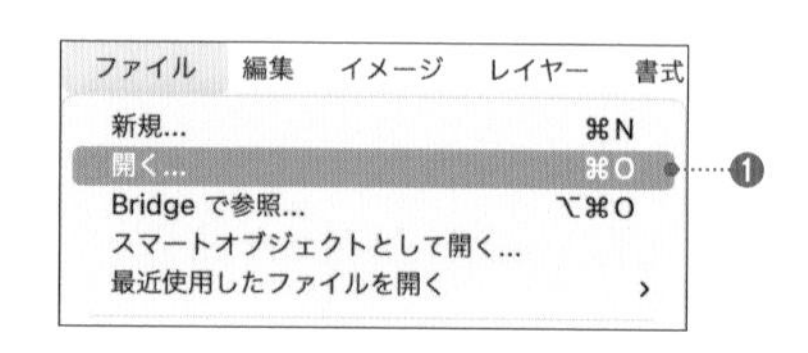

01 メニューバーから［ファイル］→［開く］を選択して❶、［開く］ダイアログを表示します。

Short cut
ファイルを開く
Mac: ⌘ + O　Win: Ctrl + O

02 対象のファイルをクリックして選択し❷、［開く］ボタンをクリックします❸。

複数のファイルを一度で開くには、⌘（Ctrl）を押しながらファイルをクリックして複数選択し、［開く］ボタンをクリックします。

03 ドキュメントウィンドウ上に指定したファイルが表示されます❹。

［開く］ダイアログの［形式］プルダウンで特定のフォーマットを選択すると❺、特定のフォーマットのファイルのみを表示できます。

ここも知っておこう！

▶ 画像を個別のウィンドウで開く

Photoshopで一度に複数のファイルを開くと、それらは「タブ」として開きます。

各画像ファイルを独立したウィンドウで扱いたい場合は、メニューバーから［Adobe Photoshop 2024］→［設定］（Windowsでは［編集］→［環境設定］）→［ワークスペース］を選択して、表示されるダイアログの［オプション］エリアにある［タブでドキュメントを開く］のチェックを外します❶。すると、各ファイルが独立したウィンドウで表示されます。

画像を切り替える

Photoshopの初期状態では、画像ファイルは「タブ」で管理されます。複数の画像を一度に開いている際は、画面上部のタブをクリックして、画像を切り替えます❶。

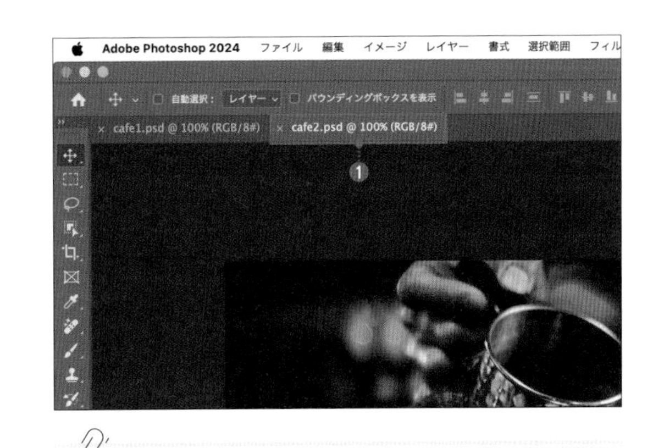

画像を並べて表示する

複数の画像を並べて表示するには、メニューバーから［ウィンドウ］→［アレンジ］→［並べて表示］を選択します❶。すると、開いていた複数の画像が右図のように横に並んで表示されます❷。

複数の画像を並べて表示している状態で、［アレンジ］→［すべてを一致］を選択すると❸、各画像の表示倍率や位置を揃えることができます。実際に選択してみてください。

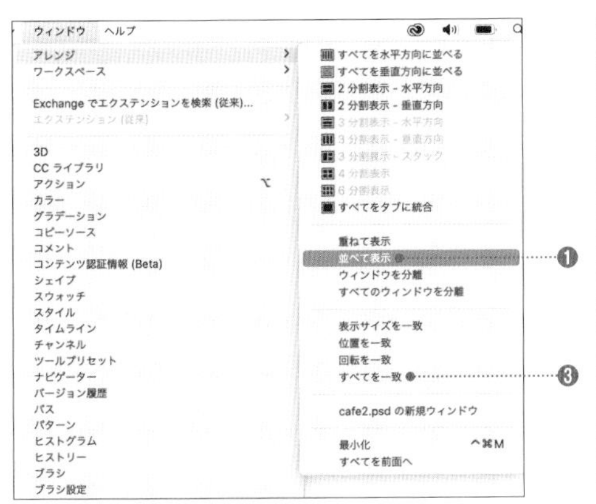

● Photoshopで利用できる主なフォーマット

種　類	説　明
Photoshop (.psd)	Photoshopの全機能を保存できるPhotoshop専用のフォーマット。作業中は基本的にこのフォーマットを選択する。1ファイルの最大ファイルサイズは2GB。拡張子のpsdは「PhotoShop Data」の頭文字
JPEG (.jpg)	写真などの連続階調画像をWebで表示するために一般に使用されているフォーマット。透明を保持しない。拡張子のjpgは「Joint Photographic Experts Group」の頭文字
TIFF (.tif)	アプリケーション間およびOS間でのファイル交換に使用されるフォーマット。拡張子のtifは「Tagged-Image File Format」の頭文字
Photoshop EPS (.eps)	ベクトル画像、ビットマップ画像の両方を含めることができるフォーマット。DTP分野で広く利用されている。クリッピングパス（**p.214**）を保持する。拡張子のepsは「Encapsulated PostScript」の頭文字
Photoshop PDF (.pdf)	PCのドキュメント方式として広く利用されているフォーマット。アプリケーションやOSの違いを超えて使用できるため、多くの環境で利用できる。また保存時に［Photoshop編集機能を保持］にチェックを入れておけば、Photoshopでの再編集も可能。拡張子のpdfは「Portable Document Format」の頭文字
GIF (.gif)	イラストやアイコンなどの単調画像をWebで表示するために一般的に使用されているフォーマット。透明を保持する。拡張子のgifは「Graphic Interchange Format」の頭文字
PNG (.png)	Webで表示するために一般的に使用されているフォーマット。PNG-8はGIFと同様に単調画像向き。PNG-24はJPEGと同様に連続階調画像向き。透明を保持する。拡張子のpngは「Portable Network Graphics」の頭文字

ファイルを保存する

画像編集時には、こまめにファイルを保存することをお勧めします。頻繁に保存しておけば、何らかのトラブルが発生した場合でも作業の手戻りを最小限に抑えることができます。

ファイルを保存する

Photoshopではさまざまなフォーマット(保存形式)の画像を扱うことができますが、フォーマットによって利用できる機能や実行できる処理内容に違いがあります。そのため、各フォーマットの特徴を理解したうえで、目的や用途に合わせて適切なフォーマットを選択することが大切です(p.27)。

ファイルを保存するには次の手順を実行します。

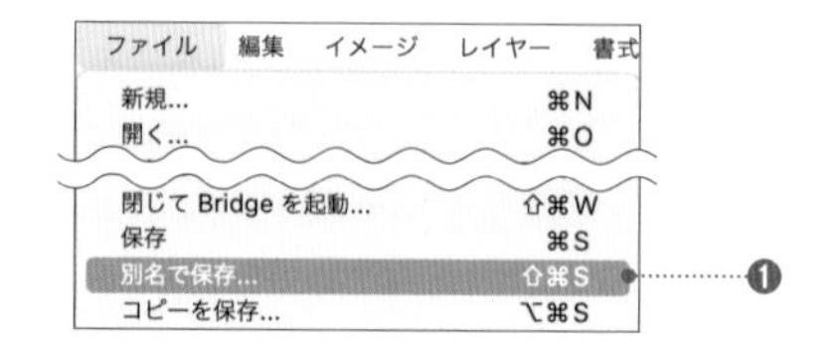

01 メニューバーから[ファイル]→[別名で保存]を選択します❶。

2回目以降は[ファイル]→[保存]を選択します。過去に一度でもPhotoshopで保存したことがあるファイルは、そのときと同じ条件で上書き保存されます。

[別名で保存] ダイアログ

02 [別名で保存] ダイアログが表示されます。ファイル名や保存場所、フォーマット(Windowsではファイル形式)を設定して❷、[保存] ボタンをクリックします❸。Photoshopの基本フォーマットは「PSD形式」(PhotoShop Data)です。PSD形式では、Photoshopのすべての機能を正しく保存することができます。目的のフォーマットがない場合や詳細な設定を行う場合は、[コピーを保存] をクリックし❹、ダイアログを切り替えてから、フォーマットや各種オプションを設定して❺、[保存] ボタンをクリックします❻。

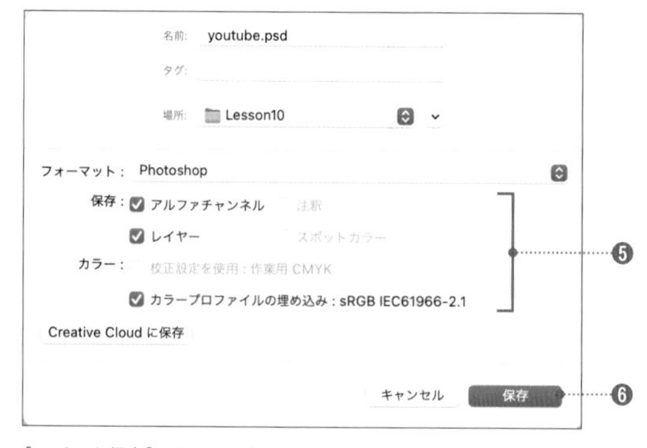

[コピーを保存] ダイアログ

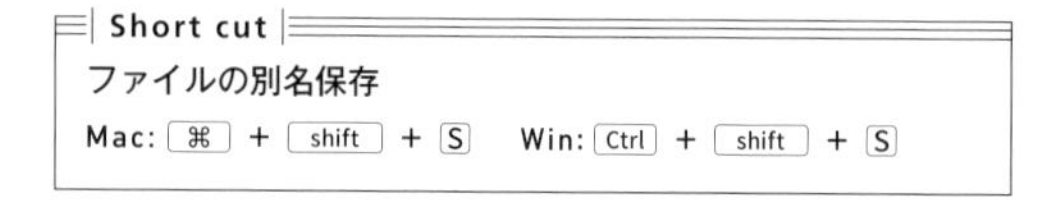

Short cut
ファイルの保存
Mac: ⌘ + S Win: Ctrl + S

● Photoshopの保存オプション(コピーを保存)

項目	説明
アルファチャンネル	チェックを入れると「アルファチャンネル」(p.86)も保存される。チェックを外すと破棄されるので、PSD形式で保存する際は必ず入れておく
レイヤー	チェックを入れると「レイヤー」(p.106)も保存される。チェックを外すとレイヤーのない状態に自動変換されるので、PSD形式で保存する際は必ず入れておく
カラープロファイルの埋め込み	チェックを入れるとファイルに「カラープロファイル」(p.242)を含めることができる。通常は必ずチェックを入れておく

※「注釈」「スポットカラー」「校正設定を使用」については、本書では解説を割愛しています。入門時にこれらの設定を意識することはないと思います。これらの設定項目に関する詳細についてはPhotoshopのヘルプなどを参照してください。

PDF形式でファイルを保存する

Photoshopでは、編集した画像ファイルをPDF形式で保存することも可能です。

PDF形式は、電子ドキュメントの配布時によく利用されるフォーマットです。現在ではMac、Windowsを問わず、多くの環境で閲覧することが可能です。

完成画像を多くの人に見せたい場合や、PSD形式のファイルを開くためのソフトウェアを持っていない人に画像ファイルを提供する場合などに便利なフォーマットです。

ファイルをPDF形式で保存するには、次の手順を実行します。

01 メニューバーから [ファイル] → [別名で保存] を選択して、ダイアログを開き、[フォーマット : Photoshop PDF] を選択して❶、[保存] ボタンをクリックします❷。

02 [Adobe PDFを保存] ダイアログが表示されるので、各種オプションを設定して❸、[PDFを保存] ボタンをクリックします❹。これで完了です。

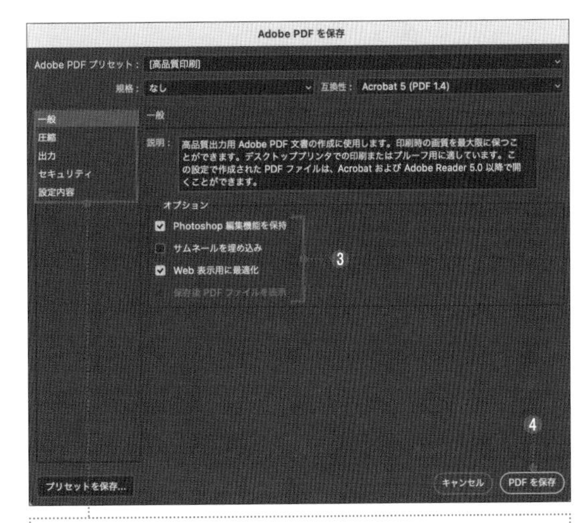

左側でカテゴリを選択すると、右側の詳細設定の内容が切り替わります。Photoshopでは、かなり細かく設定することが可能ですが、最も重要なのは [一般] カテゴリの [Adobe PDFプリセット] とオプションエリアにある [Photoshop編集機能を保持] の2つの設定です。

● [Adobe PDFを保存] ダイアログの主な保存オプション

項目	説明
Adobe PDFプリセット	あらかじめ用意されている設定項目のセット。最初にこの項目を設定する。プリンターで印刷するには[高品質印刷]を、Webで表示したりメールで配信したりするには[最小ファイルサイズ]を選択する
[一般]カテゴリ Photoshop編集機能を保持	チェックを入れると、レイヤーやアルファチャンネルなどのPhotoshopの機能をPDFファイルに含めることができる。ただし、ファイル容量は大幅に大きくなる
[一般]カテゴリ サムネールを埋め込み	チェックを入れると、PDFファイルに画像のサムネールが埋め込まれる
[一般]カテゴリ Web表示用に最適化	チェックを入れると、PDFファイルをWebブラウザで高速表示できるように最適化する
[圧縮]カテゴリ オプションセクション	PDFファイルの圧縮方法に関する設定を行いファイルサイズを削減できる。[ダウンサンプルしない] を選択すると、画像が圧縮されないため、画質を維持したままPDF形式で保存できる
[セキュリティ]カテゴリ ドキュメントを開く時にパスワードが必要	チェックを入れて、任意のパスワードを指定すると、PDFファイルにパスワード認証を設定できる

ワークスペースの操作

Photoshopでは、画面上に表示するパネルの種類や配置場所、表示方法などを、みなさん自身が自由に決めることができます。また、その状態を保存することができます。

ワークスペースの初期化

学校や会社のパソコンのように、Photoshopを他の人と共同で使用している場合は、作業をはじめる前にワークスペースを初期化することをお勧めします。ワークスペースを初期化するには次の手順を実行します。

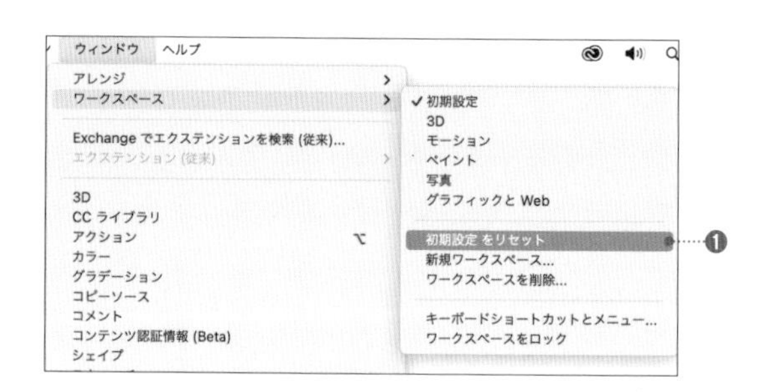

01　メニューバーから[ウィンドウ]→[ワークスペース]→[初期設定をリセット]を選択します❶。

02　ワークスペースがPhotoshopの初期設定の状態に戻ります❷。

なお、本書の内容はすべて、この「初期設定」の状態を想定して解説を進めています。以降の手順解説を読み進める際は事前に必ず初期設定にしておいてください。

ワークスペースの保存

みなさんにとって最適な配置場所がある場合は、作業しやすい位置にパネル類を配置したうえで、次の手順を実行し、ワークスペースを保存しておきましょう。

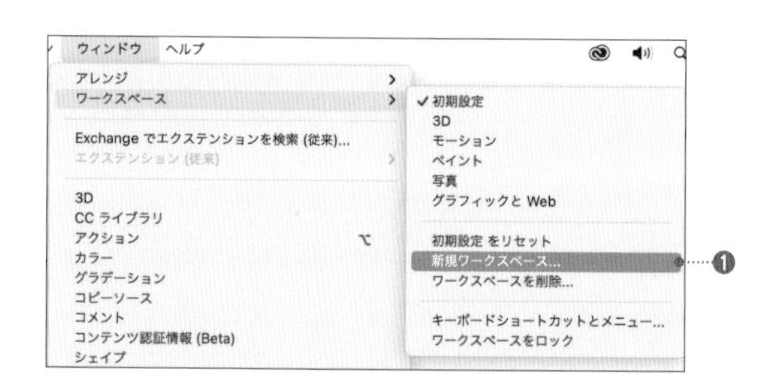

01　メニューバーから[ウィンドウ]→[ワークスペース]→[新規ワークスペース]を選択して❶、[新規ワークスペース]ダイアログを表示します。

02　任意の[名前]を入力して[保存]ボタンをクリックします❷。これでワークスペースの保存は完了です。

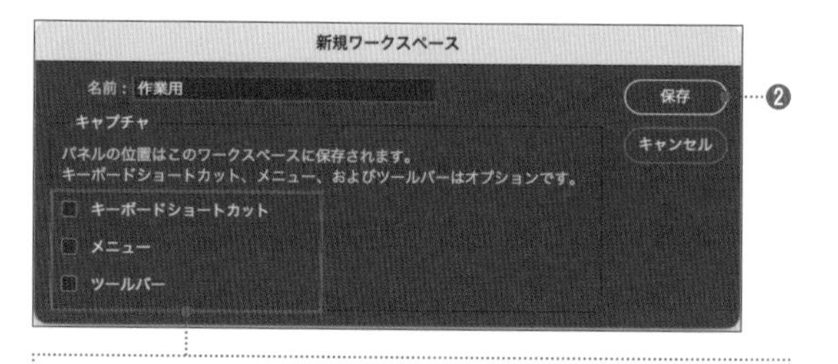

チェックを入れることで[キーボードショートカット]、[メニュー]、[ツールバー]を保存することもできます。

ワークスペースの切り替え

保存したワークスペースを利用するには、次の手順を実行します。

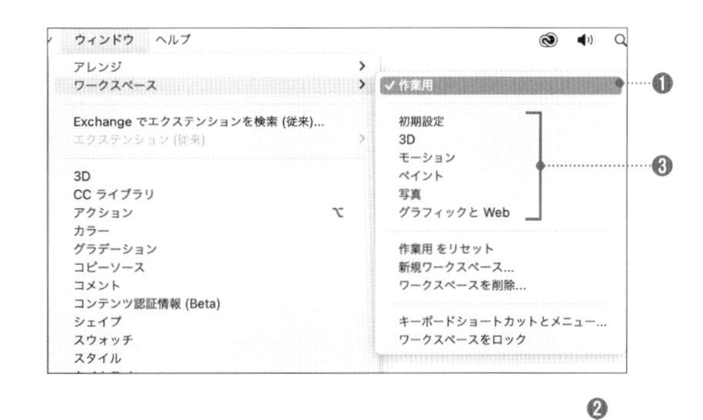

01 メニューバーから［ウィンドウ］→［ワークスペース］を選択して、保存したワークスペース名を選択します❶。

02 すると、ワークスペースの状態が保存した際の状態に切り替わります❷。同様の手順でPhotoshopにあらかじめ用意されているワークスペースに切り替えることも可能です❸。

● Photoshopに用意されているワークスペースの種類

種　類	説　明
初期設定	Photoshopの初期設定のワークスペース。本書では、このワークスペースで解説している
3D	3Dの作業に向いているワークスペース
モーション	アニメーションの作業に向いているワークスペース
ペイント	ペイントの作業に向いているワークスペース
写真	色調補正の作業に向いているワークスペース
グラフィックとWeb	グラフィック・Webデザインの作業に向いているワークスペース

ワークスペースの削除

保存したワークスペースを削除するには、次の手順を実行します。使用中のワークスペースは削除できません。

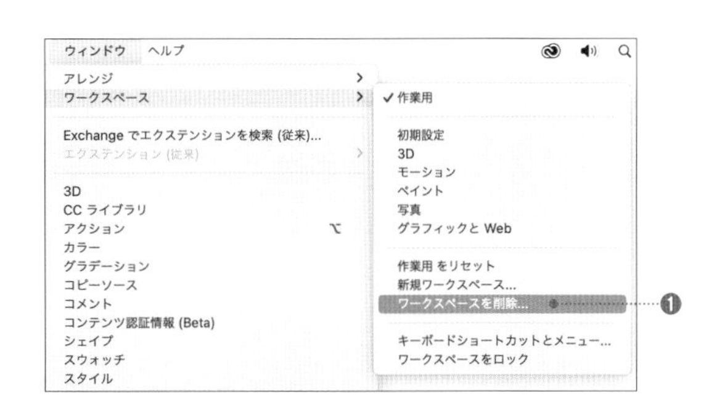

01 メニューバーから［ウィンドウ］→［ワークスペース］→［ワークスペースを削除］を選択します❶。

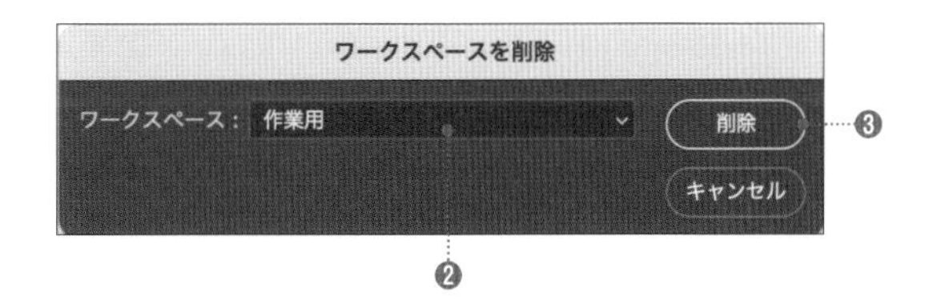

02 表示される［ワークスペースを削除］ダイアログで目的のワークスペースを選択して❷、［削除］ボタンをクリックします❸。

Sample_Data/Lesson02/2-4/

画像の表示領域の変更

Photoshopでは画像の表示倍率や表示範囲を簡単に変更できます。これらの操作はあらゆる画像編集において頻繁に使用することになるのでここでしっかりと習得しておきましょう。

画像の拡大・縮小表示

画像の表示領域を拡大・縮小するには、[ズーム]ツールを使用します。

01 ツールパネルから[ズーム]ツールを選択して❶、画像上をクリックします❷。すると、クリックした箇所を中心にして画像が拡大表示されます❸。このとき、カーソルがになっていることを確認してください。

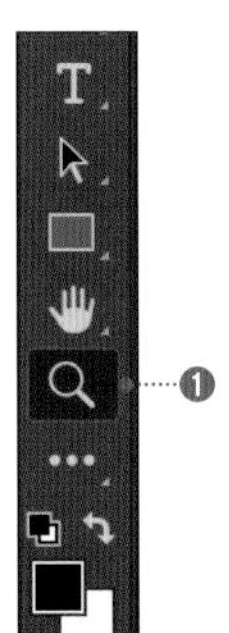

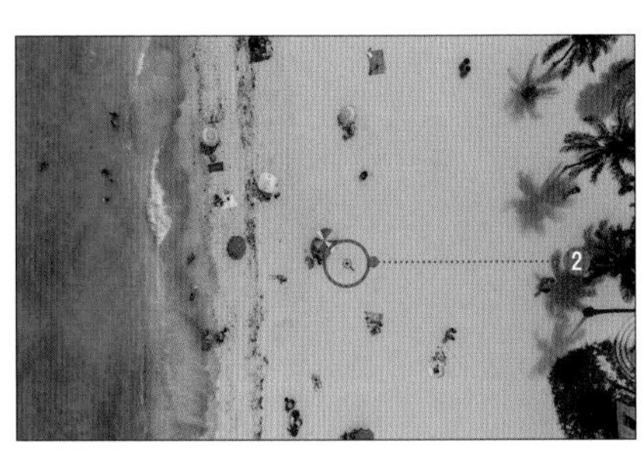

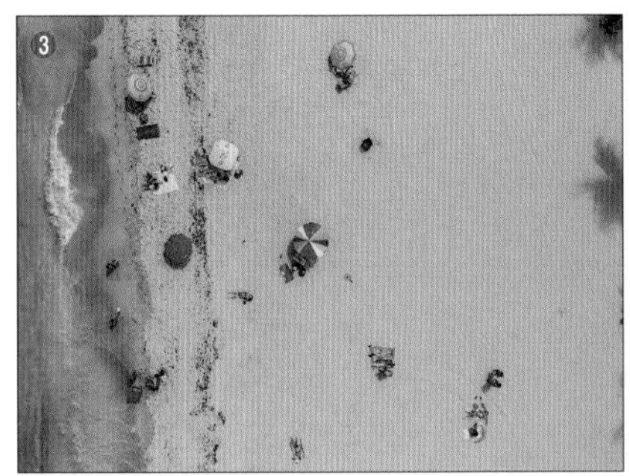

02 画像の表示範囲を広げる(縮小表示する)場合は[ズーム]ツールを選択した状態で、option (Alt)を押しながら、画像上をクリックします。
すると、クリックした箇所を中心にして画像が縮小表示されます。このとき、カーソルがになっていることを確認してください。

なお、[ズーム]ツール選択時のオプションバーでが選択されている場合は❹、option (Alt)を押すと、拡大表示のモードになります。注意してください。

ここも知っておこう!

▶ ドラッグ操作による表示領域の変更

[ズーム]ツール選択時、クリックする以外にドラッグして、表示領域を変更できます。ただし、オプションバーにある[スクラブズーム]のチェックの有無により、ドラッグの操作内容が異なるので注意しましょう。

チェックが入っている場合、右方向にドラッグすると拡大され、左方向にドラッグすると縮小されます。チェックが入っていない場合、画面上を囲むようにドラッグすると、ドラッグ範囲内が破線で表示され拡大表示できます❶。

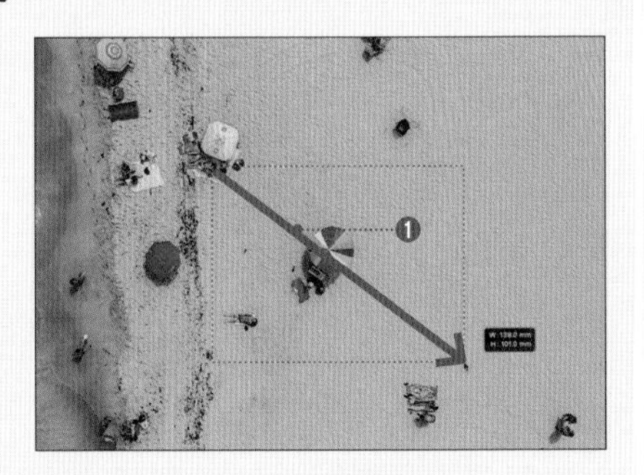

表示領域の移動

画像を拡大表示している場合に、画面上の表示範囲を変更するには、[手のひら] ツールを使用します。

01 ツールパネルから [手のひら] ツール を選択して❶、画像上をドラッグします❷。

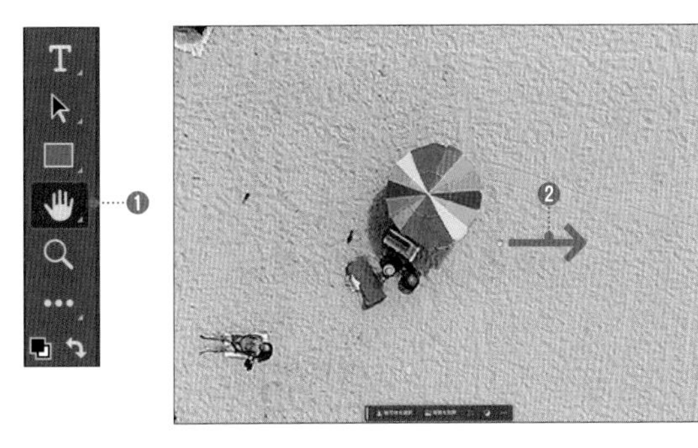

02 すると、画像がドラッグした方向に移動します❸。

使用中のツールの種類に関わらず(テキスト編集時を除く)、space を押し続けている間はツールが一時的に [手のひら] ツールに切り替わります。[手のひら] ツールに関しては、ツールパネルで切り替える方法よりも、space を押す方法のほうが便利なのでぜひ覚えておいてください。

同様に、⌘ (Ctrl) + space を押すと一時的に [ズーム] ツール(拡大)に切り替わり、⌘ (Ctrl) + option (Alt) + space を押すと一時的に [ズーム] ツール(縮小)に切り替わります。

[ナビゲーター] パネルの使用

画面上の表示領域は [ナビゲーター] パネルで変更することも可能です。[ナビゲーター] パネルを使用するには、次の手順を実行します。

01 メニューバーから [ウィンドウ] → [ナビゲーター] を選択して❶、パネルを表示します。パネル内の表示ボックス(赤枠)の内側が、現在画面上に表示されている範囲です❷。

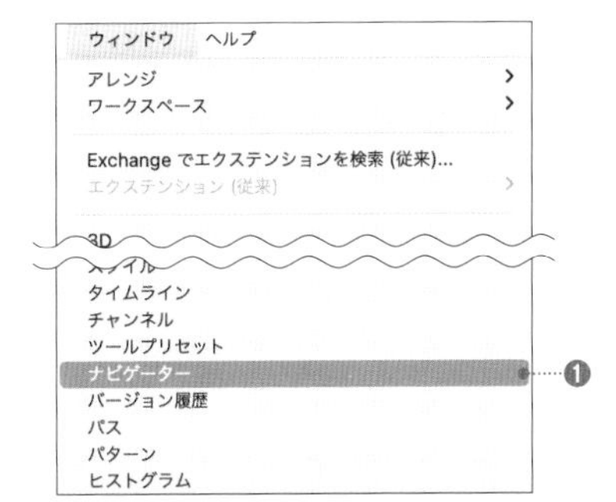

02 表示ボックス(赤枠)をドラッグすることで表示領域を変更できます。また、パネル下部にあるスライダーを左右に動かしたり❸、[ズームイン] ボタン 、[ズームアウト] ボタン をクリックしたりして❹、拡大・縮小を行うことも可能です。

テキストボックスには現在の表示倍率が表示されます。ここに直接、数値を入力して、表示倍率を指定することも可能です。

ツールパネル上の [ズーム] ツールのアイコンをダブルクリックすると100%表示になり、[手のひら] ツールのアイコンをダブルクリックすると全体表示になります。

Sample_Data / Lesson02 / 2-5 /

Lesson 2-5 画像の傾き修正

画像が傾いている場合は、実作業をはじめる前に修正しておくことが大切です。水平または垂直の対象物を基準に修正すると良いでしょう。

[ものさし]ツールで傾きを修正する方法

デジカメで撮影した写真や、スキャナで取り込んだ画像のなかには、画像が傾いているものがあります。その傾きがデザイン的に意図したものである場合を除き、通常は最初に傾きを修正します。

画像の傾きを修正するには、次の手順を実行します。

01 ツールパネルで［ものさし］ツールを選択し❶、画像内の水平、または垂直にしたい箇所をドラッグします❷。

02 オプションバーの［A］に計測した角度が表示されます❸。［レイヤーの角度補正］ボタンをクリックします❹。

03 画像の傾きが修正されます❺。傾きが修正されることによって生じる余白（透明部分）は適宜トリミングしてください（p.36）。

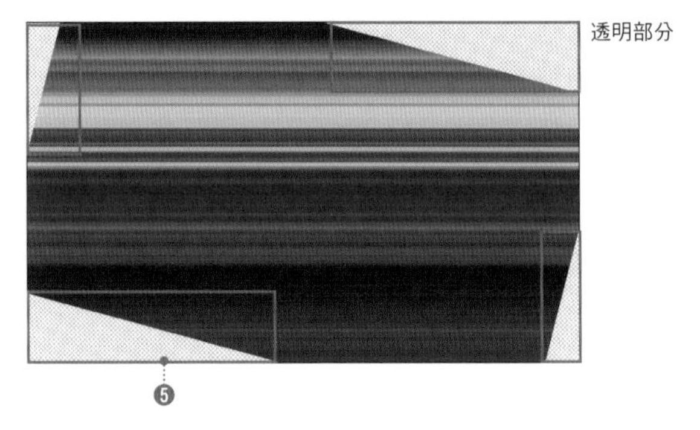

角度補正後、背景レイヤーは通常のレイヤー（p.107）に変換されます❻。傾きが修正されることによって生じる余白は透明になります。この余白を自動的に塗りつぶす機能を利用するには、次ページで紹介している［切り抜き］ツールを使います。

[切り抜き]ツールで傾きを修正する方法

[切り抜き]ツール でも画像の傾きを修正できます。傾きを修正するには、次の手順を実行します。

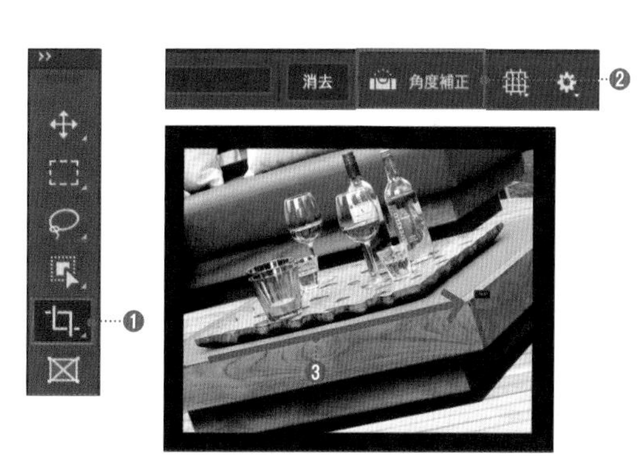

01 ツールパネルで[切り抜き]ツール を選択し❶、オプションバーの[角度補正]をクリックして❷、画像内の水平、または垂直にしたい箇所をドラッグします❸。

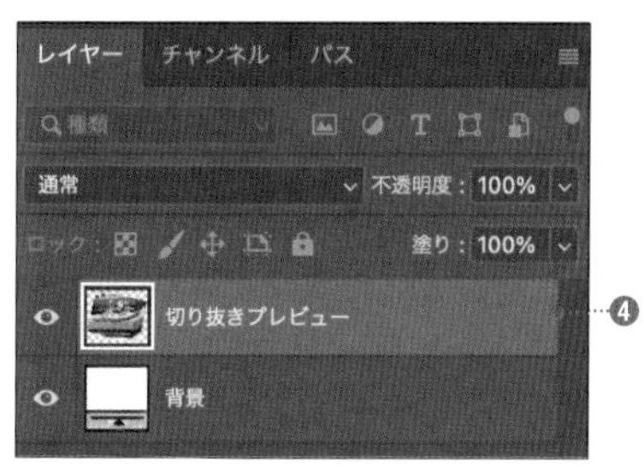

02 すると、自動的に画面の表示が「切り抜きプレビュー」の状態になります。
切り抜きプレビューの状態になると、[レイヤー]パネルの表示は一時的に変わります❹。

03 切り抜き範囲の外周に表示されるハンドルをドラッグして、切り抜き範囲を調整します❺(p.36)。傾きを修正したことによって生じた余白を塗りつぶすために、オプションバーの[塗り]で[生成拡張]をクリックし❻、[○]ボタンをクリックするか❼、コンテキストタスクバーの[生成]をクリックします❽。すると、塗りつぶしの自動生成が始まります。
切り抜きをキャンセルする場合は[×]ボタンをクリックします❾。

傾きが修正されることによって生じる余白は、背景色(p.150)で表示されます。本項の例では「ホワイト」になっていることが確認できます。

生成拡張は、アドビの強力な生成 AI テクノロジー「Firefly」を活用した機能で、高品質のコンテンツを新たに生成して拡張した領域を塗りつぶします。

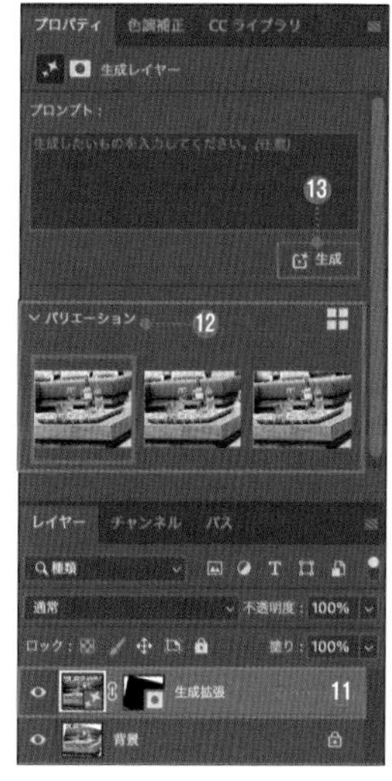

04 余白が生成されたコンテンツを使って自動的に塗りつぶされて、画像の傾きが修正されます❿。新しく生成されたコンテンツは、[レイヤー]パネルの生成レイヤーに作成されます⓫。また、[プロパティ]パネルには、バリエーションが表示され、クリックして他の生成結果を選択することもできます⓬。

[プロパティ]パネルのバリエーションに納得がいかない場合は、[生成]をクリックすると⓭、再生成できます。

Sample_Data/Lesson02/2-6/

Lesson 2-6

不要な部分のトリミング

画像全体ではなく、そのうちの一部のみを使用する場合や、画像の傾きを修正した場合（p.34）は、不要な部分をトリミング（削除）します。

トリミングする方法

画像の不要な部分をトリミングするには、次の手順を実行します。

01 ツールパネルで［切り抜き］ツール を選択して❶、必要な部分を囲むようにドラッグします❷。すると切り抜かれる範囲以外が暗く表示されます。

02 範囲内をドラッグすると画像の位置を変更できます❸。また、外周に表示される8つのハンドルをドラッグすると、範囲を調整できます❹。

shift を押しながらコーナーハンドルをドラッグすると範囲の縦横比を固定できます。また、option（Alt）を押しながらサイドハンドルをドラッグすると左右対象に範囲を調整できます。

03 切り抜く範囲が決定したら、範囲内をダブルクリックするか、オプションバーにある［○］ボタンをクリックします❺。切り抜きをキャンセルする場合は［×］ボタンをクリックします❻。

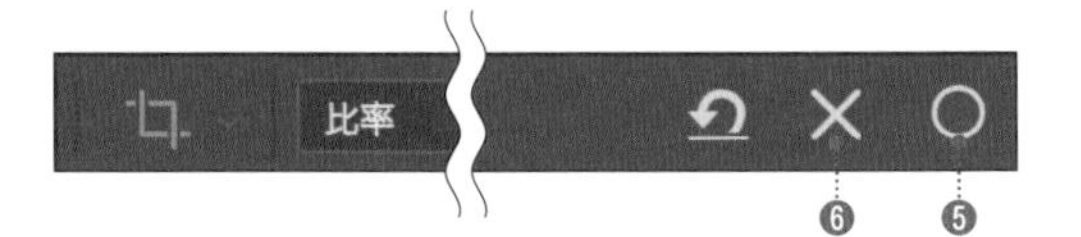

［切り抜き］ツール選択時のオプションバーに表示される［切り抜いたピクセルを削除］のチェックを外しておくと❼、切り抜き後も、切り抜いた領域が保持されるため、やり直しができます。ただし、Photoshopの機能を保存できないPNGやJPEG、GIF形式などでファイルを上書き保存することはできず、保存時に［別名で保存］になります。この点には注意してください。

❼ 切り抜いたピクセルを削除

●［切り抜き］ツールのオプションバー（切り抜き範囲指定前）

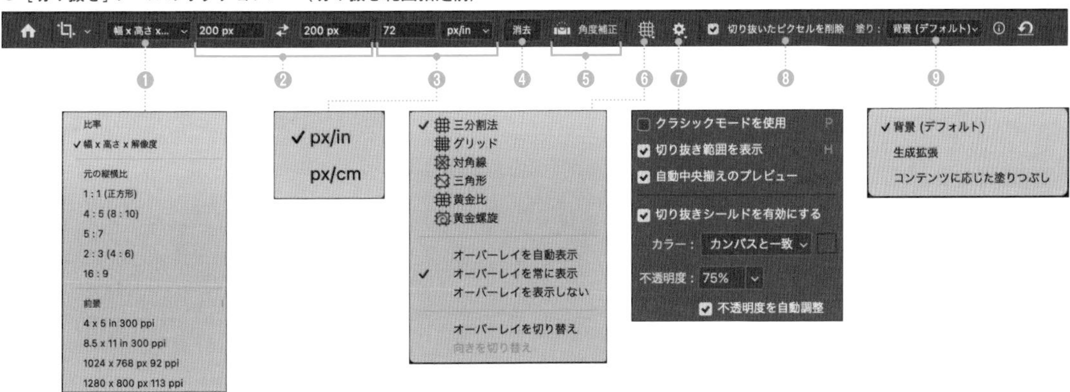

●［切り抜き］ツールのオプションバー（切り抜き範囲指定後）

●［切り抜き］ツールのオプションバーの設定項目

機能	概要
❶縦横比のプリセットまたは切り抜きサイズを選択	切り抜き方法を指定する。サイズを指定しないのであれば、初期設定（比率）で良いが、サイズを指定してトリミングするには［幅×高さ×解像度］を選択する
❷切り抜く幅を設定／切り抜く高さを設定	切り抜く［幅］と［高さ］を設定する。数値を入力後⇄をクリックすると、幅と高さの数値を入れ替えることができる。環境設定で設定している［定規］の単位が使用される（p.236）。なお、数値が入ったままだと、指定したサイズでのトリミングしかできないため、サイズ指定が不要な場合は❹の［消去］をクリックして数値をクリアする
❸切り抜き画像の解像度を設定	切り抜き画像の解像度（p.22）を設定する。通常は、単位を［px/in］にし切り抜く画像の解像度を入力する
❹消去	❷と❸に入力した数値を消去する
❺角度補正	画像の傾きを修正する際にクリックして有効にする。角度を計測する（p.35）
❻切り抜きツールのオーバーレイオプションを設定	オーバーレイオプションを設定する。通常は［オーバーレイを常に表示］を選択する。オーバーレイとは、画像を切り抜く際の構図を示すガイドのこと
❼切り抜きの追加オプションを設定	切り抜きの追加オプションを設定する
❽切り抜いたピクセルを削除	チェックを外すと、切り抜き後も画像に切り抜いた領域が保持される
❾塗り	傾きが修正されることによって生じる余白を塗りつぶす方法を設定する ［背景（デフォルト）］：背景色で塗りつぶす ［生成拡張］：生成AIテクノロジーを使って塗りつぶす ［コンテンツに応じた塗りつぶし］：隣接するコンテンツを合成して周辺のコンテンツとシームレスに調和させる
❿切り抜きボックス、画像の回転、縦横比の設定を初期化	切り抜き範囲の指定や回転を初期化する
⓫この切り抜き操作をキャンセル	切り抜きを取り消す。esc キーでも代用できる
⓬現在の切り抜き操作を確定	切り抜きを確定する。return キーでも代用できる

ここも知っておこう！

▶ サイズを指定してトリミングする

オプションバーの［切り抜く幅を設定］と［切り抜く高さを設定］、および［切り抜き画像の解像度を設定］に数値を入力し❶、切り抜き範囲を決定すると❷、指定したサイズで画像をトリミングできます。

Sample_Data/Lesson02/2-7/

操作の取り消し・やり直し

Photoshopでは、行った操作を取り消したり、再度やり直したりすることが可能です。この機能は、実作業で頻繁に利用することになるので、ここでしっかりと習得しておいてください。

操作の取り消し方法とやり直し方法

Photoshopを用いた画像編集では通常、さまざまな操作を実行して試行錯誤しながら作業を進めていきます。そのため、実行した操作を取り消す方法や、やり直す方法を理解しておくことが重要です。

Photoshopは、利用者が行った「操作の履歴（ヒストリー）」を自動的に記録しており、それらは［ヒストリー］パネルで管理されています❶。

1つ前の操作を取り消す

ヒストリーは、［ヒストリー］パネルの上部から順番に、下に向かって記録されています。つまり、［ヒストリー］パネルの最下部にあるヒストリーが、最新の操作履歴となります❷。

1つ前の操作を取り消すには、［ヒストリー］パネルで下から2つめのヒストリーを選択します❸。すると、画像の状態が1つ前の状態に戻ります❹。

同様の手順で、より上部のヒストリーを選択すると任意の過去の時点に戻ることができます。

取り消した操作をやり直す

いったん取り消した操作をやり直す場合は、［ヒストリー］パネルで、再度目的のヒストリーを選択します❺。

左の画像では上記の3つの操作（開く、［レベル補正］コマンド、［色相・彩度］コマンド）が適用されています。

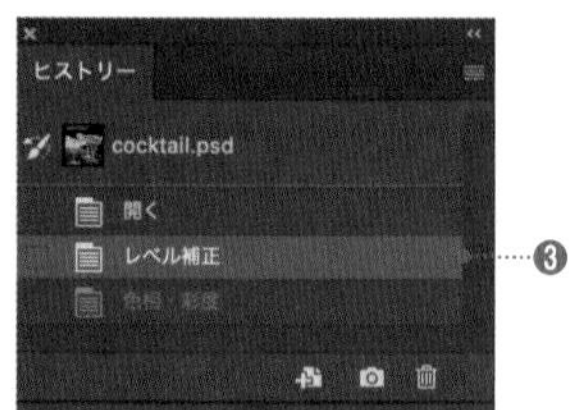

［ヒストリー］パネルで作業を1つ戻したので、左の画像では［色相・彩度］コマンドの処理を適用する前の状態になります。

再度［ヒストリー］パネルで操作をやり直したので、左の画像では3つの操作が適用されています。

直前に行った操作を取り消したり、やり直したりする場合は、メニューバーから［編集］→［●●（操作内容）の取り消し］または［●●（操作内容）のやり直し］を選択する方法も便利です。また、［最後の状態を切り替え］を選択すると、直前に行った操作の状態と最後に行った操作の状態を切り替えることができます❻。

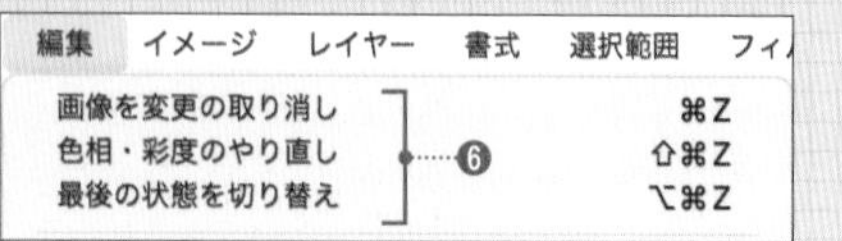

Short cut

取り消し
Mac: ⌘ + Z　Win: Ctrl + Z

やり直し
Mac: ⌘ + shift + Z　Win: Ctrl + shift + Z

最後の状態を切り替え
Mac: ⌘ + option + Z　Win: Ctrl + Alt + Z

ヒストリーの保存

[ヒストリー] パネルで操作を取り消した後に、新たに別の操作を行うと、そちらの操作が記録されるため、取り消したヒストリーは削除されてしまいます。また、ヒストリーが残るのは、ファイルを開いている間だけです。

ヒストリーを削除したくない場合は[ヒストリー] パネル下部にある次のいずれかのボタンをクリックします。

- [現在のヒストリー画像から新規ファイルを作成] ボタン❶
- [新規スナップショットを作成] ボタン❷

どちらの方法でも、任意の時点の画像を保存することができます。

● 画像の状態を保存する方法

保存する方法	説　明
[現在のヒストリー画像から新規ファイルを作成]ボタンをクリック	このボタンをクリックすると、その時点の状態の画像が複製され、新規ファイルとして作成される(つまり、これまで作業していた画像とは別ファイルになる)。そのため、新しいファイルとして新たにヒストリーを記録していくことなり、元のファイルにはそのファイルに対して行ったヒストリーがそのまま残る
[新規スナップショットを作成]ボタンをクリック	このボタンをクリックすると、その時点のヒストリーが「スナップショット」として[ヒストリー] パネルの上部に保存される❸。スナップショットをクリックすると、いつでもその時点の画像に戻ることが可能。ただし、スナップショットは画像を閉じると消去されてしまうので注意が必要。さまざまな状態を別ファイルとして保持しておきたい場合は、上記の[現在のヒストリー画像から新規ファイルを作成]のほうが便利

ここも知っておこう!

ヒストリー数の変更

保存可能なヒストリー数は、初期設定では「過去50回分」です。それほど少ない数ではありませんが、画像の細かいレタッチなどを行う場合には足りなくなることもあります。

ヒストリー数は最大1000回分まで増やすことが可能です。ヒストリー数を変更するには、メニューバーから [Adobe Photoshop 2024]→[設定] (Windowsでは[編集]→[環境設定])→[パフォーマンス] を選択して、表示される [環境設定] ダイアログの [ヒストリー数] で上限値を設定します❶。

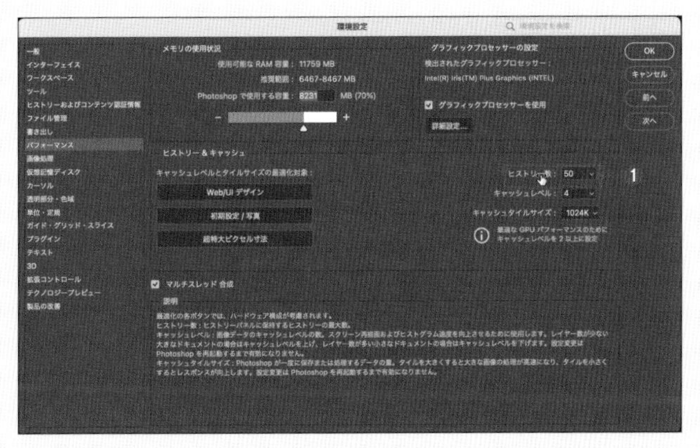

ヒストリー数は自由に増やせますが、増やしすぎると多くのメモリを消費することになるので注意してください。

Sample_Data / Lesson02 / 2-8 /

ガイドとグリッドの利用

サイズを正確に計測したり、複数の画像やオブジェクトをきれいに整列したりするには、ガイドやグリッドが必要です。

ガイドを作成する

ガイドを作成するには次の手順を実行します。

01 メニューバーから［表示］→［定規］を選択して❶、画面の上部と左側に定規を表示します。

02 水平のガイドを引きたい場合は上部の定規の上から下方向へ、垂直のガイドを引きたい場合は左の定規の上から右方向へ向かってドラッグを開始し、任意の場所でドラッグをやめます❷。ドラッグをやめたところにガイドが作成されます❸。shift を押しながらドラッグすると、定規の目盛りに吸着します。

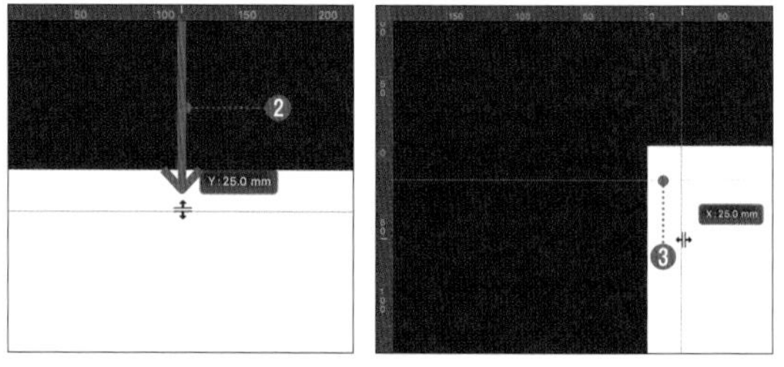

ガイドを消去する

一部のガイドを消去するには、ツールパネルで［移動］ツール を選択して❶、ガイド上にマウスを移動し、カーソルの形状が❷のようになったらそのままガイドを定規の上までドラッグします❸。

なお、すべてのガイドを消去するには、メニューバーから［表示］→［ガイドを消去］を選択します。

また、メニューバーから［表示］→［表示・非表示］→［ガイド］を選択することで、ガイドの表示・非表示を切り替えることも可能です。

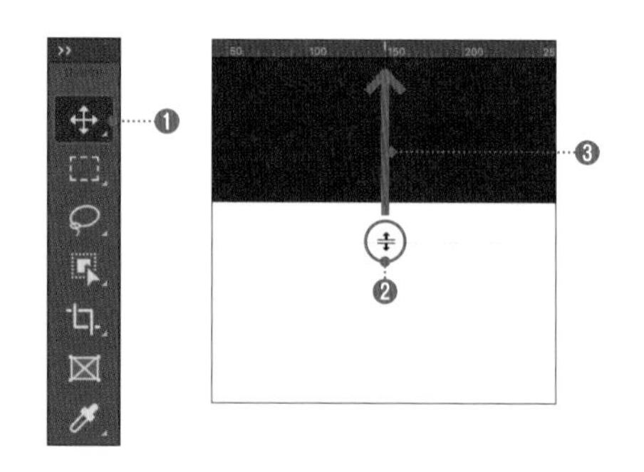

ここも知っておこう！

▶ ガイドを数値で指定する

ガイドは数値指定で作成することも可能です。メニューバーから［表示］→［ガイド］→［新規ガイド］を選択して、［新規ガイド］ダイアログを表示します。［方向］を選択して、［位置］に任意の数値を入力し❶、［OK］ボタンをクリックすると、指定した場所にガイドが作成されます。

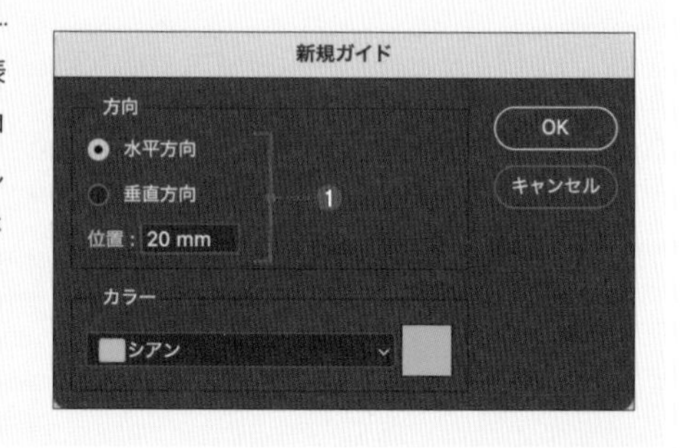

グリッドを表示する

グリッドを表示するには次の手順を実行します。

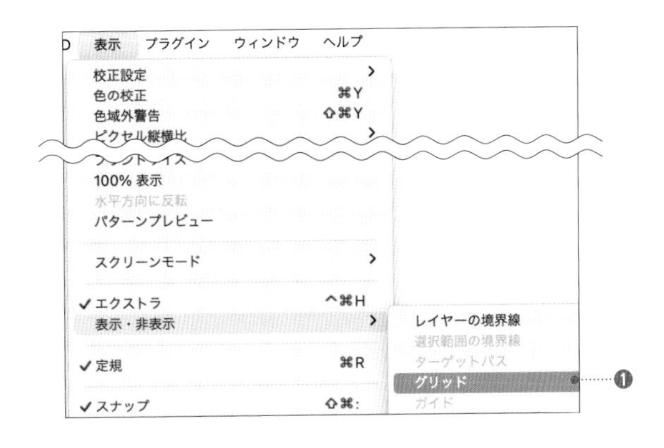

01 メニューバーから［表示］→［表示・非表示］→［グリッド］を選択します❶。

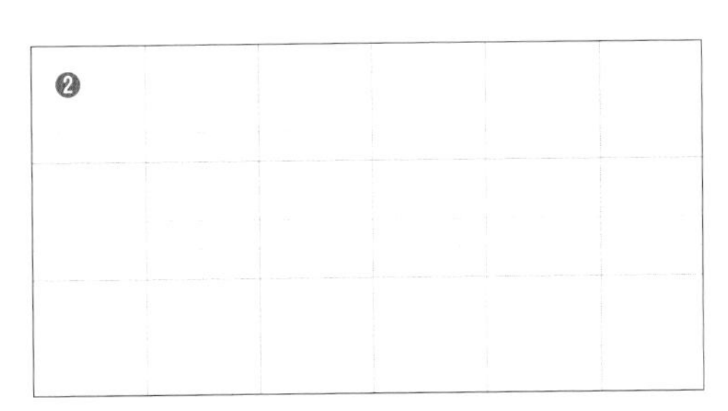

02 すると、画面前面にグリッドが表示されます❷。

03 オブジェクトをグリッドにぴったりとくっつけたい場合は、メニューバーから［表示］→［スナップ］を選択して項目の左端にチェックを入れたうえで❸、［表示］→［スナップ先］→［グリッド］を選択してチェックを入れます❹。

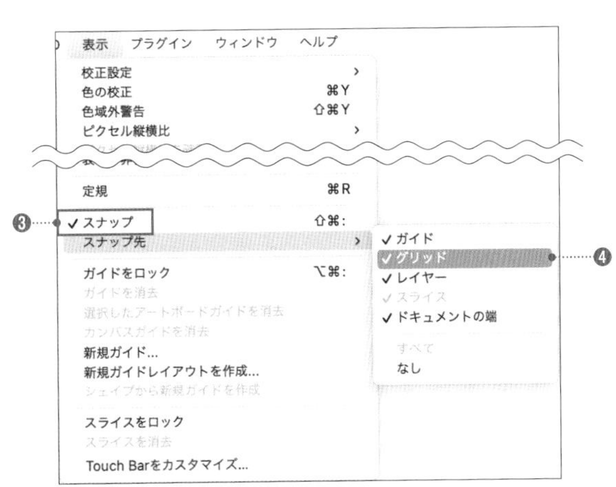

スナップ先にはガイドやレイヤーなどを指定することも可能です。

ここも知っておこう！ ▶ **ガイドやグリッドの色、グリッドの間隔の変更**

初期設定では、ガイドはシアン（水色）、グリッドは灰色で表示されます。またグリッドの間隔は25mmです。これらの色や間隔を変更するには、メニューバーから［Adobe Photoshop 2024］→［設定］（Windowsでは［編集］→［環境設定］）→［ガイド・グリッド・スライス］を選択して、［環境設定］ダイアログで設定します❶。

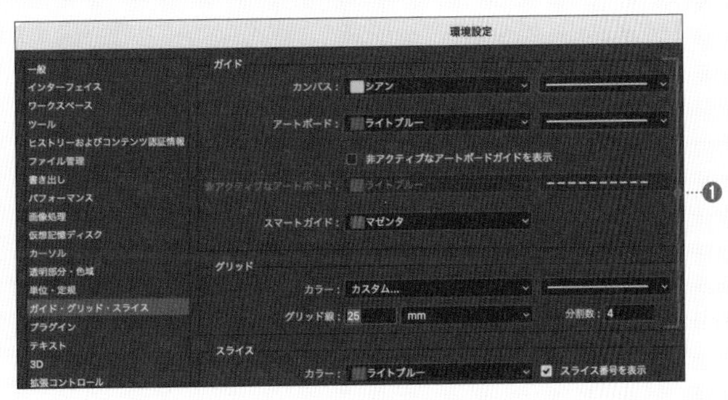

ピクセルの色情報

Sample_Data/Lesson02/2-9/

ビットマップ画像は、無数のピクセルの集まりによって構成されています。Photoshopを使いこなすうえでは、各ピクセルの情報を調べる方法を把握しておくことも大切です。

ピクセルの色情報を調べる

ビットマップ画像は無数のピクセルの集まりによって美しい階調を表現していますが、各ピクセルが表現できるのは1色だけです。各ピクセルに設定されている色情報は［情報］パネルで確認できます。

メニューバーから［ウィンドウ］→［情報］を選択して［情報］パネルを表示したうえで、カーソルを画像上に移動すると、カーソルの位置にあるピクセルに関する次の情報を確認できます❶。

- 色情報（RGB値／CMYK値）
- 座標値（ピクセルの位置）
- 高さと幅（範囲を指定した場合）
- ファイルサイズ
- 選択中のツールの役割

現時点ではこれらの情報をどのように利用するのか、わからないかもしれませんが、まずは［情報］パネルでピクセルに関する情報を調べる方法を把握しておいてください。

［情報］パネルのパネルメニューから［パネルオプション］を選択すると、パネルに表示する情報を選択できます。

色情報の抽出

特定のピクセルの色情報は抽出できます。抽出するには次の手順を実行します。

01 ツールパネルで［スポイト］ツールを選択して❶、画像上の任意の箇所でクリックします❷。

02 クリックした箇所にあるピクセルの色情報が、ツールパネルの最下部にある［描画色］に設定されます❸。
描画色に設定されている色の詳細は、［描画色］をクリックすると表示される［カラーピッカー（描画色）］ダイアログで確認できます❹。

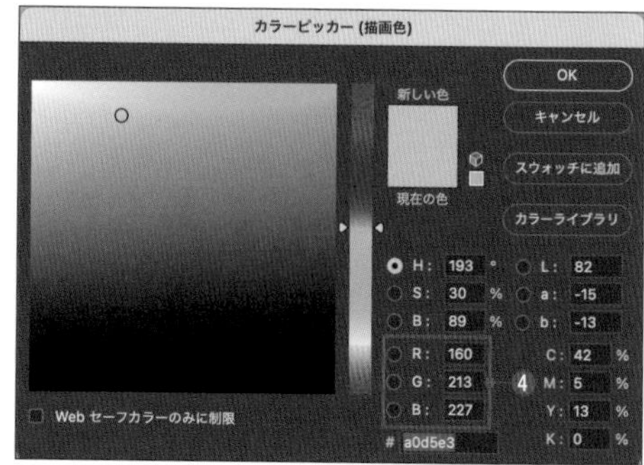

カンバスサイズの変更

カンバスサイズとは、画像の編集が可能な領域のことです。カンバスサイズは、拡大・縮小することができます。画像に縁取りを追加したい場合にも便利です。

カンバスサイズを変更する

カンバスサイズとは「画像編集が可能な領域」です。カンバスサイズは拡大・縮小できます。カンバスサイズを拡大すると、既存の画像の周囲にスペースが追加されます。一方、縮小すると画像の一部が切り抜かれます。

カンバスサイズを変更するには次の手順を実行します。

01 メニューバーから［イメージ］→［カンバスサイズ］を選択して、［カンバスサイズ］ダイアログを表示します。

02 ［幅］と［高さ］に数値を指定して❶、［OK］ボタンをクリックすると❷、カンバスサイズが指定した大きさに変更されます。

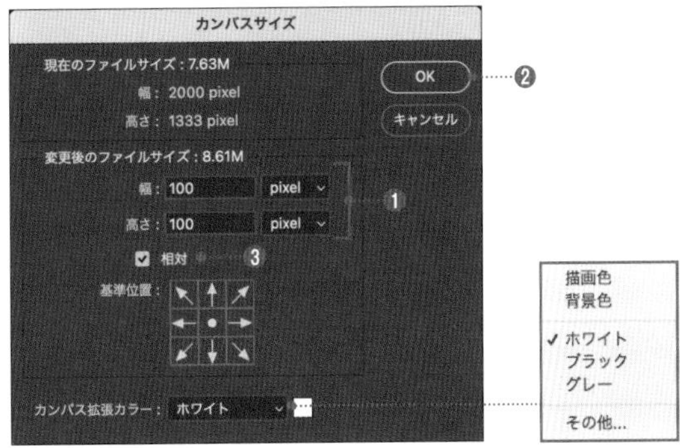

ダイアログ上部には、環境設定で指定した単位（p.236）で現在のカンバスサイズが表示されます。［幅］［高さ］に数値指定する際に、使用単位を指定できます。

03 右の参考例では、［相対］にチェックを付けて❸、［幅］［高さ］に100pixelを指定したので、上下左右に50pixelずつ追加されています❹。

● ［カンバスサイズ］ダイアログの設定項目

項　目	説　明
幅・高さ	カンバスサイズの幅と高さを指定する。プルダウンで単位を指定できる
相対	チェックを入れると、現在の画像サイズに対して追加・削除したいサイズを指定できる
基準位置	現在のカンバスのどこを基準にして拡大・縮小するかを指定する。初期値は画像中央。矢印をクリックすると、その対辺に追加される
カンバス拡張カラー	カンバスサイズを拡大する際に、拡大した箇所の色を指定する。［その他］を指定するとカラーピッカー（p.151）を使って任意のカラーを設定できる。ただし、この項目は［背景］レイヤー（p.107）を含まない画像では選択できない

Lesson 2-11 新規ファイルの作成

画像合成を行う際は、画像ファイルを新規に作成し、そのファイルに対してさまざまな画像をコピー＆ペーストします。制作物に応じて、適切な設定で作成しましょう。

新規ファイルを作成する

新規ファイルを作成するには、次の手順を実行します。

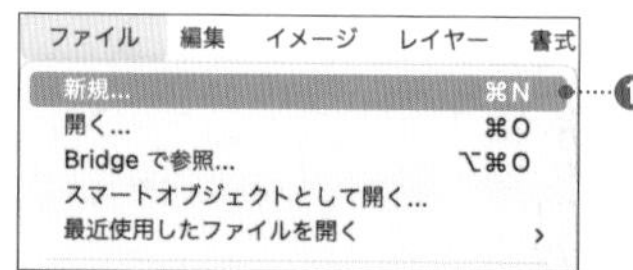

01 メニューバーから［ファイル］→［新規］を選択して❶、ダイアログを表示します。

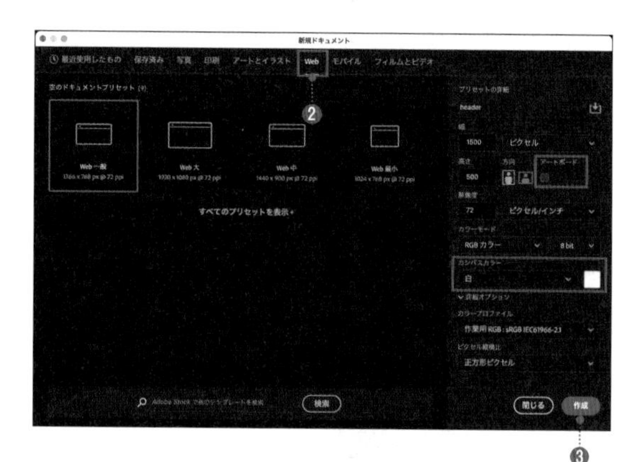

02 ダイアログでカテゴリをクリックして❷各項目を設定し、［作成］ボタンをクリックすると❸、新規ファイルが作成されます。右の参考例では［アートボード］のチェックを外し、［カンバスカラー：白］に設定しているため、背景レイヤー（**p.107**）が1つある白地のファイルが作成されています❹。

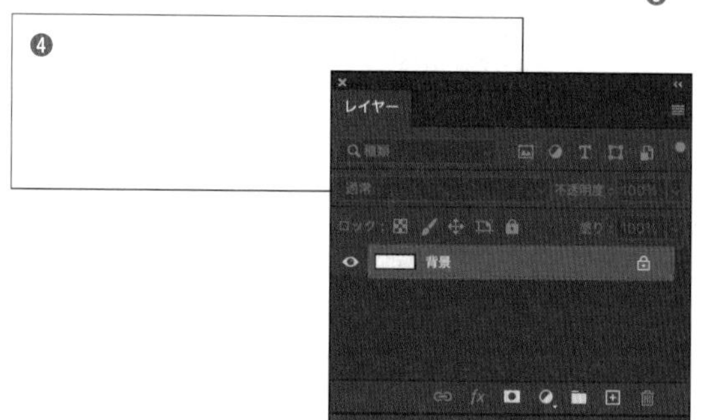

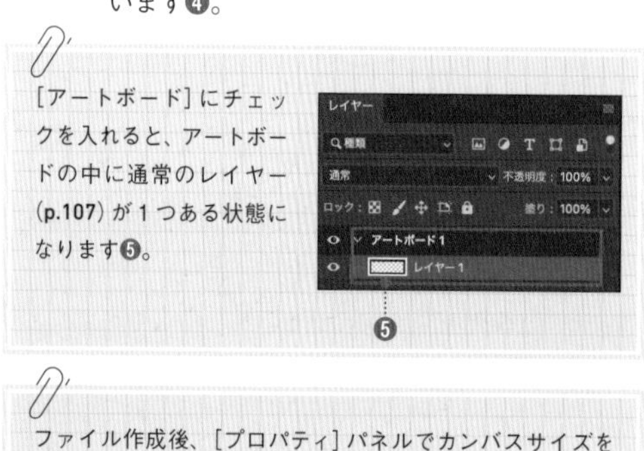

［アートボード］にチェックを入れると、アートボードの中に通常のレイヤー（**p.107**）が1つある状態になります❺。

ファイル作成後、［プロパティ］パネルでカンバスサイズを変更できます。

● ［新規］ダイアログの設定項目

項　目	説　明
ファイル名	作成する新規ファイルの名前
幅、高さ、方向	作成する新規ファイルの幅と高さを指定する。単位は選択したカテゴリに応じて切り替わるが、［pixel］や［inch］［cm］［mm］などを指定できる。ドキュメントの［方向］も指定できる
アートボード	チェックを入れると、アートボード（独立したカンバス）の中にレイヤーができる。1つのPSDファイルで複数のアートボードを作成できる。複数のバナーやアイコンなどを作成する際に便利（**p.222**）
解像度	作成する新規ファイルの解像度（**p.22**）を指定する。選択したカテゴリに応じて切り替わるが、商用印刷を前提とする場合は300pixel/inch、Web制作での利用を前提とする場合は72pixel/inchを目安に設定する
カラーモード	PhotoshopではカラーモードにCMYKを指定すると一部の機能が利用できなくなるので、基本的には、作業時は常に［RGBカラー］［8bit］を選択し、納品時に必要に応じてカラーモードを変更することを推奨
カンバスカラー	背景のカラー。［透明］を選択すると、［レイヤー］パネルには［レイヤー1］が作成される。［透明］以外を選択すると［背景］レイヤー（**p.107**）が作成される
カラープロファイル	使用するプロファイル（**p.242**）を指定する。通常は作業用RGBにする
ピクセル縦横比	画像を構成するピクセルの縦横比を設定する。画像編集の場合は［正方形ピクセル］を選択する。その他の設定は動画編集などで使用する

Lesson 3

Basic knowledge of Color Compensation.

色調補正の基本

今日から使える定番テクニック

本章では、調整レイヤーを使った色調補正の方法を解説します。色調補正と聞くと「何やら難しそうだな」と感じる人もいるかもしれませんが、安心してください。調整レイヤーを使うと、さまざまな色調補正を簡単に試すことができます。ぜひ実際に手を動かしながら読み進めてください。

Lesson 3-1

色調補正とは

画像の色調補正は、Photoshopを使用した数ある画像編集作業の中でも最も基本的かつ重要な作業の１つです。基本を押さえたうえで、いろいろと試してみてください。

色調補正とは

色調補正とは、画像の「色調」を「補正」することです。色調(Color Tone)とは、画像の明度や色合い、彩度、コントラストなどです。

画像の色調補正では、手元にある画像の色調を、画像の利用目的に合うように調整します。

例えば、手元にやや暗めに写った画像があったとして、その画像の利用目的が「明るく綺麗に表現すること」であった場合には、色調補正を行って、明るくすっきりした画像に修正したりします(図1)。

他にも、本来は白色であるべき被写体が、撮影時の光の影響を受けて黄みがかってしまっている場合には黄みを抑えるように補正します(図2)。

図1 ［レベル補正］機能を使って、全体的に明るくしてすっきりした印象にした例です。

色調補正の内容は目的次第

画像をどのように補正するかは、その画像の利用目的によって変わります。そのため「必ずこうしなければならない」といった「正解」はありません。正しい色調補正の内容は、画像の目的次第といえます。このことはぜひ覚えておいてください。

また、色調補正の作業項目は非常に多岐にわたり、かつ複数の項目を組み合わせることも多いため、一朝一夕でそのすべてを使いこなせるようになるのは困難です。一度にすべてを覚えようとせず、基本的な項目から1つずつ習得していくことが大切です。

図2 ［カラーバランス］機能を使って、黄みを抑えました。

色調補正機能の種類

Photoshopには、約20種類もの色調補正機能が用意されています。ここでは特に利用頻度の高い主なものをいくつか紹介します。具体的な手順については次項以降で順次解説します。

明るさ・コントラスト／スライダーを使って手軽に明るさとコントラストを調整する機能です。➡p.53

レベル補正／シャドウ・中間調・ハイライトの3つのスライダーを使って、明暗や色みを調整する機能です。➡p.54

トーンカーブ／最大14個のポイントを追加してカーブを作り、明暗や色みを調整する機能です。➡p.56

自然な彩度／できるだけ階調を失わないように彩度を調整する機能です。➡p.59

色相・彩度／画像全体または色系統別に色相・彩度・明度を調整する機能です。➡p.58

カラーバランス／画像内の全体的な色の混合率を変更する機能です。シャドウ、中間調、ハイライトの3種類の階調ごとに調整できます。➡p.62

白黒／カラー画像をグレースケールの画像に変換する機能です。色系統ごとに濃度を細かく調整できます。また任意のカラーを使用したモノトーン画像にも加工できます。➡p.66

レンズフィルター／カメラのレンズの前にフィルターを置いて写真を撮影する効果をシミュレートすることによって、カラーを調整する機能です。➡p.64

階調の反転／画像のカラーを反転する機能です。他の機能とは異なり、設定などは用意されていません。単純に階調を反転するだけの機能です。➡p.68

ポスタリゼーション／階調数を調整することにより、画像をイラスト風に置き換える機能です。階調数を減らすほどに画像が単純化します。➡p.50

2階調化／画像のカラーを白と黒の2色のみに置き換える機能です。しきい値を調整することで、白と黒のバランスを調整できます。➡p.68

グラデーションマップ／画像のグレースケールの範囲を、指定したグラデーションカラーに置き換える機能です。➡p.69

ここも知っておこう！

▶ 2つの色調補正

Photoshopの色調補正機能の多くは、次の2つの方法で利用できます。

- 調整レイヤー
- ［色調補正］コマンド（メニューバーから［イメージ］→［色調補正］以下）

下図を見てください。まったく同じ名称の機能がずらりと並んでいることが確認できます。これらを見ると、「2つの方法で同じ機能を呼び出せるのでは」と考えてしまう人も多いと思いますが、両者には決定的に異なる点があるので注意が必要です。

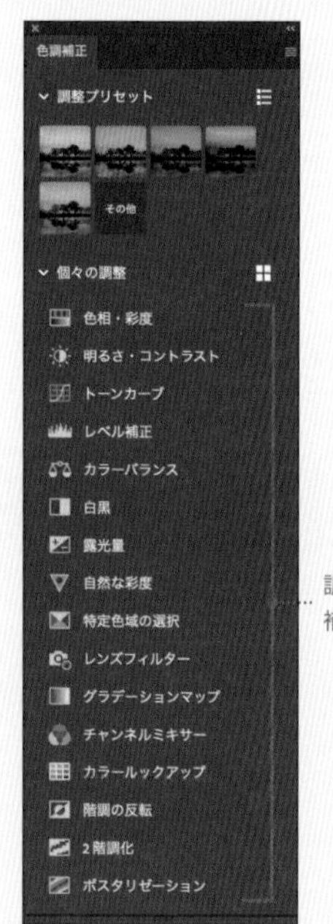

調整レイヤーの色調補正機能

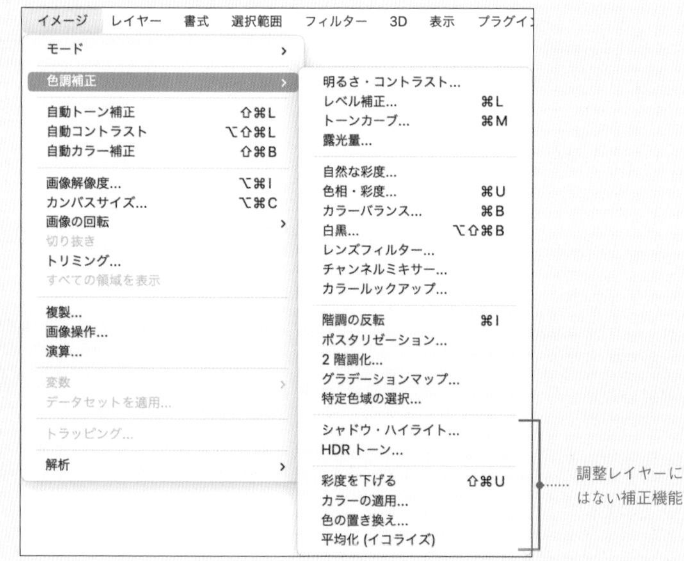

［色調補正］コマンドの色調補正機能

各機能で実現できる色調補正の内容は同じです。しかし、画像の編集方法が異なります。詳しくは次ページで解説しますが、調整レイヤーを使用した色調補正では、元画像のピクセルは一切変更されないため、補正内容をいつでも元に戻すことが可能です。一方、［色調補正］コマンドは、元画像を直接編集するため、いったん適用すると調整レイヤーのように簡単に元に戻すことはできません。

この違いは、手戻りの多い入門者にとっては重要です。上図を見るとわかるとおり、一部の色調補正機能は［色調補正］コマンドにしか用意されていないため、やむを得ずこのコマンドを使用する場合もありますが、それ以外については、基本的に調整レイヤーを使用する方法をお勧めします。本書ではすべての色調補正を、調整レイヤーを使って行います。

調整レイヤーの基礎知識

Photoshopで画像の色調補正を行う場合、基本的には「調整レイヤー」を使用します。この機能を使用すると、入門者の方でも簡単に色調補正を試すことができます。

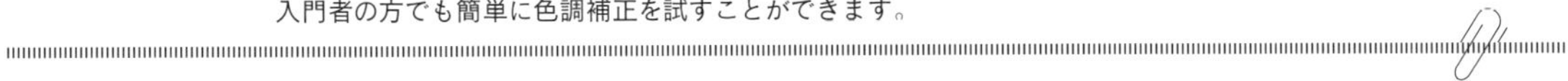

調整レイヤーとは

調整レイヤーとは、画像に対してさまざまな色調補正を実行するレイヤーの総称です。右図のように［色調補正］パネル❶や［レイヤー］パネル下部に用意されているボタンから追加して使用します❷。

Photoshopには全部で16種類の調整レイヤーが用意されており、種類ごとに実行できる機能が異なります。それぞれの機能は異なりますが、すべてに共通の特徴として次の2点があります。

- **いつでも画像を元の状態に戻すことができる**
- **1つの画像に対して、複数の調整レイヤーを適用できる**

16種類の調整レイヤーを組み合わせることで、Photoshopで実現できるほぼすべての色調補正を行うことが可能です。調整レイヤーの設定値は個別に変更でき、また適用順序を入れ替えることも可能です。

またその補正は、元画像を一切変更せずに行われるため、調整レイヤーを削除することで、いつでも元画像の状態に戻すことができます。

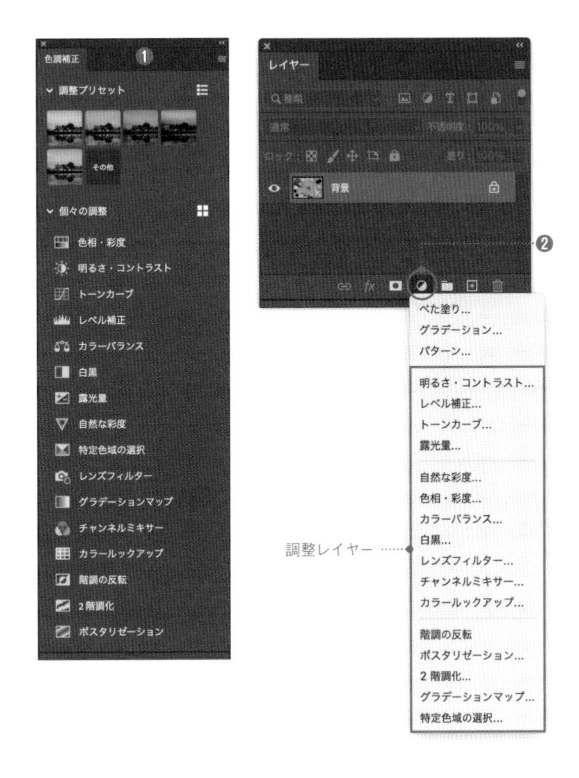

ここも知っておこう！ ▶「レイヤー」とは

本項ではじめて「レイヤー」という用語が出てきました。この用語はPhotoshopにおいてとても重要なので、ここで簡単に説明しておきます。

レイヤーとは、画像の上面に重ねることができる「透明のフィルム」のような機能です（右図参照）。Photoshopではレイヤー上に画像やオブジェクトを配置して管理します。複数の画像を1つのカンバス上で扱う場合などは、レイヤー上に各画像を配置して管理します。

レイヤーについての詳細は後述（**p.106**）しますが、本項で紹介した「調整レイヤー」もその名の通り、レイヤーの1種です。元画像の上に特殊なフィルムを重ねることで、下にある画像を編集している、と考えることができます。

Sample_Data/Lesson03/3-3/

Lesson 3-3 調整レイヤーの基本操作

調整レイヤーの機能は種類ごとに異なりますが、基本的な操作方法はどれも同じです。ここで調整レイヤーの追加、設定変更、削除の方法を解説します。

調整レイヤーの追加

調整レイヤーを追加するには、次の手順を実行します。

01 色調補正を行う画像ファイルを開きます❶。ここでは右の画像を参考例として使用します。

02 メニューバーから［ウィンドウ］→［レイヤー］を選択して［レイヤー］パネルを表示して確認します。右図では［背景］レイヤー（p.107）に、開いた画像が存在することが確認できます❷。

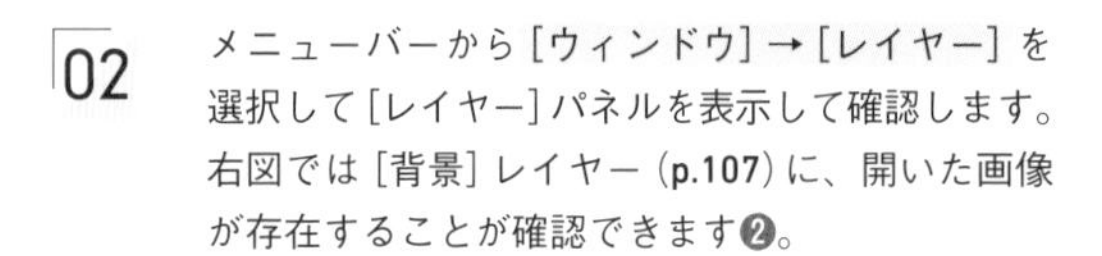

03 メニューバーから［ウィンドウ］→［色調補正］を選択して［色調補正］パネルを表示します。［個々の調整］から調整方法をクリックします❸。今回は［ポスタリゼーション］を選択します❹。

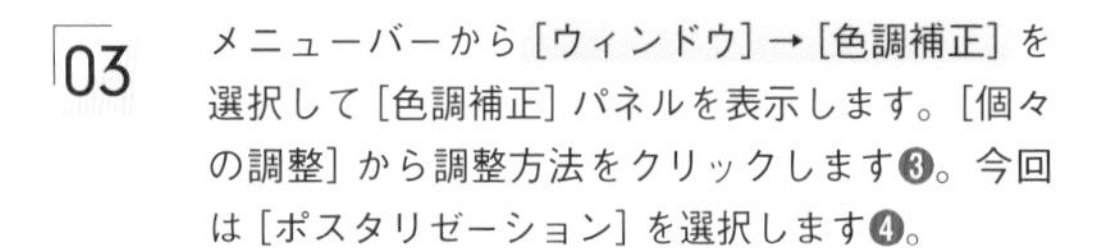

［ポスタリゼーション］調整レイヤーは、画像の階調（色数）を変更する機能です。この機能を使って、画像をイラスト風に加工することができます。値を小さくすればするほど、画像は単純化されます。

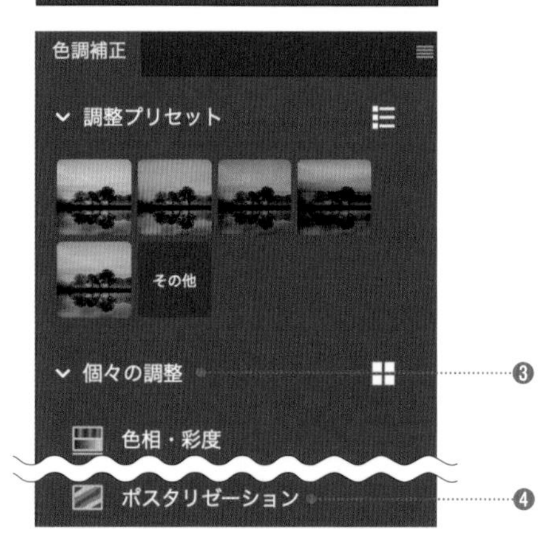

04 ［レイヤー］パネルに［ポスタリゼーション］調整レイヤーが追加されました❺。元画像と調整レイヤーが別々のレイヤーであることが直感的に理解できると思います。［レイヤー］パネルはレイヤーの重ね順を表しているので、右図では上が調整レイヤー、下の［背景］レイヤーが元画像があるレイヤーという構造になります。

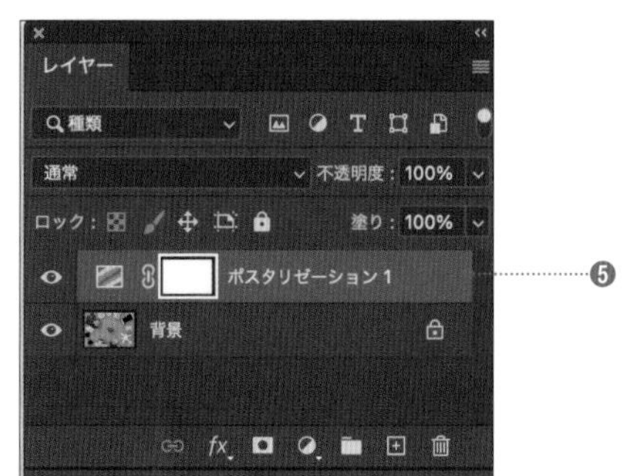

調整レイヤーの設定変更

調整レイヤーの設定値を変更するには、次の手順を実行します。

01 前ページのように［色調補正］パネルで調整方法をクリックすると、［プロパティ］パネルが表示されます❶。今回の例では［ポスタリゼーション］の設定が表示されていることが確認できます❷。

02 ［プロパティ］パネルに表示されているスライダーを左右に動かします。すると、動かした分量に応じて画像の階調（色数）が変わります❸。実際に動かして画像の変化を確認してみてください。

［プロパティ］パネルに表示されるスライダーや設定項目の内容は調整レイヤーの種類によって異なりますが、基本的な操作方法は上記と同じです。(1) 調整レイヤーを追加して、(2)［プロパティ］パネルで設定値を変更する、という流れになります。

調整レイヤーの削除

先述した通り、調整レイヤーを使用した色調補正はいつでも元に戻すことができます。画像を元の状態に戻すには、次の手順を実行します。

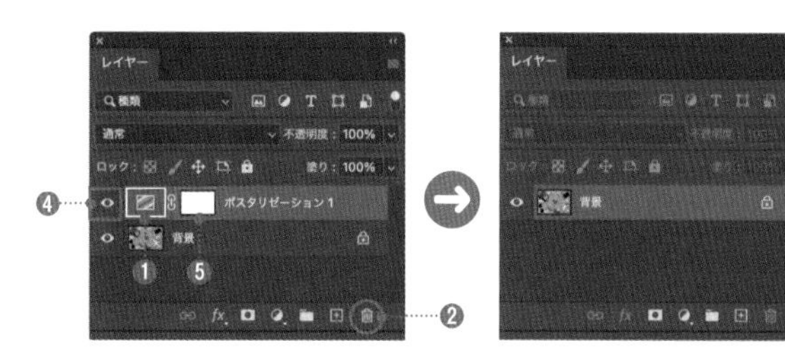

01 ［レイヤー］パネル上で調整レイヤーの左側のサムネールをクリックしてアクティブにします❶。

02 ［レイヤー］パネルの下部にある［レイヤーを削除］ボタンをクリックします❷。すると、画像が元の状態に戻ります❸。

調整レイヤーの左側にある［目玉］アイコンをクリックして非表示にすると❹、調整レイヤーの効果を一時的に無効化できます。再度同じ場所をクリックすると、有効化できます。

調整レイヤーの右側の白い四角形は、色調補正の範囲を指定する際に使用する「レイヤーマスク」と呼ばれる機能です❺。レイヤーマスクについては後述します。

複数の調整レイヤーの適用

複数の調整レイヤーを適用するには、次の手順を実行します。

01 ［レイヤー］パネル上で任意のレイヤー（調整レイヤーでも可）をクリックしてアクティブにします❶。

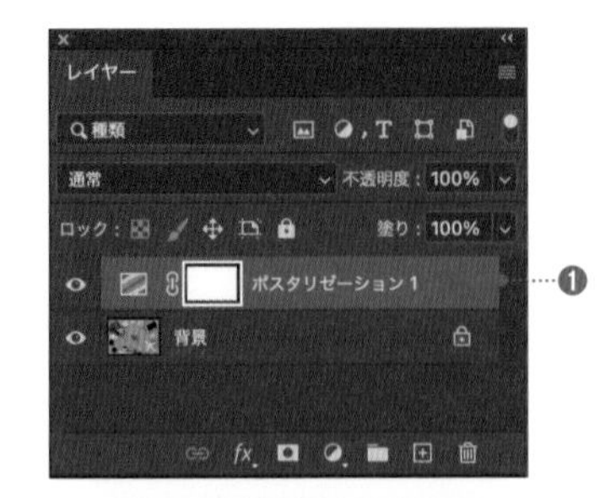

02 新規追加の場合と同様に、［色調補正］パネルで調整方法をクリックして調整レイヤーを追加します。すると、アクティブにしたレイヤーの上に調整レイヤーが追加されます❷。

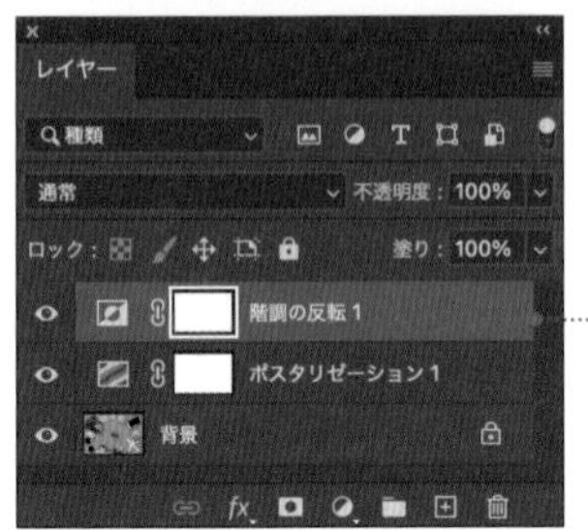

03 複数の調整レイヤーを追加すると、調整レイヤーよりも下にある画像にすべての色調補正が適用されます❸。
なお、複数の調整レイヤーを作成している場合、調整レイヤーの適用順序は、［レイヤー］パネル上で各調整レイヤーをドラッグ＆ドロップすることで変更できます。

【左図】ポスタリゼーションのみを適用したもの
【右図】ポスタリゼーション＋階調の反転（p.68）を適用したもの

ここも知っておこう！ ▶ **調整レイヤーの適用範囲**

初期設定の状態では、調整レイヤーによる補正は、調整レイヤーよりも下にあるすべての画像に一律に適用される設定になっています。

調整レイヤーの適用範囲を、調整レイヤー直下の画像のみに限定したい場合は、［レイヤー］パネルで調整レイヤーをクリックしてアクティブにしたうえで❶、パネルメニューから［クリッピングマスクを作成］を選択します❷。この機能が有効になると［レイヤー］パネルの調整レイヤーの左端に右図のような矢印が表示されます❸。右図の例では、クリッピングマスクを作成することで、［色相・彩度］調整レイヤーは直下の「チェリー」レイヤーのみに適用され、［背景］レイヤーにあるパイには影響を与えず、チェリーのみ彩度を上げています❹。

なお、本章で解説する色調補正の各手順では1枚の画像しか使わないのでこの機能を利用するメリット（効果）はありませんが、4章以降では複数の画像を扱う方法も解説していきますので、その際は試してみてください。

Sample_Data/Lesson03/3-4/

Lesson 3-4 明暗を調整する ［明るさ・コントラスト］

［明るさ・コントラスト］調整レイヤーは、画像の明るさやコントラストを調整できる、最も手軽な機能です。スライダーを動かして直感的に操作できます。

明るさ・コントラスト

［明るさ・コントラスト］調整レイヤーは、用意されている2つのスライダーを左右に移動することで、画像の明暗を補正できる機能です。後述する［レベル補正］や［トーンカーブ］のように、画像を詳細にコントロールすることはできませんが、その分、操作は直感的でシンプルなので、手軽に利用できます。

［明るさ・コントラスト］で明暗を調整する

［明るさ・コントラスト］調整レイヤーを使用して、画像の明暗を調整するには、次の手順を実行します。

01 画像を開き、［明るさ・コントラスト］調整レイヤーを追加します❶。

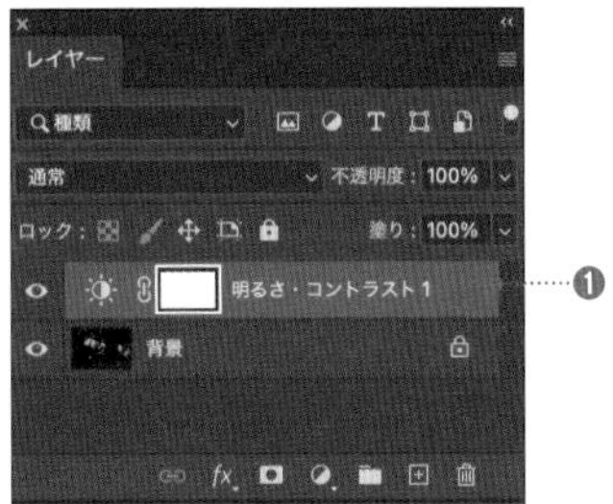

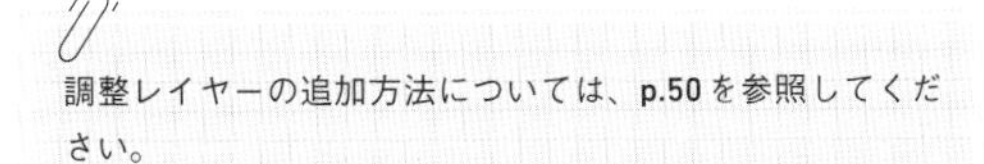

調整レイヤーの追加方法については、p.50を参照してください。

02 ［プロパティ］パネルで2つのスライダーを操作します❷。
［明るさ］のスライダーを右に動かすと明るくなり、左に動かすと暗くなります（−150～150）。［コントラスト］のスライダーを右に動かすとシャープになり、左に動かすとソフトになります（−50～100）。

［従来方式を使用］にチェックを入れると❸、旧バージョンの調整方法になります。通常は、チェックを外しておいたほうが補正の精度は上がります。
　また、［自動］ボタンをクリックすると❹、明るさとコントラストが自動調整されます。ただし、この機能で必ずしも良好な結果が得られるわけではありません。

Sample_Data / Lesson03 / 3-5 /

Lesson 3-5 明暗を調整する［レベル補正］

［レベル補正］調整レイヤーは「ヒストグラム」と呼ばれるグラフを使った色調補正です。主に画像の明暗や色みを調整する際に使用します。

ヒストグラムとは

ヒストグラムとは「明るさのレベル」の分布を表したグラフです。グラフ下部に3つのスライダーがあり、それぞれが次の項目を表しています。

左側：シャドウ（画像の最も暗いところ、レベル0）
中央：中間調
右側：ハイライト（画像の最も明るいところ、レベル255）

このように、横軸は「明るさのレベル」を0～255の256階調（段階）で表しています。また、縦軸は「ピクセル分布」を表しています。右図のヒストグラムを見ると、左寄りのピクセル（暗いピクセル）が多いことがわかります。

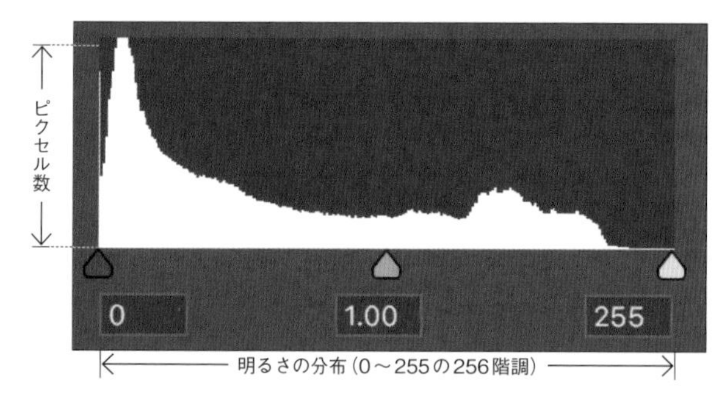

ヒストグラムの形状と画像の特徴

ヒストグラムの形状には、大きく分けて以下の5タイプがあります。ヒストグラムを見ることで、画像の特性を把握できます。

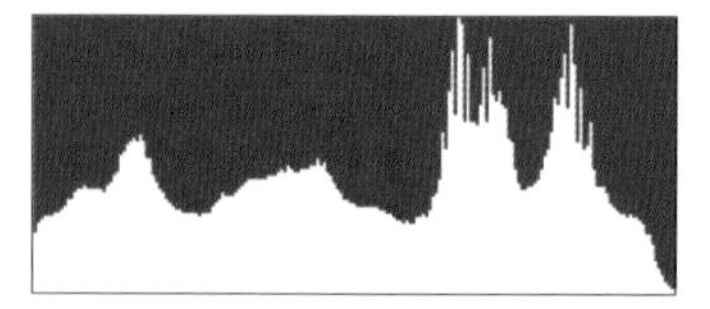

平均的／ピクセルの山に偏りがなく、平均的に分布しています。

暗い／ピクセルの山がシャドウ側に偏っています。

明るい／ピクセルの山がハイライト側に偏っています。

シャープ（メリハリがある）／シャドウとハイライトの両端にピクセルが偏り、中間調の分布が少なくなっています。

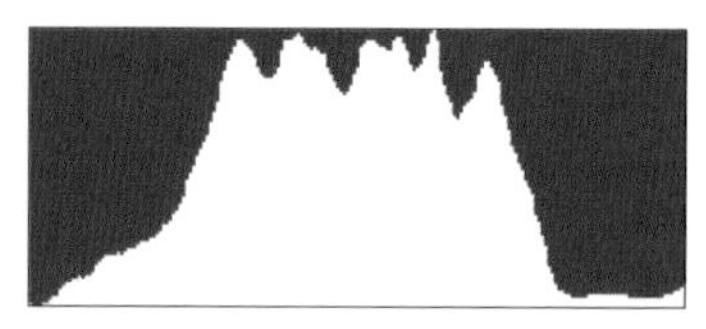

ソフト（メリハリがない）／中間調にピクセルが偏り、シャドウとハイライトの両端の分布が少なくなっています。

[レベル補正]で明暗を調整する

[レベル補正] 調整レイヤーを使用して、画像の明暗を調整するには、次の手順を実行します。

01 画像を開き、[レベル補正] 調整レイヤーを追加します❶。

調整レイヤーの追加方法については、p.50を参照してください。

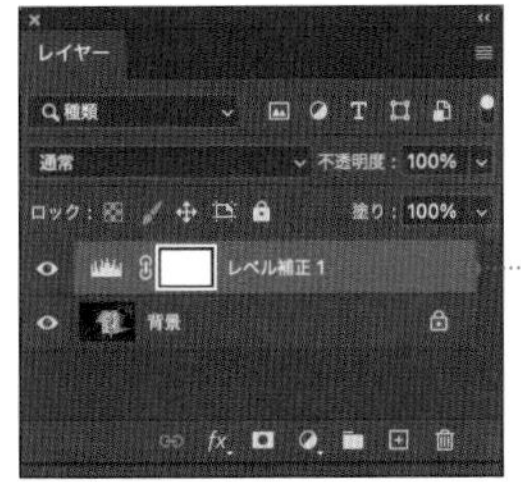

02 [プロパティ] パネルで各種設定を行います。ヒストグラムの左下に [詳細なヒストグラムを計算] マークが表示された場合、クリックして消すと❷、正確なヒストグラムを表示します。参考例のヒストグラムを見ると、シャドウ側にピクセルの山が偏っており、ハイライト側には分布していないことがわかります。このことから、この画像は「全体的に暗い画像」であると判断できます。

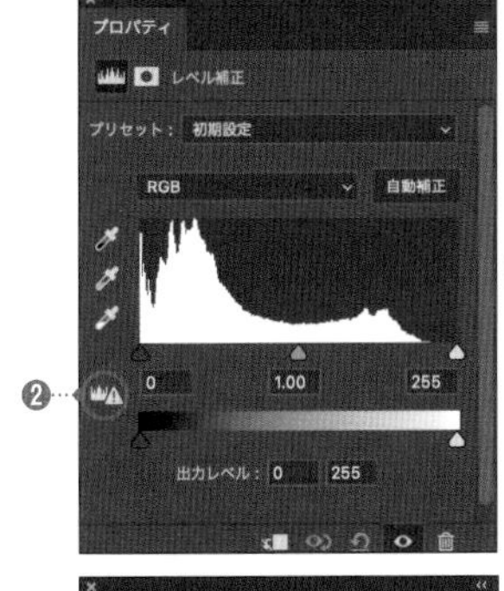

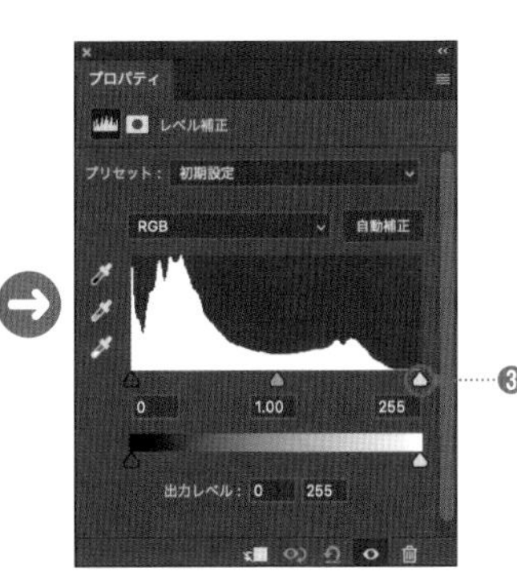

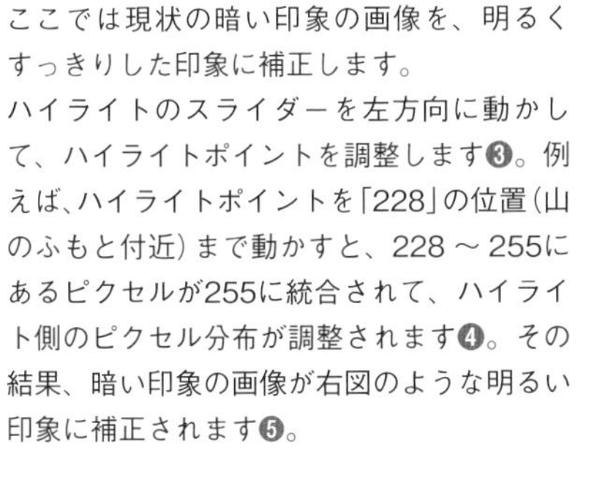

03 ここでは現状の暗い印象の画像を、明るくすっきりした印象に補正します。
ハイライトのスライダーを左方向に動かして、ハイライトポイントを調整します❸。例えば､ハイライトポイントを「228」の位置（山のふもと付近）まで動かすと、228 ～ 255にあるピクセルが255に統合されて、ハイライト側のピクセル分布が調整されます❹。その結果、暗い印象の画像が右図のような明るい印象に補正されます❺。

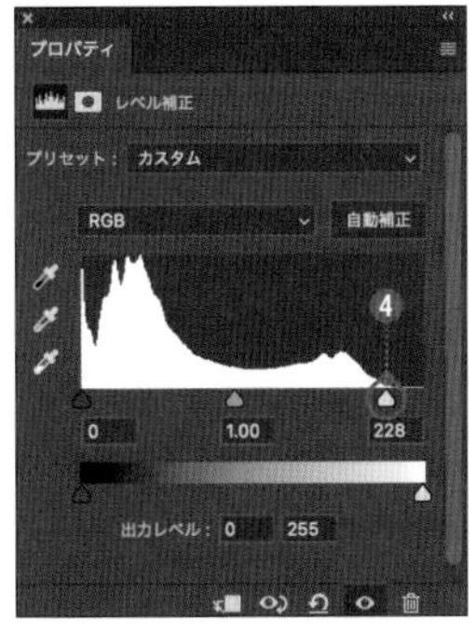

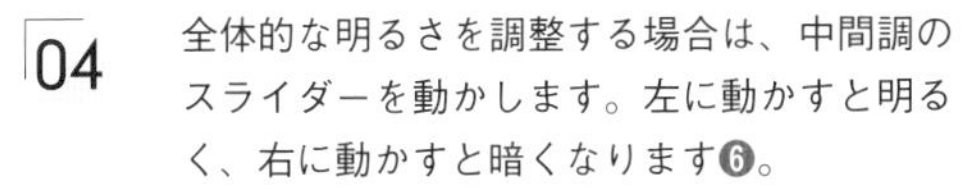

04 全体的な明るさを調整する場合は、中間調のスライダーを動かします。左に動かすと明るく、右に動かすと暗くなります❻。

Sample_Data / Lesson03 / 3-6 /

Lesson 3-6 明暗を調整する ［トーンカーブ］

［トーンカーブ］調整レイヤーは、トーンカーブと呼ばれるグラフを操作することで画像の色調、濃度、階調を調整する機能です。主に画像の明暗や色みの調整をする際に使用します。

トーンカーブとは

トーンカーブは、画像の色調、濃度、階調を同時、かつリアルタイムに確認・修正することができる機能です。トーンカーブを使用すると、右図のように画像を細かく編集できます。

トーンカーブは非常に高機能なツールですが、使い方はそれほど難しくありません。いろいろな特徴を持つ画像に対して利用できる機能でもあるため、Photoshopの最重要機能の1つといっても過言ではありません。ぜひここで実際に手を動かしながら手順を読み進めていただき、トーンカーブの操作をマスターしてください。

トーンカーブの基本操作

［トーンカーブ］調整レイヤーの操作の基本は、パネル中央に配置されているトーンカーブ上に「ポイント」を追加し、それをドラッグすることでトーンカーブを変形する作業です。カーブの形状によって、画像の濃度が変化します。

シャドウ（画像の最も暗いところ。レベルは0）❶と、ハイライト（画像の最も明るいところ。レベルは255）❷のポイントは、初期状態で用意されていますが、3つ目以降のポイントは追加する必要があります。

トーンカーブ上をクリックすると、そこに「ポイント」が追加されます。ポイントを上下左右にドラッグすると、それに合わせて曲線の形状が変化し、画像も変化します❸。

ポイントは最大で14個まで追加できますが、やみくもに追加してはいけません。通常は、2〜3個のポイントで補正できます。

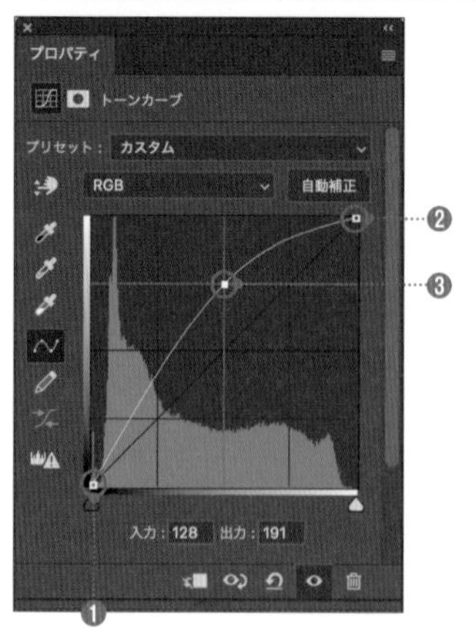

［入力］は補正前の値、［出力］は補正後の値を表します。この例の場合、明るさのレベルが「128」だった箇所を、「191」に変更したことがわかります。その結果、画像の最も明るい箇所（レベル255）に近づいたために、画像が「明るく」なるわけです。

[トーンカーブ]で明暗を調整する

[トーンカーブ] 調整レイヤーを使用して、画像の明暗を調整するには、次の手順を実行します。

01 画像を開き、[トーンカーブ] 調整レイヤーを追加します❶。

調整レイヤーの追加方法については、p.50を参照してください。

02 [プロパティ] パネルでトーンカーブを操作します❷。トーンカーブの背面にはヒストグラムが表示されているので、ヒストグラムを見ながらトーンカーブを操作します。
この画像のヒストグラムは、シャドウ側にピクセルが偏っており、やや暗い印象であることがわかります❸。下図を参考に、トーンカーブと補正内容の関係性を確認してみてください。

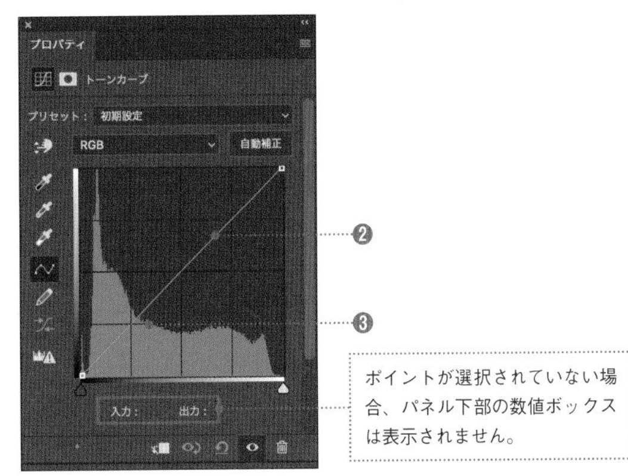

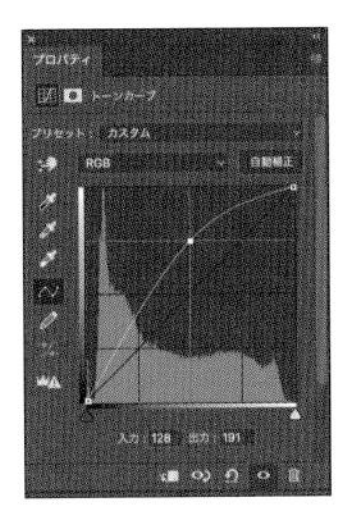

中間調にポイントを追加して、上方向に引き上げると、全体的に明るくなります。

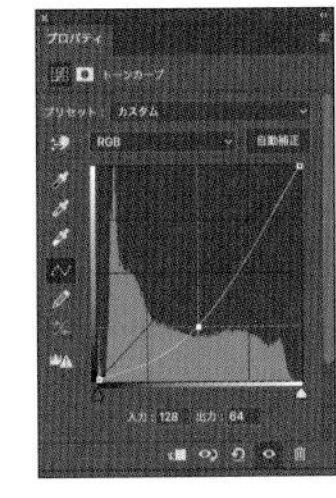

中間調にポイントを追加して、下方向に引き下げると、全体的に暗くなります。

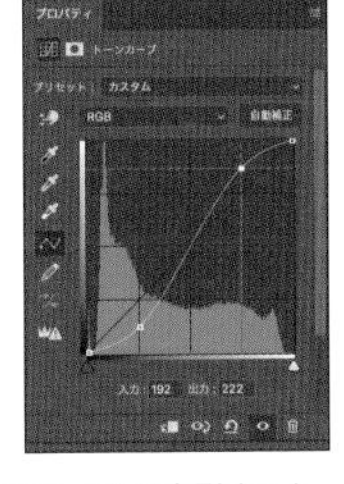

ポイントを2つ追加して、トーンカーブが「S字」になるように変形すると、メリハリのあるシャープな画像になります。

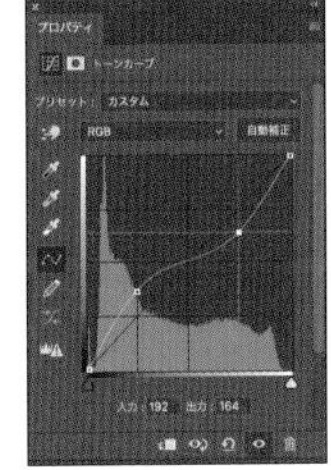

ポイントを2つ追加して、トーンカーブが「逆S字」になるように変形すると、メリハリのないソフトな画像になります。

Sample_Data/Lesson03/3-7/

色相・彩度を調整する ［色相・彩度］

［色相・彩度］調整レイヤーを使用すると、簡単な操作で画像の色相、彩度、明度の３属性を調整できます。シンプルな機能ですが、比較的高精度に画像を補正できます。

色相•彩度とは

［色相・彩度］調整レイヤーは、スライダーを左右に動かすことで、画像を構成する色の3属性（色相、彩度、明度）を補正する色調補正です。

色相

色相とは、赤や青といった「色みの性質」です。［色相・彩度］調整レイヤーの［プロパティ］パネルでは、両端に赤色、中央に青色が設定されており、このスライダーを左右に動かすことで、画像の色相を調整できます（–180 ～ 180）❶。

彩度

彩度とは「色の鮮やかさ」です。最も彩度の高い色を「純色」（混じりけのない色）といいます。また最も彩度の低い色を「無彩色」といいます。［色相・彩度］調整レイヤーの［プロパティ］パネルでは、左端に無彩色、右端に純色が設定されており、このスライダーを左右に動かすことで、画像の彩度を調整できます（–100 ～ 100）❷。

［色相］スライダーを左右に動かすと、画像の色相を変更できます。

明度

明度とは「色の明るさの度合い」です。明度が高くなると白に近づき、明度が低くなると黒に近づきます。［色相・彩度］調整レイヤーの［プロパティ］パネルでは、左端に最低明度、右端に最高明度が設定されており、このスライダーを左右に動かすことで、画像の明るさを調整できます（–100 ～ 100）❸。

［彩度］スライダーを左右に動かすと、画像の彩度を変更できます。

なお、［色相・彩度］調整レイヤーの［明度］は簡単に使える便利な機能ではありますが、先述の［レベル補正］や［トーンカーブ］のような詳細な調整はできません。より正確に明度調整を行いたい場合は、この機能ではなく、［レベル補正］や［トーンカーブ］を使用することを検討してください。

［明度］スライダーを左右に動かすと、画像の明度を変更できます。

[色相•彩度]で彩度•明度を調整する

[色相・彩度] 調整レイヤーを使用して、画像の彩度を調整するには、次の手順を実行します。

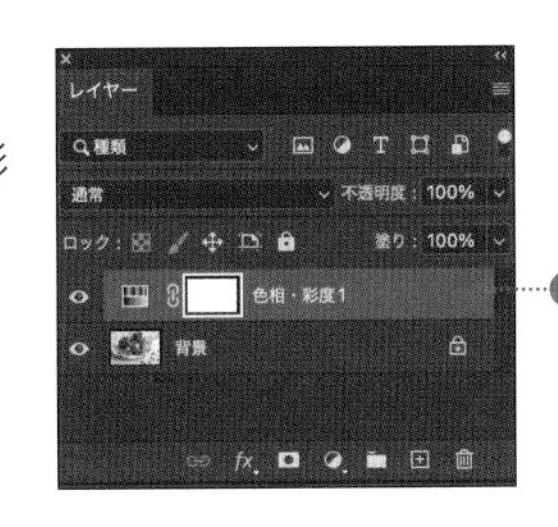

01 画像を開き、[色相・彩度] 調整レイヤーを追加します❶。

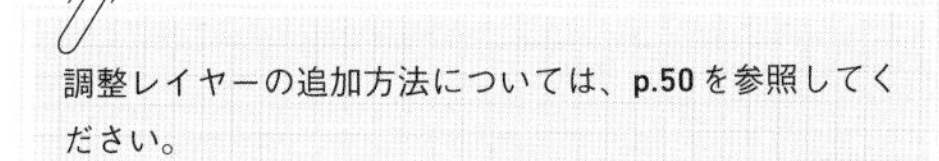

調整レイヤーの追加方法については、p.50 を参照してください。

02 [プロパティ] パネルで、画像の彩度を調整します。
[彩度] スライダーを右方向に動かして、[彩度：+20] にすると、画像の彩度が上がることが確認できます❷。

03 画像の明度を変更するには、上記と同様の手順で [明度] スライダーを左右に移動します。[明度：+30] にすると❸、画像全体の明度が上がり、白っぽい画像になります。

ここも知っておこう！ ▶ **自然な彩度**

[自然な彩度] 調整レイヤーは、できるだけ階調を失わないように彩度を調整します。人物が含まれる画像や、過剰彩度を避けたい画像は、[自然な彩度] で彩度を調整してみましょう。

❶ [自然な彩度：＋100]。人肌の彩度アップをおさえることができます。

❷ [彩度：＋100]。[色相・彩度] 調整レイヤーと同様の結果になります。人肌の彩度が過剰にアップしています。

[色相･彩度]で色相を調整する

画像の色相を変更するには、前ページと同様の手順で[色相]スライダーを左右に移動します。

01 [色相：+180]にすると❶、画像を構成するそれぞれの色が、色相環上で180°分変化します❷。つまり、すべての色がそれぞれの補色(色相環上の反対の色)に変わります。下図の色相環と併せて確認してください。

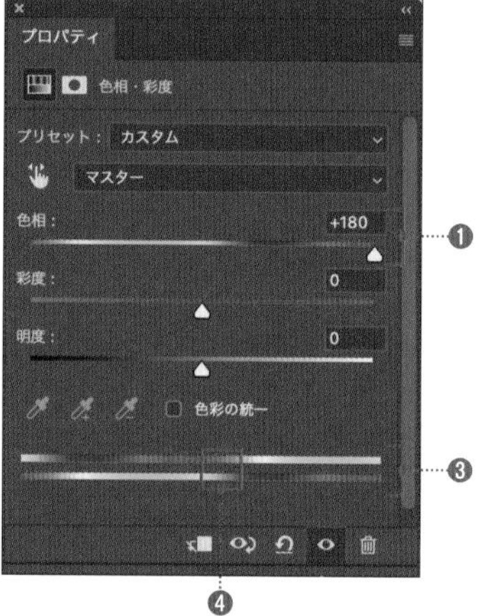

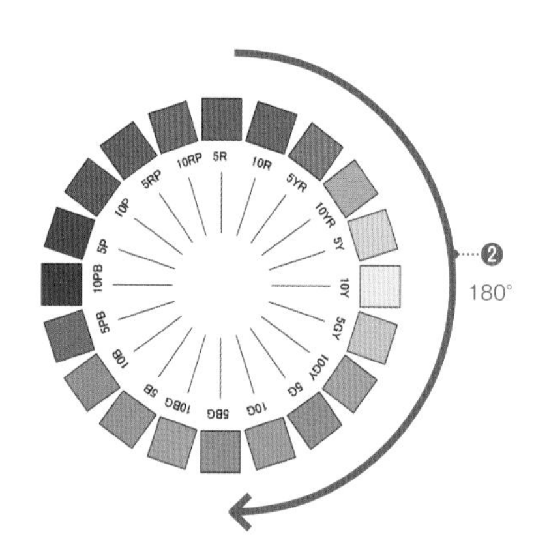

[色相]スライダーを動かしたことによる、色相の変化の程度は、[プロパティ]パネル下部に表示されている虹色のスペクトルバーで確認できます❸。上部のバーが変更前、下部のバーが変更後を表しています。例えば、元画像の赤い部分が何色に変化したかを確認する場合は、上部のバーの赤い箇所(バーの中心)の真下に表示されている色を確認します。右図では、朱色の補色である「水色」になっていることがわかります❹。

ここも知っておこう!

▶ 補正対象を指定する

初期設定では[マスター]が選択されています。マスターでは、すべてのピクセルが補正対象になります。このプルダウンに特定の色系統を選択すると、該当する色のみが補正されます。例えば、右図のブランケットの色のみを変更する場合は、[プロパティ]パネルで[レッド系]を選択して❶、[色相]スライダーを動かします❷。

すると、画像内のレッド系の色のみが補正対象になるため、右下図のようにブランケット以外の色を変えることなく、ブランケットの色のみを変更できます❸。手順は簡単ですが、インパクトの大きい作業の1つです。

COLUMN

画像の一部の明暗や彩度を調整する

これまでに解説してきた色調補正の方法では、画像全体に一律に効果が適用されます。しかし実際には画像全体に対してではなく、一部分のみを補正したい場合もあります。Photoshopには、画像の一部のみを補正する方法が多数用意されているのですが、ここではツールを使った方法を紹介します。なお、これらのツールを用いた補正は、調整レイヤーと異なり、画像を直接変更するため、調整レイヤーのように簡単に元に戻すことはできません。この点には十分に注意してください。

[覆い焼き]ツール

[覆い焼き]ツールを選択して❶、画像上をドラッグすると、ドラッグした箇所のみを明るくすることができます❹。

[焼き込み]ツール

[焼き込み]ツールを選択して❷、画像上をドラッグすると、ドラッグした箇所のみを暗くすることができます❺。

[スポンジ]ツール

[スポンジ]ツールを選択して❸、画像上をドラッグすると、ドラッグした箇所のみ彩度を変更することができます(ここでは彩度を上げました)❻。

元画像

調整後の画像

調整の適用範囲は、各ツールのブラシサイズで設定できます❼。各ツールのオプションバーにある[ブラシプリセットピッカー]を開き、ブラシの[直径]と[硬さ]を設定します❽。[硬さ]とは「ブラシのぼけ具合」です。100%にすると輪郭のはっきりしたブラシになり、0%にすると外側に向かって徐々に適用度合いが少なくなるような、ぼけたブラシになります。ソフト円ブラシを選択すると、硬さは0%になります。

[スポンジ]ツールは、[彩度]で[上げる]か[下げる]かを選択します❾。また、[自然な彩度]にチェックを入れると、過剰な彩度になることを防ぎます❿。

[覆い焼き]ツール選択時のオプションバー

[焼き込み]ツール選択時のオプションバー

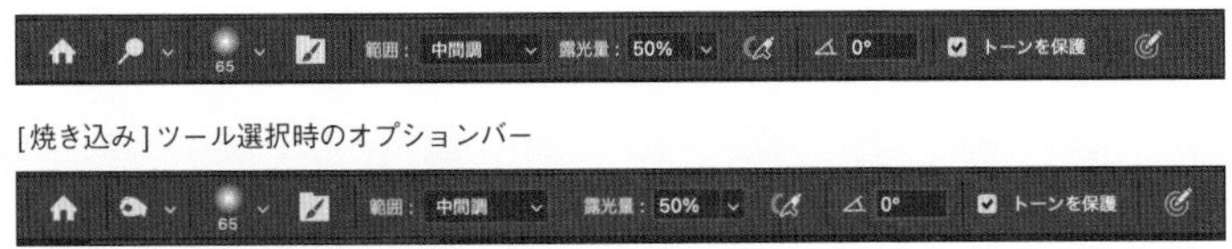

[スポンジ]ツール選択時のオプションバー

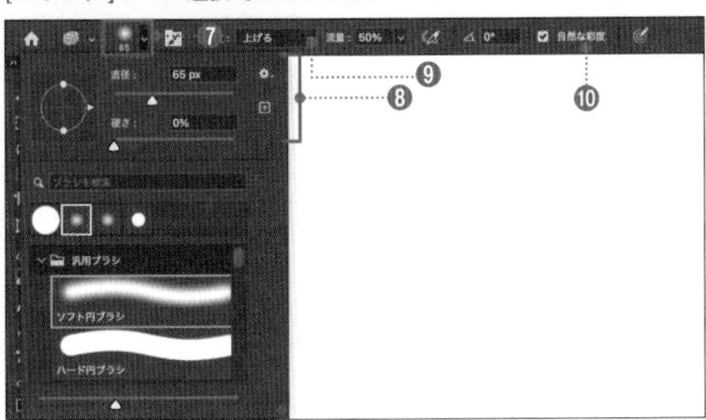

Sample_Data/Lesson03/3-8/

Lesson 3-8 色の偏りを取り除く ［カラーバランス］

［カラーバランス］調整レイヤーは補色を使った色調補正です。画像に色の偏りがある場合は、取り除きたい色の補色側にスライダーを動かします。

カラーバランスとは

カラーバランスとは、読んで字のごとく「色」の「バランス」です。［カラーバランス］調整レイヤーは、色彩学における補色（色相環で反対の位置にある色）を使うことで、画像のカラーバランスを補正する機能です。

この機能を使用すると、黄かぶりしている画像や、青かぶりしている画像を適正な状態に戻すことができます。また、カラーバランスを補正できるという特性を応用して、写真をあえて古めかしく加工することも可能です。

図1 左の画像は黄かぶりしています。この画像に対して［カラーバランス］調整レイヤーを使用すると、右図のように黄かぶりを軽減できます。

［カラーバランス］調整レイヤーの特徴

［カラーバランス］調整レイヤーでは、階調ごとにカラーバランスを調整します。そのため、最初に［プロパティ］パネルの最上部にある［階調］プルダウンで、シャドウ、中間調、ハイライトのいずれかを選択します❶。

［輝度を保持］にチェックを入れると、画像の輝度（明るさ）を保持したまま画像を補正できます。特に理由がない限り、基本的にはチェックを付けておくことをお勧めします。

ここも知っておこう！ ▶［カラーバランス］調整レイヤーの応用技

［カラーバランス］調整レイヤーの「カラーバランスを補正できる」という機能を応用すれば、正しい色みの画像を、あえて古めかしく加工することが可能です。

例えば、日に焼けた写真のような、少し古めかしく、温かみのある写真に加工したい場合は、［シアン／レッド］スライダーをレッド側に上げて（プラス補正）、［マゼンタ／グリーン］と［イエロー／ブルー］スライダーをマゼンタやイエロー側に下げます（マイナス補正）。すると、右図のように色あせた雰囲気に加工できます。右図では［シアン／レッド］を「+20」、［マゼンタ／グリーン］を「－25」、［イエロー／ブルー］を「－100」に設定しています。

[カラーバランス] で色の偏りを取り除く

[カラーバランス] 調整レイヤーを使用して、画像の色の偏りを取り除くには、次の手順を実行します。

01 画像を開き、[カラーバランス] 調整レイヤーを追加します❶。

調整レイヤーの追加方法については、p.50 を参照してください。

02 [プロパティ] パネルで、画像のカラーバランスを調整します。最初に [階調] プルダウンで対象の階調を選択したうえで❷、取り除きたい色の補色側にスライダーを動かします❸。

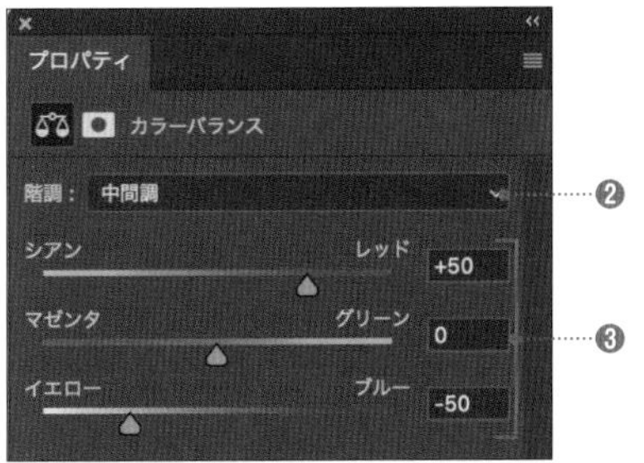

03 この画像のように「青み」を取り除きたい場合は、[シアン／レッド] スライダーや [イエロー／ブルー] スライダーを用いて、青み (シアンやブルー) の補色側、つまりはレッドやイエロー側にスライダーを動かします。すると、画像の青みが軽減され、適正なカラーバランスになります❹。

ここも知っておこう！ ▶ **レベル補正とトーンカーブを使う**

[レベル補正] と [トーンカーブ] を使っても、色の偏りを取り除くことができます。どちらも [プロパティ] パネル上部の補正の対象チャンネルを指定し、中間調を調整します。例えば、青みを取り除きたい場合、対象チャンネルで [ブルー] を指定し❶、レベル補正の場合は中間調のスライダーを右へ動かし❷、トーンカーブの場合は中間調にポイントを追加して下げます❸。すると、青みを減らすことができます。

通常は対象チャンネルは [RGB] で作業しますが、明暗の補正後に、特定のチャンネルに切り替えて色味の補正も同時に行うことができ、1つの調整レイヤーでコンパクトに作業できるメリットがあります。

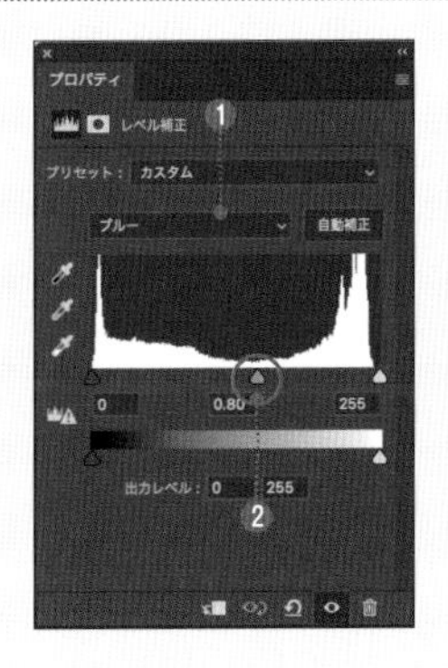

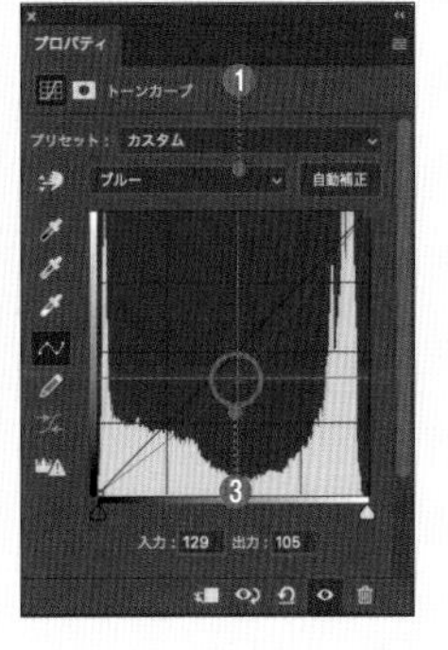

Sample_Data/Lesson03/3-9/

Lesson 3-9 色の偏りを取り除く ［レンズフィルター］

［レンズフィルター］調整レイヤーは、カメラのレンズの前に取り付ける「フィルター」をシミュレーションすることで、画像のカラーバランスを調整する機能です。

レンズフィルターとは

レンズフィルターとは、カメラレンズの前に取り付けるフィルターです。レンズフィルターを取り付けることで、写真の色みを調整することができます（図1）。

Photoshopに用意されている［レンズフィルター］調整レイヤーは、この機器の効果をシミュレーションすることで画像のカラーバランスを調整する機能です。［レンズフィルター］調整レイヤーを使用すると、画像から任意の色を取り除くことができます。

図1 レンズフィルターの例。右図のフィルターをレンズの前に取り付けることで色みを調整します。

多彩なフィルター

［レンズフィルター］調整レイヤーには、あらかじめ多数のフィルターが登録されています❶。［フィルター］プルダウンで取り除きたい色の補色を選択することで、特定の色を取り除くことができます。

また、［カスタム］のカラーボックスに色を指定することで独自のフィルターを作り、特殊な効果を演出することも可能です❷。

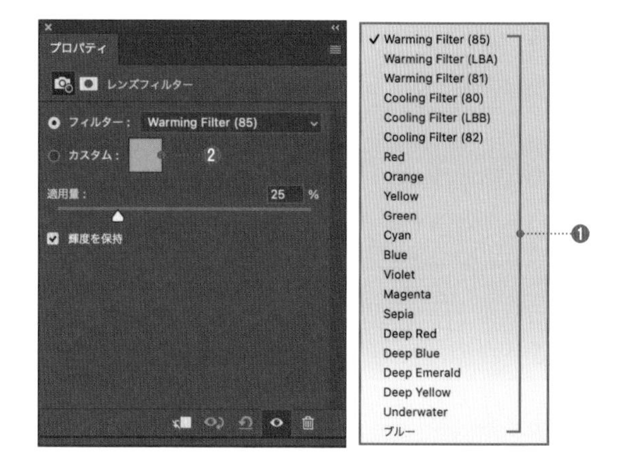

● ［レンズフィルター］調整レイヤーの設定項目

項　目	説　明
フィルター	使用するフィルターを選択する。暖色系には85（暖色が増す）、LBA、81（暖色が増し黄色に近くなる）の3種類があり、寒色系には80（青みが増す）、LBB、82（寒色が増し青に近くなる）の3種類がある
カスタム	［フィルター］プルダウンに登録されていない色を使用する場合に使用する
適用量	フィルターの適用度合い
輝度を保持	チェックを付けると、画像の輝度（明るさ）が保持される。通常はチェックを入れておく

LBAとLBBはともに色温度変換フィルターと呼ばれるフィルターをシミュレーションする機能です。晴れの日の日陰で撮影した写真は、多くの場合で青みがかってしまいます。そのような写真を適正な色みに変換するのがLBAフィルターです。また、明け方や夕方に撮影した写真は、多くの場合で赤みがかってしまいます。そのような写真を適正な色みに変換するのがLBBフィルターです。LBBフィルターは白熱灯の下で撮影した写真に対しても効果的です。

[レンズフィルター]で色の偏りを取り除く

[レンズフィルター] 調整レイヤーを使用して、画像の色の偏りを取り除くには、次の手順を実行します。

01 画像を開き、[レンズフィルター] 調整レイヤーを追加します❶。

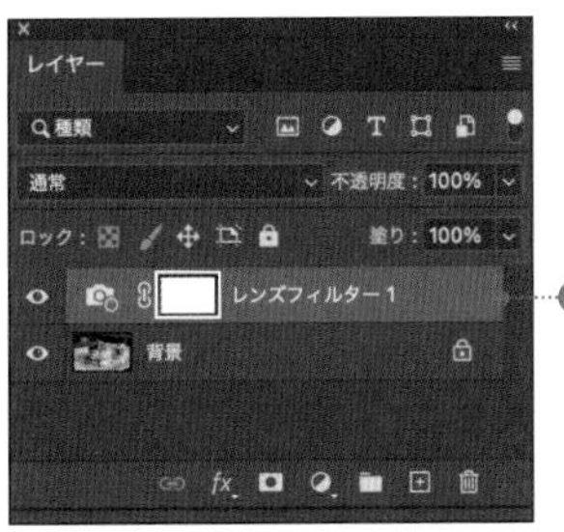

調整レイヤーの追加方法については、p.50を参照してください。

02 [プロパティ] パネルで、フィルターの種類と適用量を設定します。ここでのポイントは「取り除きたい色の補色を選択する」ことです。
この画像は、青みがかっているので、その補色であるイエローのフィルターを選択しています❷。[適用量：20%] を指定すると❸、下図のように適正な色みに補正できます❹。

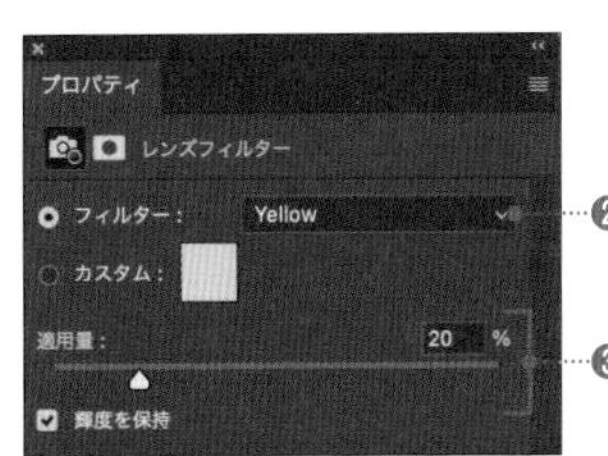

ここも知っておこう！ ▶ [レンズフィルター]調整レイヤーの応用技

[カスタム] のカラーボックスをクリックして任意のカラーを設定することで、写真の色みを自由自在に変更できます。
右図では適正な色みの写真にオレンジ色のフィルターを適用することで❶、夕暮れ風の写真に変更しています。

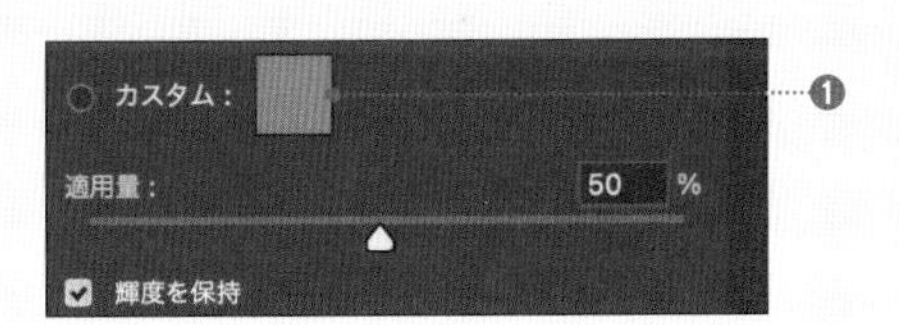

Sample_Data/Lesson03/3-10/

Lesson 3-10 モノトーンにする ［白黒］

［白黒］調整レイヤーは、カラー画像をモノトーン（単一色）に変換する機能です。色系統別に変換方法を指定できるため、画像の状態を細かく調整できます。

モノトーンとは

モノトーンとは「単一色」という意味です。Photoshopには、カラー画像をモノトーン化する方法が多数用意されています。

Photoshopで画像をモノクロ化（グレースケール化）する最も簡単な方法は、メニューバーから［イメージ］→［モード］→［グレースケール］を選択する方法です❶。この機能を利用すると、現在の写真の状態（色の濃度）のまま、単純にグレースケール化されます。ただし、この方法では画像のカラー情報が破棄されてしまうため、変換後にカラー写真に戻すことはできません。また、色の濃淡を個別に調整することもできません。

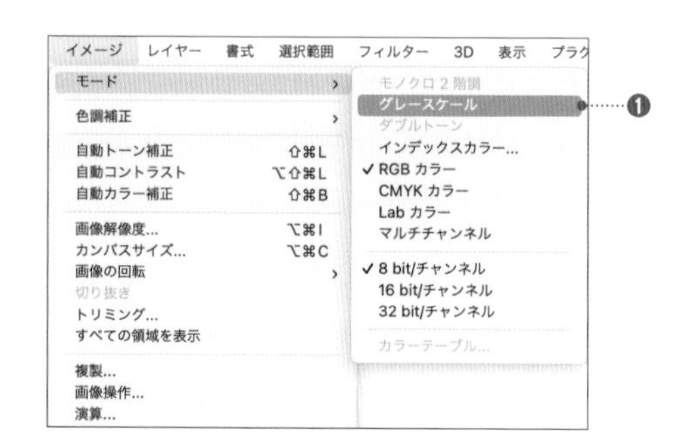

［白黒］調整レイヤーによるモノトーン化

一方、［白黒］調整レイヤーを使用すると、元画像の色系統ごとに濃淡を調整できるため、画像の特性に合わせて色調を調整できます❷。

また、［着色］に任意の色を設定することで、グレースケール以外の色でモノトーン化できます。右下の画像は［白黒］調整レイヤーを使用し、［着色］にベージュを指定することで❸、カラー画像をベージュのモノトーン画像に変換しています❹。

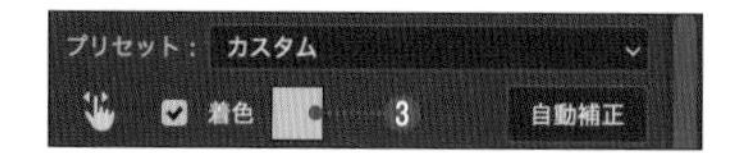

［白黒］調整レイヤーの［着色］機能を使用すると、任意の色のモノトーン画像を作成できます。また変換後に各色系統のスライダーを操作することで、元画像の色系統ごとに濃度を調整できます。

[白黒]で画像をモノトーン化する

[白黒] 調整レイヤーを使用して、画像をモノトーン化するには、次の手順を実行します。

01 画像を開き、[白黒] 調整レイヤーを追加します❶。

調整レイヤーの追加方法については、p.50 を参照してください。

02 [プロパティ] パネルで、色系統別に濃度を指定します。初期状態でモノトーン化しただけでは、場合によっては締りのない、ぼんやりとした画像になることがあります❷。元画像の特徴に応じて各スライダーを調整してください❸。

03 この画像では、元画像の特徴を活かすために、シアン系（水色）部分の黒の濃度を強めています❹。

調整レイヤーの名前が[白黒]なので、モノクローム化（白黒化）しかできない印象を与えますが、[着色]機能があるため、さまざまなモノトーン化（単一色化）を実現できます。

ここも知っておこう！

▶ 画像をモノトーン化する方法

Photoshopでは他にもいくつかの方法で画像をモノトーン化することが可能です。

例えば、[色相・彩度] 調整レイヤー（p.58）に用意されている [色彩の統一] にチェックを付けると❶、画像がモノトーン化されます。色の系統は [色相] スライダーで変更できます。

Sample_Data/Lesson03/3-11/

Lesson 3-11 ［階調の反転］と［2階調化］

［階調の反転］調整レイヤーは、画像を構成する各ピクセルのカラーを反転する機能です。また、［2階調化］調整レイヤーは画像のカラーを白と黒の2色のみに置き換える機能です。

階調の反転

［階調の反転］調整レイヤーは、画像を構成する各ピクセルのカラーを反転する色調補正機能です。通常の写真に対してこの機能を実行すると、ネガフィルムのような仕上がりになります（図1）。

アイデア次第では思いがけないグラフィカルな表現として使用することもできます。

なお、［階調の反転］調整レイヤーの機能は上記の通り、単純にピクセルのカラーを反転するだけなので、［プロパティ］パネルに設定オプションは用意されていません❶。

図1 画像全面に［階調の反転］調整レイヤーを適用すると、上図のようにネガフィルムのような仕上がりになります。

2階調化

［2階調化］調整レイヤーは、画像を構成する各ピクセルのカラーを白または黒のいずれかの色に置き換える色調補正機能です（図2）。

それぞれのピクセルを白に変換するか、黒に変換するかは、各ピクセルの「明るさ」によって決定されます。

また、その明るさの境界値は［プロパティ］パネルの［しきい値］で指定できます❶。ここに、明るさのレベルとして0～255の数値を指定すると、しきい値以下の値を持つ箇所はすべて黒に変換され、しきい値以上の値を持つ箇所は白に変換されます。

図2 ［2階調化］調整レイヤーを適用すると、画像内のすべてのピクセルが白または黒のいずれかのカラーに置き換えられます。

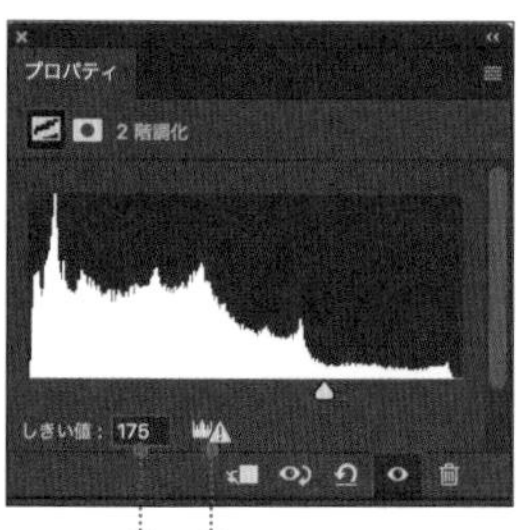

［白黒］調整レイヤーでは、各ピクセルは白、黒、グレーに置き換えられます。一方、［2階調化］調整レイヤーでは白か黒の2色のみに置き換えられます。

［しきい値］の右横に［詳細なヒストグラムを計算］マークが表示された場合、クリックして消すと❷、正確なヒストグラムを表示します。

Sample_Data / Lesson03 / 3-12 /

Lesson 3-12 イラスト風にする ［グラデーションマップ］

［グラデーションマップ］調整レイヤーは、画像のグレースケールの範囲を、指定したグラデーションカラーに置き換える色調補正機能です。グラフィカルな表現として使うことができます。

グラデーションマップとは

［グラデーションマップ］調整レイヤーは、画像のグレースケールの範囲を指定したグラデーションカラーに置き換える色調補正機能です。

グラデーションマップの適用

［グラデーションマップ］調整レイヤーを使用して、画像をイラスト風に加工するには、次の手順を実行します。

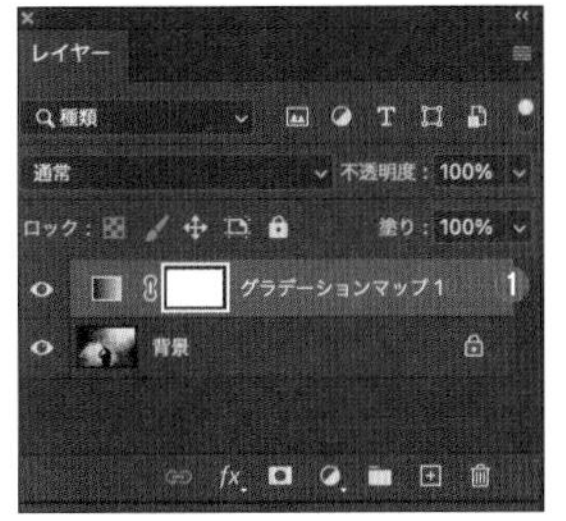

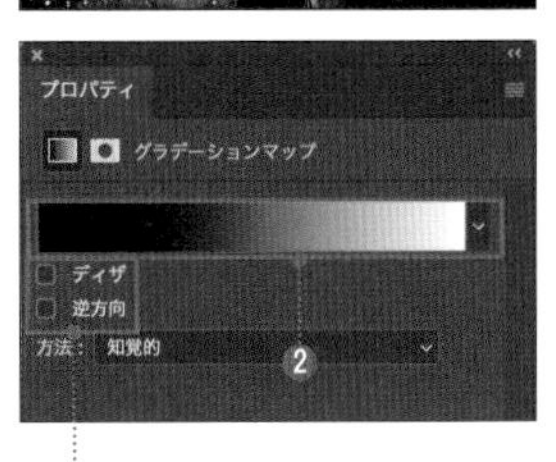

［ディザ］にチェックを付けると、ランダムなノイズが追加されて、グラデーションが滑らかになり、バンディング（濃淡の縞）が抑制されます。
［逆方向］にチェックを付けると、グラデーションの方向が反転します。

01 調整レイヤーを追加したうえで❶、［プロパティ］パネルのグラデーションバーをクリックします❷。

02 ［グラデーションエディター］ダイアログが表示されます。このダイアログでグラデーションを編集できます。
ここでは任意のグラデーションを作成して❸、［OK］ボタンをクリックします❹。

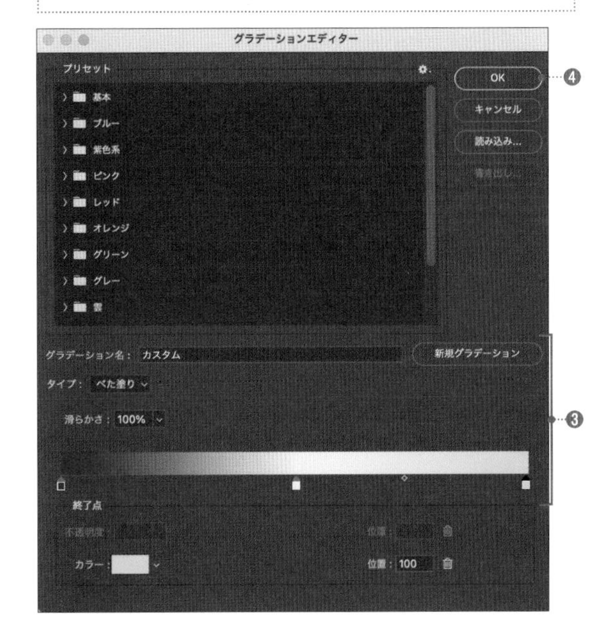

［グラデーションエディター］の使い方については、p.161を参照してください。

03 すると、画像にグラデーションマップが適用されます。

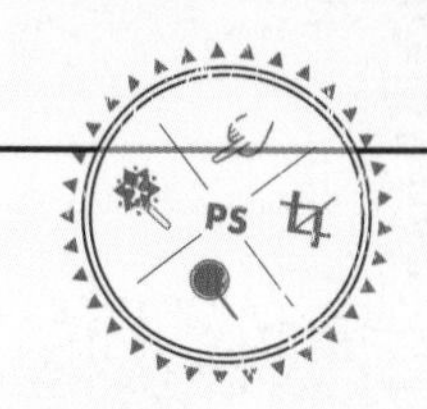

画像補正の基本的な流れ

これまでに解説してきたようにPhotoshopには画像を補正・調整する機能が多数用意されています。また、通常は1つの機能だけで作業が完結することは稀で、多くの場合に、複数の機能を組み合わせることで画像を補正していきます。そのため、作業の流れを把握しておくことも大切です。ここでは基本的な画像補正の流れを整理しておきます。ただし、常にここで紹介する流れで作業を行う必要はありません。作業内容や画像の特性に応じて適宜応用してください。

画像補正の基本手順

Photoshopで画像補正を行う場合の基本的な作業の流れは以下の❶〜❽となります。この流れを基本とし、不要な作業があればスキップし、また画像合成など追加で必要な作業があれば各ステップの中に入れ込むなどして、ベストな流れを検討してください。

❶画像解像度の確認

［画像解像度］ダイアログを表示して、画像の解像度やサイズを確認し、制作物に必要な解像度や出力サイズに整えます。➡p.22

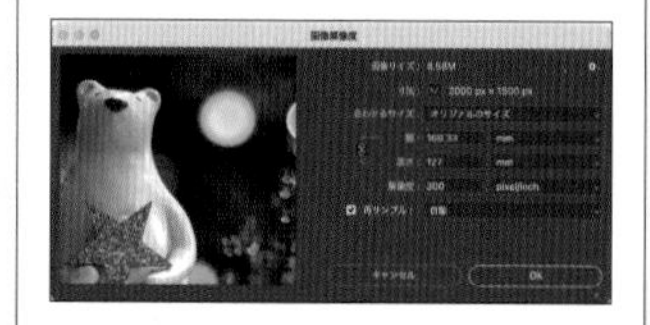

❷傾き修正と不要物の除去

画像が傾いている場合は最初に傾きを修正します。➡p.34
また、ゴミや塵などの不要物が写っている場合は修復系ツールなどで除去します。➡p.171

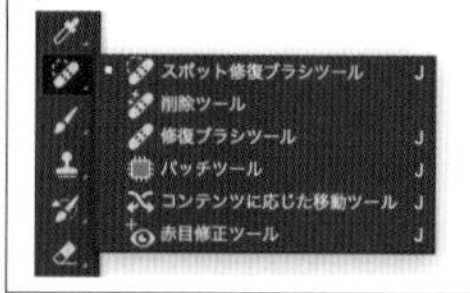

❸明暗の補正

［レベル補正］や［トーンカーブ］調整レイヤーを使って、画像の明暗を補正します。➡p.54、p.56

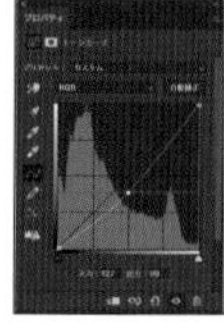

❹色みや彩度の補正

［色相・彩度］や［カラーバランス］調整レイヤーを使って、画像の色みや彩度を補正します。➡p.58、p.62

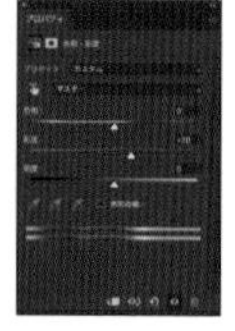

❺その他の特殊加工

必要に応じて、その他の特殊な加工を行います。グラフィカルなフィルターもこの段階で適用します。➡p.192

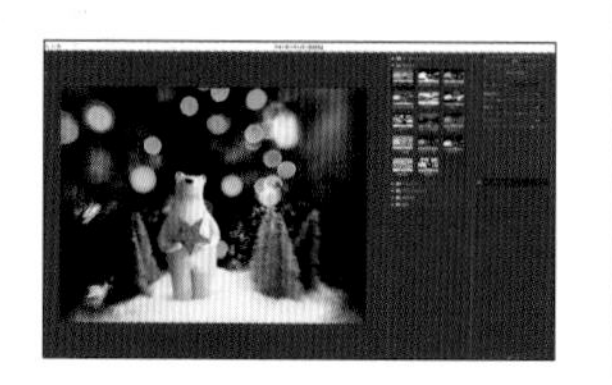

❻メリハリをつける

必要に応じて、画像全体に［アンシャープマスク］フィルターを適用することで、画像にメリハリをつけます。➡p.186

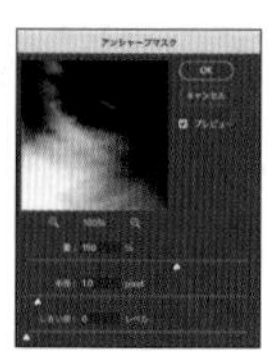

❼画像の統合

別のアプリケーションのドキュメントに配置したり、カラーモードを変換する前に画像を統合します。統合前ファイルは必ず取っておきましょう。➡p.111

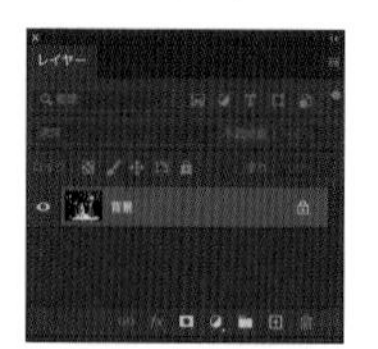

❽カラーモード変換

印刷物用の画像の場合は、最終的にメニューバーから［イメージ］→［カラーモード］→［CMYKカラー］を選択して画像をCMYKカラーモードにします。➡p.21

❾完成

一連の流れで作業を進めれば、手戻りも少なく、効率的に画像補正を行えます。

Lesson 4

How to make a Selection.

選択範囲の作り方

Photoshopの最重要機能を習得しよう！

本章では「選択範囲」について解説します。選択範囲を作成すると、画像の一部を補正・加工したり、コピーして別の画像にペーストしたりできます。画像によって選択範囲の作成方法は異なります。効率的に作成できるようになりましょう。

選択範囲の基本

「選択範囲」は数あるPhotoshopの機能の中で最も重要な機能といっても過言ではないほど大切な機能です。ここでしっかりと基本を身につけましょう。

選択範囲とは

Photoshopの選択範囲とは「画像の中の選択されている箇所」です。選択範囲を作成すると、選択されていない箇所に一切影響を与えずに（元の状態を保ったまま）、選択範囲内のみを編集したり、さまざまな効果を適用したりできます。

- **画像全体に同じ処理を適用する場合、選択範囲は不要**
- **画像の一部に処理を適用する場合、それがどの部分であるのかを選択範囲で指定する必要がある**

例えば、画像の一部の色を変更する場合は、その部分に対して選択範囲を作成します。作成後の処理（色の変更など）は、選択範囲内のピクセルに対してのみ実行されます（図1）。

Photoshopでは多くの処理を「画像全体」ではなく、「ある特定の箇所」に対して行います。そのため、自由自在に選択範囲を作れるようになることが、Photoshopの習得には絶対に欠かせません。

図1 Photoshopの基本では、選択範囲は破線で表されます❶。葉の輪郭に沿って白黒の破線が表示されていることがわかります。作成した選択範囲内のみ色を変更した例です。この例は極端ですが、選択範囲を作成すると、選択範囲外に一切影響を与えずに、画像を編集できることがわかります。

選択範囲について最初に覚えておくべきこと

Photoshopの選択範囲について、最初に覚えておくべきことは次の2点です。

- **選択範囲は、形状（輪郭）以外でも指定できる**
- **選択範囲は、段階的に指定できる**

まず「形状以外でも指定できる」という点について解説します。選択範囲と聞くと、例えば「花の輪郭」や「画像内の動物の部分」といった、被写体の形状（輪郭）をイメージする人が多いと思います。これも正しい理解ですが、Photoshopではこういった形状を元にした選択範囲以外に、「画像内の緑色の部分」のように、特定の色のみを選択することも可能です（図2）。

図2 上図では緑色の部分のみ選択しています。この画像からはわかりづらいですが、下図を見るとその効果を確認できます。下図では緑色を茶色に変更しました。このような加工は一見するととても難しそうですが、選択範囲を理解すると簡単に実現できます。

選択範囲は段階的に指定できる

選択範囲と聞くと、「選択されている」または「選択されていない」のどちらかだと考えられがちですが、Photoshopでは対象のピクセルを256段階で選択できます。

例えば、ある画像を50%（128/256）選択して削除すると、その部分は元の50%の状態（半透明）になります（図3）。

現時点ではこの機能にどれほどのメリットがあるのかわかりづらいと思いますが、この機能があるからこそ高度な画像編集や合成などが実現できるといっても過言ではないほど、重要な機能の1つです。具体的な使い方は後述します。

図3 画像を50%（128/256）選択して削除すると、すべてのピクセルの色や濃度が50%になるため、半透明の状態になります。

グレースケールによる選択範囲の指定

「256段階で選択できる」ということと密接に関係するので、ここで先に概要のみ紹介しますが、Photoshopではグレースケール（黒〜グレー〜白）のカラーを使って選択範囲を作成できます（図4）。

例えば、ブラシに50%グレー（RGB値がすべて128）を設定することで、50%の選択範囲を作成できます。黒色は［選択度合い：0%］、白色は［選択度合い：100%］です。

グレースケールを用いた選択範囲の作成方法や利用方法についてはp.88で詳しく解説します。

図4 Photoshopでは、グレースケールのカラーで、選択範囲を指定できます。

ここも知っておこう！ ▶ **なぜ「256」か**

上記ではPhotoshopの選択範囲は256段階で選択度合いを指定できることを解説しましたが、なぜ256段階なのでしょうか。100段階のようなキリの良い数字のほうがイメージしやすいと思わなかったでしょうか。

実は「256」という数字は、デジタルの世界ではとてもキリの良い数字の1つです。「256」とは、1バイト（8ビット）で表現できる値の数です。

1ビットは「0」か「1」のいずれかしか表現できないので（2値）、1バイトで表現できる値の数は、2の8乗＝256種類となります。

なお、すでに気づいた人もいるかと思いますが、RGBカラーの各色も0〜255の256段階で表現されます。つまり、PhotoshopのRGBカラーでは、約1670万色を表現できるということです（R：256段階×G：256段階×B：256段階）。

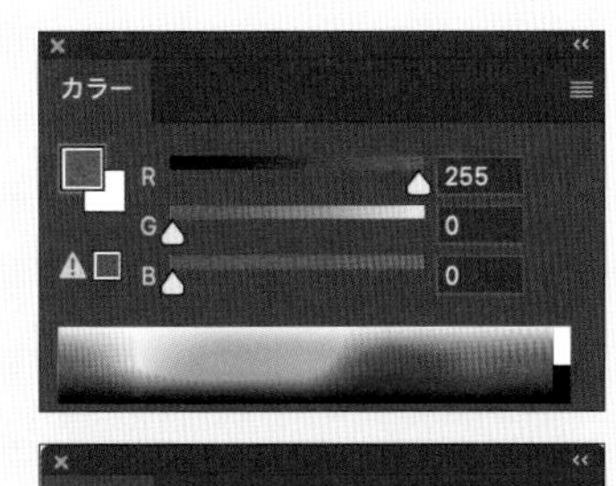

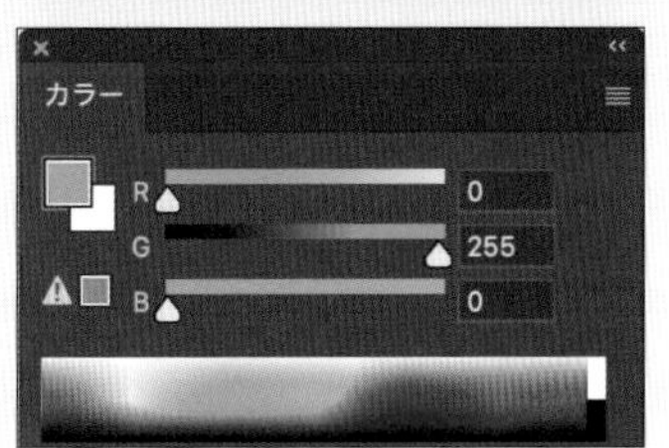

Sample_Data / Lesson04 / 4-2 /

Lesson 4-2 長方形や楕円形の選択範囲を作成する

［長方形選択］ツールや［楕円形選択］ツールを使うと、簡単な操作で長方形や楕円形の選択範囲を作成できます。最も基本的な選択範囲の作り方の１つです。

［長方形選択］ツールの使い方

長方形の選択範囲を作成するには、次の手順を実行します。

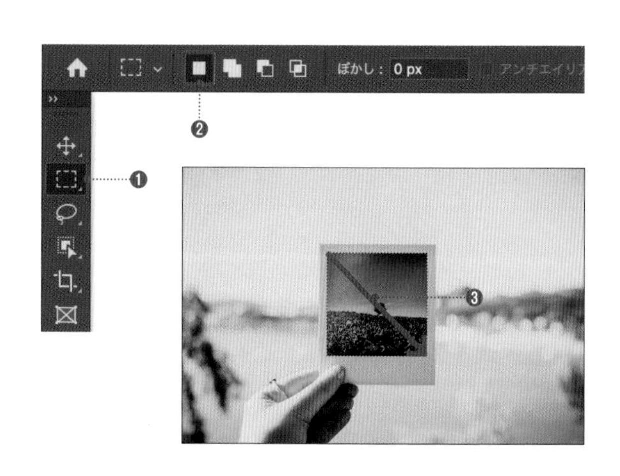

01 ツールパネルで［長方形選択］ツールを選択して❶、オプションバーで［新規追加］を選択します❷。

02 画像上をドラッグすると、ドラッグした範囲を対角線とする長方形の選択範囲が作成されます❸。

shift を押しながらドラッグすると、縦横比が固定され、正方形の選択範囲になります。
また、選択範囲を作成後に、shift を押しながらドラッグすると、選択範囲を追加できます。

03 画像上に選択範囲がある状態で、［色相・彩度］調整レイヤー（p.58）を適用すると、右図のように選択範囲の内側だけ色が変わります❹。
このことから、選択範囲を作成することで、画像全体ではなく、一部分にのみ操作を適用できることがわかります。

ここも知っておこう！ ▶ オプションバーのリセット

各ツールのオプションバーの設定値を初期化するには、オプションバー左端にあるツールアイコンをクリックして❶、表示されるパネルの右上にあるパネルメニューから［ツールを初期化］を選択します❷。この機能はすべてのツールのオプションバーに用意されていますので、覚えておくと便利です。

右図の例では、［長方形選択］ツールのオプションバーで［ぼかし:10px］となっていますが、ツールを初期化することで、［ぼかし:0px］にリセットされます。

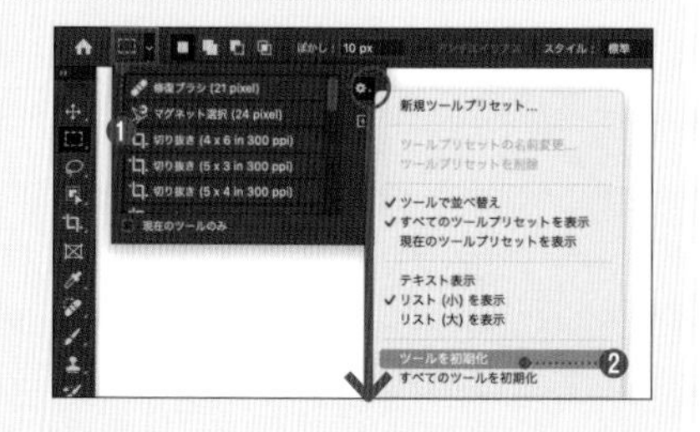

● [長方形選択] ツールのオプションバー

● [長方形選択] ツールのオプションバーの設定項目

項 目	説 明
❶選択範囲オプション	選択範囲をどのように追加するかを指定する。左から以下の通り ・新規選択(新規に選択範囲を作成する) ・選択範囲に追加(既存の選択範囲に追加する) ・現在の選択範囲から一部削除(既存の選択範囲から一部削除する) ・現在の選択範囲との共通範囲(既存の選択範囲との共通範囲を残す)
❷ぼかし	選択範囲の境界線をぼかす。大きな値を設定すると、エッジのディティールが失われる
❸アンチエイリアス	選択範囲のギザギザのエッジを滑らかにする。エッジのディティールは失われない。矩形の選択系ツール以外で有効
❹スタイル	ドラッグ時の挙動を選択する [標準]:自由にドラッグできる [縦横比を固定]:選択範囲の縦横比が固定される [固定]:サイズを数値で指定して選択範囲を作成する
❺選択とマスク	クリックすると、[選択とマスク] ワークスペースに切り替わる。[選択とマスク] ワークスペースについては **p.100** を参照

選択範囲を移動する

作成した選択範囲を移動するには、次の手順を実行します。

01 ツールパネルで [長方形選択] ツール を選択して、マウスカーソルを選択範囲の内側に移動します。すると、カーソルの形状が右図の形状に変わります❶。
この状態でドラッグすると選択範囲が移動します❷。

02 また、[移動] ツール を選択して選択範囲内をドラッグすると❸、その範囲を切り取ることができます❹。

なお、選択範囲を作成中(ドラッグ操作中)に space を押すことでも、選択範囲の位置を変更できます。また、選択範囲の移動方法については、後述するその他の方法で作成した選択範囲の場合も同じです。ここで覚えておいてください。

ここも知っておこう! ▶ [楕円形選択] ツールの使い方

[楕円形選択] ツールの使い方は、基本的に上記で解説した [長方形選択] ツールと同じです。オプションバーの項目も同じです。ツールを選択して画像上をドラッグすると楕円形の選択範囲が作成されます❶。また shift を押しながらドラッグすると正円の選択範囲になります。

なお、[長方形選択] ツールや [楕円形選択] ツールと同じツールグループに含まれる [一行選択] ツールと [一列選択] ツールについては、使用頻度が少ないので、本書では解説を割愛します。

フリーハンドで選択範囲を作成する

［なげなわ］ツール、［多角形選択］ツール、［マグネット選択］ツールを使うと、対象物を囲むようにして手軽に選択範囲を作成できます。

［なげなわ］ツールの使い方

［なげなわ］ツールは、曲線の選択範囲を作成する際に使用します。

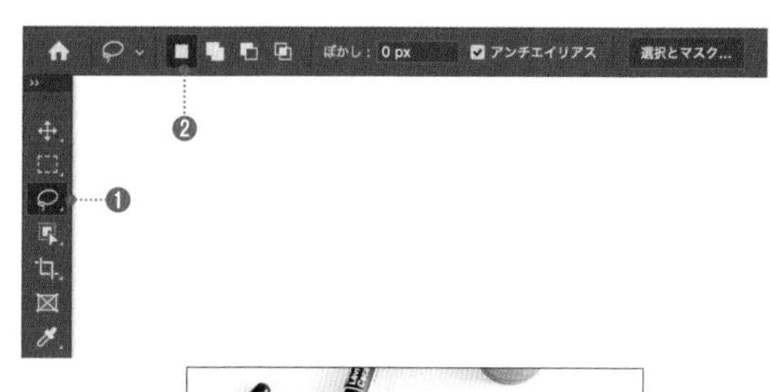

01 ツールパネルで［なげなわ］ツールを選択して❶、オプションバーで［新規作成］をクリックします❷。

02 画像上をドラッグすると❸、ドラッグした軌跡に沿って選択範囲が作成されます❹。通常は、ドラッグの開始点まで戻ってドラッグを止めます。

開始点に戻る前にドラッグを止めると、開始点と終点を直線で結ぶ選択範囲が作成されます。

操作中に option （Alt）を押しながらクリックすると、一時的に［多角形選択］ツールになり、直線を描画できます。

［多角形選択］ツールの使い方

［多角形選択］ツールは、多角形の選択範囲を作成する際に使用します。

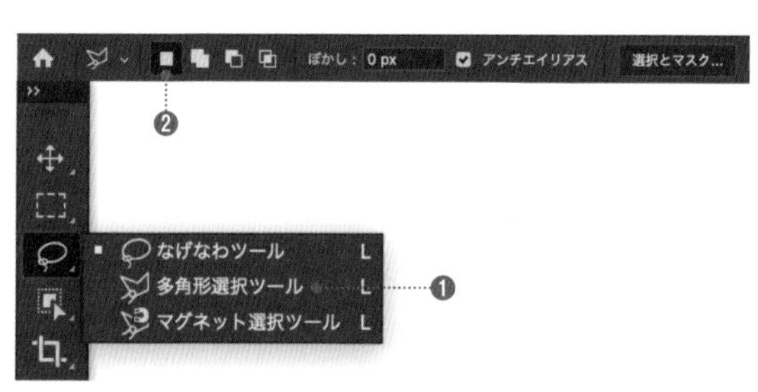

01 ツールパネルで［多角形選択］ツールを選択して❶、オプションバーで［新規作成］をクリックします❷。

02 画像上をクリックして囲んでいきます。最終的に開始点まで戻ると、カーソルの右下に○マークが表示されるので❸、そこでクリックします。すると選択範囲になります❹。

操作中に option （Alt）を押しながらドラッグすると、一時的に［なげなわ］ツールになり、曲線を描画できます。

[マグネット選択]ツールの使い方

[マグネット選択]ツールは、選択したい対象物のエッジ(境界)を自動検出して選択範囲を作成するツールです。対象物とのコントラスト差が大きい場合に向いています。

ただし、後述する自動的に選択範囲を作成するツール(p.78)を使用した方が効率的であるため、補助的に知っておくと良いでしょう。

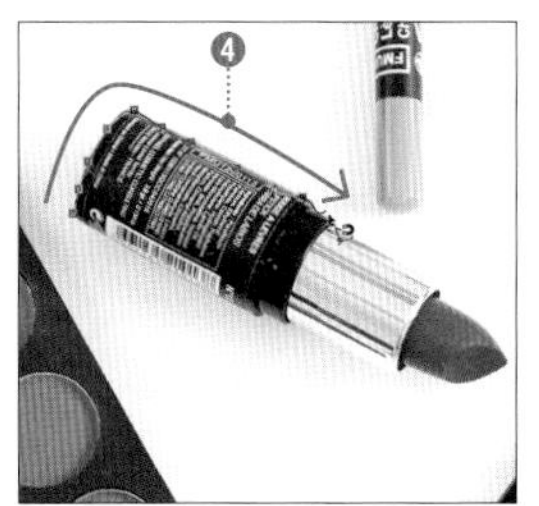

01 ツールパネルで[マグネット選択]ツールを選択して❶、オプションバーで[新規作成]をクリックします❷。

02 クリックして最初のポイントを作ります❸。

03 以降は、対象物に沿ってドラッグします❹。すると、自動的に対象物のエッジが検知されてつながっていきます。

04 開始点まで戻ると、カーソルの右下に○マークが表示されるので❺、そこでクリックします。すると選択範囲になります❻。

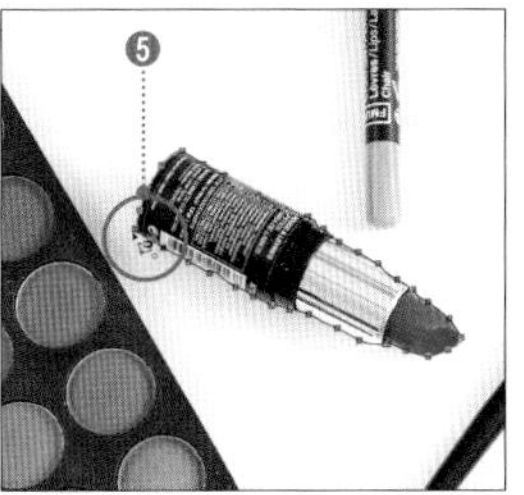

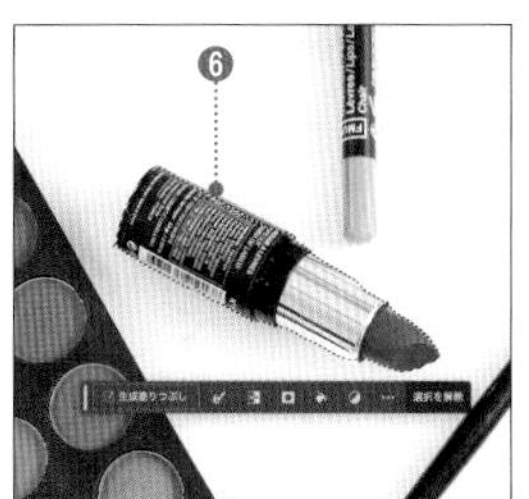

固定ポイントを消去するには、目的の部分が消えるまで delete (Back space) を押します。また途中で境界線を閉じるにはダブルクリックします。

なお、[なげなわ]ツール、[多角形選択]ツールのオプションバーの設定項目は、[長方形選択]ツールと同じです(p.74)。一方、[マグネット選択]ツールには自動検出を行うための設定項目が用意されています。下表を参考に各項目を設定してみてください。

● [マグネット選択]ツールのオプションバー

● [マグネット選択]ツールのオプションバーの設定項目

項 目	説 明
❶幅	検知する幅(マウスカーソルの位置からの距離)を指定する。範囲外にあるエッジは検出されない
❷コントラスト	エッジを検知する感度を指定する。高い値を指定すると、周囲と比較してコントラストが強いエッジだけを検知し、低い値を指定すると、コントラストの弱いエッジを検知する
❸頻度	固定ポイントを設定する頻度を指定する
❹筆圧でペン幅を変更	有効にすると、タブレット使用時に筆圧を強くするとエッジ幅が狭くなる

Sample_Data/Lesson04/4-4/

自動的に選択範囲を作成する

［オブジェクト選択］ツールや［クイック選択］ツール、［自動選択］ツールを使うと、特定の対象物に対して自動的に選択範囲を作成できます。対象物とそれ以外の箇所とのコントラストがはっきりした画像に向いています。

［オブジェクト選択］ツールの使い方

［オブジェクト選択］ツールを使用すると、自動でオブジェクト（対象）を検索して、選択範囲を作成できます。

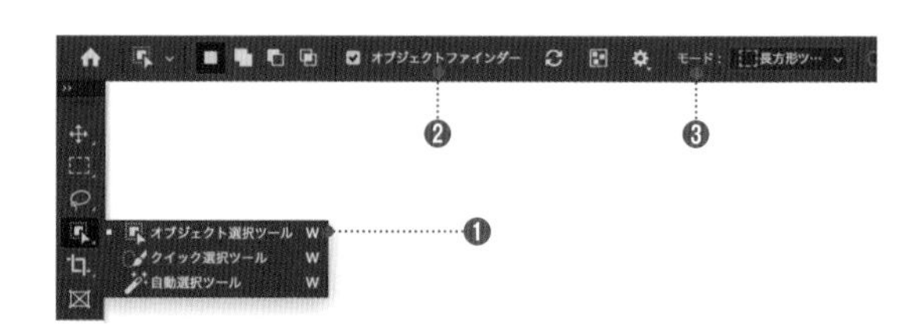

01 ［ツール］パネルで［オブジェクト選択］ツールを選択して❶、オプションバーの［オブジェクトファインダー］にチェックを入れます❷。

［オブジェクトファインダー］のチェックを外し、［モード］で［長方形ツール］か［なげなわツール］を選択することで❸、［長方形選択ツール］や［なげなわツール］の操作感でドラッグして範囲を指定することができます。

02 画像上にマウスポインタを合わせると、対象物が自動的に検索され、ハイライトされます❹。そのままクリックすると、選択範囲が作成されます❺。

● ［オブジェクト選択］ツールのオプションバー

● ［オブジェクト選択］ツールのオプションバーの設定項目

機　能	概　要
❶選択範囲オプション	選択範囲をどのように追加するかを指定する。左から以下の通り ・新規選択（新規に選択範囲を作成する） ・選択範囲に追加（既存の選択範囲に追加する） ・現在の選択範囲から一部削除（既存の選択範囲から一部削除する） ・現在の選択範囲との共通範囲（既存の選択範囲との共通範囲を残す）
❷オブジェクトファインダー	対象物を自動的に検索する
❸オブジェクトファインダーを更新	クリックして有効にすると、オブジェクトファインダーの読み込みを更新できる
❹すべてのオブジェクトを表示	クリックして有効にすると、検索可能なすべてのオブジェクトを表示する
❺その他のオプションを設定	オブジェクトファインダーの設定を指定する
❻モード	オブジェクトファインダーのチェックを外して手動で範囲指定する際の操作感を指定する
❼全レイヤーを対象	チェックを付けると、すべてのレイヤーが自動検出の対象になる。チェックを外すと、現在アクティブなレイヤー（［レイヤー］パネル上で選択されているレイヤー）のみが対象になる
❽ハードエッジ	選択範囲の境界線をハードにする
❾フィードバックを提供	機能を試した結果に対するフィードバックを送信する
❿被写体を選択	クリックすると、画像内の主要な被写体を自動的に識別して選択する
⓫選択とマスク	クリックすると、［選択とマスク］ワークスペースに切り替わる。［選択とマスク］ワークスペースについてはp.100を参照

[クイック選択] ツールの使い方

[クイック選択] ツールを使用すると、画像上をクリック、またはドラッグするだけで、特定の対象物に対して選択範囲を作成できます。

[オブジェクト選択] ツールによる自動検索が意図しない結果の場合、ツールサイズを調整できる [クイック選択] ツールの方が柔軟に範囲を指定することができます。

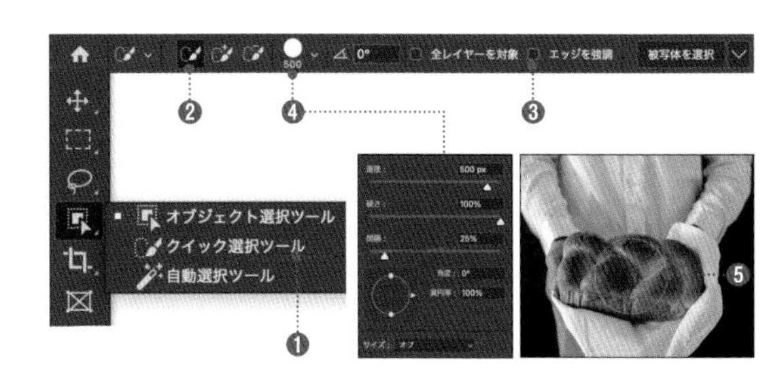

01 ツールパネルで [クイック選択] ツールを選択して❶、オプションバーで [新規選択] をクリックします❷。また [エッジを強調] にチェックを付けます❸。

02 ブラシサイズを設定します❹。今回の例では [直径 : 500 px] に設定しています。対象物より一回り小さいブラシサイズにすると、ワンクリックで適切な選択範囲を作成できることが多いです。

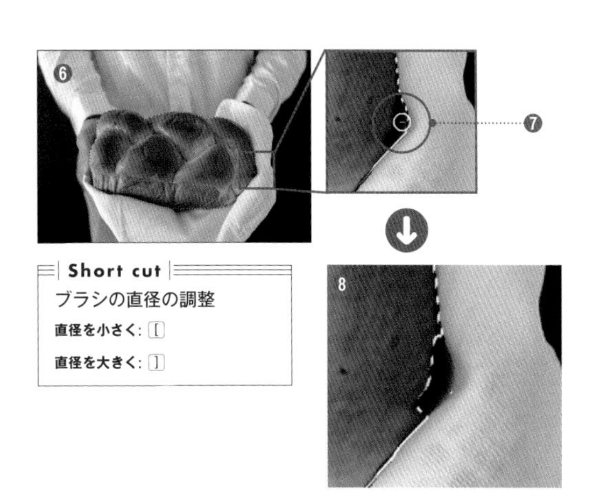

03 画像上をクリックまたはドラッグすると❺、設定した精度の範囲内で対象物が自動的に検出されて、選択範囲が作成されます❻。

Short cut
ブラシの直径の調整
直径を小さく: [
直径を大きく:]

04 一度のクリックで正確に選択しきれない場合は、ブラシサイズを調整後、再度クリックまたはドラッグして選択範囲を調整します❼。ここでは部分的に選択された範囲を option を押しながらクリックして除外し、整えました❽。

05 [カラーバランス] 調整レイヤーを追加して❾、色みを調整すると❿、右図のように周辺の画像に影響を与えることなく、パンの部分だけ色みを変更することができます⓫。

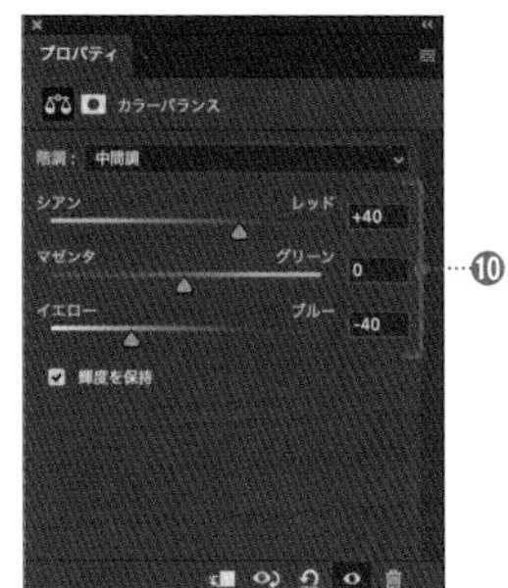

[カラーバランス] 調整レイヤーの追加方法や、操作手順については、p.62で解説しています。

選択範囲を作成した後で、調整レイヤーを追加すると、調整レイヤーの右側のサムネールが、選択範囲の部分が白、非選択範囲の部分が黒になります⓬。このサムネールは「レイヤーマスク」と呼ばれる機能を表しています。レイヤーマスクについてはp.126で詳しく解説しますが、レイヤーマスクでは黒～グレー～白のグレースケールで選択範囲を表します。

⓬ カラーバランス 1

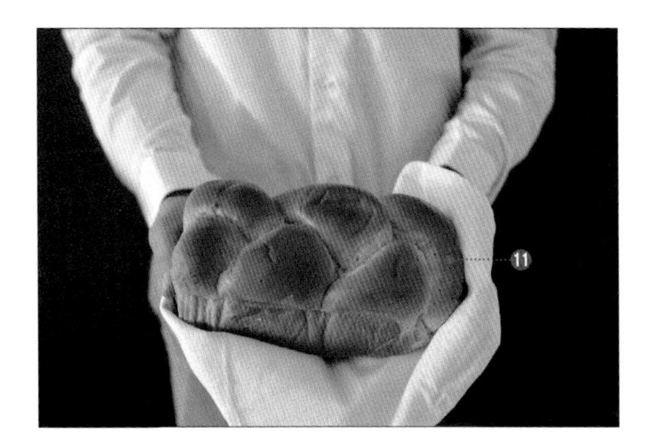

● [クイック選択] ツールのオプションバーの設定項目

項目	説明
ブラシの設定	ブラシの設定をする。[直径] でサイズ、[硬さ] でぼけ具合を指定する。間隔、角度、真円率 (100%以下で楕円形になる) なども指定できる
ブラシの角度を設定	ブラシの角度を設定する
エッジを強調	チェックを付けると、選択範囲の境界線の粗さと歪みが自動的に軽減される

[自動選択]ツール

[自動選択]ツールは、画像の輪郭(エッジ)ではなく、画像内の似ているカラーの範囲を選択するツールです。例えば、「画像内の白色のピクセルのみを選択する」といったことが可能です。

このツールは、選択したい対象物と背景とのコントラスト差が大きく、かつ背景が単調な場合や、色がはっきりとわかれているイラストのような画像の場合に効率的に選択範囲を作成できます。

01 ツールパネルで[自動選択]ツールを選択して❶、オプションバーで[新規作成]をクリックします❷。

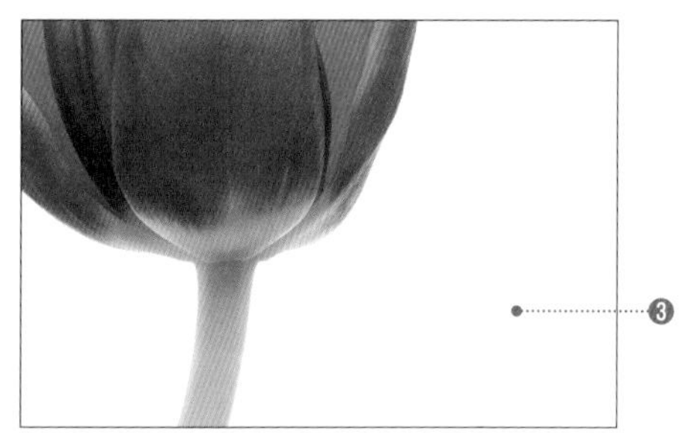

02 選択したい箇所をクリックします❸。すると、クリックした箇所の色や濃淡を元にして、自動的に近似のピクセルが選択され、選択範囲に含まれます❹。

03 一度のクリックでは不十分である場合は、shift を押しながら選択範囲に追加したい箇所をクリックします❺。また、不要な部分が選択された場合は、option(Alt)を押しながら、除外する箇所をクリックして選択範囲を整えます❻。

ここでは、オプションバーの[隣接]にチェックを入れているので、最初のクリックでは、クリック箇所と隣接している範囲が選択され、隣接していない箇所は対象外となったため、後から追加しました。

● [自動選択]ツールのオプションバー

● [自動選択]ツールのオプションバーの設定項目

機　能	概　要
❶選択範囲オプション	左から[新規選択]、[選択範囲に追加]、[現在の選択範囲から一部削除]、[現在の選択範囲との共通範囲]。詳しくは**p.78**を参照
❷サンプル範囲	自動処理の基準となるサンプル(ピクセル)の範囲を指定する。[指定したピクセル]を選択すると、クリックしたピクセルの色や濃度が基準となる。他の選択項目の場合は指定範囲の平均値が基準となる
❸許容値	選択するピクセルのカラーの範囲を0～255の値で指定する。許容値が低いとクリックしたピクセルに非常に近いカラーが選択され、許容値が高いと選択されるカラーの範囲は大きくなる
❹アンチエイリアス	チェックを入れると選択範囲の境界線が滑らかになる
❺隣接	チェックを入れると、クリックした箇所と隣接しているピクセルのみが選択対象になる
❻全レイヤーを対象	チェックを入れると、表示されているすべてのレイヤーのデータを使用してカラーが選択される
❼被写体を選択	クリックすると、画像内の主要な被写体を自動的に識別して選択する
❽選択とマスク	クリックすると、[選択とマスク]ワークスペースに切り替わる。[選択とマスク]ワークスペースについては**p.100**を参照

選択範囲を反転する

Photoshopでは、簡単な操作で選択範囲と非選択範囲を反転（入れ替える）ことができます。この機能を利用すれば、選択の対象物が複雑な階調であっても、簡単に選択できるので、ぜひ覚えておいてください。

01 [自動選択] ツールで、最終的には選択しない箇所をクリックして選択します。ここでは前ページの続きからスタートします。

02 メニューバーから [選択範囲] → [選択範囲を反転] を選択します❶。

Short cut
選択範囲を反転
Mac: ⌘ + shift + I　Win: Ctrl + shift + I

選択範囲　フィルター　3D　表示
すべてを選択 ⌘A
選択を解除 ⌘D
再選択 ⇧⌘D
選択範囲を反転 ⇧⌘I ❶
すべてのレイヤー ⌥⌘A
レイヤーの選択を解除
レイヤーを検索 ⌥⇧⌘F
レイヤーを分離
色域指定...

03 すると、選択範囲が反転し、結果的に花の部分を選択することができました❷。

この後、[レイヤーマスクを追加] をクリックすると、現在のレイヤーにレイヤーマスク（p.126）を追加して、選択範囲のみを表示することができます。

ここも知っておこう！ ▶ **選択範囲を透明にする**

選択範囲を透明にするには、選択範囲を作成して（ここでは（p.80）の手順の後）delete キーを押します。すると、選択範囲が透明になります❶（p.107）。なお、対象のレイヤーが背景レイヤーのままでは、この操作は実行できないので背景レイヤーを通常のレイヤーに変換してから行います❷（p.114）。

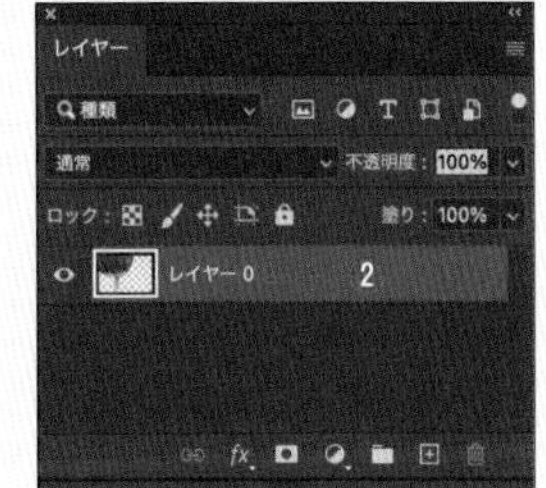

Sample_Data/Lesson04/4-5/

被写体を一瞬で選択する

［被写体を選択］を使用すると、Photoshopが被写体（人物など）を自動的に識別し、瞬時に選択範囲を作成できます。

［被写体を選択］の使い方

［被写体を選択］機能の使い方はいたって簡単です。画像を開いた状態で、メニューバーから［選択範囲］→［被写体を選択］を選択するだけです。

なお、［被写体を選択］機能は、先進の機械学習テクノロジーを利用しており、人物、動物、乗り物、おもちゃなど、画像に含まれるさまざまな「題材」を自動的に識別できるように学習しています。

ここでは［被写体を選択］を使って、右の写真の中から人物を選択してみます。

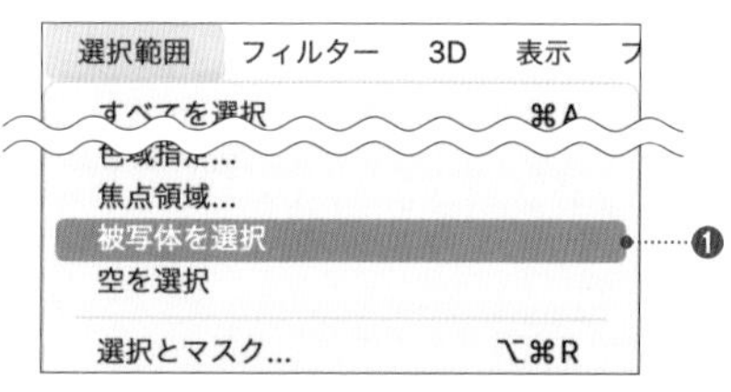

01 画像を開いた状態で、メニューバーから［選択範囲］→［被写体を選択］を選択します❶。

02 画像に含まれる被写体が自動的に認識され、人物に選択範囲が作成されます❷。

［被写体を選択］の機能だけで細かい部分を選択できない場合は、クイックマスク（p.92）などの機能を組み合わせて選択範囲を追加・削除するなどして調整してください。

ここも知っておこう！ ▶ **空を選択**

空を自動的に識別し、瞬時に選択範囲を作成することもできます。空を選択するには、メニューバーから［選択範囲］→［空を選択］を選択します。すると、画像に含まれる空が自動的に認識され、空に選択範囲が作成されます。右図の例では、空を選択後、［色相・彩度］調整レイヤー（p.58）を使って、空の色相と彩度を調整しました。

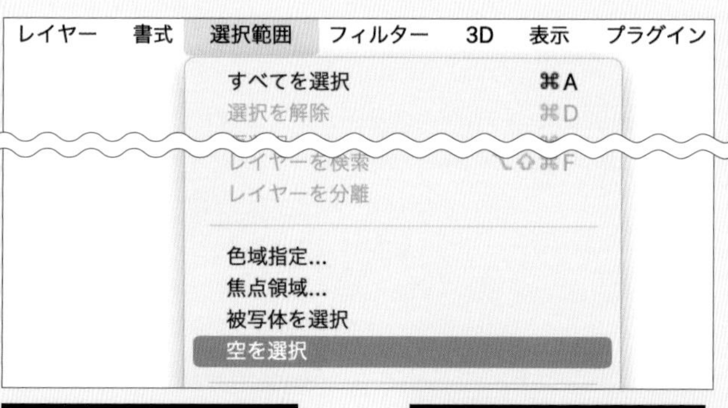

COLUMN

自動的に選択範囲を作成するツールのオプション

［被写体を選択］の機能は、［オブジェクト選択］ツール、［クイック選択］ツール、［自動選択］ツールのオプションバーにも用意されています❶❷❸。これらのツールを使用している際に［被写体を選択］をクリックすると、画像に含まれる被写体を識別して選択できます。

ただし、これらのツールに関しては、各ツールの使い方の項目で解説した基本的な使い方（p.78～p.80）で使用したほうが、良い結果になる場合もあるので、画像の内容によって、［被写体を選択］を使うか否か、判断してください。

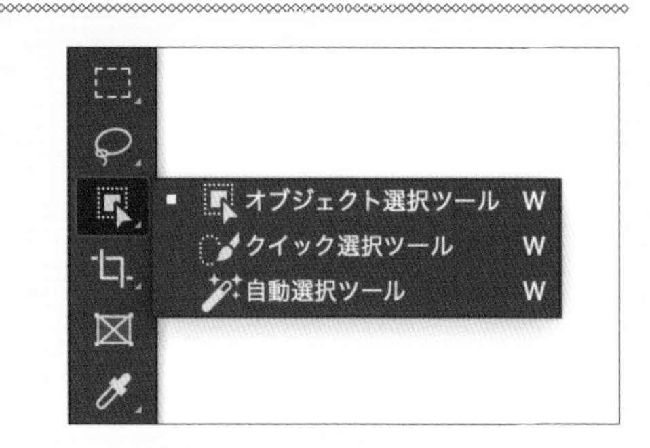

● ［オブジェクト選択］ツールのオプションバー

● ［クイック選択］ツールのオプションバー

● ［自動選択］ツールのオプションバー

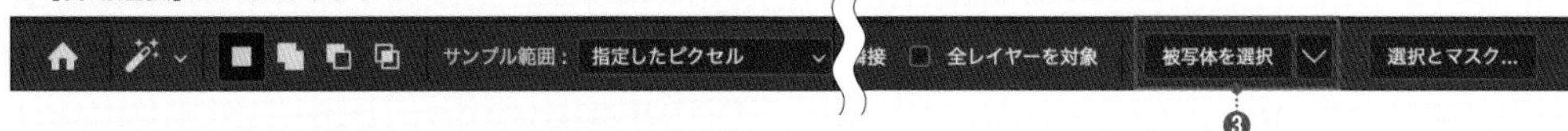

左図に対して［オブジェクト選択］ツール（p.78）および［クイック選択］ツール（p.79）の［被写体を選択］を使用すると、カボチャが被写体として認識されました。どちらのツールでも結果はほぼ同様です。

上図に対して、［自動選択］ツール（p.80）の［被写体を選択］を使用すると、花が被写体と認識されましたが、茎は選択されなかったため、選択範囲の調整が必要な状態になりました。

Sample_Data/Lesson04/4-6/

選択範囲の解除と保存／読み込み

選択範囲の基本である「選択範囲の解除」、「選択範囲の保存」、「保存した選択範囲の読み込み」の方法を解説します。

選択範囲の解除

作成した選択範囲を解除するには、メニューバーから［選択範囲］→［選択を解除］を選択します❶。すると、画像上のすべての選択範囲が解除されます。

なお、誤って解除した場合は、メニューバーから［選択範囲］→［再選択］を選択することで、直前に作成していた選択範囲を元に戻せます。

ただし、この操作はいったんファイルを閉じると無効になるので注意してください。ファイルを閉じた後で選択範囲を使用する場合は、選択範囲を保存しておくことが必要です。

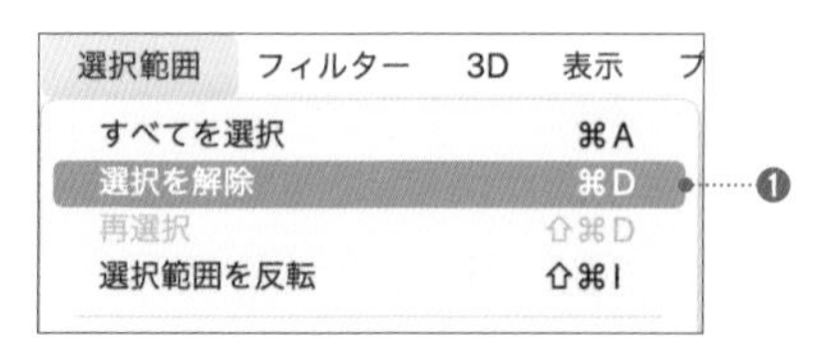

選択範囲の保存

選択範囲は、そのままの状態では保存されません。ファイルを閉じると設定が無効になります。

作成した選択範囲を、選択範囲の解除後やファイルをいったん閉じた後で再度使用する場合は、先に保存しておくことが必要です。

01 選択範囲を作成後❶、メニューバーから［選択範囲］→［選択範囲を保存］を選択します❷。

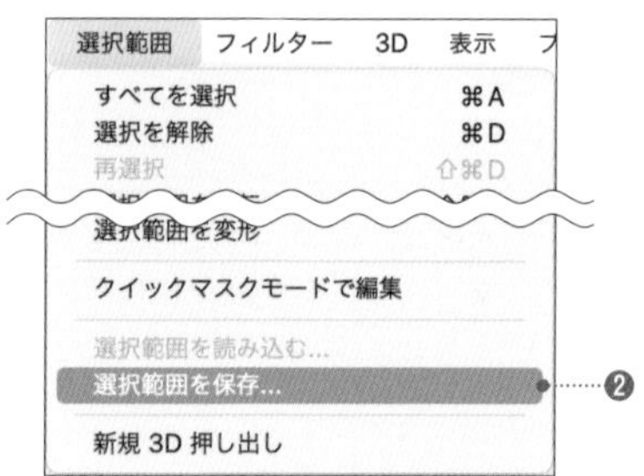

02 ［選択範囲を保存］ダイアログが表示されるので、各項目を設定して❸、［OK］ボタンをクリックします❹。
通常は右図のように設定します。
保存後、選択を解除します。

［名前］の指定は省略できます。省略した場合、自動的に［アルファチャンネル（番号）］という名前で保存されます。

● [選択範囲を保存] ダイアログの設定項目

項　目	説　明
ドキュメント	選択範囲はファイル内に保存することになるため、そのファイル名(ドキュメント)を指定する。通常は現在のファイルを指定する。選択範囲を保存したファイルは、PSD形式で保存する
チャンネル	選択範囲は「アルファチャンネル」として保存されるため、その保存先を指定する。通常は[新規]を選択する。アルファチャンネルについては次ページを参照
名前	読み込む際に使用する名前を指定する。省略可
選択範囲	選択範囲をどのように保存するかを指定する。通常は[新規チャンネル]を選択する

03 選択範囲は「アルファチャンネル」(p.86)として保存されます。保存状態は[チャンネル]パネルで確認できます。メニューバーから[ウィンドウ]→[チャンネル]を選択して、[チャンネル]パネルを表示すると、指定した名前で選択範囲が保存されていることが確認できます❺。

チャンネル名の上をダブルクリックすると入力モードになり、名前を変更できます。

04 [チャンネル]パネルで[アルファチャンネル1]をクリックすると、保存した選択範囲をグレースケールで確認できます。白い部分は100%選択、黒い部分は非選択、グレーの部分はぼかしを含むことを表します❻。
確認後、[RGB]チャンネル(合成チャンネル)をクリックして、元に戻します❼。

選択範囲の読み込み

アルファチャンネルに保存した選択範囲を、画像上に読み込むには次の手順を実行します。

01 メニューバーから[選択範囲]→[選択を読み込む]を選択して[選択範囲を読み込む]ダイアログを表示し、[チャンネル]で読み込むアルファチャンネルを指定して❶、[OK]ボタンをクリックします❷。

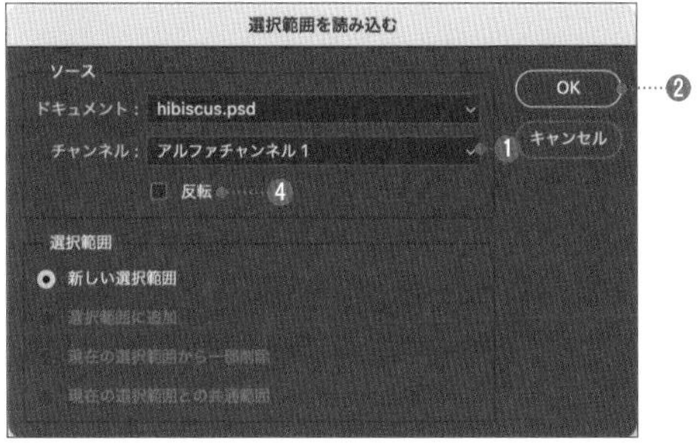

02 選択範囲が画像上に読み込まれます❸。

[選択範囲を読み込む]ダイアログの[反転]にチェックを付けると❹、選択範囲を反転して読み込むことができます。

選択範囲の読み込みは、[チャンネル]パネルに保存されているアルファチャンネルのサムネールを ⌘ (Ctrl) を押しながらクリックすることでも行えます。

Sample_Data/Lesson04/4-7/

アルファチャンネルを理解する

Photoshopをこれから学ぶ人にとって、アルファチャンネルは少しわかりづらい機能の1つかもしれません。しかし、基本をしっかりと学べばすぐに活用できるようになります。

チャンネルとは

アルファチャンネルを理解するためには、先にチャンネルについて把握しておく必要があります。

チャンネルとは、さまざまな情報を保存したグレースケール画像です。例えば、その1つであるカラーチャンネルは色情報をグレースケール画像で管理しています。画像がRGBカラーの場合は[レッド][グリーン][ブルー]の3つのチャンネルで画像の色情報を管理しています(CMYKの場合は4つのチャンネルになります)。

なお、これらのカラーチャンネルは、アルファチャンネルとは異なり、各画像に最初から設定されています。

右図を見てください。この画像はRGBカラーなので、[チャンネル]パネルを見ると、画像が[レッド][グリーン][ブルー]のカラーチャンネルで構成されていることがわかります。また、各カラーのチャンネルに表示されている色がグレースケールになっていることもわかります❶。

[チャンネル]パネルの基本操作

[チャンネル]パネルでいずれかのカラーチャンネルをクリックすると、そのチャンネルの色情報を確認できます。色情報は256段階のグレースケールで管理されており、白いほどその色情報が強いことを表します。

例えば、[R:255、G:0、B:0]の赤色のピクセルは、[レッド]チャンネル選択時には白色で表示され、[グリーン]や[ブルー]チャンネル選択時には黒色で表示されます。

右図を見てください。それぞれのチャンネルを個別に選択すると、各カラーの濃度を確認できます。まずはこの特徴を覚えておいてください。

なお、通常は[RGB]チャンネル(合成チャンネル)を選択して作業を行います。

[RGB]チャンネル選択時

[レッド]チャンネル選択時

[グリーン]チャンネル選択時

[ブルー]チャンネル選択時

アルファチャンネルとは

アルファチャンネルとは、選択範囲を保存するための特別なチャンネルです。選択範囲を作成後に、メニューバーから [選択範囲] → [選択範囲を保存] を選択すると、選択範囲はアルファチャンネルに保存されます❶ (p.84)。

Photoshopでは選択範囲を256段階の選択具合で指定できると説明しましたが (p.73)、アルファチャンネルでは、それを256段階のグレースケールで管理します。100%選択されている箇所は白、まったく選択されていない箇所は黒になります。

[チャンネル] パネルでアルファチャンネルをクリックして選択すると、アルファチャンネルに保存されている選択範囲の状態を、グレースケールで確認できます❷。

選択範囲の境界線を3pxぼかし、保存したものです。選択範囲の境界線がぼけているため、グレーが含まれています。

Photoshopでは、1つのファイルに最大で56チャンネルを保存できます。RGB画像では3つのカラーチャンネルがあるため、アルファチャンネルとスポットカラーチャンネルを合わせて53チャンネルまで追加できます。スポットカラーチャンネルとは、スポットカラー (特色) インキを使用して印刷する際に、そのインキ用の「版」として追加するチャンネルです。

アルファチャンネルの利用シーン

アルファチャンネルは主に次の2つの処理のために利用します。

- 選択範囲の保存
- 選択範囲の編集

保存については前項までに解説してきた通りです。Photoshopでは、選択範囲をそのままの状態で保存することができないため、同じ選択範囲を何度も使用する場合や、他の画像で使用する場合には、事前にアルファチャンネルに保存しておくことが必要です。

また、アルファチャンネルは選択範囲を編集する際にも利用します。選択範囲を256段階のグレースケールで編集することによって、精度の高い画像編集や画像合成ができるといっても過言ではありません。

選択範囲の編集方法については次ページで解説します。

選択範囲を256段階で指定できるからこそ、この図のような画像合成が実現できます。

Lesson 4-8 アルファチャンネルで選択範囲を編集する

Sample_Data / Lesson04 / 4-8 /

Photoshopで画像編集や画像合成を行うには、アルファチャンネルの編集方法を理解することが必要です。グレースケールと選択度合いの関係を理解することが近道です。

選択範囲とグレースケールの関係

前述した通り、アルファチャンネルは、グレースケールで情報を保存しています。アルファチャンネルのグレースケールと、選択範囲の選択度合いは次の関係にあります。

- 選択度合：100% → 白色
- 選択度合：0% → 黒色
- 選択度合：50% → 50% グレー

図1 アルファチャンネルでは256段階のグレースケールで選択範囲を管理しています。

アルファチャンネルの編集方法

アルファチャンネルに保存されている選択範囲は、グレースケールで管理されているため、Photoshopに用意されているさまざまなペイント系のツールや機能で編集できます。これはとても重要なことですので、しっかりと覚えておいてください。

例えば、黒色を設定した[ブラシ]ツールで、アルファチャンネルを塗ると、その箇所が非選択(選択度合0%)になります。半面、白色を設定した[ブラシ]ツールで塗ると、塗った箇所を100%選択することができます。実際に選択範囲を編集してみましょう。

01 画像を開き、ツールパネルで[オブジェクト選択]ツールを選択します❶。

02 白い花の上をクリックして❷、選択範囲を作成します❸。この時点では花の一部が選択されていなくてもかまいません。

03

メニューバーから［選択範囲］→［選択範囲を保存］を選択して［選択範囲を保存］ダイアログを表示し、作成した選択範囲をアルファチャンネルに保存します❹。
保存後、選択を解除します（p.84）。

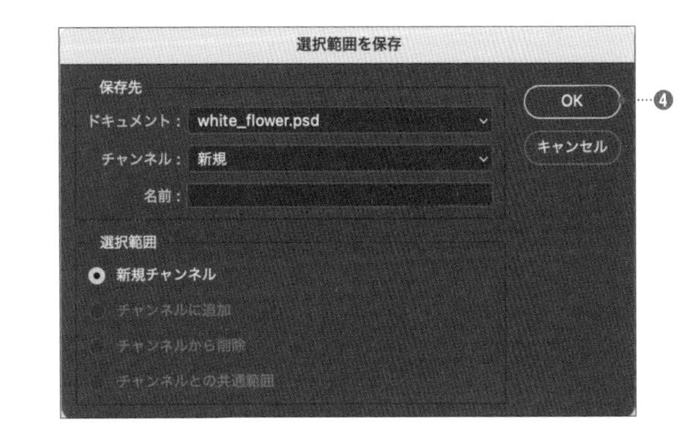

04

メニューバーから［ウィンドウ］→［チャンネル］を選択して［チャンネル］パネルを表示し、保存した選択範囲（アルファチャンネル）をクリックします❺。

05

画面表示がアルファチャンネル表示になります。今回は花を選択しているので、右図のように表示されます。細部を見ると、部分的に選択しきれていないことがわかります❻。

06

ツールパネルで［ブラシ］ツールを選択して❼、［描画色］を白色に設定します❽。そのうえで、選択しきれていない箇所をドラッグして、白色で塗ります❾。アルファチャンネルで白色に塗られた箇所は、選択範囲になります（p.87）。

選択範囲を、画像を見ながら編集する方法については、p.92を参照してください。

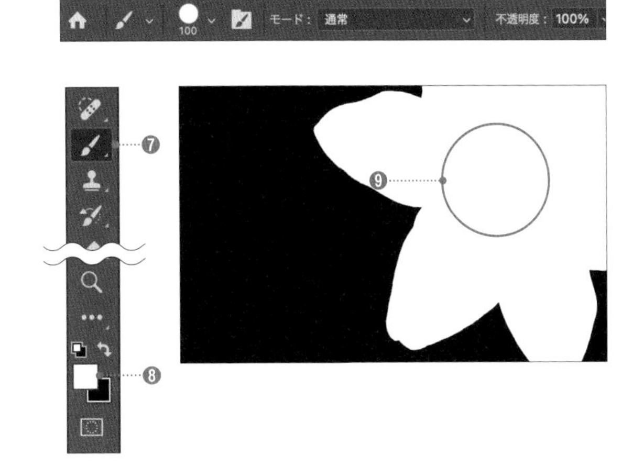

07

[チャンネル] パネル下部にある [チャンネルを選択範囲として読み込む] ボタンをクリックします❿。
そのうえで、[RGB] チャンネル（合成チャンネル）をクリックして、アクティブにします⓫。

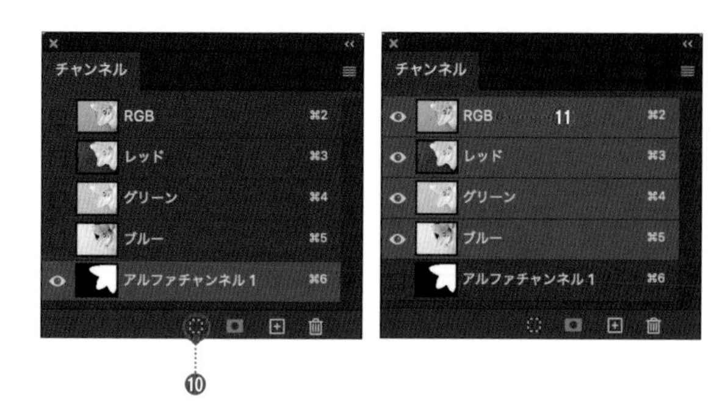

08

[ブラシ] ツールで白色に塗った箇所が、選択範囲として追加されて読み込まれていることが確認できます⓬。

ここも知っておこう! ▶ 画像を見ながら編集する方法

選択範囲とグレースケールの関係を習得してもらうために、上記では [チャンネル] パネルでアルファチャンネルのみを選択して編集作業を行いましたが、この方法では、アルファチャンネルしか表示されないため、画像内の特定の範囲を編集することが困難です。

画像を見ながら選択範囲を編集するには、[チャンネル] パネルでアルファチャンネルを選択したうえで❶、[RGB] チャンネルの左端をクリックして、目玉のアイコンを表示させます❷。すると、アルファチャンネルの情報が半透明の赤色になり、背面に画像が透けて見えるようになります❸。

この状態では、半透明の赤色が非選択、完全に画像が見えている箇所が選択状態を表しています。編集が終わったら、アルファチャンネルの左端をクリックして目玉のアイコンを非表示にし❹、[RGB] チャンネルを選択して❺、元に戻します。

はじめのうちは、迷うこともあると思いますが、何度か選択範囲を保存したり、編集したりしていくうちに慣れてきますので、まずはアルファチャンネルの色と選択度合の関係性を覚えておいてください。

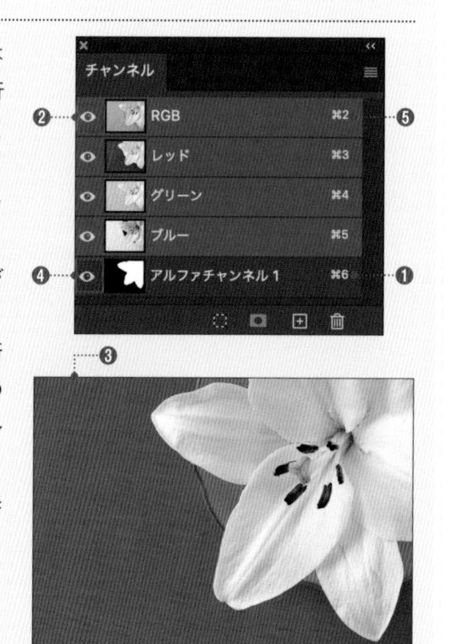

COLUMN

[チャンネル]パネルの操作

アルファチャンネルをはじめとする、チャンネル関連の操作は[チャンネル]パネルで行います。選択範囲の保存や読み込みはメニューバーからも実行できますが(p.84)、同様の操作を[チャンネル]パネルでも実行できます。どちらかの方法が良いというわけではありません。操作に慣れてきたら使いやすい方法で作業を進めてください。

[チャンネル]パネルの各種ボタン

[チャンネル]パネル下部には4つのボタンが用意されています。

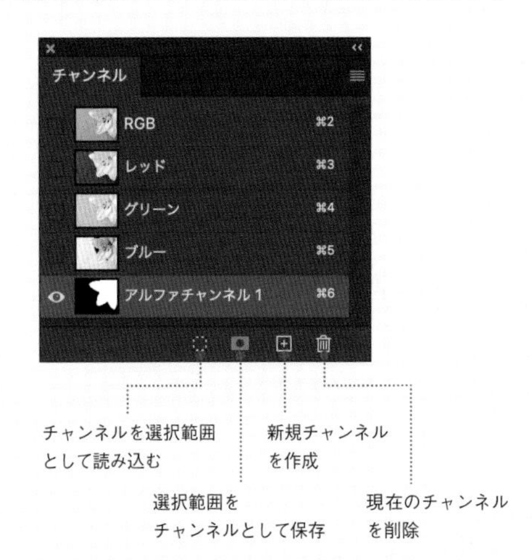

[チャンネルを選択範囲として読み込む]ボタン

アルファチャンネルを選択して、このボタンをクリックすると、その内容が選択範囲として読み込まれます。

このボタンはメニューバーから[選択範囲]→[選択範囲を読み込む]を選択することと同じです。

[選択範囲をチャンネルとして保存]ボタン

選択範囲を作成後に option (Alt)を押しながらこのボタンをクリックすると、[新規チャンネル]ダイアログが表示されます。ここで各項目を設定して[OK]ボタンをクリックすると❶、選択範囲がアルファチャンネルに保存されます。

また、チャンネル情報を変更したい場合は、アルファチャンネルのサムネール(名前の左の縮小画像が表示されている部分)をダブルクリックして、表示される[チャンネルオプション]ダイアログで変更します❷。

[新規チャンネルを作成]ボタン

このボタンをクリックすると、アルファチャンネルが作成されます。選択範囲のない状態からアルファチャンネルを作りたい場合はこの方法を実行します。

[現在のチャンネルを削除]ボタン

任意のチャンネルを選択してアクティブにしてから、このボタンをクリックすると、そのチャンネルを削除できます。カラーチャンネルを削除することも可能ですが、通常はアルファチャンネルを削除する際に使用します。

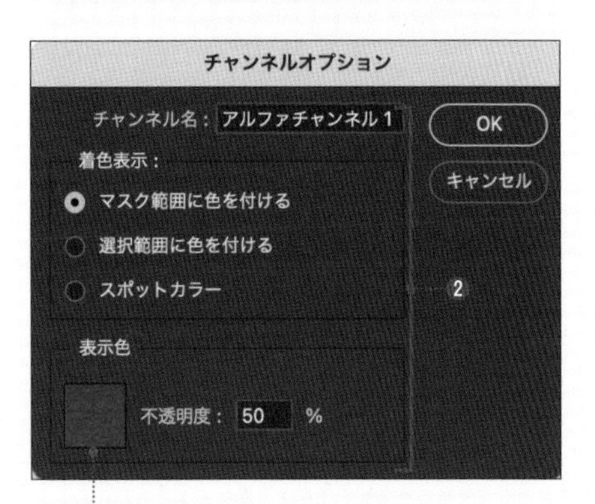

[表示色]とは、アルファチャンネル選択時に[RGB]チャンネルを表示した場合の表示色です。初期状態ではマスク範囲が不透明度50%の赤色で表示される設定になっています(前ページ参照)。この色を変更する場合は、色が表示されているサムネールをクリックして任意の色を設定します。

Sample_Data/Lesson04/4-9/

クイックマスクモードで編集する

クイックマスクモードを使うと、簡単な操作で選択範囲を色付きで視覚化できます。不規則な形の選択範囲を作成する場合や、既存の選択範囲を編集する場合に便利です。

クイックマスクモードとは

クイックマスクモードとは、選択範囲を色付きで視覚化するモードです。通常時のモードのことを「画像描画モード」と呼びますが、この場合、選択範囲は右図のように白黒の破線で囲まれた状態で表示されます❶。

一方、画面をクイックマスクモードに切り替えると、選択範囲を色付きで表示することができます❷。

画面の表示モードは、ツールパネルの最下部にあるボタンをクリックすることで、簡単に切り替えられます。このボタンはトグルボタン(クリックするたびに切り替わるボタン)になっています。

Short cut
画像描画モードとクイックマスクモードの切替
Mac・Win ともに Q

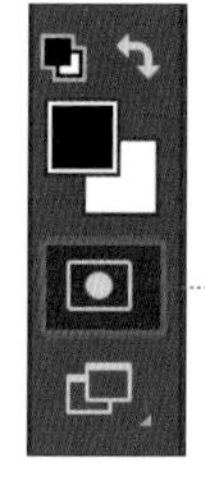

クイックマスクオプションで設定する

クイックマスクモード時の表示状態は、[クイックマスクオプション] で変更可能です。

ツールパネル下部の [クイックマスクモードで編集] ボタンをダブルクリックして❶、[クイックマスクオプション] ダイアログを表示します。

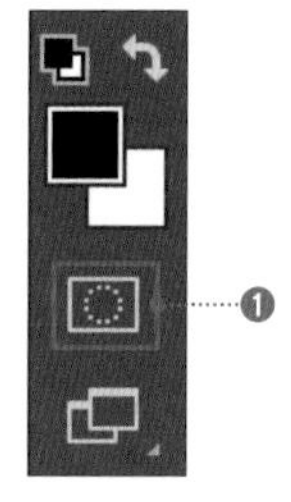

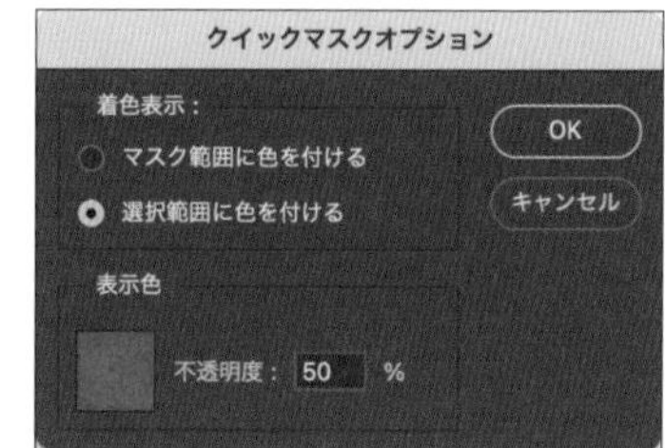

[着色表示]エリア

[着色表示] エリアでは、クイックマスクモード時の色を付ける範囲を指定します。[選択範囲に色を付ける] を選択することで、選択範囲にしたい箇所を直感的に確認したり、編集したりできます。

[マスク範囲に色を付ける] を選択した場合

[表示色]エリア

[表示色] エリアでは、クイックマスクモード時の表示色を指定します。初期設定ではレッド(R：255)になっています。対象物が赤系の場合は、変更したほうがわかりやすいでしょう。

[表示色] を青色に変更した場合

クイックマスクモード時の表示

画面をクイックマスクモードにすると、ドキュメントタブに「クイックマスク」という表記が表示され❶、［チャンネル］パネルには［クイックマスク］が一時的に追加されます❷（画像描画モードに戻るとなくなります）。

また、［レイヤー］パネルのレイヤーの色が［クイックマスクオプション］ダイアログの［表示色］のカラーになります❸。

Lesson 4 選択範囲の作り方

クイックマスクモード時の選択範囲の編集

クイックマスクモード時は、先述したアルファチャンネルの場合（p.88）と同様に、Photoshopに用意されているさまざまなペイント系のツールや機能を使用して選択範囲を編集できます。ここでは、［ブラシ］ツールで選択範囲を編集する方法を紹介します。

01 ツールパネルから［ズーム］ツールを選択して❶、作業領域がよく見えるように拡大表示にします❷。

02 ツールパネルから［ブラシ］ツールを選択して❸、オプションバーで各項目を設定します。今回は下図のように設定します（［ブラシ］ツールの詳細はp.154を参照）。

● ［ブラシ］ツールのオプションバー

● ［ブラシ］ツールのオプションバーの設定項目

項目	説明
❶ブラシの設定	［直径］でサイズ、［硬さ］でぼけ具合を指定する。また通常、ブラシの種類には使いやすい丸いブラシを選択する
❷［ブラシ設定］パネルの切り替え	クリックすると、［ブラシ設定］パネルの表示・非表示を切り替えられる
❸モード	ペイント内容と画像との合成方法を指定する。クイックマスクモードで編集する際は［通常］に設定する
❹不透明度	ペイントの不透明度を指定する。不透明度：100%にするとはっきりとペイントでき、不透明度を下げると徐々に半透明になる
❺流量	ペイントの適用速度を指定する

03　ツールパネルの最下部で、クイックマスクモードであることと、［描画色］が黒であることを確認したうえで❹、画像上の「選択範囲に含めたい箇所」（ここでは植木鉢の右下付近）をドラッグしてペイントしていきます❺。

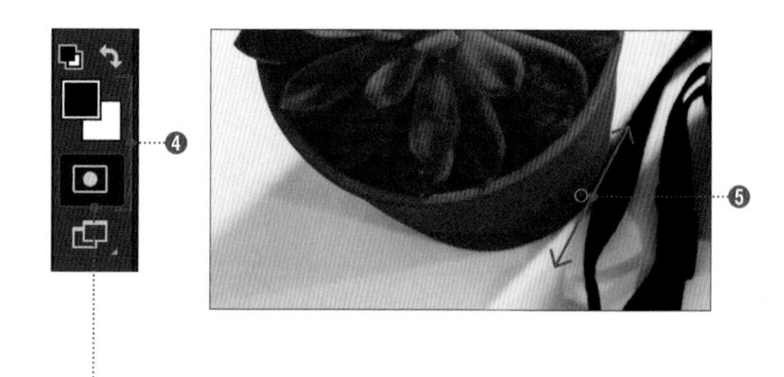

クイックマスクモードにすると自動的に［描画色：黒］［背景色：白］になります。

ブラシに設定した色は黒ですが、ペイントすると［クイックマスクオプション］の［表示色］に設定されている色で塗りつぶされます（p.92）。初期設定では［不透明度：50%］の赤色でペイントされます。

04　追加する部分をすべてペイントすると、右図のようになります❻。
なお、不要な箇所までペイントしてしまった場合は、［描画色］に白を設定し、白でペイントすることで消すことが可能です。

05　ツールパネルの最下部にあるボタンをクリックして、画像描画モードに戻ると❼、黒でペイントした箇所が選択範囲として追加されていることを確認できます❽。

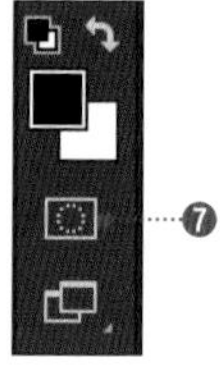

ここも知っておこう！　▶ **描画色、背景色の入れ替えと初期化**

ツールパネルの最下部に用意されている［描画色］と［背景色］の設定は、簡単に入れ替えたり、初期化したりできます。

初期化するには［描画色と背景色を初期設定に戻す］ボタンをクリックします❶。また、［描画色］と［背景色］を入れ替えるには［描画色と背景色を入れ替え］ボタンをクリックします❷。なお、これらの各ボタンにはショートカットも割り当てられています。描画色と背景色を初期化するにはD、描画色と背景色を入れ替えるにはXを押します。

また、［描画色］のアイコンをクリックしてカラーピッカーを表示し、グレー（50%グレーはRGB値がすべて「128」）を指定することで、選択度合いの異なる選択範囲をブラシでペイントする感覚で簡単に作成できます。

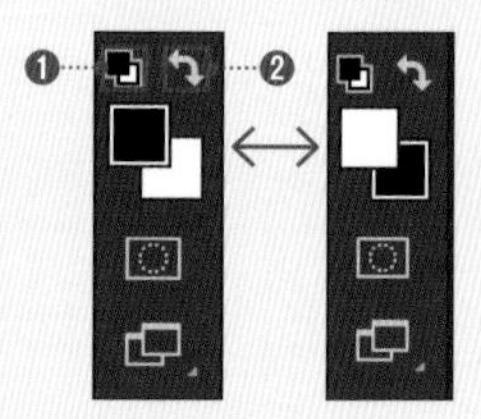

［描画色と背景色を入れ替え］ボタンをクリックすると、それぞれのカラーが入れ替わります。

COLUMN

アルファチャンネルとクイックマスクの違いと使い分け

ここまで本書を読み進めてきた人の中には、アルファチャンネル❶とクイックマスク❷が非常に似た機能であることに気づいた人もいるかもしれません。これらの機能はともに「Photoshopに用意されているさまざまなペイント系のツールや機能で選択範囲を編集することができる機能」です。

Photoshopの選択範囲系のツール、例えば[長方形選択]ツールや[楕円形選択]ツール、[なげなわ]ツール、[オブジェクト選択]ツールなどでは、簡単に選択範囲を作ることができますが、半面、細かい部分の調整や、複雑な選択度合の設定などを行うのは困難です。高度な画像合成や色調補正などで求められる、緻密な選択範囲を作成するには、ペイント系のツールを使用することが必須です。

アルファチャンネルとクイックマスクはとても似た機能ですが、いくつかの違いがあります。下表を見てください。

● アルファチャンネルとクイックマスクの違い

	アルファチャンネル	クイックマスク
ペイント系ツールでの編集	可能	可能
保存	可能	不可(一時的なモードである)
編集前の必須作業	先に選択範囲を保存しておかないと、編集できない	なし。クイックマスクモード時に編集できる
表示色の変更	可能	可能

上表を見るとわかるとおり、まずは「選択範囲を保存する必要があるか否か」で、どちらの機能を使用するかが決まります。保存する必要がある場合は、アルファチャンネルの利用が必須となります。

一方で、クイックマスクモードでは、選択範囲を保存することなく、クイックマスクモード時に選択範囲を編集できるため、選択範囲を保存する必要がない場合や、作成した選択範囲の状態をさっと確認したい場合に重宝します。選択範囲の編集はクイックマスクモードで行い、作成した選択範囲をアルファチャンネルとして保存するという方法も一般的です。

Sample_Data / Lesson04 / 4-10/

カラー範囲の選択 ［色域指定］

［色域指定］コマンドを使うと、指定したカラーを選択できます。既存の選択範囲を精細に調整するには、数回適用したり、［選択範囲を拡張］(**p.98**) と組み合わせることもできます。

色域指定とは

色域指定とは、指定したカラーを選択する機能です。数回適用してカラーの組み合わせを選択すると、既存の選択範囲を精細に調整することができます。例えば、右の画像のように、複雑な形のカラー範囲（黄色の花の部分）を選択する際に便利です。

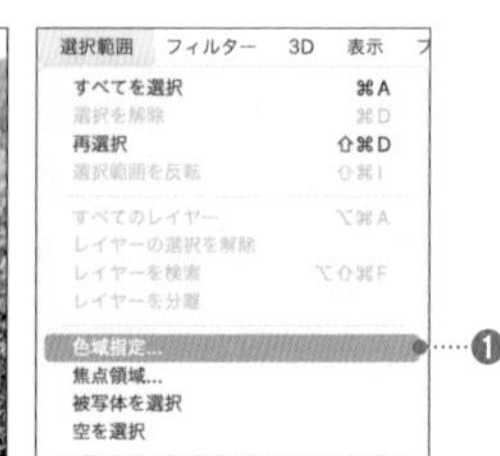

01 メニューバーから［選択範囲］→［色域指定］を選択して❶、［色域指定］ダイアログを表示します。

02 今回の参考例のように、黄色の花であれば、［選択：イエロー系］を選択します❷。これだけでイエローのピクセルをおおまかに選択できます。

03 選択範囲の状態はダイアログ内のプレビューでも確認できますが❸、画像で確認したい場合は、［選択範囲のプレビュー］でプレビュー方法を選択します❹。［黒マット］を選択すると右図のように選択範囲は元の画像で表示され、選択範囲外は黒で表示されます❺。

04 ［OK］ボタンをクリックすると、選択範囲に変換されます。右図を見ると、大まかにイエローのピクセルが選択されていることが確認できます❻。

05 今回の例では、花畑と空の境界付近がやや選択されていないため、選択範囲を拡張することで、精度を上げます。
メニューバーから［選択範囲］→［選択範囲を拡張］を選択して選択範囲を拡張します（p.98）。仕上がりを見ながらこれを何度か繰り返すと、右図のように精度の高い選択範囲を作成できます❼。

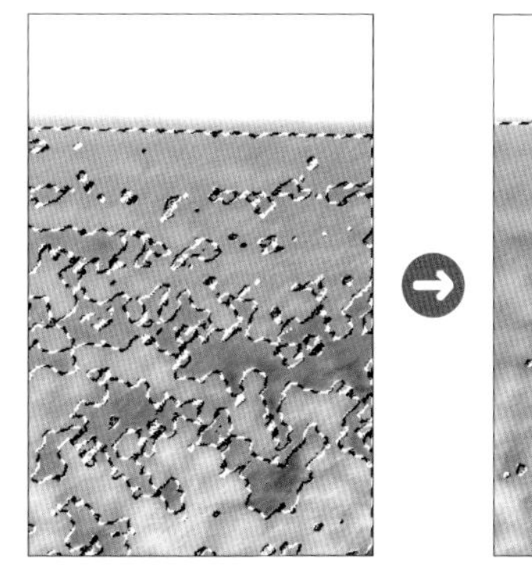

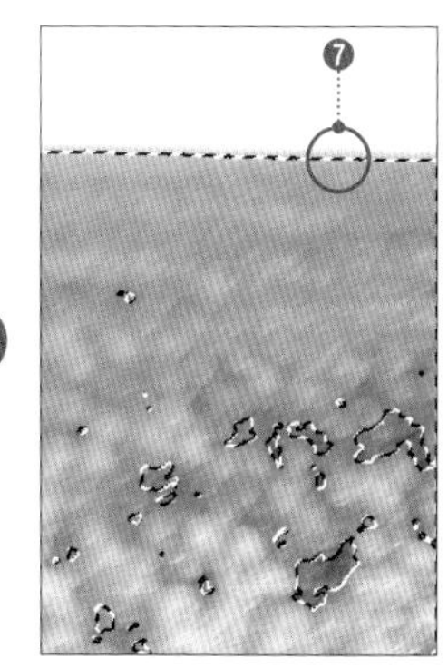

06 ［色相・彩度］調整レイヤーを追加して❽、色相を変更すると、右図のように花のカラーのみを変えることができます❾。

調整レイヤーの追加方法についてはp.50を、［色相・彩度］調整レイヤーの使い方についてはp.58を参照してください。

ここも知っておこう！ ▶ スキントーンのカラー選択や、その他便利な機能

［選択］で［スキントーン］を選択すると❶、画像内から容易に人の肌を選択できます。より正確に肌を選択する場合は、［顔を検出］にチェックを付けて、［許容量］で調整します❷。

Sample_Data / Lesson04 / 4-11 /

選択範囲を追加する ［選択範囲を拡張］

選択範囲はいったん作成した後から拡張できます。選択しきれなかった箇所がある場合は既存の選択範囲を拡張することで精度を高められます。［自動選択］ツールと組み合わせて使うこともあります。

選択範囲の作成と拡張

選択範囲を拡張するには、先に拡張対象として選択範囲を作っておくことが必要です。次の手順を実行します。

01 ツールパネルから［自動選択］ツールを選択して、［許容値：32］に設定し、オレンジ色の箇所をクリックして選択範囲を作成します❶。画像を見ると選択されていない箇所が存在することがわかります❷。

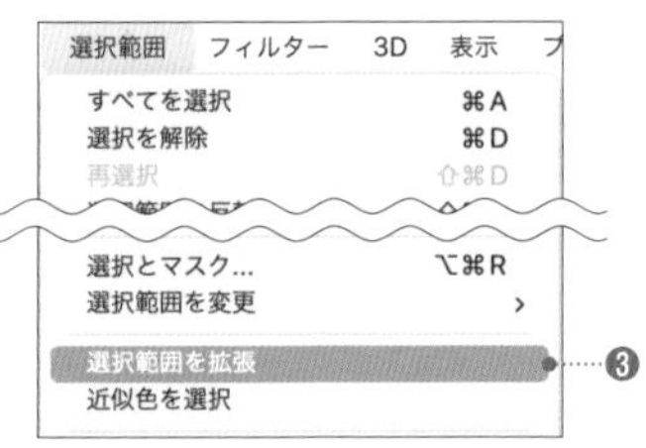

02 メニューバーから［選択範囲］→［選択範囲を拡張］を選択します❸。選択すると［自動選択］ツールのオプションバーの［許容値］の設定値をもとに、既存の選択範囲に隣接した箇所が選択範囲に追加されます。

03 選択範囲を見ると、選択されていなかった箇所も選択範囲に含まれていることが確認できます❹。一度で選択しきれなかった場合は、このコマンドを何度か繰り返し適用することで、拡張できます。

［選択範囲を拡張］コマンドを繰り返す回数が多い場合、手順1の［許容値］の値が低いことが考えられるため、値を上げて調整してみましょう。［許容値］の値を上げると、1回あたりに作成される選択範囲は広くなります。

ここも知っておこう！ ▶ **近似色を選択**

［選択範囲を拡張］コマンドと似た機能に［近似色を選択］コマンドがあります❶。既存の選択範囲を拡張する（選択範囲を広げる）という機能自体は同じですが、処理対象の範囲が異なります。

［選択範囲を拡張］の対象は「既存の選択範囲に隣接した箇所」ですが、［近似色を選択］の対象は「画像全体」です。目的に合わせて適切なコマンドを使用してください。

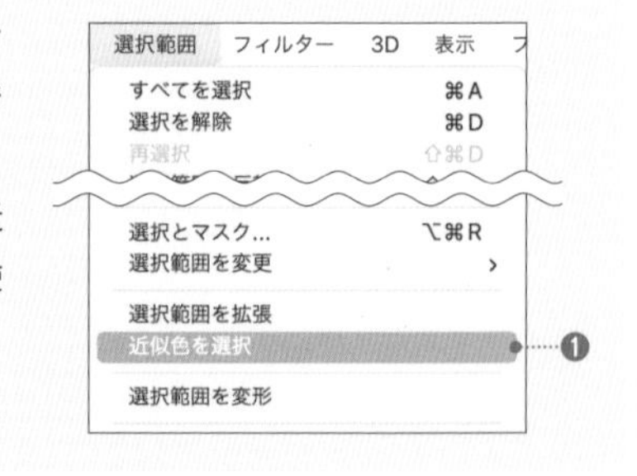

Sample_Data/Lesson04/4-12/

Lesson 4-12 パスを選択範囲に変換する

Photoshopでは、[ペン] ツールで作成したパスを選択範囲に変換することが可能です。輪郭のはっきりした対象物を選択する際は、この方法が便利です。

対象物をトレースする

輪郭のはっきりした対象物に対して選択範囲を作成する場合は [ペン] ツールでパスを描画し、それを選択範囲に変換する方法が便利です。

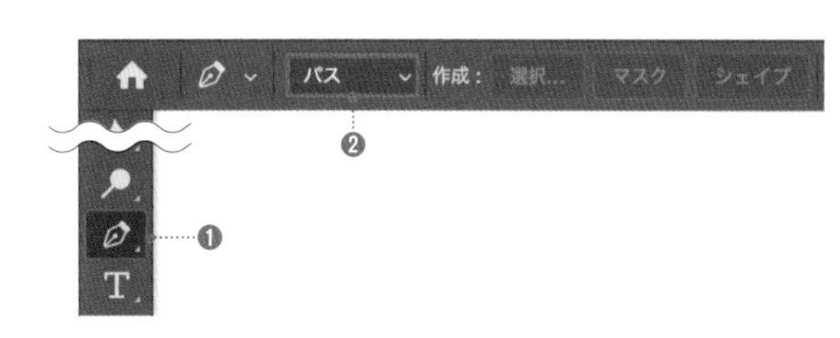

01 ツールパネルから [ペン] ツールを選択して❶、オプションバーで [パス] を選択します❷。

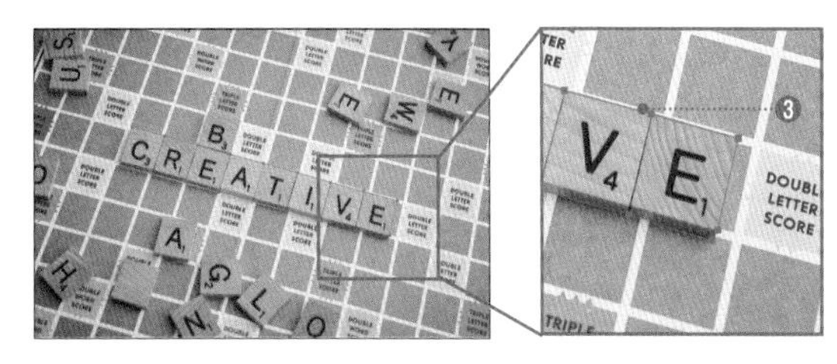

02 対象物の輪郭に沿って、クローズパスを作ります❸。

[ペン] ツールの使い方や、パスの基本については、p.208を参照してください。

03 パスを保存します。[パス] パネルに自動的に作成される [作業用パス] をダブルクリックして❹、[パスを保存] ダイアログを表示し、[OK] ボタンをクリックしてパスを保存します❺。

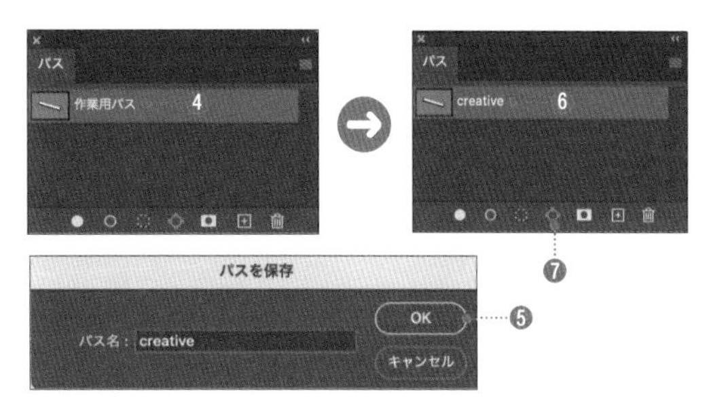

04 [パス] パネルで保存したパスを選択して❻、パネル下部の [パスを選択範囲として読み込む] ボタンをクリックします❼。すると、作成したパスが選択範囲に変換されます❽。

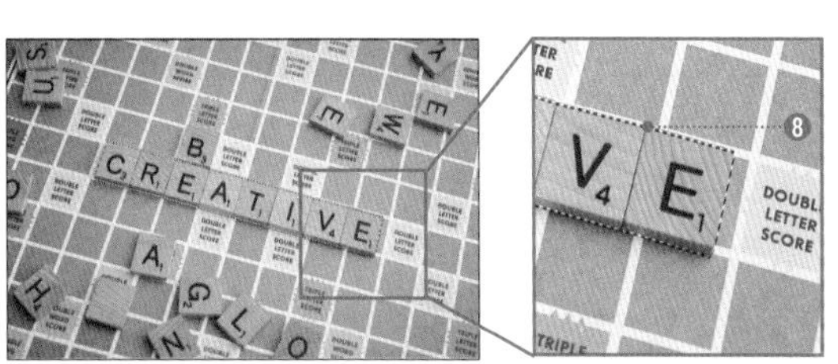

⌘ (Ctrl) を押しながらパスのサムネールをクリックすることでも、パスを選択範囲に変換できます。

Sample_Data / Lesson04 / 4-13 /

選択範囲の境界線を調整する

［選択とマスク］を使うと、作成した選択範囲の境界線を調整できます。ふわふわとした毛並みのある対象物の選択範囲の境界線の精度を上げることができます。

ふわふわとした毛並みを選択する方法

右図の人物の髪の毛ような、ふわふわとした毛並みのある対象物を、これまでに紹介してきた選択系のツールやペイント系のツールで正確に選択するのは困難です。ブラシサイズを極細にして、地道に作業を進めていけば不可能ではありませんが、作業効率を考えるとあまり適切な方法とはいえません。

このような対象物に対して選択範囲を作成する際に便利な機能が［選択とマスク］です。この機能を利用すると、Photoshopの自動処理機能を活用しながら、適切な選択範囲を作成することができます。

まずはやってみよう！

［選択とマスク］には細かい設定項目がたくさんありますが、まずは実際に手を動かして選択範囲を作ってみることをお勧めします。詳細は順次説明します。

01　［選択とマスク］を使用するには、［被写体を選択］コマンド（p.82）や［オブジェクト選択］ツール（p.78）などで大まかな選択範囲を作成しておきます❶。

02　メニューバーから［選択範囲］→［選択とマスク］を選択して❷、［選択とマスク］ワークスペースに切替えます。

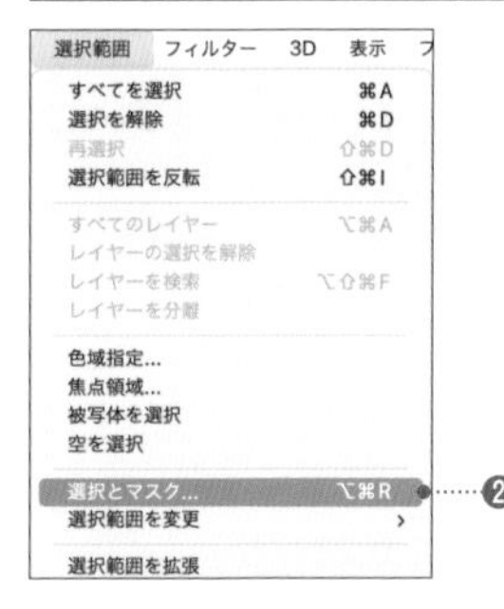

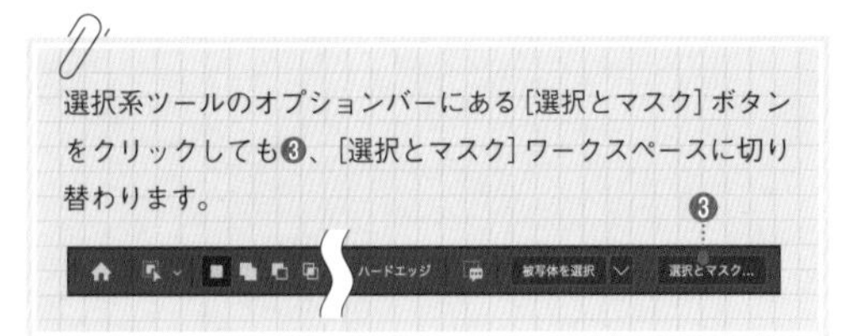
選択系ツールのオプションバーにある［選択とマスク］ボタンをクリックしても❸、［選択とマスク］ワークスペースに切り替わります。

03

右側に表示される［属性］パネルで設定します。まず、［表示］をクリックして表示モードを変更します。背景や対象物の色に応じて見やすいモードを選択してください。表示モードは全部で7種類あります。
今回の例では［黒地］を選択し❹、［不透明度：100%］に設定します❺。すると画面が下図のように切り替わります❻。

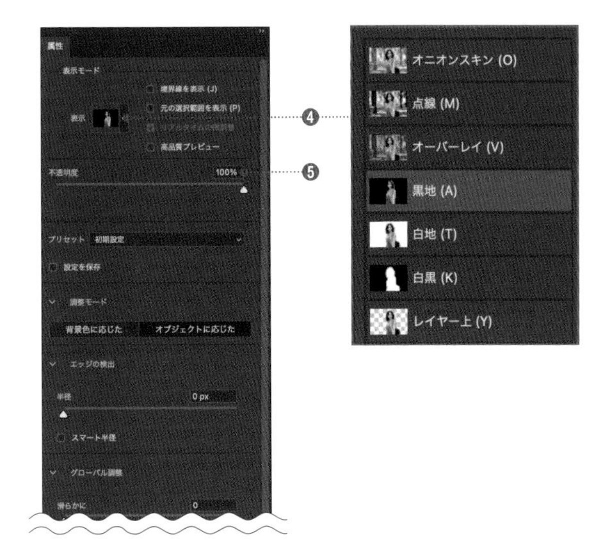

［選択とマスク］ワークスペースが表示されている状態で F を押すと、表示モードを順番に切り替えることができます。
また X を押すことで一時的に表示モードの設定を無効にできます（元画像が表示されます）。再度 X を押すと元の表示モードに戻ります。

04

［ズーム］ツール で画面を拡大し、細部をチェックします。［エッジの検出］エリアの［スマート半径］にチェックを付けて❼、［半径］の値を少しずつ調整します❽。今回は［半径：30 px］に設定します。

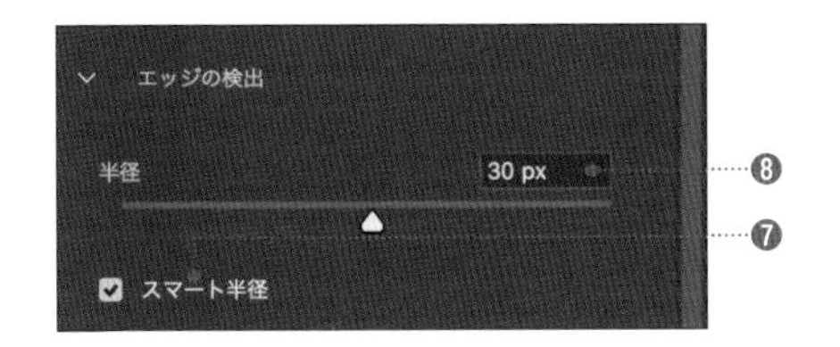

［エッジの検出］エリアが閉じている場合は、 をクリックしてエリアを展開してください。

05

すると、対象物のエッジが自動的に検出されて、選択範囲の精度が上がっていきます。

スマート半径適用前

スマート半径適用後

06 エッジの検出が甘い場合は、[境界線調整ブラシ] ツールをクリックして選択し❾、オプションバーの [髪の毛を調整] をクリックします❿。すると、エッジが再検出されて精度が上がります。必要に応じて、細部を検出するにはドラッグし、反対に検出され過ぎた箇所は option (Alt) を押しながらドラッグします⓫。

[境界線調整ブラシ] ツールで画像上のエッジをドラッグすると、エッジが再検出され精度が上がります。反対に検出され過ぎた場合は option (Alt) を押しながらドラッグすると、検出対象から外れます。また、[ブラシ] ツールでドラッグすると、選択範囲を追加できます。option (Alt) を押しながらドラッグすると、選択範囲を削除できます。

07 最終調整を行います。[グローバル調整] エリアの各項目でエッジを調整します。プレビューを見ながら、仕上がりを調整してください。

- 滑らかに：エッジを滑らかにする
- ぼかし：エッジをぼかす
- コントラスト：エッジを明確にする
- エッジをシフト：エッジを移動する

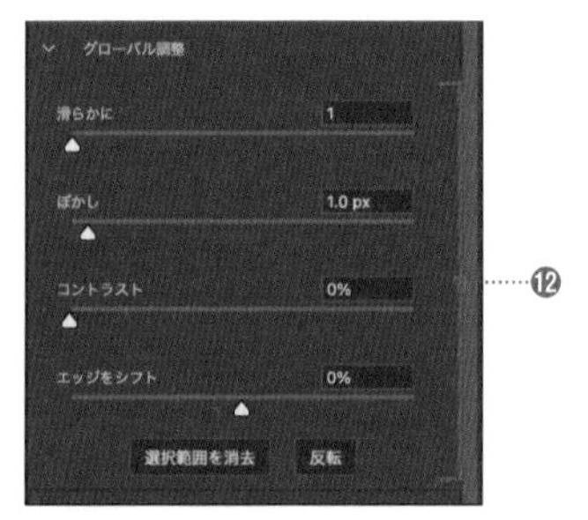

今回の例では右図のように各項目を設定しました⓬。すると、エッジの精度が高くなり、右図のようになります⓭。

08 エッジを検出できたら、[出力設定] で出力方法を指定します。ふわふわした毛並みや、輪郭が複雑な対象物を切り抜くと、エッジ部分に「フリンジ」と呼ばれる不要なカラーが残ることがあります⓮。[不要なカラーを除去] にチェックをつけ、[量] で除去量を調整すると⓯、不要なカラーを取り除くことができます⓰。[出力先] は自動的に [新規レイヤー (レイヤーマスクあり)] になります⓱。ダイアログの [OK] ボタンをクリックします。

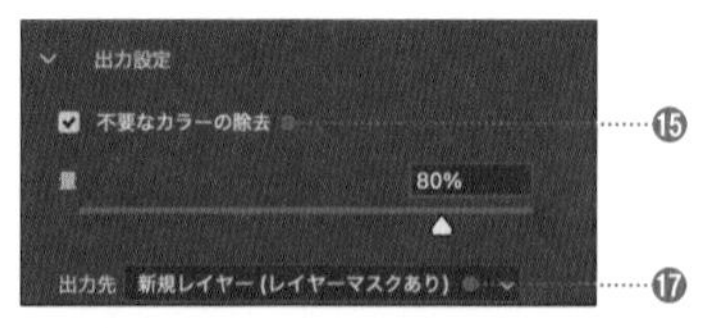

[出力設定] が画面に入りきらない場合は、ワークスペースを下方向にスクロールするか、または [エッジの検出] エリアや [グローバル調整] エリアをたたんで作業してください。

[不要なカラーの除去] にチェックを入れると、[出力先] の選択項目で、[選択範囲] と [レイヤーマスク] は選択できず、新規レイヤーもしくは新規ドキュメントの上に画像が配置されます。

09

選択範囲の境界線が調整され、右図のようになります⑱。[レイヤー] パネルには、レイヤーマスク(p.126) ありの新規レイヤーが作成され、元の [背景] レイヤー (p.107) は非表示の状態で残ります⑲。これで完成です。

レイヤーサムネール(左) を選択した状態で、レイヤーマスクサムネール(右) を [⌘] ([Ctrl]) を押しながらクリックすると、選択範囲を読み込むことができます。

● [出力先] の選択項目

項　目	説　明
選択範囲	検出したエッジが、選択範囲として出力される
レイヤーマスク	検出したエッジが、レイヤーマスクとして出力される。レイヤーマスクについては p.126 を参照。見た目上は画像が切り抜かれた状態に見える
新規レイヤー	検出したエッジで画像を切り抜き、新しいレイヤー上に配置する。レイヤーについては p.106 を参照
新規レイヤー (レイヤーマスクあり)	画像全体を新規レイヤー上にコピーし、そのうえでレイヤーマスクを用いて画像を切り抜いた状態で出力する
新規ドキュメント	検出したエッジで画像を切り抜き、新しいPSDファイル上に配置する
新規ドキュメント (レイヤーマスクあり)	画像全体を新しいPSDファイル上にコピーし、そのうえでレイヤーマスクを用いて画像を切り抜いた状態で出力する

ここも知っておこう! ▶ 画像の切り抜き

本書のここまでの解説では、レイヤーやレイヤーマスクについて詳しく解説していないため、上記の解説では実際にどのような画像になるのかわかりづらい面があります。これらの機能の詳細については後述しますが、[出力先] で [選択範囲] 以外を選んだ場合、画像の出力結果はStep 09のようになります。

Photoshopでは、白とグレーの格子は透明であることを表します(p.107)。右の図では、カラーの塗りつぶしを背面に置き、人物の箇所のみが切り抜かれていることを示しています。

このように切り抜き画像を別の画像上に配置するような場合は [新規レイヤー] や [新規レイヤー(レイヤーマスクあり)] などを選択すると便利です。

ここも知っておこう! ▶ レイヤーごと別のファイルへコピーする

レイヤーマスクありのレイヤーは、[レイヤー] パネルでレイヤーをクリックして選択しコピーして、別のファイルにペーストすると、レイヤーごと別のファイルへコピーすることができます。

COLUMN

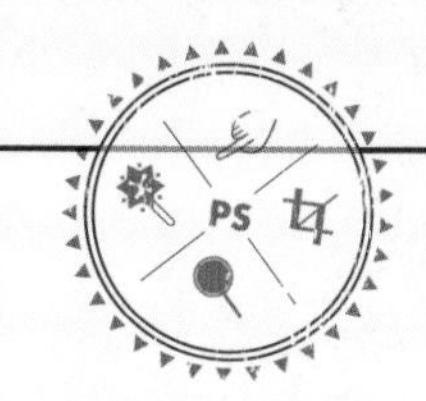

選択範囲の修正

作成した選択範囲を修正するには、[選択とマスク] コマンド(p.100)以外に、メニューバーから[選択範囲]→[選択範囲を変更] 以下にあるコマンドや [選択範囲を変形] コマンドを使用することもできます❶。また、コンテキストタスクバーの[選択範囲を修正] をクリックすると表示されるリストから使用することもできます❷。

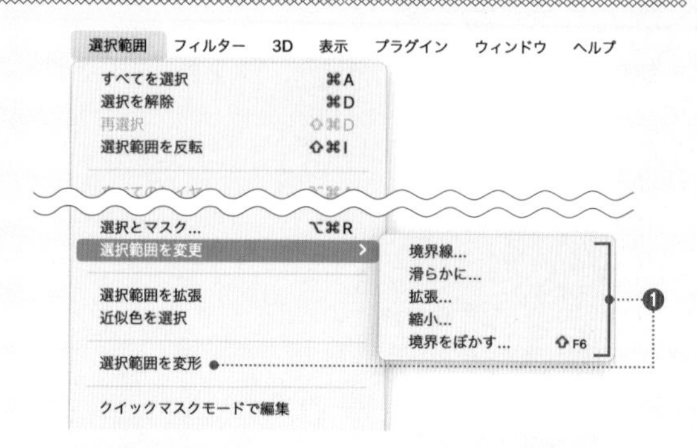

選択範囲修正前

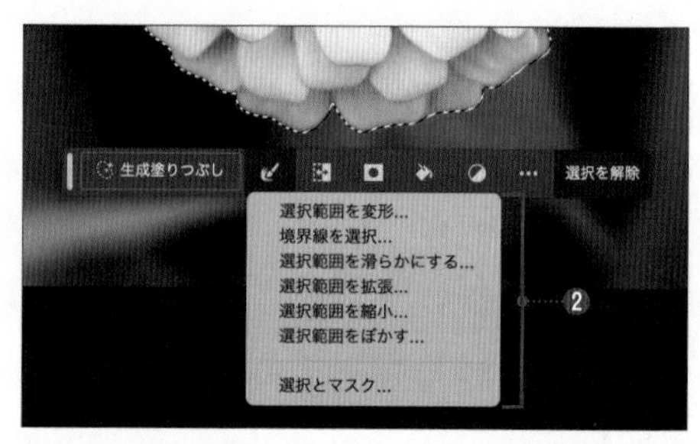

● 選択範囲を修正する機能

機能	説明
境界線(境界線を選択)❶	ふちどる幅を指定して、選択範囲の境界線をふちどる
滑らかに(選択範囲を滑らかにする)❷	指定した半径の周囲のピクセルを検出して、選択範囲の境界線を滑らかにする。カラーのムラが減少するため、選択範囲の鋭いコーナーやギザギザの線が滑らかになる
拡張(選択範囲を拡張)❸	拡張量を指定して選択範囲を拡張する。作成した選択範囲が対象物よりもやや内側に作成されてしまった場合に活用できる。名前が似ているが、似ているカラー範囲が拡張される[選択範囲を拡張]とは別の機能(p.98)
縮小(選択範囲を縮小)❹	縮小量を指定して選択範囲を縮小する。作成した選択範囲が対象物よりもやや外側に作成されてしまった場合に活用できる
境界をぼかす(選択範囲をぼかす)❺	指定した半径の周囲のピクセルを検出して、選択範囲の境界線をぼかす。画像合成の際に、選択範囲の境界線を少しぼかすと、自然な仕上がりになる。小さい選択範囲に対して、ぼかしの半径が大き過ぎると、「50%以上選択されているピクセルがありません」というエラーメッセージが表示されるので注意
選択範囲を変形❻	バウンディングボックス(p.113)を使って選択範囲を変形する

幅:10pixelにしてふちどり

半径:10pixelにして別の画像に合成

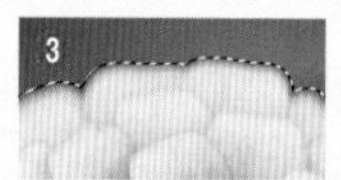

拡張量:5pixelにして拡張

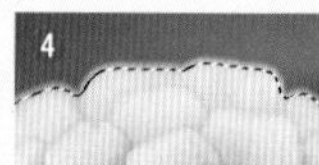

縮小量:5pixelにして縮小

ぼかしの半径:3pixelにして別の画像に合成

バウンディングボックスを表示

Lesson 5

Basic operation of Layers.

レイヤーの基本操作

画像合成の中核機能をしっかりマスターする

本章では、複数の画像を合成する際に利用する「レイヤー」機能について解説します。Photoshopの上達にはレイヤーの理解が欠かせません。Photoshopで扱うレイヤーの種類と役割を理解し、効率良く画像合成ができるようになりましょう。

Sample_Data / Lesson05 / 5-1 /

レイヤーをきちんと理解する

Photoshopを使用した画像合成において「レイヤー」機能の理解は不可欠です。レイヤーにはさまざまな機能が用意されています。

レイヤーとは

レイヤーとは、透明なフィルムのようなものです。レイヤーの上には、画像や文字、シェイプ（図形）など、Photoshopで扱うことのできるあらゆるオブジェクトを乗せることができます。

Photoshopでは複数のレイヤーを重ね合わせることで、さまざまなビジュアルを構成します。右図を見てください。正面から見ると一枚の画像ですが、この画像は「ゾウの画像（背景）」「少年の画像」「文字」といった複数の要素を合成することで成り立っています。Photoshopでは通常、こういった異なる要素を、別々のレイヤー上に載せて管理します。

［レイヤー］パネル

レイヤーの管理や操作は、［レイヤー］パネルで行います。メニューバーから［ウィンドウ］→［レイヤー］を選択すると表示できます。

上図の画像のレイヤー構成は右図のようになっています。下方にいけばいくほど、下の重ね順になります。右図では［背景］と書かれたレイヤーが、全体の中で最背面に配置されている画像です❶。

このように、［レイヤー］パネルを見れば、画像の状態を一目で確認できます。また、左端の目玉のアイコンをクリックすることで、レイヤーの表示・非表示を切り替えたり❷、任意のレイヤーを選択後に［不透明度］を変更することで、画像を透過させたりできます❸。

レイヤーにはいろいろな機能が搭載されているので、一度にすべてを覚えることは難しいのですが、ぜひ1つずつ習得していってください。

レイヤーの種類

Photoshopでは主に6種類のレイヤーを使って画像合成します。基本的な考え方は「透明フィルムのようなもの」で共通ですが、役割や機能が異なります。ここでは簡単に概要を紹介するので、それぞれの役割を覚えておいてください。また各レイヤーに表示されるアイコンが異なる点にも注目してください。

［背景］レイヤー／常にファイルの最下部にあるレイヤーです。移動したり、不透明度を変更したりできない、特殊なレイヤーです。［背景］レイヤーは通常のレイヤーに変換することも可能です（p.114）。

通常のレイヤー／［レイヤー］パネルの［新規レイヤーを作成］ボタンをクリックすると作成されるレイヤーです。画像の一部をコピー＆ペーストした際もこのレイヤーが作成されます。

調整レイヤー／3章で解説した調整レイヤーもレイヤーの1種です（p.49）。Photoshopには16種類の調整レイヤーが用意されています。この例では［色相・彩度］調整レイヤーで色を変えています。

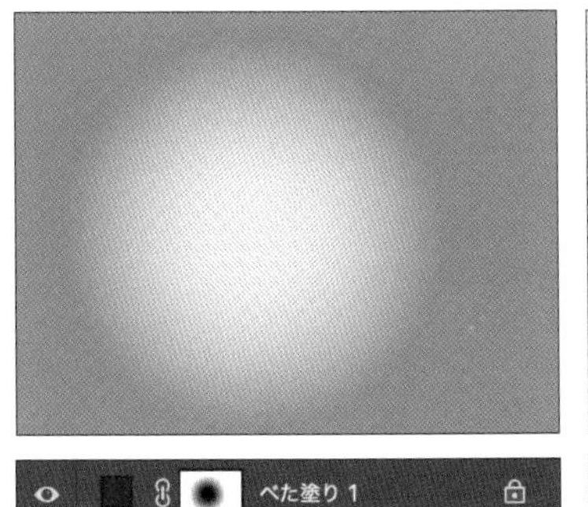

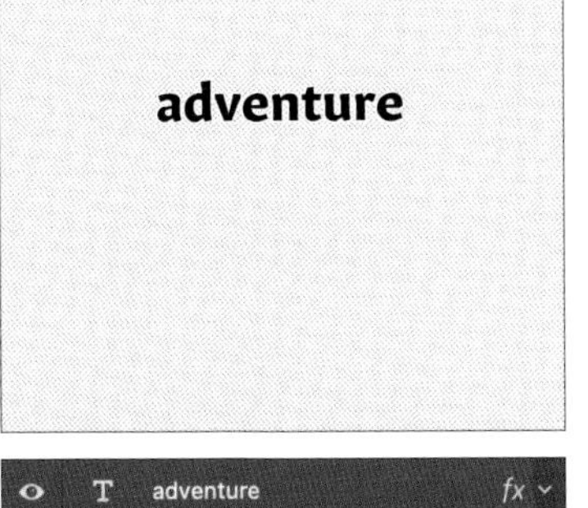

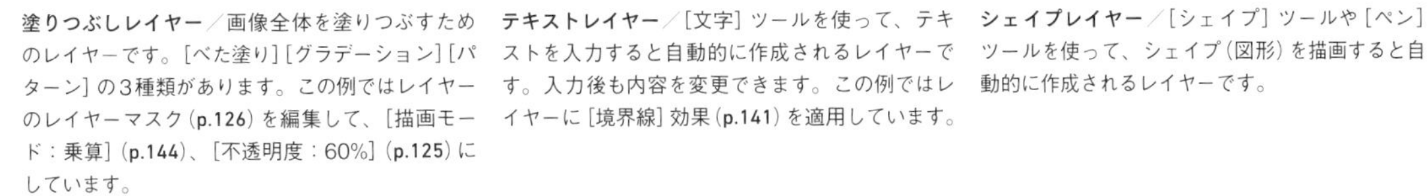

塗りつぶしレイヤー／画像全体を塗りつぶすためのレイヤーです。［べた塗り］［グラデーション］［パターン］の3種類があります。この例ではレイヤーのレイヤーマスク（p.126）を編集して、［描画モード：乗算］（p.144）、［不透明度：60%］（p.125）にしています。

テキストレイヤー／［文字］ツールを使って、テキストを入力すると自動的に作成されるレイヤーです。入力後も内容を変更できます。この例ではレイヤーに［境界線］効果（p.141）を適用しています。

シェイプレイヤー／［シェイプ］ツールや［ペン］ツールを使って、シェイプ（図形）を描画すると自動的に作成されるレイヤーです。

ここも知っておこう！ ▶「透明」の表現

通常のレイヤーでは、何も配置されていない箇所は透明になるため、それよりも下に配置されているレイヤーが表示されます。下にレイヤーがない場合や、上図のテキストレイヤーやシェイプレイヤーのように、レイヤー上の一部分にしかオブジェクトが配置されていないレイヤーを単体で表示した場合、透明である箇所は右図のような白とグレーの格子模様で表示されます。これがPhotoshopにおける「透明」の表現となります。

Sample_Data/Lesson05/5-2/

Lesson 5-2 レイヤーの基本操作

ここでは、レイヤーの基本操作をマスターしましょう。レイヤーを適切に操作できるようになると、効率的に作業を進めることができます。

レイヤーの表示・非表示

各レイヤーの左端にある目玉マークをクリックすることで、そのレイヤーの表示・非表示を切り替えることができます❶。再度クリックすると、目玉マークが表示され、そのレイヤーが表示されます。レイヤーの表示・非表示により、レイアウトのバリエーション違いを比較することができます。

option（Alt）を押しながら任意のレイヤーの目玉マークをクリックすると、そのレイヤー以外のすべてのレイヤーを非表示にできます。再度クリックするとすべてのレイヤーが表示されます。

図1 塗りつぶしレイヤーを非表示にしたため、画像が明るくなっています。

レイヤーの重ね順の変更

[レイヤー] パネルでは、上部にあるレイヤーほど重ね順が前面になります。

レイヤーの重ね順はドラッグ操作で変更できます。変更対象のレイヤーを、移動先までドラッグしてドロップします❶。重ね順が変わると❷、それに応じてビジュアルも変わります❸。

[背景] レイヤーはロックされているため、ドラッグ操作で重ね順を変更できません。変更する方法についてはp.114を参照してください。

レイヤーの重ね順は、メニューバーから[レイヤー]→[重ね順]のいずれかを選択しても、変更できます。

図2 [少年] レイヤーを最前面に移動したため、塗りつぶしレイヤーより上になり、上図のように少年が明るくなります。

新規レイヤーの作成

レイヤーを作成するには、option（Alt）を押しながら［レイヤー］パネル下部の［新規レイヤーを作成］ボタンをクリックします❶。

［新規レイヤー］ダイアログが表示されるので、［レイヤー名］を入力して❷、［OK］ボタンをクリックします。すると、現在アクティブになっているレイヤーの1つ上に新しいレイヤーが作成されます❸（レイヤーが選択されていない場合は最上部に作成されます）。

option（Alt）を組み合わせずに［新規レイヤーを作成］ボタンをクリックすると、ダイアログは表示されずにレイヤーが作成されます。

［レイヤー］パネル下部の何もない所をクリックすると、レイヤーの選択を解除できます❹。

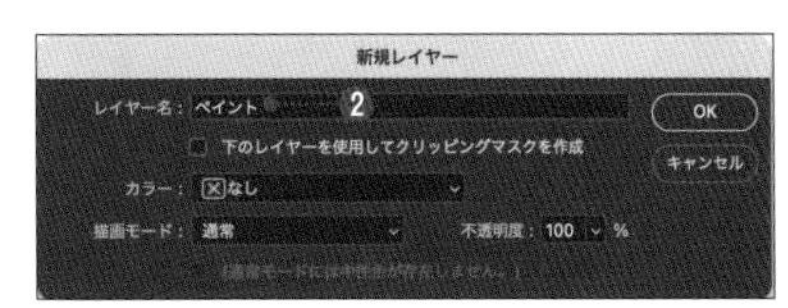

● ［新規レイヤー］ダイアログの設定項目

項　目	説　明
レイヤー名	［レイヤー］パネル上に表示されるレイヤーの名称。後から変更する場合は［レイヤー］パネル上で対象のレイヤー名の上をダブルクリックする
チェックボックス	［下のレイヤーを使用してクリッピングマスクを作成］にチェックを付けると、クリッピングマスクを作成できる（p.138）
カラー	レイヤーを分類するためのカラーを設定できる。指定カラーは目玉のアイコン部分に表示される
描画モード	作成するレイヤーの描画モードを設定する（p.144）。作成後は［レイヤー］パネル左上で変更できる。通常は［通常］を選択する
不透明度	作成するレイヤーの不透明度を設定する（p.125）。作成後は［レイヤー］パネル右上で変更できる

レイヤーの削除

不要なレイヤーを削除するには、［レイヤー］パネルで対象のレイヤーを選択してアクティブにし❶、［レイヤー］パネル下部の［レイヤーを削除］ボタンをクリックします❷。削除の確認ダイアログが表示されるので［はい］をクリックして削除します❸。

レイヤーを選択して、delete（Back space）を押すことでも削除できます。この場合は、削除の確認ダイアログは表示されません。

［再表示しない］にチェックを付けると、以降、この確認ダイアログは表示されなくなります。

レイヤーの複製

既存のレイヤーを複製するには、画面上で option （ Alt ）を押しながらオブジェクトをドラッグします❶。［レイヤー］パネルには、レイヤーが複製されます❷。

option （ Alt ）を押しながら、目的のレイヤーを［新規レイヤーを作成］ボタンの上にドラッグ＆ドロップ❸しても、複製することができます。表示される［レイヤーを複製］ダイアログで［新規名称］を指定して、［OK］ボタンをクリックすると、レイヤーが複製されます❹。この方法だと、コピー元と同じ位置に重なってコピーされるため、コピーオブジェクトをドラッグして位置を調整します。なお、 option （ Alt ）を組み合わせずにレイヤーをドラッグ＆ドロップすると、［レイヤーを複製］ダイアログは表示されずにレイヤーが複製されます。

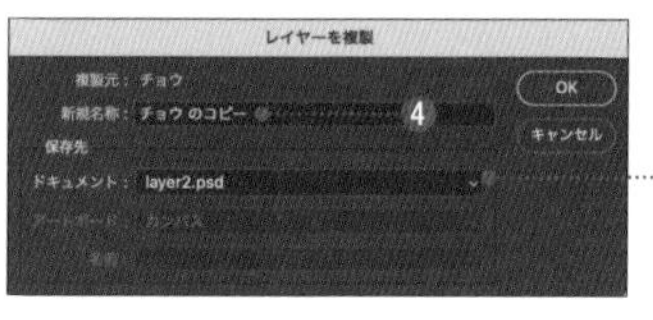

［ドキュメント：新規］を選択すると、別の新規ファイルを作成できます。

レイヤーのグループ化

レイヤー数が増えると、［レイヤー］パネルでレイヤーを扱いにくくなりがちです。そのような場合は、レイヤーをグループ化して整理します。

レイヤーをグループ化するには、 ⌘ （ Ctrl ）を押しながら複数のレイヤーを選択してアクティブにしたうえで❶、 option （ Alt ）を押しながら［レイヤー］パネル下部の［新規グループを作成］ボタンをクリックします❷。

［レイヤーからの新規グループ］ダイアログが表示されるので、［名前］を入力して❸、［OK］ボタンをクリックします。選択したレイヤーが1つのグループとして管理されるようになります❹。

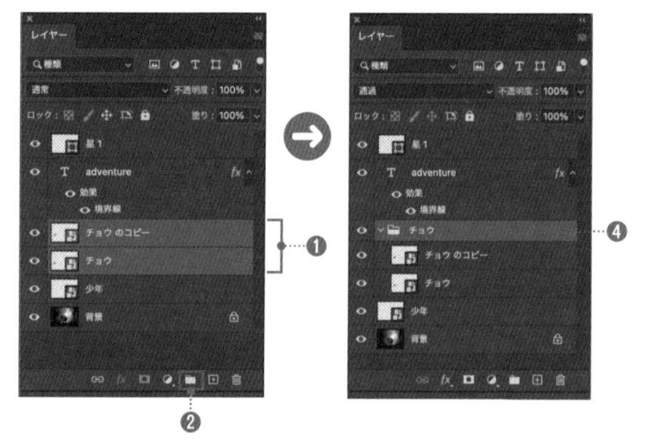

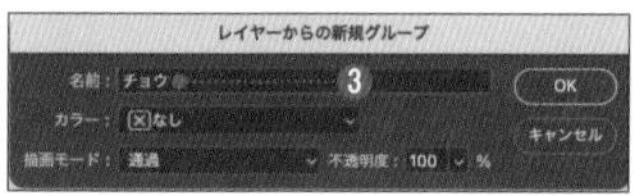

option （ Alt ）を組み合わせずに［新規グループを作成］ボタンをクリックすると、ダイアログは表示されずにグループが作成されます。

作成したグループを解除するには、対象のグループを選択して、メニューバーから［レイヤー］→［レイヤーのグループ解除］を選択します。

ここも知っておこう！ ▶ レイヤー関連の操作メニュー

レイヤー関連の操作は、主に次の3つの方法から実行できます。

- ［レイヤー］パネル下部のボタン
- ［レイヤー］パネルのパネルメニュー
- メニューバーの［レイヤー］メニュー配下

中には重複しているコマンドも多々あります。使用できるコマンドは選択中のレイヤーの種類やグループによって変わります。複数のレイヤーを選択していないと実行できないコマンドもあります。

レイヤーのリンク

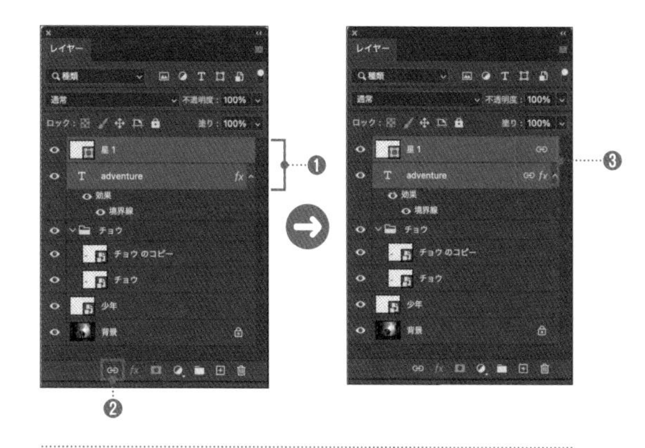

レイヤーをリンクすると、レイヤーを移動する際に複数のレイヤーをまとめて移動できます。画像の位置関係などを保持したい場合に便利です。

レイヤーをリンクするには、⌘（Ctrl）を押しながら複数のレイヤーを選択して❶、[レイヤー] パネル下部の [レイヤーをリンク] ボタンをクリックします❷。

レイヤーがリンクされると、対象レイヤーの右端にリンクされていることを表すアイコンが表示されます❸。

リンクを解除するには、再度 [レイヤーをリンク] ボタンをクリックします。

レイヤーを移動する方法については次ページを参照してください。

ここも知っておこう！

▶ レイヤーのグループ化とリンクの違い

前ページで解説したグループ化とリンクは似ていますが、違いもあります。グループ化して1つのフォルダにレイヤーをまとめた場合は、クリッピングマスク（p.138）を使うことで、そのフォルダに対して調整レイヤーを適用できます。一方、リンクの場合は適用できません。

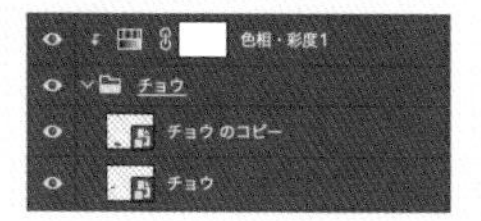

レイヤーの結合

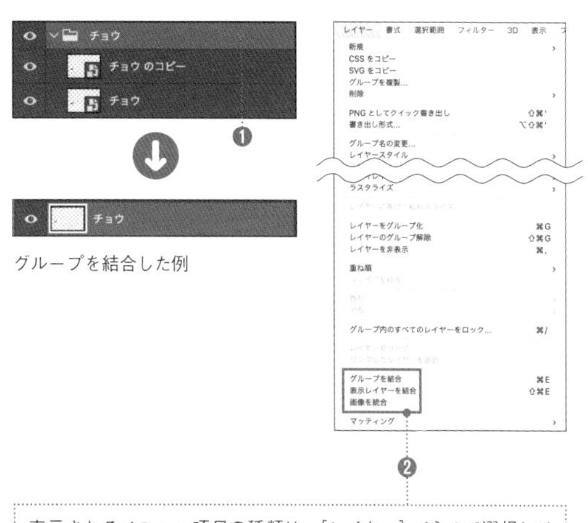

グループを結合した例

レイヤーを整理する方法には、先述の「グループ化」「リンク」に加えて、レイヤーを結合する方法もあります。

結合とは複数のレイヤーを1つのレイヤーにまとめることです。グループ化やリンクと異なり、元に戻せないので注意が必要です。

レイヤーを結合するには、⌘（Ctrl）を押しながら複数のレイヤーを選択してアクティブにしたうえで❶、メニューバーから [レイヤー] メニュー以下の結合メニューを選択します❷。

Photoshopには5種類の結合方法が用意されています。下表にまとめますので、それぞれの特徴を把握したうえで、適切なものを選択してください。

表示されるメニュー項目の種類は、[レイヤー] パネルで選択しているレイヤーやグループによって変わります。

● 結合の種類

項　目	説　明
レイヤーを結合	選択した複数のレイヤーを、1つのレイヤーにまとめる
表示レイヤーを結合	表示中のレイヤーすべてを、1つのレイヤーにまとめる
下のレイヤーと結合	選択中のレイヤーとその下のレイヤーを、1つのレイヤーにまとめる
グループを結合	グループ内のレイヤーすべてを、1つのレイヤーにまとめる
画像を統合	すべてのレイヤーを、背景レイヤーにまとめる

レイヤーの選択と移動

レイヤーは［レイヤー］パネルで選択できますが、ツールパネルに用意されている［移動］ツールで選択することも可能です。

ツールパネルで［移動］ツールを選択し❶、オプションバーの［自動選択］にチェックが入っている状態で❷、画像上をドラッグすると、任意のオブジェクトを移動できます❸。

カーソルの右上に移動距離が表示されます❹。

shift を押しながらドラッグすると、移動を水平・垂直・斜め45度に制限できます。また、矢印キーを押すと1pixelずつ移動できます。shift を押しながら矢印キーを押すと10pixelずつ移動します。また option（Alt）押しながらドラッグするとコピーできます（p.110）。

オプションバーの［自動選択］にチェックが入っていると、［レイヤー］パネルでのレイヤーの選択状態にかかわらず直感的に選択できますが、領域の広い異なるレイヤーが選択されることがあるので注意してください。選択したくないレイヤーはロック（p.114）しておくと、効率良く作業できます。

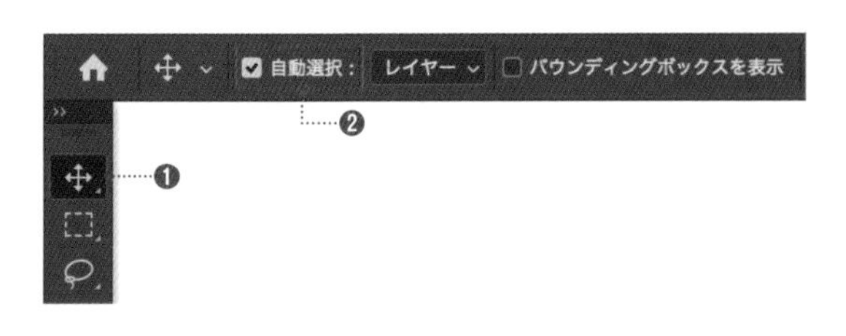

● ［移動］ツールのオプションバーの設定項目

項　目	説　明
自動選択	チェックを入れて有効にすると、画像上でクリックした位置にあるオブジェクトが選択される。⌘（Ctrl）を押すとオンとオフを切り替えられる。［グループ］を選択すると選択対象がグループになり、グループ内のレイヤーを一括で選択できる。［レイヤー］を選択すると選択対象がレイヤーになり、グループ内のレイヤーを個々に選択できる
バウンディングボックスを表示	チェックを付けると、オブジェクトの周りにバウンディングボックスが表示される。レイヤーを変形する場合に有効にする（p.113）

オブジェクトの整列

［移動］ツールのオプションバーにある整列機能を使うと、複数のレイヤー内のオブジェクトを整列できます。また、カンバスを基準にしてオブジェクトを整列することも可能です。

［レイヤー］パネルで⌘（Ctrl）を押しながら複数のレイヤーをクリックして選択して❶、［移動］ツールのオプションバーの整列ボタンをクリックします❷。すると選択したレイヤーが整列します❸。

［背景］レイヤーは、カンバスの基準となるレイヤーです。カンバスに対して中央に揃えたい場合は［背景］レイヤーを選択します。もしくは、メニューバーから［選択］→［すべてを選択］を選択してカンバスを全選択し、整列の基準にすることもできます。

［右端揃え］をクリックし、カンバスに対して少年を右に整列した例です。

オブジェクトの変形

[移動] ツール のオプションバーにある [バウンディングボックスを表示] にチェックを入れると❶、オブジェクトの周りにバウンディングボックスが表示されます❷。このバウンディングボックスの周りに計8個用意されているハンドルを使うと、レイヤーを簡単に変形できます。

ここでは、元データを損なわずに変形するために、あらかじめ [チョウ] レイヤーをスマートオブジェクトに変換しています(p.122)。

オブジェクトの拡大•縮小

オブジェクトの4つ角にあるハンドルをコーナーハンドルと呼びます。このハンドルの上にカーソルを合わせると伸縮モードになります❸。ドラッグすると縦横比を固定して変形できます❹。

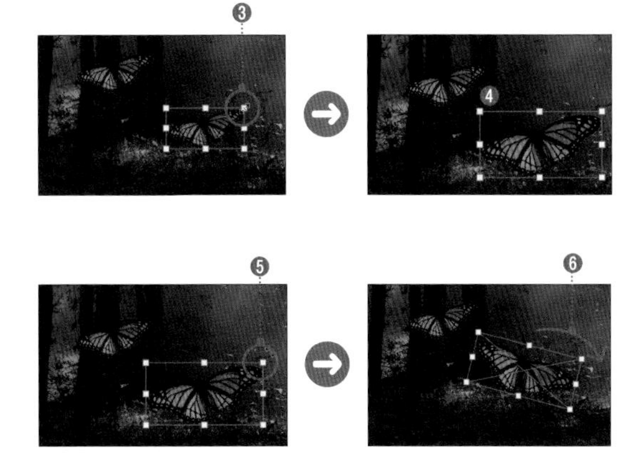

オブジェクトの回転

コーナーハンドルの少し外側にカーソルを合わせると回転モードになります❺。この状態でドラッグするとオブジェクトが回転します❻。

さまざまな変形

[レイヤー] パネルで特定のレイヤーを選択後に、メニューバーから [編集] → [変形] 以下の各コマンドを選択することで❼、対象のオブジェクトをさまざまな方法で変形できます。それぞれのコマンドの違いは、実際に試してみたほうがわかりやすいと思いますので、実際にいろいろと変形してみてください。

変形の確定

オブジェクトを変形すると、オプションバーに変形情報が表示されます❽。変形を確定するには、オプションバーの○をクリックするか❾、Enter を押します。また取り消す場合は×をクリックするか❿、Esc を押します。

変形後は、[バウンディングボックスを表示] のチェックを外しておくと、誤って変形することを防げます。

レイヤーのロック

移動や変形などを行いたくないレイヤーは、ロックすることができます。

レイヤーをロックするには、［レイヤー］パネルで対象のレイヤーを選択して❶、ロックのアイコンをクリックします❷。ロックするとレイヤーの右端に鍵のアイコンが表示されます❸。

Photoshopには5種類のロック方法があり、それぞれロックされる対象が変わります。違いを把握したうえで、必要に応じて使い分けてください。

● ロックの種類

アイコン	項　目	説　明
▩	透明ピクセルをロック	透明部分を編集できなくなる
✎	画像ピクセルをロック	ペイントなどは実行できなくなるが、位置は変更可能
✥	位置をロック	位置は変更できないが、ペイントなどは実行可能
⬚	アートボードの内外への自動ネストを防ぐ	アートボードの内外への自動ネストを防ぐ
🔒	すべてをロック	何も変更できない

ここも知っておこう！

▶［背景］レイヤーと通常のレイヤー

PSDファイル以外の画像ファイルをPhotoshopで開いた場合や、新規ファイルを作成した際に、画像が［背景］レイヤー上に配置される場合があります❶。

先述した通り、［背景］レイヤーはロックされているので、移動したり、不透明度を変更したりできません（**p.107**）。これらの操作を行うには［背景］レイヤーを通常のレイヤーに変換することが必要です。

［背景］レイヤーを通常のレイヤーに変換するには、［レイヤー］パネル上で［背景］レイヤーをダブルクリックして［新規レイヤー］ダイアログを表示して、［レイヤー名］を設定します❷。［OK］ボタンをクリックすると、通常のレイヤーに変換され❸、鍵のアイコンも消えます。

なお、あまり実行する機会はありませんが、通常のレイヤーを［背景］レイヤーに変換するには、［レイヤー］パネルで対象のレイヤーを選択後に、メニューバーから［レイヤー］→［新規］→［レイヤーから背景へ］を選択します。この操作は、［背景］レイヤーがない場合にのみ有効です。

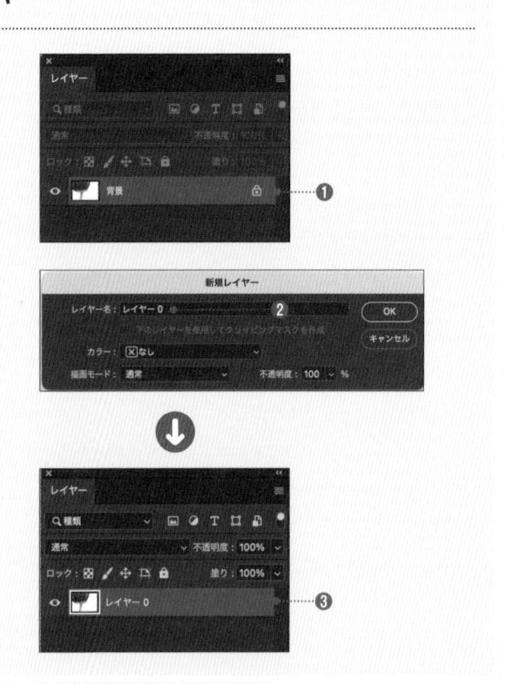

COLUMN

［レイヤーカンプ］を使ったデザイン案の比較

レイヤーカンプは、［レイヤー］パネルの各レイヤーの状態を記録する機能です。［レイヤーカンプ］パネルを使うと、1つのPhotoshopファイル内で、複数のデザイン案（カンプ）の作成・管理・表示を行うことができます。また、レイヤーカンプはファイル内に保存されるので、いつでも切り替えが可能です。レイヤーカンプには、次の3種類のオプションを記録できます。

- ［レイヤー］パネル内のレイヤーの表示・非表示
- ドキュメント内のレイヤーの位置
- レイヤースタイル（p.140）や描画モード（p.144）の適用によるレイヤーの外観

01 ここでは2つの案のレイヤーカンプを作成します。
メニューバーから［ウィンドウ］→［レイヤーカンプ］を選択して［レイヤーカンプ］パネルを表示します。
［レイヤー］パネルを操作してA案のレイヤーの状態にしたうえで❶、［レイヤーカンプ］パネル下部にある［新規レイヤーカンプを作成］ボタンをクリックします❷。

A案

02 表示される［新規レイヤーカンプ］ダイアログで［レイヤーカンプ名］を入力して❸、［OK］ボタンをクリックします。すると［レイヤーカンプ］パネルにStep1で設定した表示状態の画像がカンプとして登録されます❹。

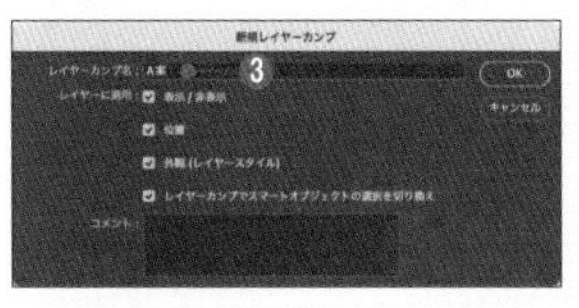

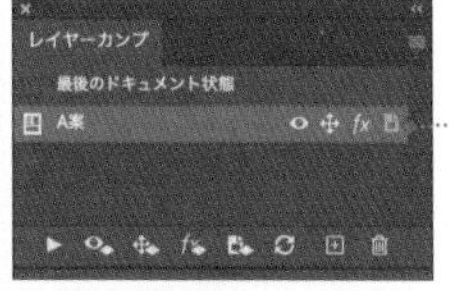

03 同様の手順でB案も登録します❺。今回はB案としてチョウの色を変えて全体を明るくしたものを用意しました❻。

B案

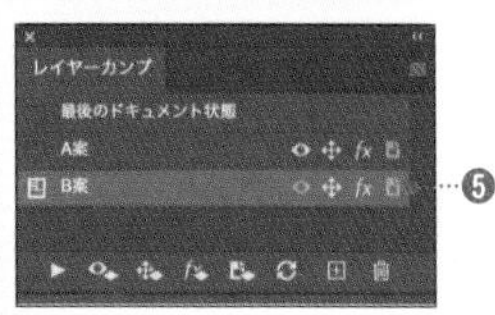

04 ［レイヤーカンプ］パネルで、レイヤーカンプ名の左横のレイヤーカンプマークをクリックすると❼、簡単にデザイン案を切り替えて比較することができます。

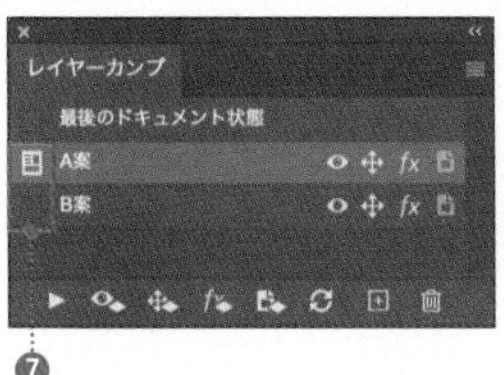

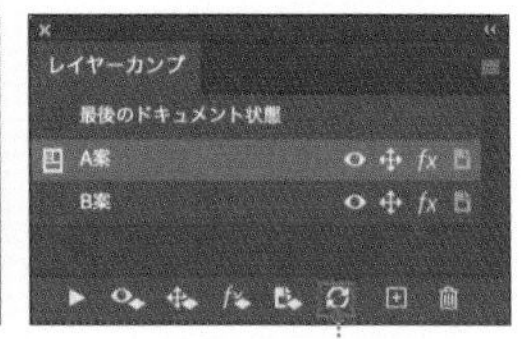

レイヤーカンプ作成時からデザインに変更があった場合は、［レイヤーカンプを更新］ボタンをクリックして更新します。

Sample_Data/Lesson05/5-3/

画像合成の基本

ここでは画像合成の基本である、(1)選択範囲(p.72)を作成し、(2)コピー&ペーストして複数の画像を組み合わせる、という手順を解説します。[レイヤー]パネルのレイヤーの構造に注目しながら読み進めてください。

画像内のすべての範囲を合成する

ここでは、右図の画像Aのすべての範囲を選択してコピーし、画像Bにペーストする方法を紹介します。Photoshopで両方の画像を個別に開いたうえで、次の手順を実行してください。

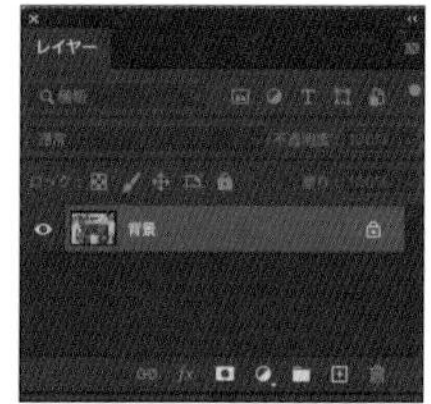

(A) コピーする画像

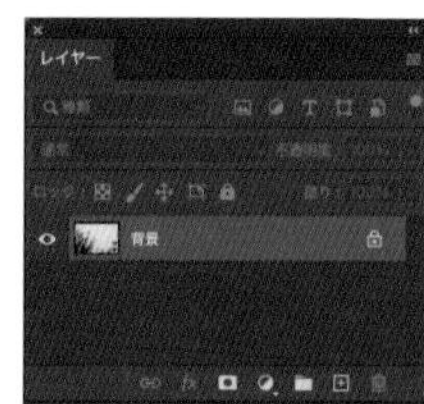

(B) コピー先の画像

01 画像Aを前面にして、メニューバーから[選択範囲]→[すべてを選択]を選択し❶、続いて、メニューバーから[編集]→[コピー]を選択します❷。これで画像A全体をコピーできました。

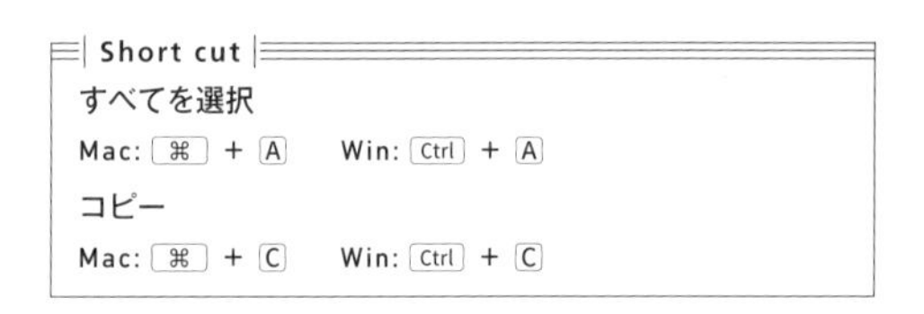

Short cut

すべてを選択

Mac: ⌘ + A　Win: Ctrl + A

コピー

Mac: ⌘ + C　Win: Ctrl + C

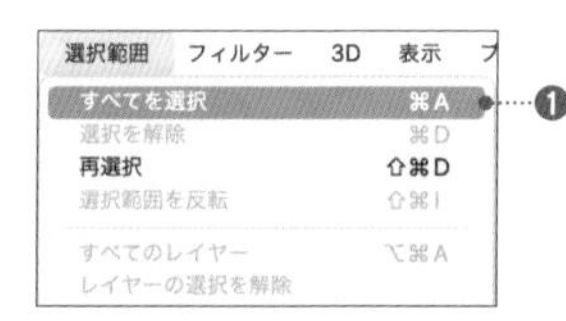

02 今度は、コピー先である画像Bを前面にして、メニューバーから[編集]→[ペースト]を選択します❸。

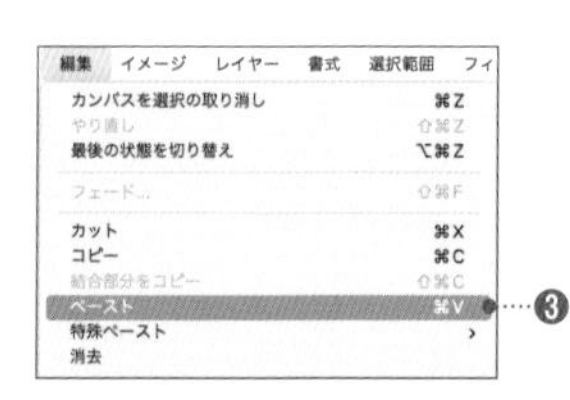

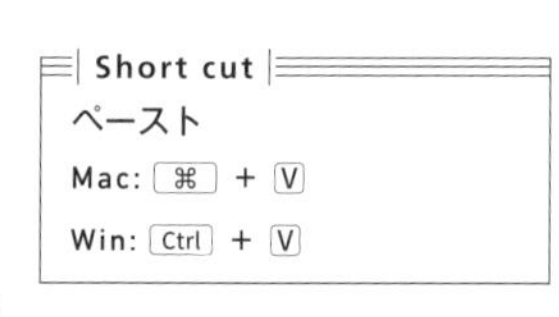

Short cut

ペースト

Mac: ⌘ + V

Win: Ctrl + V

03 すると、コピーした画像Aが、コピー先の画像Bの前面にペーストされます。
[レイヤー]パネルを確認すると、画像Bの背景レイヤー(p.107)の上に、コピーした画像Aが、通常のレイヤー(p.107)として追加されていることが確認できます❹。画像Bは、画像Aで隠れて見えなくなります。

04 ペーストとしてできたレイヤーの名前は、「レイヤー〈番号〉」になります。レイヤー名をダブルクリックすると編集モードになるので、わかりやすい名前に変更します❺。

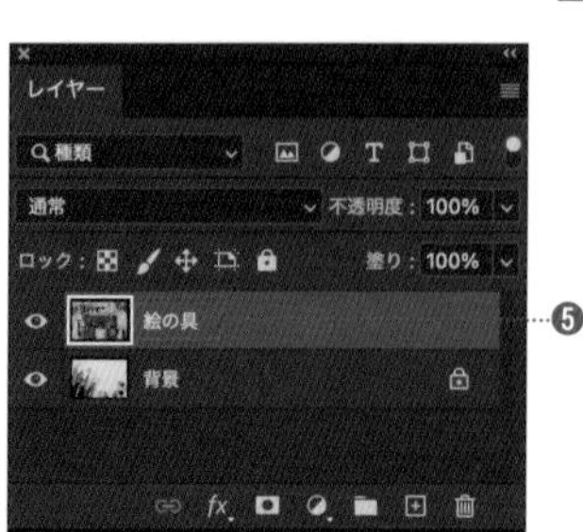

ここでは、基本的なコピー&ペーストの手順のみを解説していますが、後述する「レイヤーマスク」(p.126)や「ベクトルマスク」(p.136)などの機能を組み合わせることで、より高度な画像合成を実現できます。

画像内の特定の範囲を合成する

ここでは、画像の特定の範囲を選択してコピーし、別の画像上にペーストすることで、画像内の特定の範囲を合成する方法を紹介します。Photoshopで両方の画像を個別に開いたうえで、次の手順を実行してください。

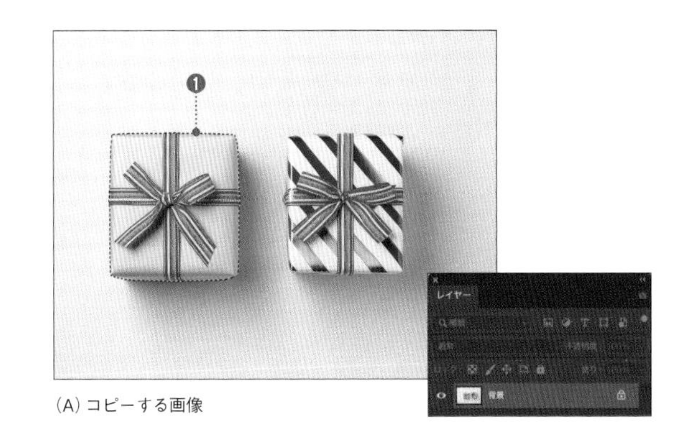

(A) コピーする画像

01 コピーする画像Aを前面にして、コピーしたい箇所に選択範囲を作成し❶、メニューバーから［編集］→［コピー］を選択します。

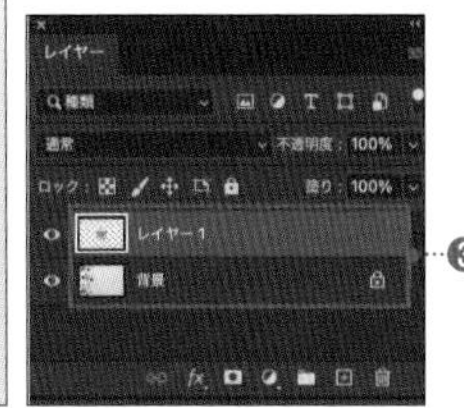

(B) コピー先の画像

02 今度は、コピー先である画像Bを前面にして、メニューバーから［編集］→［ペースト］を選択します。
すると、コピーした画像Aの選択範囲が、画像Bの前面にコピーされます❷。
［レイヤー］パネルを確認すると、画像Bの背景レイヤー（p.107）の上に、画像Aの選択範囲内の画像が、通常のレイヤー（p.107）として追加されていることが確認できます❸。

コピーした画像は、コピー元の原寸（100%）で、コピー先の画像の中心にペーストされます。

03 ペーストした画像のレイヤー名を変更して❹、画像の大きさや位置を調整すると（p.112）、右図のように画像を合成できます❺。

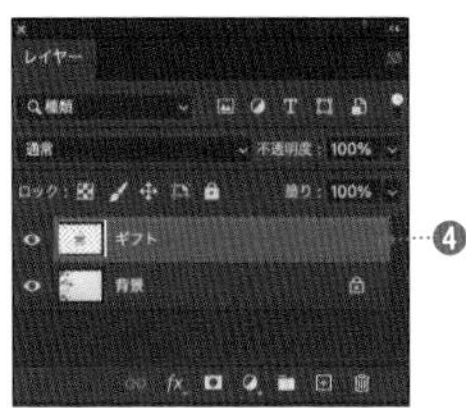

ここも知っておこう！ ▶ **ペースト画像の縁取りが気になったら「フリンジ削除」**

上記のように、画像内の一部を他の画像にペーストすると、ペーストした画像の周りに「不要な色味を含んだ縁取り（フリンジ）」が残ることがあります❶。フリンジを削除するには、ペーストした画像を含むレイヤーを選択して、メニューバーから［レイヤー］→［マッティング］→［フリンジ削除］を選択し❷、表示される［フリンジ削除］ダイアログで削除するピクセル幅を指定をします❸。1pixel程度の指定でもかなり効果がありますが❹、不要な色味が残るようなら、より大きな数値を指定して調整してください。

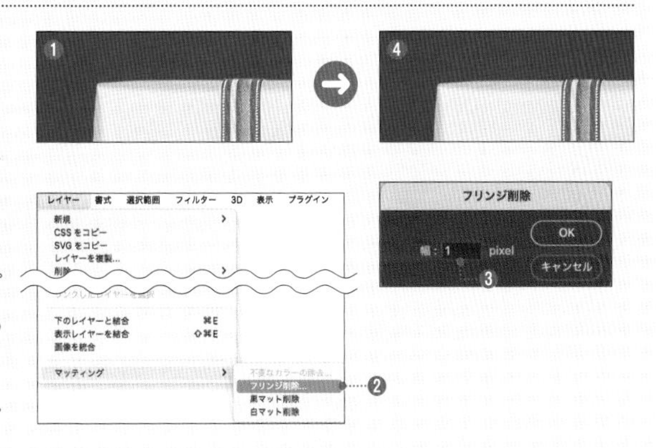

塗りつぶしレイヤーの基本

塗りつぶしレイヤーとは、画像を塗りつぶすためのレイヤーです。[べた塗り][グラデーション][パターン]の3種類があります。塗りつぶしレイヤーは、画像合成の背景などで活用できます。

塗りつぶしレイヤーの[べた塗り]

[ベタ塗り]は、任意の単一色で画面全体(または選択範囲内)を塗りつぶすレイヤーです。[べた塗り]を作成するには、次の手順を実行します。

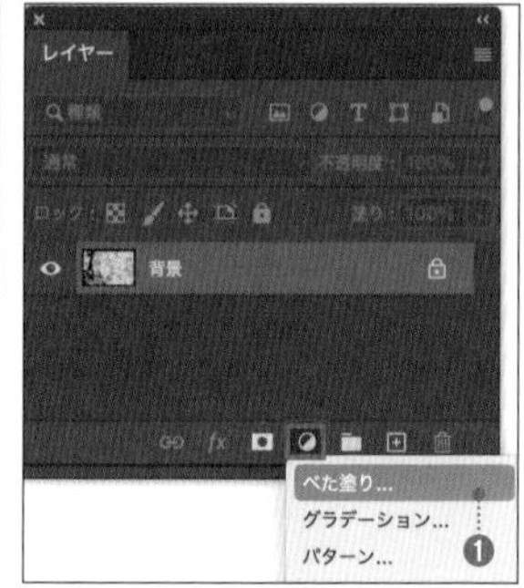

01 [レイヤー]パネル下部の[塗りつぶしまたは調整レイヤーを新規作成]ボタンをクリックして[べた塗り]を選択します❶。

02 [カラーピッカー(べた塗りのカラー)]ダイアログが表示されます。[カラースライダー]をクリックして❷、色相を指定し、[カラーフィールド]をクリックして❸、彩度と明度を指定します。指定中のカラーは[新しい色]として表示されます❹。カラーを設定したら[OK]ボタンをクリックします。

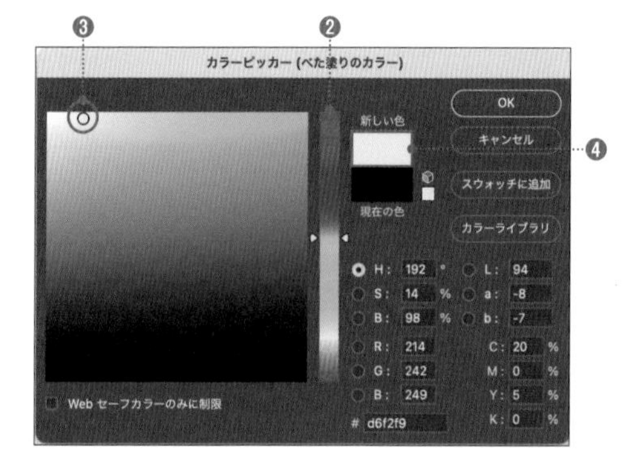

カラーピッカーの使い方については、p.151を参照してください。

03 [レイヤー]パネルに塗りつぶしレイヤーの[べた塗り]が作成されます❺。カラーを変更する場合は、左のサムネールをダブルクリックします❻。

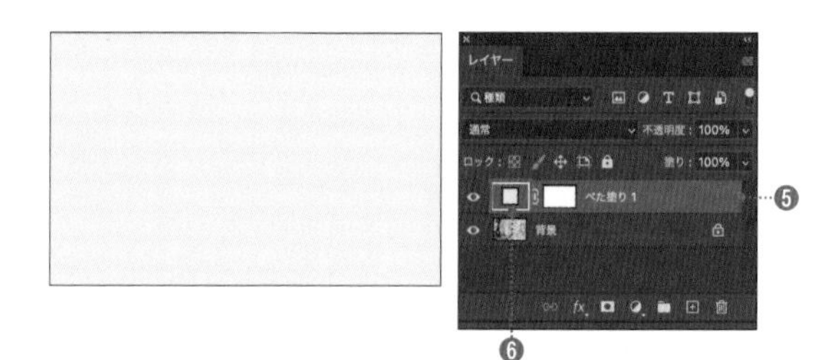

ここも知っておこう! ▶ **選択範囲を作成後に塗りつぶしレイヤーを作成する**

塗りつぶしレイヤーを作成すると、自動的にレイヤーマスク(p.126)が作成されます。選択範囲を作成後に塗りつぶしレイヤーを作成すると、選択範囲がレイヤーマスクに設定されるため、選択範囲内だけを塗りつぶすことができます。

塗りつぶしレイヤーの[グラデーション]

[グラデーション]は、任意のグラデーションで画面全体(または選択範囲内)を塗りつぶすレイヤーです。[グラデーション]を作成するには、次の手順を実行します。

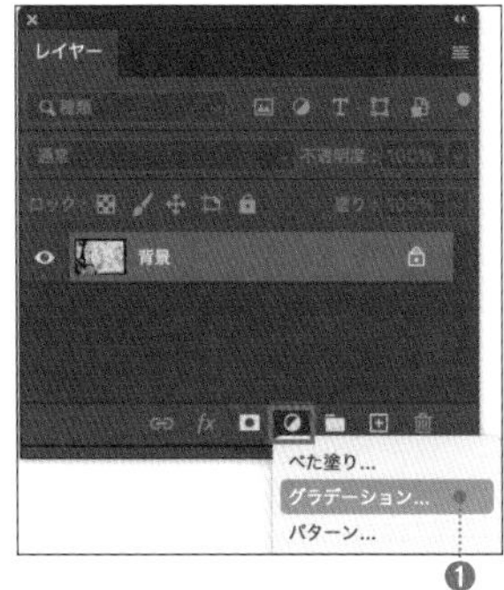

01 [レイヤー]パネル下部の[塗りつぶしまたは調整レイヤーを新規作成]ボタンをクリックして[グラデーション]を選択します❶。

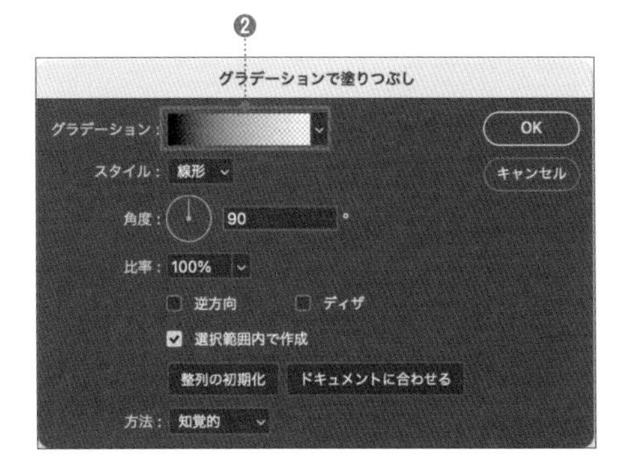

02 [グラデーションで塗りつぶし]ダイアログが表示されます。グラデーションボックスをクリックして❷、[グラデーションエディター]ダイアログを表示します。

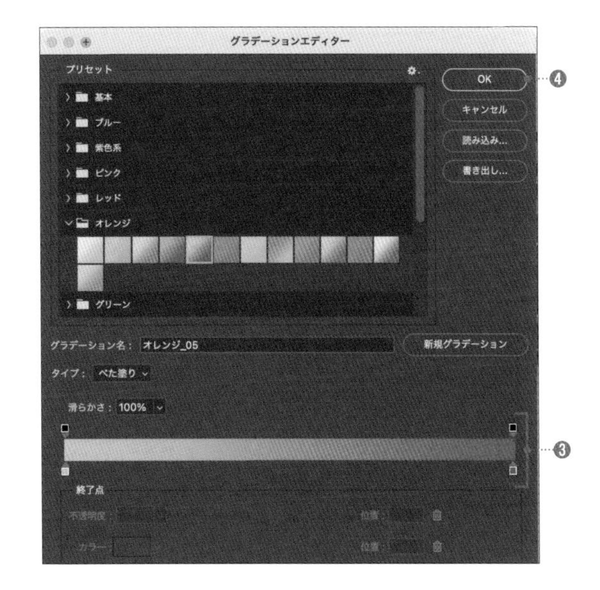

03 グラデーションを設定します❸。設定したら[OK]ボタンをクリックして❹、ダイアログを閉じます。

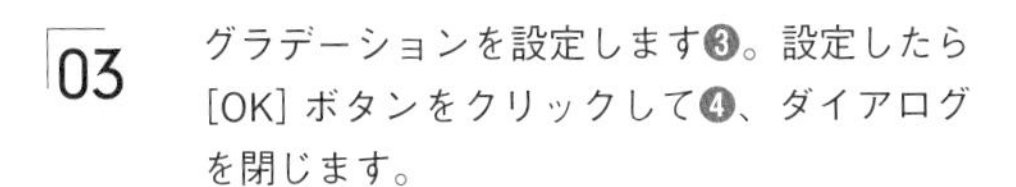

グラデーションエディターの使い方については、p.161を参照してください。

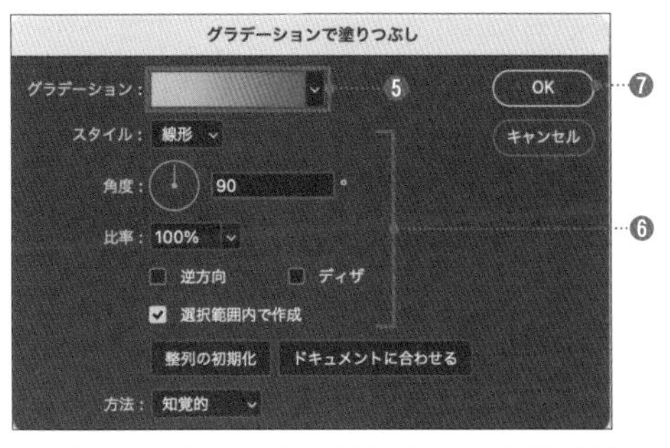

各設定項目については、次ページの表を参照してください。

04 [グラデーションで塗りつぶし]ダイアログに戻ります。[グラデーション]に指定したグラデーションが設定されていることが確認できます❺。
[スタイル]や[角度][比率]などの各項目を設定して❻、[OK]ボタンをクリックします❼。

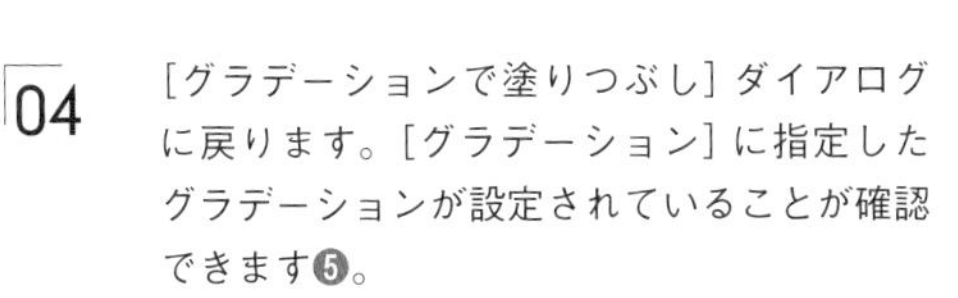

option(Alt)を押すと、[キャンセル]ボタンが一時的に[初期化]になり、設定を初期化することができます。

05 ［レイヤー］パネルに塗りつぶしレイヤー［グラデーション］が作成されます❽。グラデーションを変更する場合は、左のサムネールをダブルクリックします❾。

● ［グラデーションで塗りつぶし］ダイアログの設定項目

項　目	説　明
スタイル	グラデーションの種類を指定する。［円形］や［菱形］を選択すると、中央から外側へ向かってグラデーションが描画される
角度	グラデーションの角度を指定する。角度を変更することで斜めのグラデーションなどを指定できる
比率	グラデーションの大きさを指定する
逆方向	チェックを入れるとグラデーションの方向が入れ替わる。例えば白→黒のグラデーションの場合は、黒→白のグラデーションになる
ディザ	チェックを入れると、グラデーションのムラが少なくなる
選択範囲内で作成	レイヤーの塗りつぶす適用範囲を計算して、グラデーションを作成する。画像上をドラッグすることでグラデーションの位置を移動することも可能
整列の初期化	移動したグラデーションの位置を初期化する
ドキュメントに合わせる	グラデーションの位置をドキュメントに合わせる
方法	グラデーションの塗りの方法を指定する

塗りつぶしレイヤー［パターン］

［パターン］は、任意のパターンで画面全体（または選択範囲内）を塗りつぶすレイヤーです。［パターン］を作成するには、次の手順を実行します。

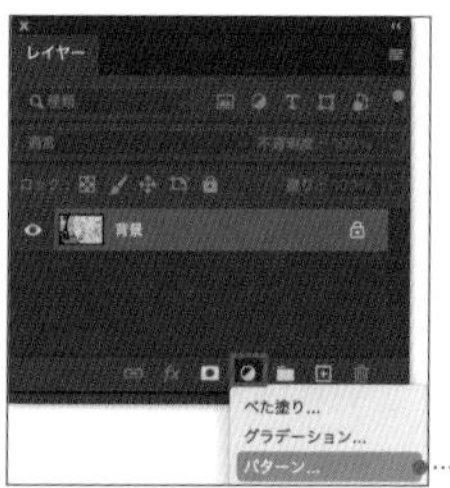

01 ［レイヤー］パネル下部の［塗りつぶしまたは調整レイヤーを新規作成］ボタンをクリックして［パターン］を選択します❶。

02 ［パターンで塗りつぶし］ダイアログが表示されます。パターンピッカーをクリックして❷、塗りつぶしで使用するパターンを選択します❸。

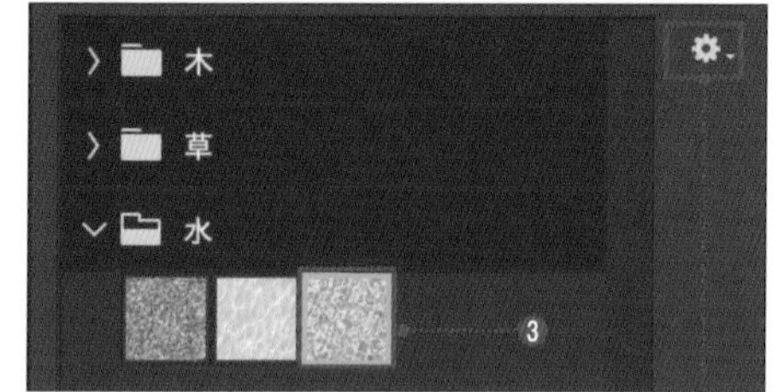

パターンプリセットピッカーの使い方についてはp.162を参照してください。

パネルメニューボタンをクリックすると、他のパターンを追加したり、既存のパターンを削除したりできます。

● ［パターンで塗りつぶし］ダイアログの設定項目

項　目	説　明
角度	パターンの角度を指定する
比率	パターンの大きさを指定する
レイヤーにリンク	チェックを入れると、レイヤーの移動時にパターンも移動する。画像上をドラッグすることでパターンの位置を移動できる
元の場所にスナップ	移動したパターンの位置を初期化する

03 ［レイヤー］パネルに塗りつぶしレイヤー［パターン］が作成されます❹。パターンを変更する場合は、左のサムネールをダブルクリックします❺。

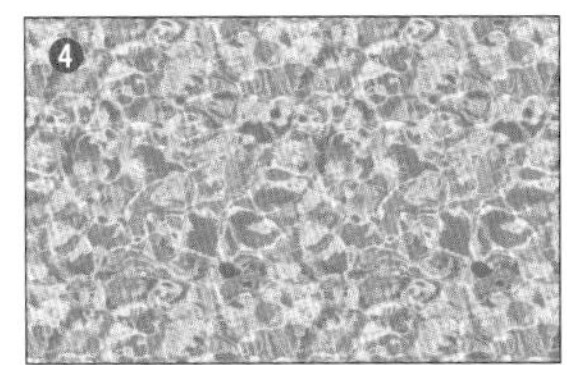

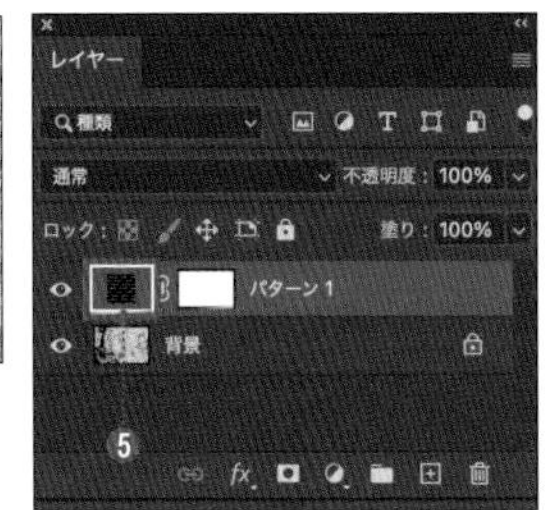

ここも知っておこう！

▶ 塗りつぶしレイヤーと描画モードの組み合わせ

塗りつぶしレイヤーの描画モード（p.144）を変更すると❶、手軽に雰囲気を変えることができます。以下の作例ではすべて［描画モード：オーバーレイ］を選択しています。

ここも知っておこう！

▶ ［塗りつぶし］ダイアログで塗りつぶす

本書では基本的に、画像を塗りつぶす場合は、修正が容易な「塗りつぶしレイヤー」を使用していますが、Photoshopには［塗りつぶし］ダイアログを使う方法も用意されています。

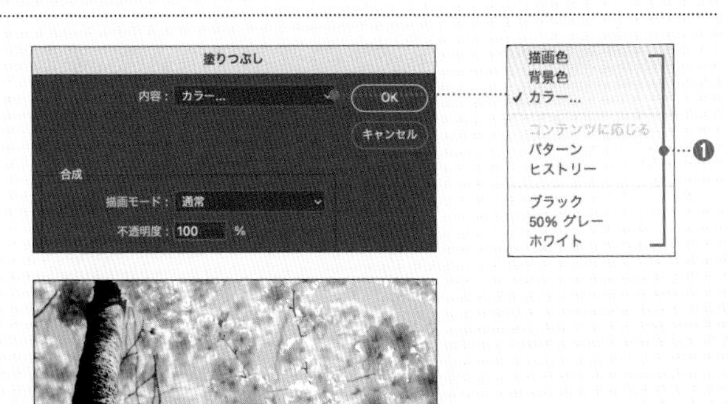

01 メニューバーから［編集］→［塗りつぶし］を選択して［塗りつぶし］ダイアログを表示し、［内容］で塗りつぶす方法を指定します❶。

02 すると指定した方法で塗りつぶされます。ここでは［カラー］を選択し、グリーン色で塗りつぶしました❷。

この方法では［描画色］や［背景色］を指定できます。また、［ブラック］や［ホワイト］といった特定のカラーも指定できます。一方、グラデーションを指定することはできません。また、選択中のレイヤー上で塗りつぶされ、塗りつぶしレイヤーのように簡単に再編集することはできません。

スマートオブジェクトの活用

レイヤーをスマートオブジェクトに変換すると、元データを損なうことなく、画像を変形したり、フィルターを適用したりできます。ここでは、スマートオブジェクトの活用方法を紹介します。

スマートオブジェクトとは

スマートオブジェクトとは、すべてのデータ特性と元画像の情報を保持した特殊なレイヤーです。レイヤーをスマートオブジェクトに変換することには右のようなメリット、デメリットがあります。

本書では、これらのメリット、デメリットを理解したうえで、レイヤーを変形する際や、レイヤーにフィルターを適用する際は、レイヤーをスマートオブジェクトに変換して作業を行います。

メリット

- 元データを損なわずに変形できる
- 元データを損なわずにフィルターを適用できる（**p.184**）
- Illustratorのベクトルデータを保持できる（**p.217**）
- 1つのスマートオブジェクトを編集すると、コピーしたオブジェクト（インスタンス）もすべて自動更新される（**p.124**）

デメリット

- スマートオブジェクトを直接編集するような処理は実行できない（例：［ブラシ］ツールを使用した編集など）※

※通常のレイヤーに変換する（ラスタライズする：**p.123**）と処理できるようになります。

スマートオブジェクトに変換する

右の画像は背景のコーヒー豆の画像と、コーヒーカップの画像の2つのレイヤーで構成されています。この画像のうち、コーヒーカップのレイヤーをスマートオブジェクトに変換してみます。

レイヤーをスマートオブジェクトに変換するには、次の手順を実行します。

01 ［レイヤー］パネルで対象のレイヤーを選択して❶、メニューバーから［レイヤー］→［スマートオブジェクト］→［スマートオブジェクトに変換］を選択します❷。

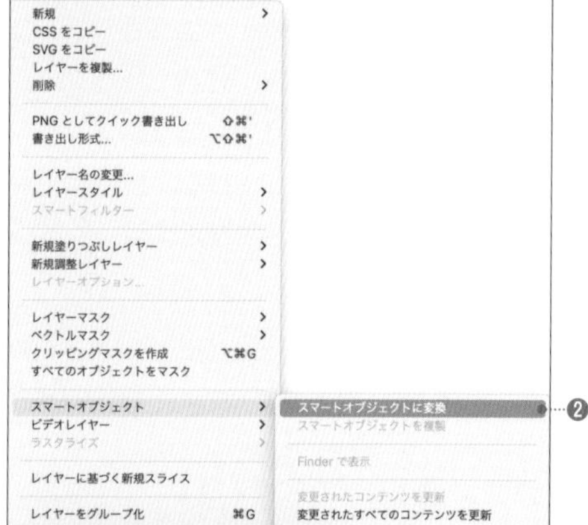

02 すると、レイヤーがスマートオブジェクトに変換されます。レイヤーのサムネールを見ると、スマートオブジェクトを表すアイコンに変わっていることが確認できます❸。

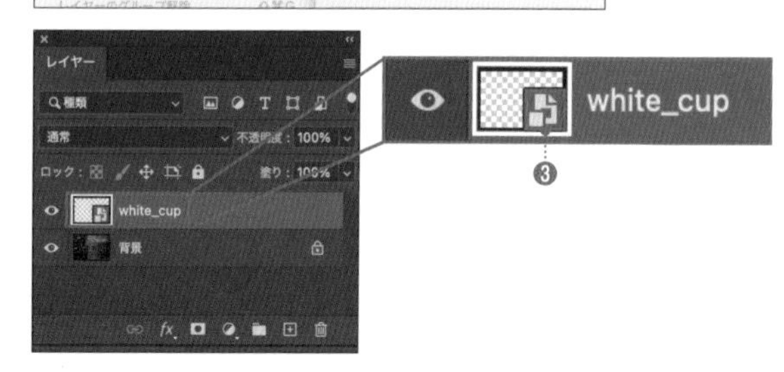

スマートオブジェクトを変形する

先述した通り、スマートオブジェクトに変換すると、元データを損なうことなく、画像を変形できます。そのことを実際に確認してみましょう。変形方法は通常のレイヤーと同じです。

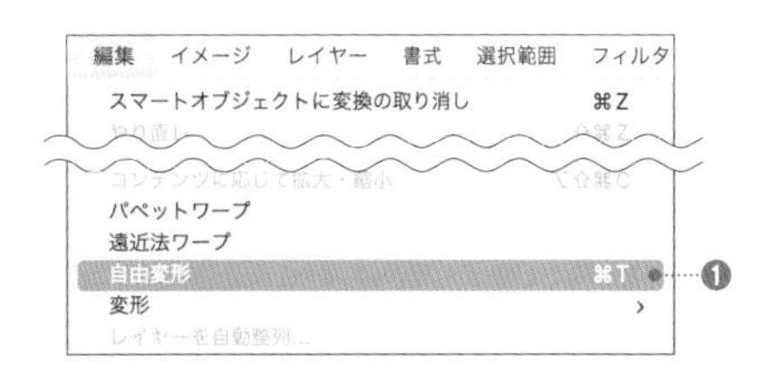

01 [レイヤー] パネルでスマートオブジェクトを選択して、メニューバーから [編集] → [自由変形] を選択します❶。

02 画像の周りにバウンディングボックスが表示されるので、コーナーハンドルをドラッグして変形します❷。

03 オプションバーに変形倍率や角度が表示されます❸。◯ボタンをクリックして変形を確定します❹。ここまでの手順は通常のレイヤーの場合と同じです。

04 再びサイズ変更をするために、Step1と同じ手順で自由変形を選択します❺。すると、オプションバーに保持されている以前の変形倍率や角度から作業を再開できます❻。

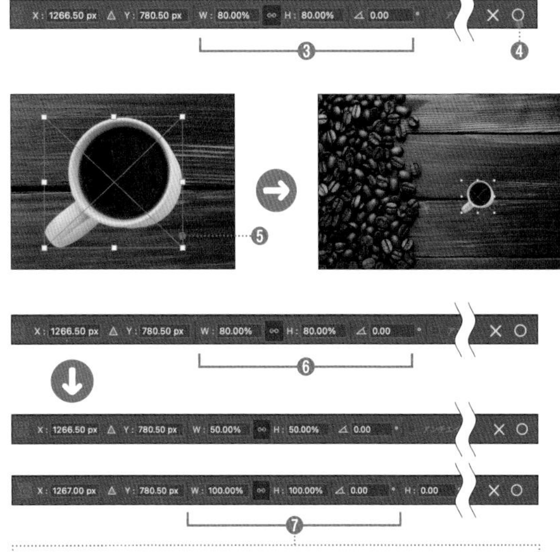

このように、スマートオブジェクトに対する変形では、元データ（100%）の情報が残っているため、例えば [W] や [H] に100%を指定することで、画像を変形前の状態に戻すことができます。また、元データ（100%）の範囲内であれば拡大しても画像が劣化することはありません。通常のレイヤーに対する変形・再編集の場合との違いを確認しておいてください❼。

通常のレイヤーを変形した場合は、変形を確定した時点で画像のサイズも変更されるため、再編集のために再度自由変形を選択すると、オプションバーの値は [100%] になります。そのため、元データの情報を利用することはできません。

ここも知っておこう！

▶ スマートオブジェクトのラスタライズ

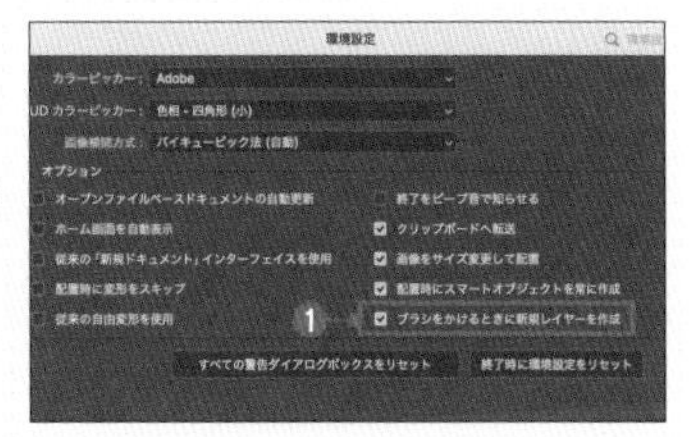

スマートオブジェクトには、[ブラシ] ツールによるペイントのような、画像を直接編集する処理は実行できません。ブラシをかけるときは、新規レイヤーが作成され、その上で処理ができるようになります。これは、[環境設定] ダイアログの [ブラシをかけるときに新規レイヤーを作成] にチェックが付いている場合に有効です❶。

また、それ以外のツールで編集しようとすると、ラスタライズする旨のダイアログが表示されます❷。ラスタライズとは「ピクセル化」（通常のレイヤーにすること）です。必要に応じて [OK] ボタンをクリックしてラスタライズしてください。

なお、スマートオブジェクトのラスタライズは、メニューバーから [レイヤー] → [スマートオブジェクト] → [ラスタライズ] を選択することでも実行できます。

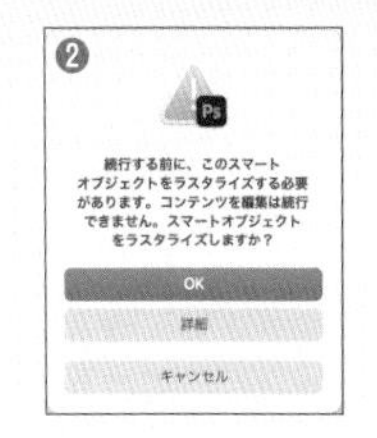

スマートオブジェクトを置き換える

レイヤーをスマートオブジェクトに変換しておけば、対象のオブジェクトを一括で置き換えることができます。この手順を覚えておくと、複数案のデザインがあった場合の更新作業を効率的に行うことができます。右の例のように、特に1つのファイル内に複数のスマートオブジェクトが存在する場合に便利です。

01 ［レイヤー］パネルで、1つのスマートオブジェクトを選択し❶、メニューバーから［レイヤー］→［スマートオブジェクト］→［コンテンツを置き換え］を選択します❷。

02 ダイアログが表示されるので、置き換えるファイルを選択して❸、［配置］ボタンをクリックします❹。

03 指定したオブジェクトはもとより、コピーしたオブジェクトもすべて自動更新されます❺。［レイヤー］パネルのレイヤー名は、置き換えたファイル名になります❻。

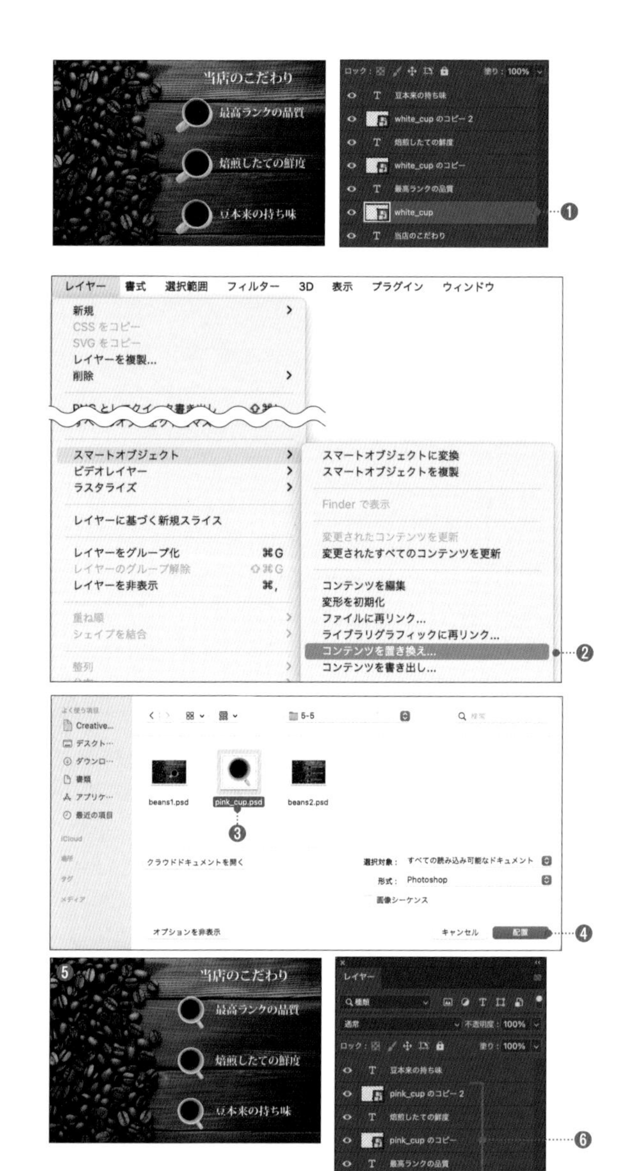

オブジェクトの位置や配置倍率は、置き換え前の情報が保持されます。置き換え後は、必要に応じてバランスを調整してください。

ここも知っておこう！

▶ スマートオブジェクトとして画像を開く・配置する

メニューバーから［ファイル］→［スマートオブジェクトとして開く］を選択して画像を開くと、自動的にスマートオブジェクトに変換されます❶。また、既存のファイル上に画像を追加する場合に、メニューバーから［ファイル］→［埋め込みを配置］、または［ファイル］→［リンクを配置］を選択して画像を配置すると、その画像は自動的にスマートオブジェクトに変換されます❷。

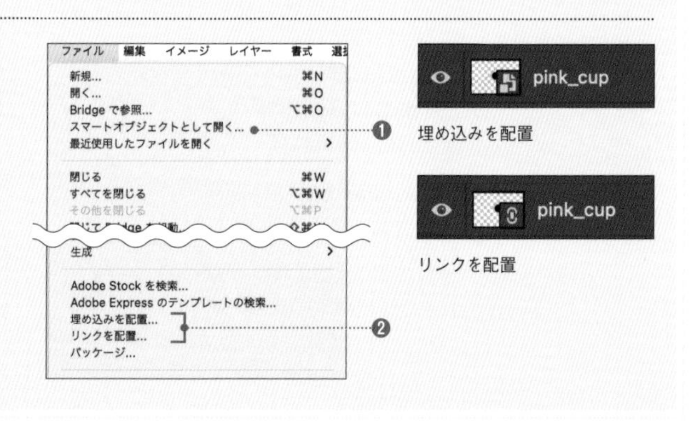

Sample_Data/Lesson05/5-6/

Lesson 5-6 レイヤーの不透明度

[レイヤー] パネルの [不透明度] を設定すると、レイヤーごとに透過度合いを変更できます。この機能は調整レイヤーに対して設定することも可能です。

不透明度を変更する

Photoshopでは、レイヤーの透過度合いを「不透明度」と呼び、レイヤーごとに0～100%の範囲で不透明度を設定できます。0%を指定すると完全な透明になり、見えなくなります。

右図では背景画像の上に、[トーンカーブ] 調整レイヤーと非表示の塗りつぶしレイヤーが配置されています。ここでは調整レイヤーや塗りつぶしレイヤーの不透明度を変更することで、操作手順を解説します。

01 [レイヤー] パネルで [トーンカーブ] 調整レイヤーを選択して❶、[不透明度] を操作します❷。[不透明度：50%] に設定すると、トーンカーブの適用度合いが弱まります❸。

02 今度は、塗りつぶしレイヤーを表示して選択します❹❺。[不透明度：50%] に設定すると❻、塗りつぶしが半透明になり、背景の画像が透けて見えるようになります❼。

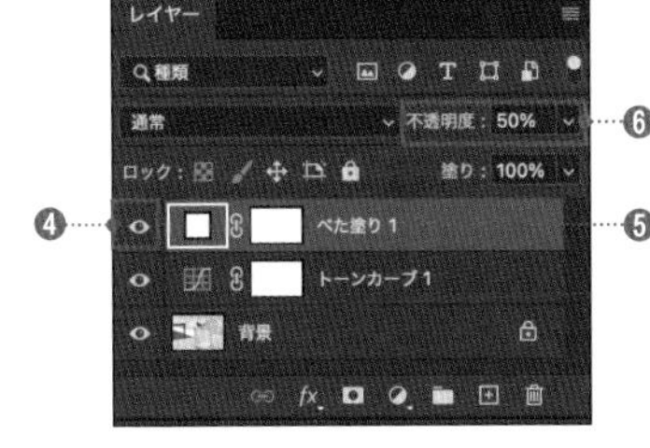

上記のように [レイヤー] パネルの [不透明度] では、画像レイヤーの不透明度だけでなく、調整レイヤーの適用度合いを調整することが可能です。少し弱めに補正したい場合は、補正の設定値を変更する以外に、[不透明度] を下げるという手軽な方法があるということを覚えておいてください。

[不透明度] による調整レイヤーの調整は、あくまでも「少し弱めたい」といった場合のみに使用します。詳細な設定は、各調整レイヤーの [プロパティ] パネルで行ってください。

塗りつぶしレイヤーと調整レイヤーの両方を [不透明度：50%] に変更した例

レイヤーマスクを編集する①

レイヤーマスクを使うと、画像の一部を表示したり、隠したりできます。透過度合いをグレースケールで指定できるため、細かく調整することが可能です。

レイヤーマスクを用いた画像合成

レイヤーの一部を表示したり、隠したりする場合は、レイヤーマスクを使用します。レイヤーマスクとは、マスク領域(隠す領域)をグレースケールで編集する機能です。マスクの白い部分は100%表示され、黒い部分は非表示になります(マスクされます)。また、50%グレーの部分は[不透明度:50%]の状態で表示されます。

ここでは右の2枚の画像を用いて、レイヤーマスクの使い方を解説します。[レイヤー]パネルを確認すると、ミュージシャンの画像が背景にあり、前面にレコードの画像が配置されていることが確認できます。

01 [レコード]レイヤーを選択して❶、[レイヤー]パネル下部の[レイヤーマスクを追加]ボタンをクリックします❷。すると、レイヤーマスクを表すサムネールが追加されます❸。

02 追加時点では、マスク領域は白になっています。つまり、レイヤーの内容がすべて見えている状態です。見た目上も変化はありません。ツールパネルで[グラデーション]ツールを選択して❹、オプションバーで[クラシックグラデーション]を選択し❺、下向きの矢印をクリックして❻、[基本]の[黒、白]を選択します❼。

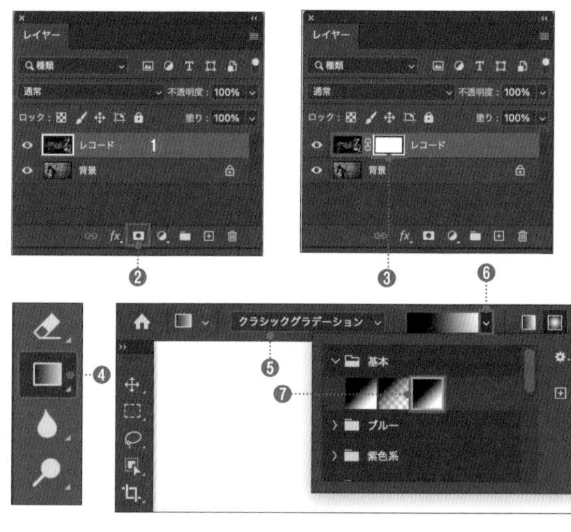

03 [レイヤー]パネルでレイヤーマスクが選択されていることを確認したうえで❽(レイヤーマスクの周りに白い枠が付いている状態)、画像上を左下から右上へ向かってドラッグします❾。これで、指定したグラデーションでレイヤーマスクを塗ったことになります。

04 画像にレイヤーマスクが適用されて右図のようになります❾。今回の場合、グラデーションの始点は黒、終点は白になるため、左下は不透明度が0%、右上は100%になります。また、中間は50%グレーになります。つまり、完全に透明な状態から徐々に画像が表示されるようになります。

05 [レイヤー] パネルでレイヤーマスクのサムネールを確認すると、指定した通りに、黒から白へ向かうグラデーションが設定されていることがわかります❿。

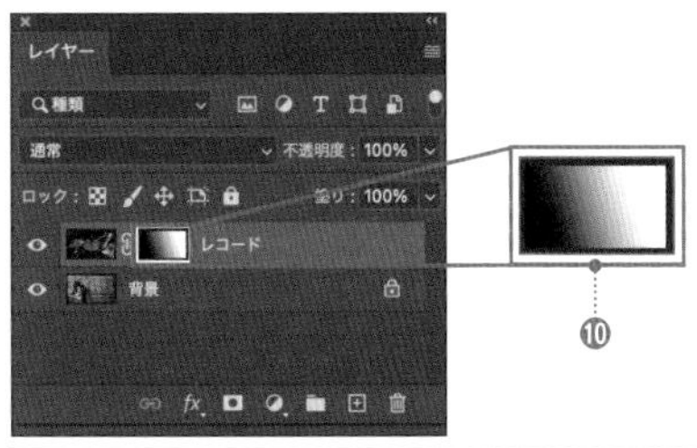

06 option（Alt）を押しながら、レイヤーマスクのサムネールをクリックすると、画面上にレイヤーマスクの状態が表示されます⓫。こうすると、レイヤーマスクがどのように編集されているかを細かく確認できます。
確認したら、再度option（Alt）を押しながら、レイヤーマスクのサムネールをクリックして元に戻します。

レイヤーマスクの初期化・削除

レイヤーマスクによる画像合成では、画像の一部を実際に削除しているわけではありません。マスクで隠しているだけです。そのため、レイヤーマスクを編集することで何度でもやり直せます。

また、画像を元の状態（完全に見えている状態）に戻すには、レイヤーマスクのサムネールが選択されている状態で、メニューバーから [編集] → [塗りつぶし] を選択して [塗りつぶし] ダイアログを表示し、[内容：ホワイト] を設定して❶、[OK] ボタンをクリックします❷。すると、レイヤーマスクが白で塗りつぶされて、初期状態に戻ります❸。

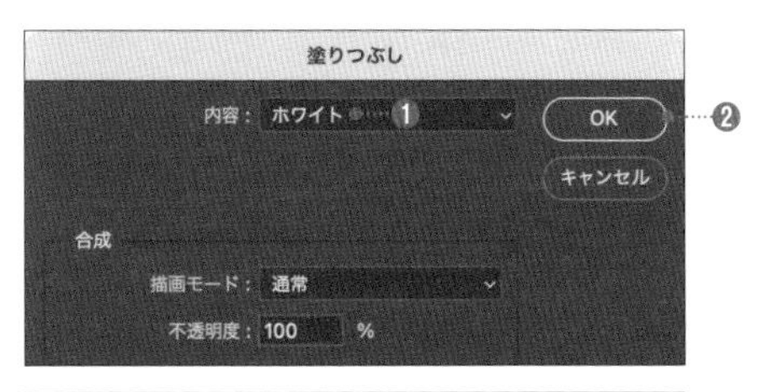

レイヤーマスクを削除するには、レイヤーマスクのサムネールを [レイヤー] パネル下部の [レイヤーを削除] ボタンの上にドラッグ＆ドロップするか、delete を押します。

shift を押しながら、レイヤーマスクのサムネールをクリックすると、一時的にレイヤーマスクが無効になります❹。再度、shift を押しながらサムネールをクリックすると元に戻ります。

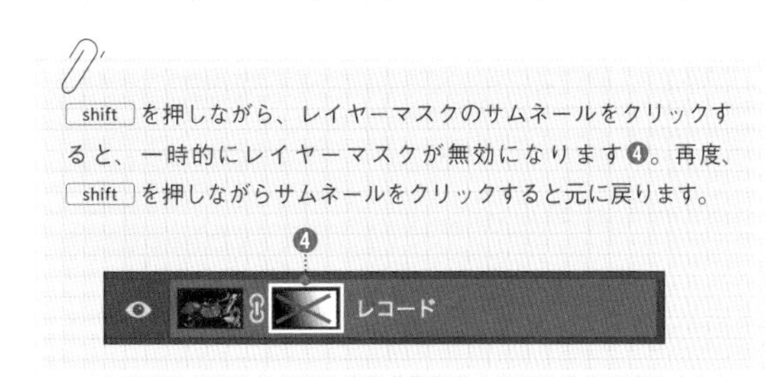

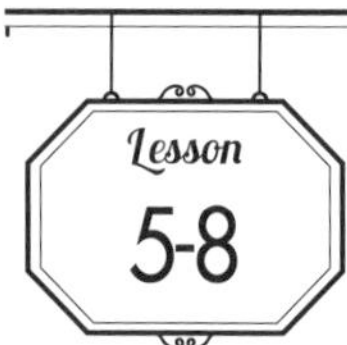

Sample_Data/Lesson05/5-8/

レイヤーマスクを編集する②

レイヤーマスクはグレースケールの画像でマスク領域を管理するため、Photoshopに用意されているさまざまなペイント系ツールで編集できます。ここでは、[ブラシ] ツールを使って調整レイヤーを編集する方法を紹介します。

さまざまなマスク領域の編集方法

先述した通り、レイヤーマスクのマスク領域はグレースケールで編集します。そのため、レイヤーマスクは、さまざまなペイント系のツールやコマンドで編集できます。

レイヤーマスクの編集方法は、主に3つあります。

- [グラデーション] ツール (p.126)
  黒～グレー～白のように徐々に見え方が変わる編集に向いています。
- [ブラシ] ツール (p.129)
  細かい編集に向いています。
- [塗りつぶし] コマンド (p.127)
  広範囲や選択範囲を塗りつぶす編集に向いています。

中でも、[ブラシ] ツールはブラシの [サイズ] や [硬さ] などを細かく設定できます (図1)。また、ブラシには不透明度も設定できます (p.154)。

本項では [ブラシ] ツールを使って調整レイヤーのレイヤーマスクを編集してみます。

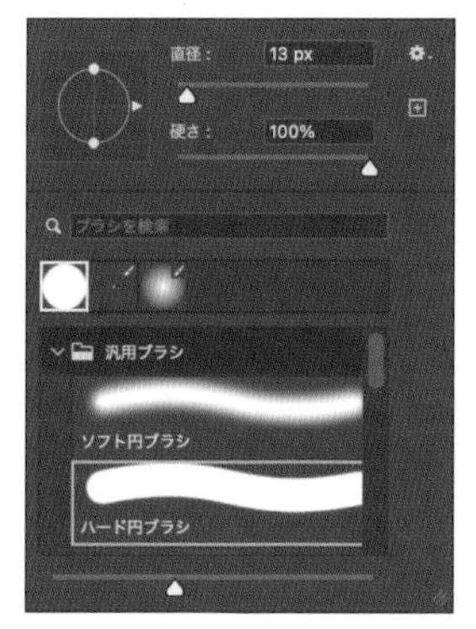

図1 Photoshopではブラシの先端の形状や直径、硬さなどをかなり細かく設定できます。

調整レイヤーのレイヤーマスク

通常のレイヤーには、初期状態ではレイヤーマスクは設定されていないため、前項の手順でレイヤーマスクを追加することが必要です (p.124)。一方、調整レイヤーや塗りつぶしレイヤーには、最初からレイヤーマスクが設定されているので、別途追加する必要はありません。

調整レイヤーのレイヤーマスクは、編集方法は通常のレイヤーと同じですが、通常のレイヤーのようにレイヤーの一部を表示したり、隠したりするためのものではありません。調整レイヤーのレイヤーマスクは色調補正を適用する範囲と度合いを指定するための機能です。レイヤーマスクを黒で塗ると、その部分は色調補正が適用されなくなります。

右図では画像全体に [明るさ・コントラスト] 調整レイヤーを適用していますが❶、マスク領域で左から黒、50%グレー、白の3段階に設定しています❷。

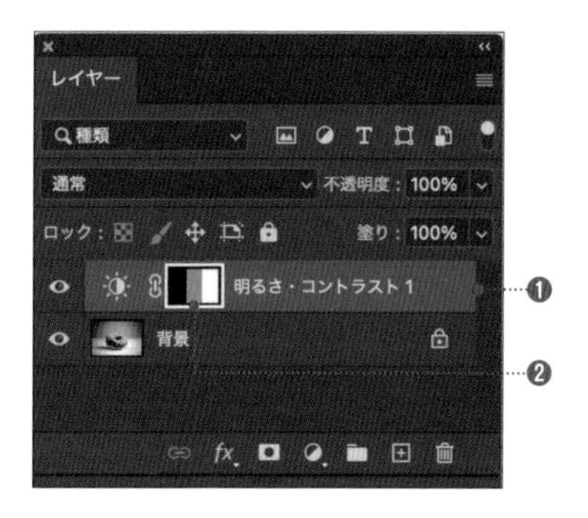

[ブラシ] ツール を使ったマスクの編集

[ブラシ] ツール を使ってマスク領域を編集するには次の手順を実行します。

01 画像を開いて、[白黒] 調整レイヤーを追加します❶ (p.66)。

02 画像全体に [白黒] 調整レイヤーが適用されて❷、画像がモノトーンになります❸。

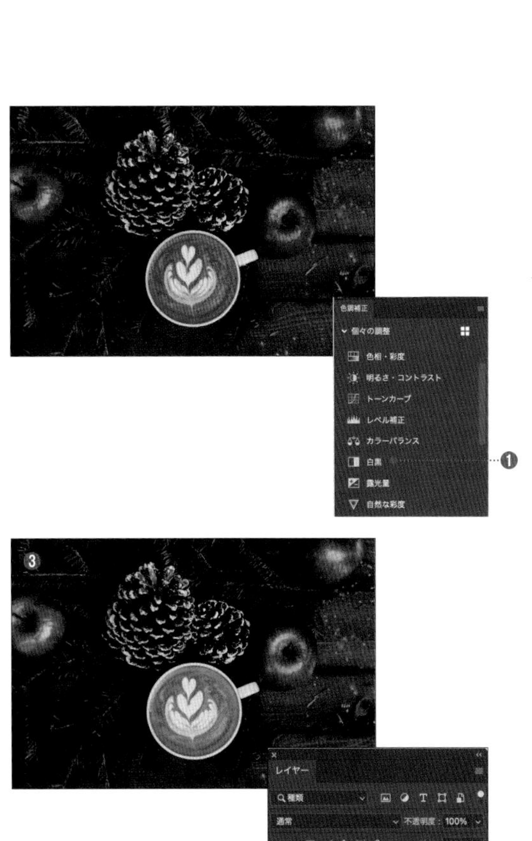

03 ツールパネルで [ブラシ] ツール を選択して❹、[描画色：黒] に設定します❺。また、オプションバーで [モード：通常] [不透明度：100%] [流量：100%] に設定します❻。ブラシサイズは画像に合わせて調整してください❼。

04 レイヤーマスクのサムネールが選択されていることを確認してから❽、画像上をドラッグします。黒で塗った箇所は色調補正が適用されない領域となるため、黒で塗った箇所のみ、調整レイヤーが無効化されて、元画像の色が表示されます❾。

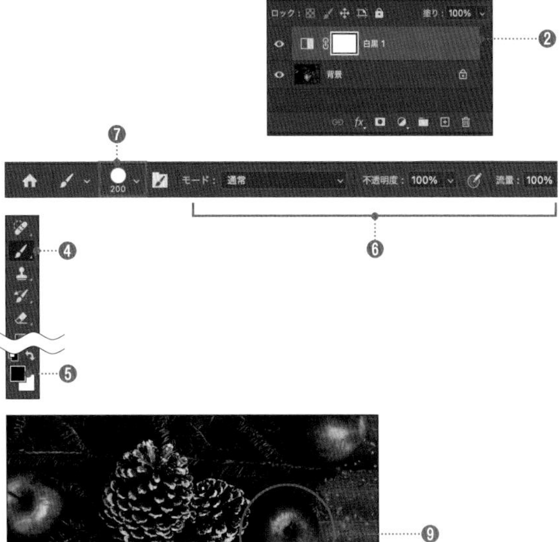

再度、色調補正を適用するには [描画色：白] で塗ります。このように、レイヤーマスクの領域は何度でもやり直しが可能です。

レイヤーマスクを編集時に便利な以下のショートカットを活用しましょう。

D：描画色と背景色を初期設定する (描画色は黒、背景色は白)
X：描画色と背景色を入れ替える (黒↔白の入れ替え)

選択範囲内に画像をペーストする

選択範囲を作成して、そこに別の画像をペーストすると、自動的に選択範囲の形状のレイヤーマスクが作成されます。この機能はとても便利なので覚えておいてください。

[特殊ペースト]の利用

[特殊ペースト]機能を使うと、作成済みの選択範囲内に任意の画像をペーストすることができます。ペーストした画像には、選択範囲の形状のレイヤーマスク(p.126)が設定されます。実際に右の2つの画像(別ファイル)を合成してみましょう。

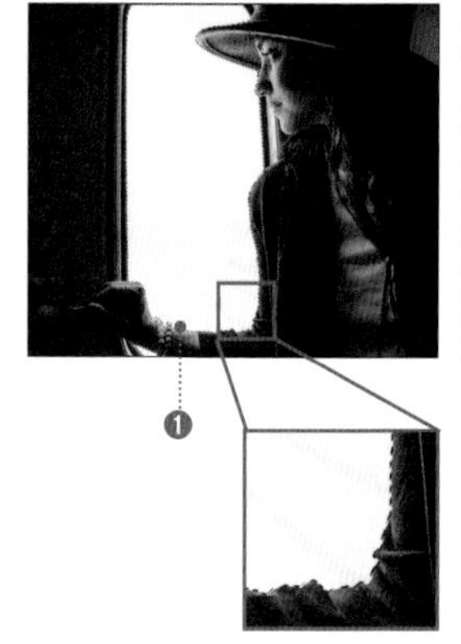

01 ドア画像の内側に選択範囲を作成します❶。ここでは、[自動選択]ツール(p.80)とクイックマスクの機能(p.92)を組み合わせました。

02 風景画像を開き、メニューバーから[選択範囲]→[すべてを選択]を選択し❷、続いて[編集]→[コピー]を選択して❸、画像全体をコピーします。

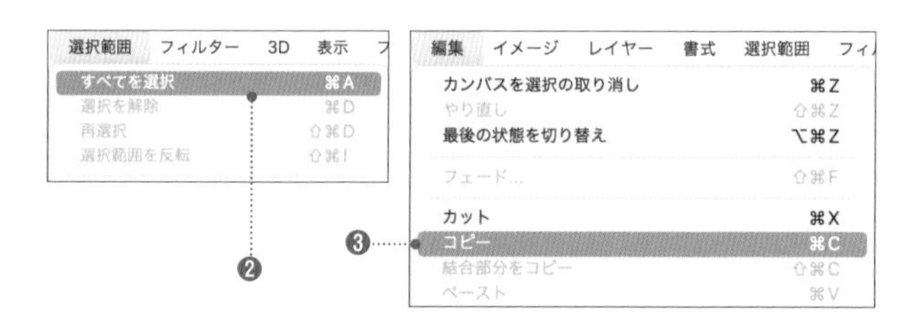

03 ドア画像に切り替えてから、メニューバーから[編集]→[特殊ペースト]→[選択範囲内へペースト]を選択して❹、Step2でコピーした風景画像をペーストします。

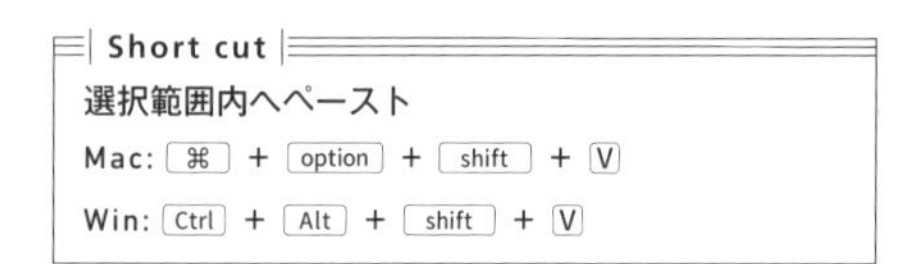
Short cut
選択範囲内へペースト
Mac: ⌘ + option + shift + V
Win: Ctrl + Alt + shift + V

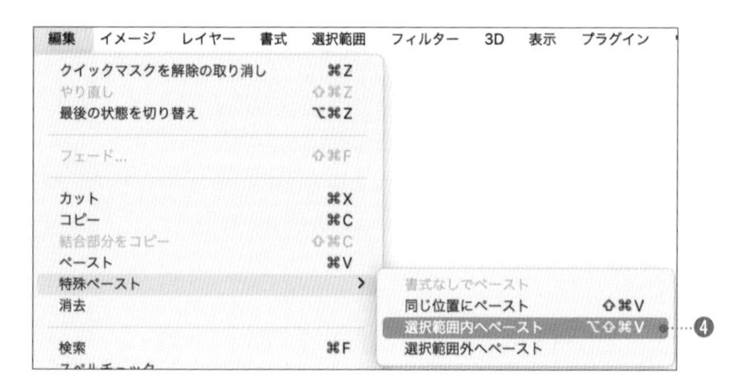

04 コピーした風景画像が、選択範囲内にペーストされます❺。[レイヤー]パネルを確認すると、風景画像がレイヤーマスク付きでペーストされていることがわかります❻。

合成画像の調整

合成した画像のサイズや位置を調整・変更するには次の手順を実行します。

01 ［レイヤー］パネルでレイヤーのサムネールが選択されていること（白枠が付いていること）を確認して❶、ツールパネルで［移動ツール］を選択し❷、オプションバーで［バウンディングボックスを表示］にチェックを入れます❸。

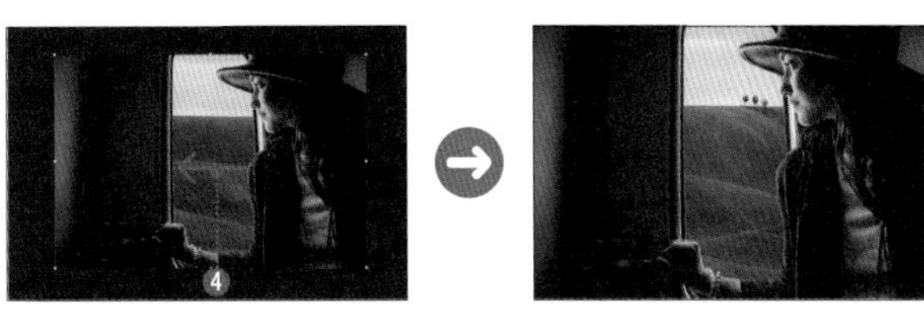

02 画像上をドラッグすると位置を変更できます。また、バウンディングボックスを操作することで大きさを変更できます❹。

レイヤーとマスクのリンク

レイヤーサムネール（左）とレイヤーマスクサムネール（右）の間をクリックすると❶、両者をリンクできます。リンクすると両者の間に鎖のアイコンが表示されます❷。

リンクを解除すると、はめ込んだ画像とマスク領域は別々に動きます❸。一方、リンクすると、はめ込んだ画像とマスク領域が固定されて一緒に動きます❹。

通常、レイヤーマスク作成時は、両者はリンクされていますが、［選択範囲内へペースト］コマンドによって作成されたレイヤーマスクは、ペースト後に画像を調整することが前提になっているためリンクされていません。このリンクは必要に応じて使い分けてください。

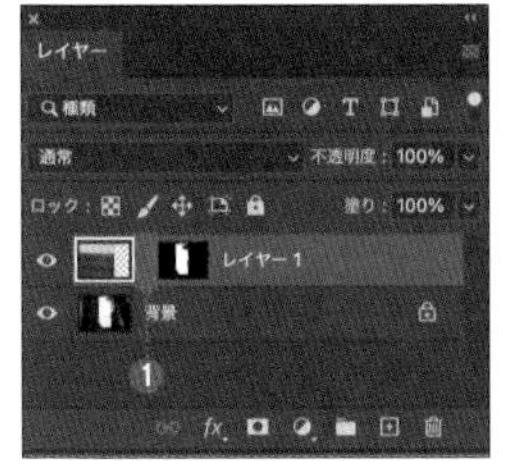

リンクなし／はめ込み画像とレイヤーマスクは別々に動く（マスク領域は固定され、その中で画像が動く）

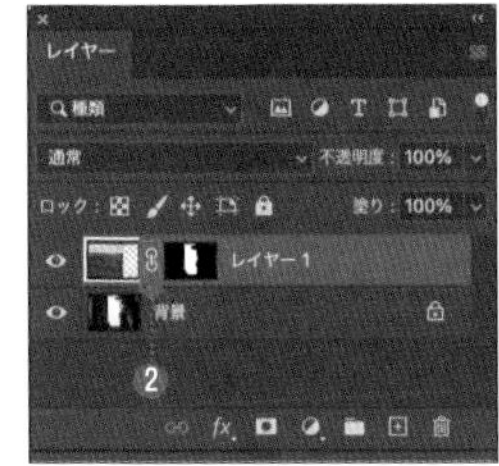

リンクあり／はめ込み画像とレイヤーマスクは一緒に動く

ここも知っておこう！

▶［プロパティ］パネルを使ったマスクの編集

［レイヤー］パネルでレイヤーマスクサムネールを選択すると（白枠が付いている状態）❶、［プロパティ］パネルの［マスク］で❷、マスクの濃度やぼかし、境界線などを調整できます❸。

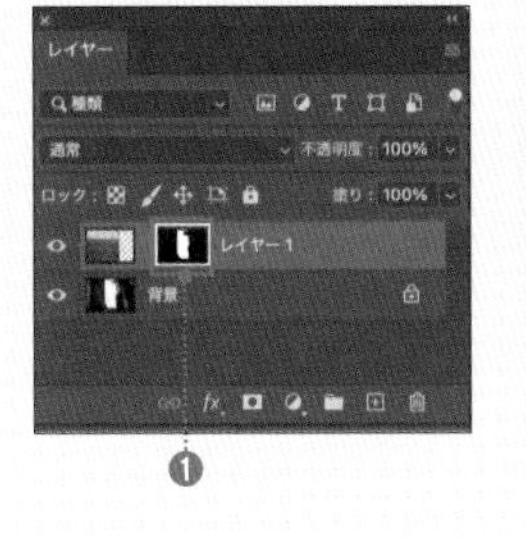

Sample_Data / Lesson05 / 5-10/

テキストプロンプトを使って選択範囲を塗りつぶす

生成塗りつぶしは、アドビの強力な生成AIテクノロジー「Firefly」の技術を利用した機能です。テキストプロンプトを使用して、選択範囲を生成した画像で塗りつぶすことができます。

画像を生成する

ここでは、背景に別の風景を生成してみましょう。

最初に、生成したい箇所に選択範囲を作成します。

01 [選択範囲]→[被写体を選択]を選択して(p.82)人物を選択後❶、[選択範囲]→[選択範囲を反転]を選択して(p.81)背景を選択します❷。

02 後の作業に備えて、[選択範囲]→[選択範囲を保存]を選択して、背景の選択範囲をアルファチャンネルとして保存します❸(p.86)。

03 コンテキストタスクバーの[生成塗りつぶし]をクリックし❹、テキストプロンプトの入力ボックスに「ハワイ」と入力して❺、[生成]をクリックすると、画像生成が始まります❻。

テキストプロンプトとは、どのように画像を生成するかを指示するものです。できるだけシンプルな言葉を使うようにしましょう。

04 背景にハワイの風景が生成されます❼。また、[レイヤー] パネルには、生成レイヤーができます❽。提示される3つのバリエーションを切り替えるには、< > をクリックするか❾、[プロパティ] パネルでサンプルをクリックします❿。

生成した画像は、生成レイヤーに作成されます。元の画像を損なうことなく(非破壊的)、無数にあるクリエイティブな可能性を最大限に活かすことができます。必要に応じて、生成レイヤーを削除して元に戻すことができます。

生成レイヤーの右にあるレイヤーマスク(p.126)のサムネールを選択して編集すると、生成した画像をマスク処理することができます。

生成AIテクノロジー「Firefly」は、Adobe Stock(p.247)が提供する高品質かつプロレベルのライセンス済み高解像度画像を何億点も使用してトレーニングされています。この機能を使った生成塗りつぶしは、画像のパース、ライティング、スタイルを自動的に一致させ、自然な仕上がりになるように調整されます。

複数の画像を生成する

ここでは、「パリ」の風景を生成してみましょう。生成レイヤーは、1つのファイルに複数作成することができます。

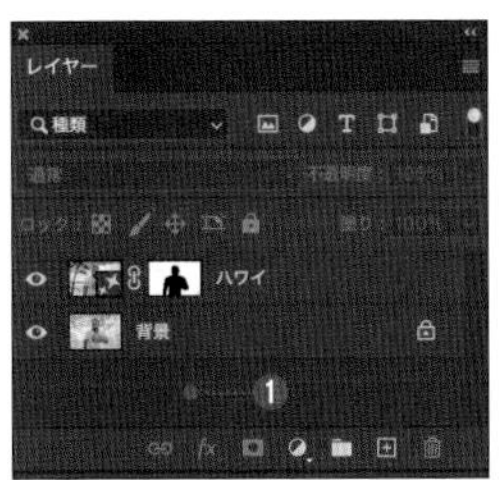

01 [レイヤー] パネルの何もないところをクリックし、レイヤーの選択を解除します❶。また、[チャンネル] パネルのアルファチャンネルのサムネールを ⌘ (Ctrl) を押しながらクリックして、選択範囲を読み込みます(p.85)❷。

02 p.132のStep 03を参考にして、テキストプロンプトの入力ボックスに他の用語を入力し(ここでは「パリ」と入力)❸、[生成] をクリックし、画像を生成します❹。

03 背景にパリの風景が生成されます❺。[レイヤー] パネルには、新たに生成レイヤーができ❻、[プロパティ] パネルには3つのサンプルが表示されます❼。

Sample_Data/Lesson05/5-11/

テキストプロンプトを使って画像を生成する

生成塗りつぶしは、アドビの強力な生成AIテクノロジー「Firefly」の技術を利用した機能です。
テキストプロンプトを使用して、選択範囲に画像を生成して合成することができます。

画像を生成する

ここでは、雪だるまを生成してみましょう。
最初に、生成したい箇所に選択範囲を作成します。

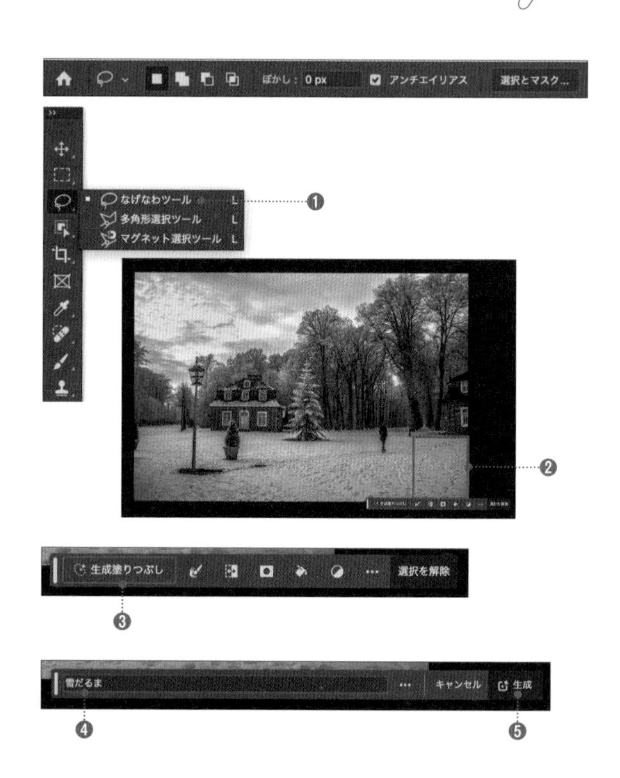

01 ツールパネルで［なげなわ］ツールを選択して❶、雪だるまを生成したい箇所をドラッグして選択範囲を作成します❷。

ここでは［なげなわ］ツールを使用しましたが、大まかに選択範囲を作成できれば、方法は問いません。

02 コンテキストタスクバーの［生成塗りつぶし］をクリックし❸、テキストプロンプトの入力ボックスに「雪だるま」と入力して❹、［生成］をクリックします❺。

03 選択範囲内に雪だるまが生成されます❻。また、［レイヤー］パネルには、生成レイヤーができます❼。提示される3つのバリエーションを切り替えるには、＜ ＞をクリックするか❽、［プロパティ］パネルでサンプルをクリックします❾。

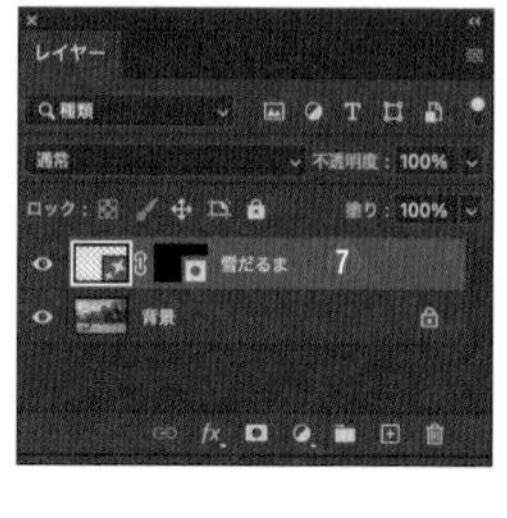

画像を再生成する

ここでは、より詳細なイメージの雪だるまを生成してみましょう。

［プロパティ］パネルに生成される画像のサンプルが追加されます。

01 ［プロパティ］パネルのテキストプロンプトの入力ボックスに、「大きな白い雪だるま」と入力し❶、［生成］をクリックします❷。

02 バリエーションに新たに3つのサンプルが追加されます❸。サンプルをクリックして切り替えます❹。

ここも知っておこう！

▶ サンプルを評価する

［プロパティ］パネルに表示されるバリエーションのサンプルは、評価できます。サンプル上にカーソルを合わせ、⋯をクリックして表示されるリストから、「良い」「悪い」をクリックして評価します。「レポート」をクリックすると、改善点などのコメントを送信することができます。また、不要になったサンプルは、🗑をクリックして削除できます。サンプル数が多くなると、ファイルサイズも大きくなるので、必要に応じて不要なサンプルは削除しましょう。

Sample_Data / Lesson05 / 5-12 /

ベクトルマスクの使い方

ベクトルマスクを使用すると、[シェイプ] ツールや [ペン] ツールで描画したパスを使ってマスクを作成できます。レイヤーマスクとはマスクの指定方法が異なるの注意してください。

ベクトルマスクを使った画像合成

ベクトルマスクとは、マスク領域を[シェイプ]ツールや[ペン]ツールで描画したパスで指定するマスクです。パスの内側が表示され、パスの外側は非表示となります。右の2枚の画像を用いて、ベクトルマスクで合成してみます。パンダの画像が前面、べた塗りレイヤーが背面に配置されています。右図でレイヤー構造を確認しておいてください。

01 [レイヤー] パネルで [パンダ] レイヤーを選択して❶、⌘ (Ctrl) を押しながら [レイヤー] パネル下部の [マスクを追加] ボタンをクリックして❷、ベクトルマスクを追加します❸。追加直後は、マスク領域は白になっています。

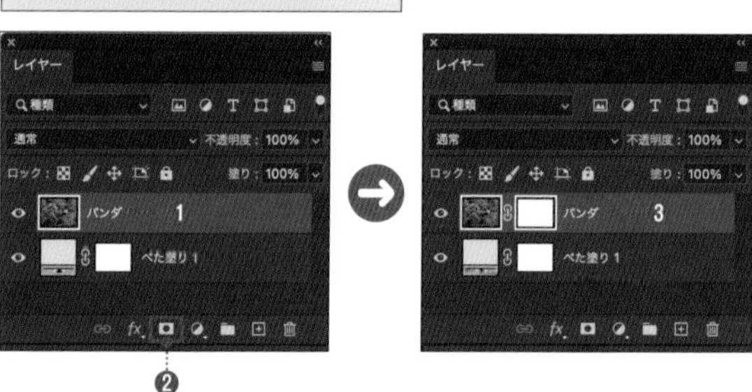

見た目はレイヤーマスク(p.126)と同じですが、作成されているのはベクトルマスクです。[プロパティ] パネルを見ると確認できます。なお、⌘ (Ctrl) を押さずに[マスクを追加] ボタンをクリックすると、レイヤーマスクが作成されます。注意してください。

02 ベクトルマスクの領域を編集します。ツールパネルで [楕円形] ツールを選択して❹、オプションバーで [パス] を選択します❺。

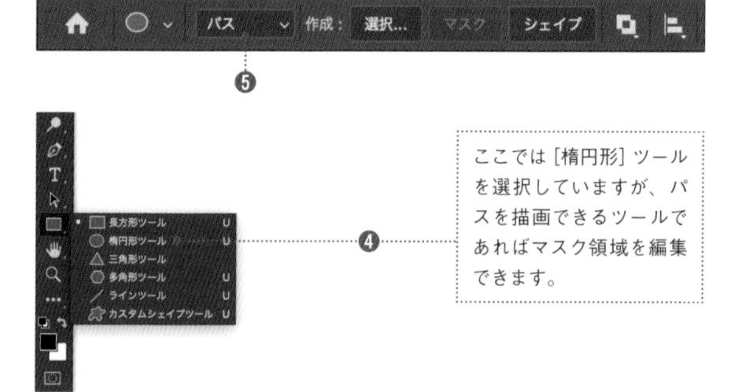

ここでは [楕円形] ツールを選択していますが、パスを描画できるツールであればマスク領域を編集できます。

03 [レイヤー] パネルでベクトルマスクが選択されている(白い枠が付いている)ことを確認してから、画像上をドラッグしてパスを描画します❻。shift を押しながらドラッグすると正円を描画できます。
すると、右図のように描画したパスがマスクとなり、外側が非表示になります。

04 ［レイヤー］パネルでベクトルマスクのサムネールを確認すると、表示内容が変わっていることが確認できます❼。また［パス］パネルに［パンダ（レイヤー名）ベクトルマスク］が追加されています❽。

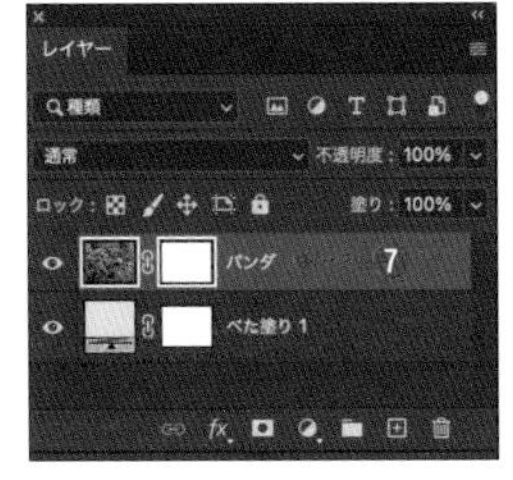

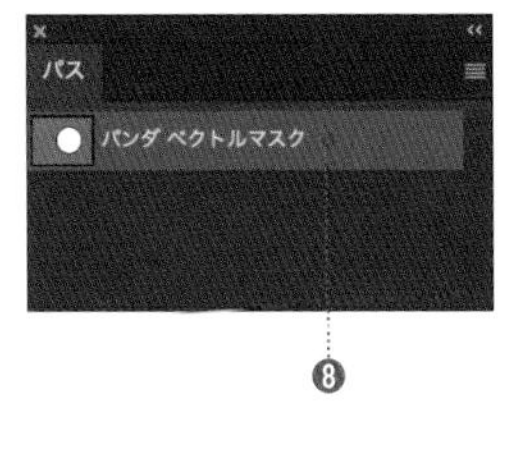

ベクトルマスクの編集

ベクトルマスクは作成後に移動したり、形状を変形したりできます。

01 描画したパスは［パスコンポーネント選択］ツール で移動できます❶。パスを移動すると、表示範囲が変わるため、パス内の画像の見え方が変わります❷。

02 パスの周りにバウンディングボックスが表示されるので、コーナーハンドルを操作して変形することができます❸。

03 パスとその中の画像の両方を同時に移動するには、［移動］ツール を選択して❹、ドラッグします❺。

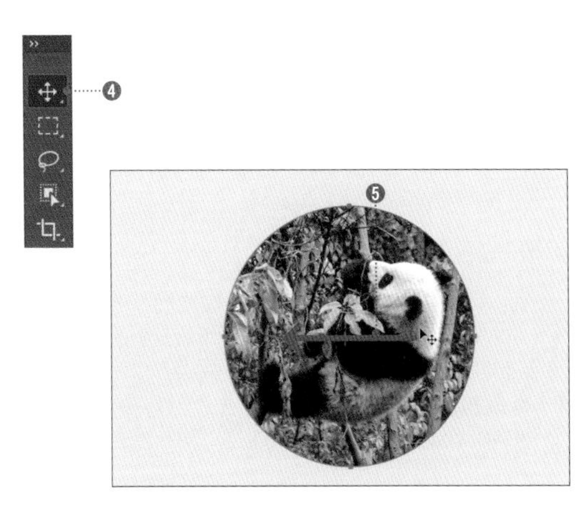

shift を押しながら、ベクトルマスクのサムネールをクリックすると❻、マスクによる編集結果が一時的に無効になります。再度、shift を押しながら、サムネールをクリックすると、元に戻ります。

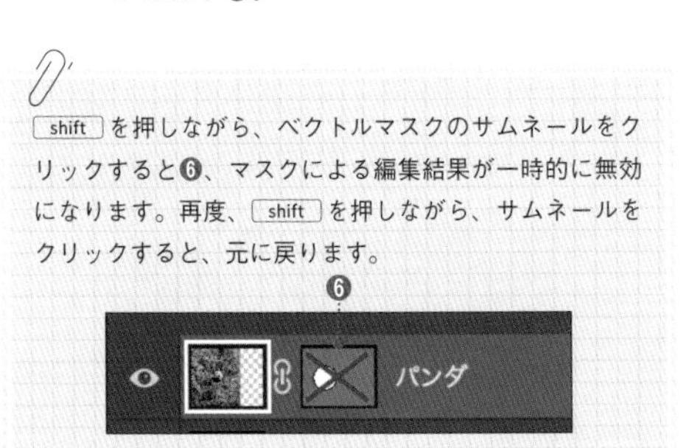

Sample_Data/Lesson05/5-13/

Lesson 5-13 クリッピングマスクの使い方

クリッピングマスクを使うと、簡単な手順で効果的なマスクを作成できます。事前に選択範囲やパスを作成する必要もありません。また、調整レイヤーなどにも適用できます。

クリッピングマスクを使った画像合成

クリッピングマスクとは、レイヤーの内容を直下のレイヤーのみに適用する機能です。コマンド1つで実行でき、また事前に選択範囲やパスを作成する必要もないので、手軽に試すことができます。

ここでは右の2枚の画像を用いて、クリッピングマスクで合成してみます。空の画像が前面、「SKY」のテキストが背面に配置されています。また、最下層には全面ホワイトのべた塗りレイヤー(p.118)を配置しています。右図でレイヤー構造を確認しておいてください。

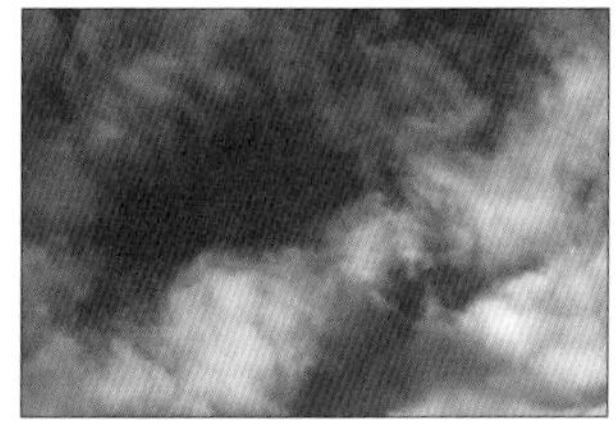

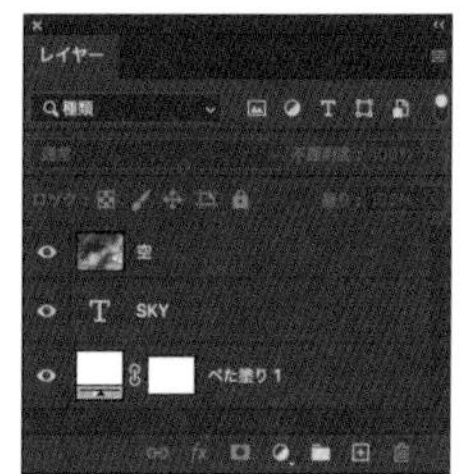

01 [レイヤー] パネルで空の画像を選択して❶、メニューバーから[レイヤー]→[クリッピングマスクを作成]を選択します❷。

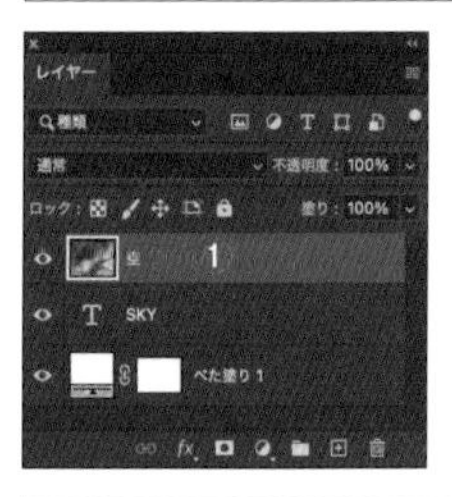

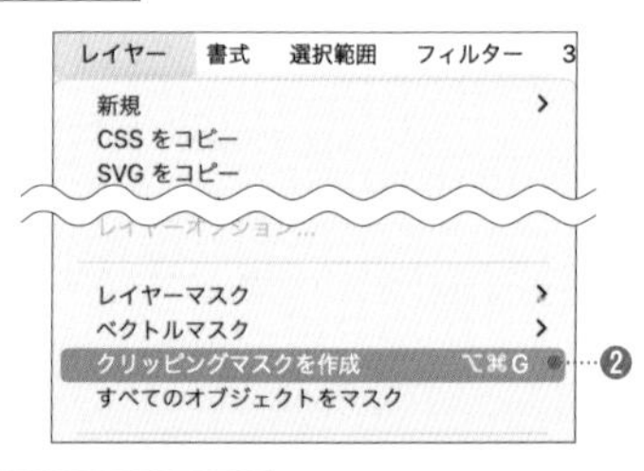

02 すると、空の画像(上のレイヤー)が、テキスト(直下のレイヤー)のみに適用されて、右図のようになります❸。また、レイヤーの左端にクリッピングマスクを表す下向き矢印が表示されます❹(下のレイヤーはレイヤー名に下線が入ります)。

03 クリッピングマスク機能は直下のレイヤー情報を元にして自動的にマスク領域を設定するため、テキストレイヤーの文字を変えるだけで(p.199)右図のように修正できます❺。選択範囲やパスを作り直す必要はありません。

クリッピングマスクの解除

クリッピングマスクを解除するには、[レイヤー] パネルで上の画像のレイヤーを選択した状態で、[レイヤー] → [クリッピングマスクを解除] を選択します❶。

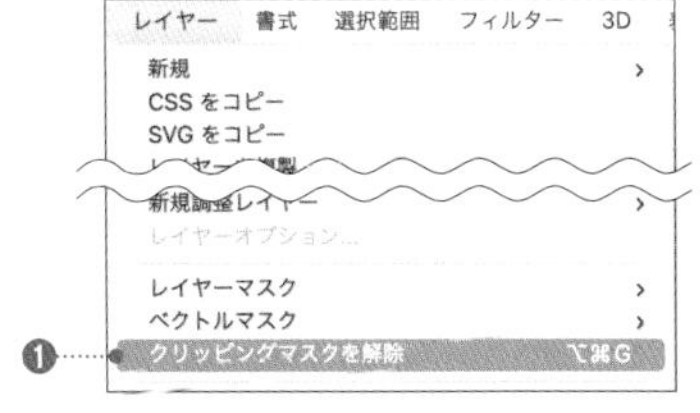

上のレイヤーと下のレイヤーの境界付近を、option（Alt）を押しながらクリックすることでも❷、クリッピングマスクの作成・解除を切り替えられます。

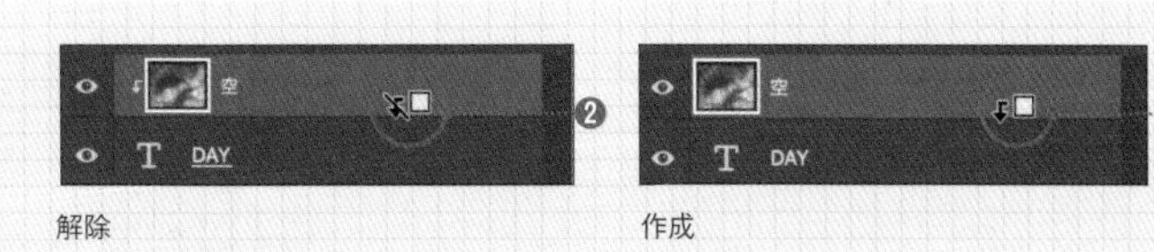

解除　作成

調整レイヤーのクリッピングマスク

クリッピングマスクは調整レイヤーに設定することも可能です。

通常、調整レイヤーの効果は調整レイヤー以下のすべてのレイヤーに適用されます❶。一方、クリッピングマスクを設定すると❷、直下のレイヤーのみに効果が適用されるようになります。そのため、場合によっては、調整レイヤーに対するクリッピングマスクの有無で画像の仕上がりは大きく変わります。

クリッピングマスクの設定方法は画像レイヤーの場合と同じなので、実際に試してみてください。

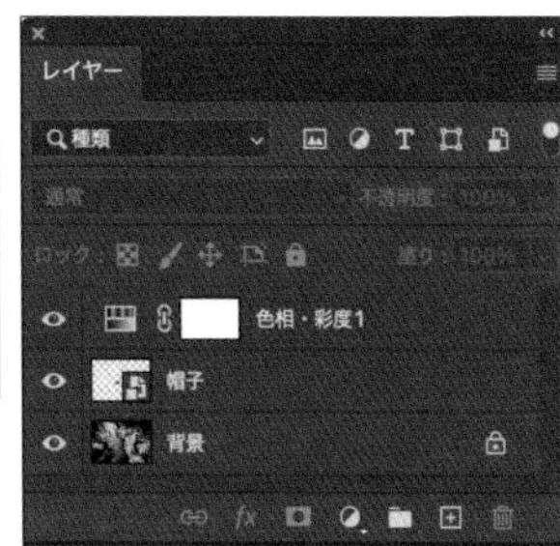

クリッピングマスクなし：[色相・彩度] 調整レイヤーの効果は、それ以下のすべてのレイヤーに適用される

クリッピングマスクあり：クリッピングマスクを適用すると、調整レイヤーの効果は直下のレイヤーのみに限定される

ここも知っておこう！

▶ 塗りつぶしレイヤーを使ったクリッピングマスク

クリッピングマスクは、塗りつぶしレイヤーにも適用できます。この機能を応用すれば、複雑なグラデーション文字や（p.160）、パターンで構成される文字（p.162）なども簡単に作成できます。

Sample_Data / Lesson05 / 5-14 /

レイヤースタイルの使い方

レイヤースタイルを使うと、簡単な操作手順でレイヤーにさまざまな特殊効果を適用できます。適用した効果の設定内容は保持されるので、後からでも細かく設定値を編集できます。

レイヤー効果とレイヤースタイル

レイヤー効果とは、レイヤー(もしくはレイヤーグループ)に適用する特殊効果です。また、いくつかのレイヤー効果のまとまりのことをレイヤースタイルといいます。

あくまでも一例ですが、レイヤースタイルを使うと、右図のような光る文字を簡単な操作手順で制作できます❶。また、レイヤースタイルの設定内容はレイヤーの属性として[レイヤー]パネルに残るので、適用後もいつでも設定を編集できます❷。

レイヤー効果の種類と保存

Photoshopには全部で10種類のレイヤー効果が用意されています(下表参照)。これらのレイヤー効果は後述する[レイヤースタイル]ダイアログで設定値を細かく指定でき、また1つのレイヤーに複数の効果を適用することも可能です。

また、作成したレイヤースタイルは、適用したレイヤーを選択した状態で[スタイル]パネルの下部にある[スタイルを新規作成]ボタンをクリックし❶、[新規スタイル]ダイアログで[スタイル名]を指定することで❷、パネルに保存できます❸。保存しておけば、ワンクリックで他のレイヤーにレイヤースタイルを適用できるので便利です。具体的な保存方法は後述します。

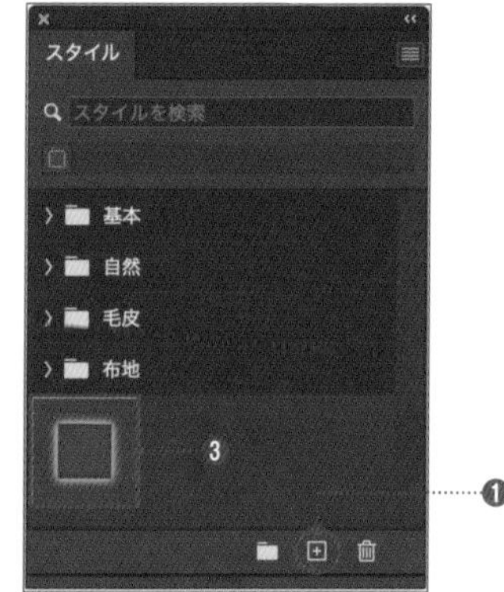

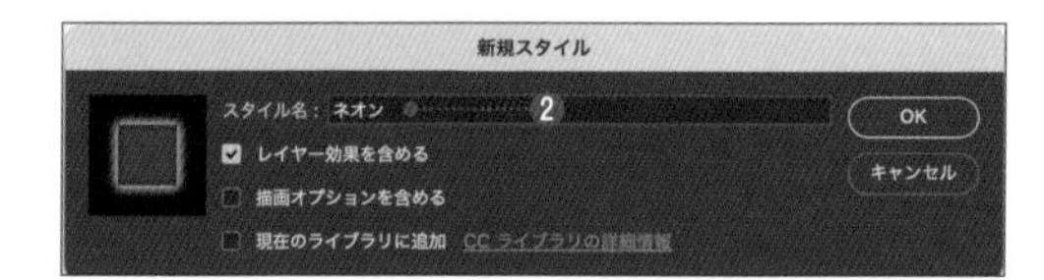

● 10種類のレイヤー効果

名 称	説 明
ドロップシャドウ	背後に影をつける
ベベルとエンボス	立体感を出す
境界線	境界線をつける、縁取りをする
シャドウ(内側)	エッジの内側に影を追加し、くぼんでいるように見せる
光彩(内側)	エッジの内側から光を放射したような効果を追加する
光彩(外側)	エッジの外側から光を放射したような効果を追加する
サテン	形に応じて陰影をつける(つや出し効果)
カラーオーバーレイ	カラーで塗りつぶす
グラデーションオーバーレイ	グラデーションで塗りつぶす
パターンオーバーレイ	パターンで塗りつぶす

テキストエフェクトを作ってみよう

ここではレイヤースタイルを使ってテキストエフェクトを作ってみます。

01 ツールパネルで［横書き文字］ツール を選択して❶、オプションバーで文字サイズを［300pt］に設定し❷、右図のように文字を入力してテキストレイヤーを作成します❸。

［横書き文字］ツールの使い方やテキストレイヤーについてはp.198を参照してください。なお、選択したフォントによって見た目は異なりますので、適宜設定値を変更してください。

02 ［レイヤー］パネルで作成したテキストレイヤーを選択して❹、パネル下部の［レイヤースタイルを追加］ボタンから［ドロップシャドウ］を選択します❺。

10種類のレイヤー効果が用意されています。

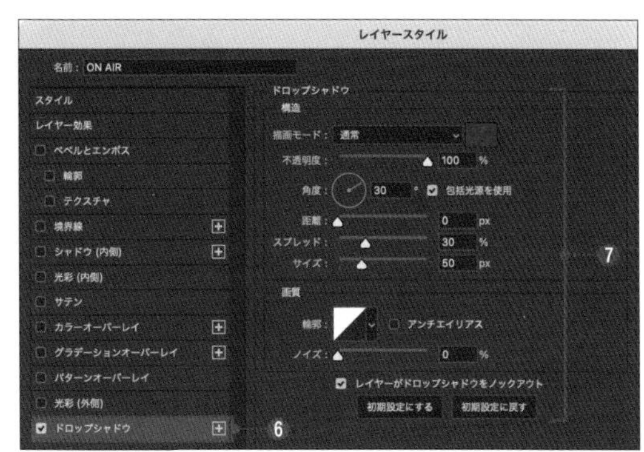

03 レイヤー効果の［ドロップシャドウ］が選択された状態で❻、［レイヤースタイル］ダイアログが表示されます。
画面中央に表示される詳細設定で右図のように設定します❼。

シャドウカラー（ここでは赤）や距離（テキストとシャドウの距離）、スプレッド（シャドウの大きさ）、サイズ（シャドウのぼかし加減）などを調整してみましょう。

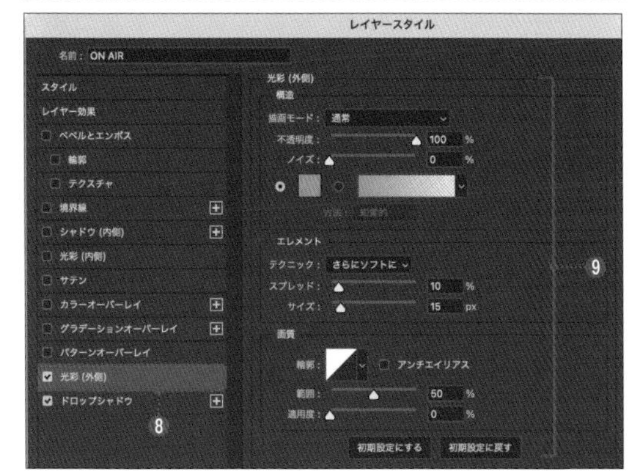

04 続いて、レイヤー効果［光彩（外側）］を選択して（チェックを入れるだけでなく、薄いグレーで反転した状態）❽、中央に表示される詳細設定で右図のように設定します❾。

光彩のカラー（ここではオレンジ）や、スプレッド（光彩のサイズ）、サイズ（光彩のぼけ加減）などを調整してみましょう。

05 ここまでの手順で画像は右図のようになります❿。

ドロップシャドウのみ

ドロップシャドウ＋光彩（外側）

06 続いて、レイヤー効果［光彩（内側）］を選択して（チェックを入れるだけでなく、薄いグレーで反転した状態）⓫、中央に表示される詳細設定で右図のように設定します⓬。
これで、同時に3つのレイヤー効果の設定ができました。画像は右図のようになっています⓭。

07 作成したレイヤースタイルの使用頻度が高い場合は、保存します。［レイヤースタイル］ダイアログ右上の［新規スタイル］ボタンをクリックします⓮。

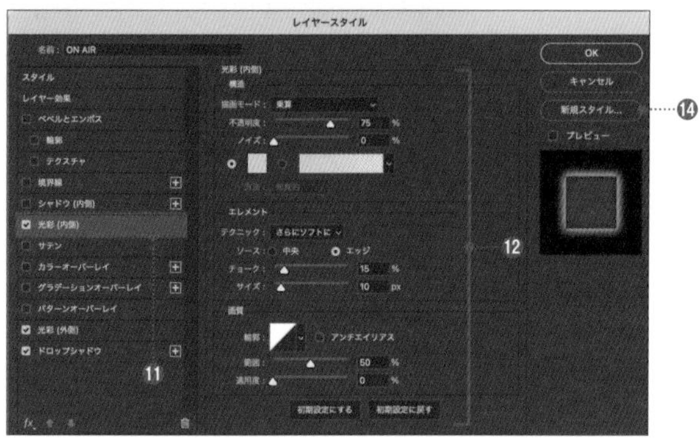

08 表示される［新規スタイル］ダイアログで［スタイル名］を入力して⓯、［OK］ボタンをクリックします。

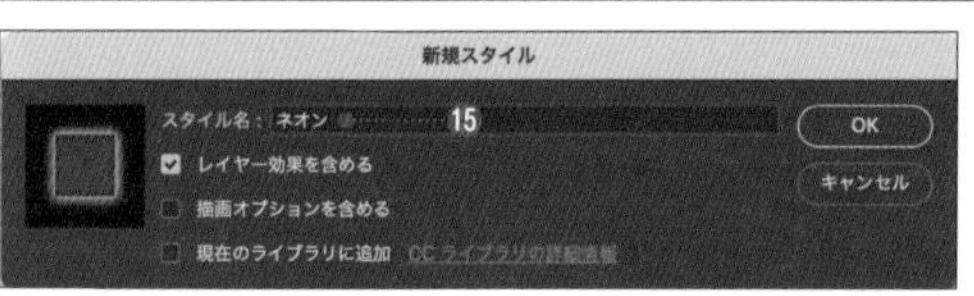

09 ［スタイル］パネルにレイヤースタイル（3つのレイヤー効果のまとまり）が保存されます⓰。保存できたら、［レイヤースタイル］ダイアログの［OK］ボタンをクリックしてダイアログを閉じます。
［レイヤー］パネルを確認すると、適用した3つのレイヤー効果の情報が保持されていることが確認できます⓱。設定内容を編集する場合は各レイヤー効果名をダブルクリックします。

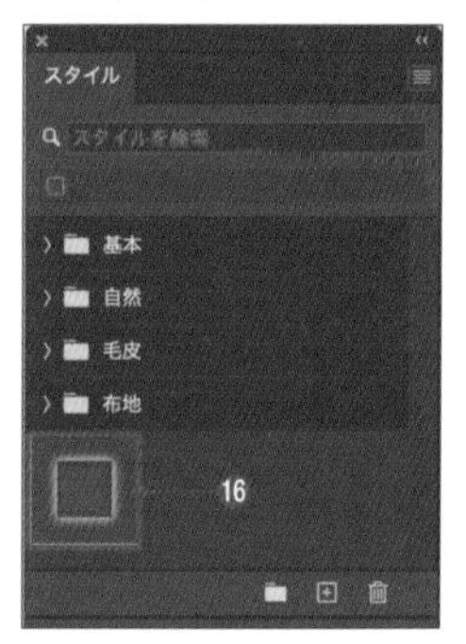

各レイヤー効果名の左横の目玉マークをクリックすると、その効果を一時的に無効化できます。

ここも知っておこう！ ▶ **レイヤースタイルのラスタライズ**

ここで紹介したテキストエフェクトは、テキストレイヤーにレイヤースタイルのみを適用して作った比較的シンプルなもので、文字修正も簡単にできるのがポイントです。

ただし、より複雑な加工をするにはレイヤースタイルをラスタライズする必要がある場合があります。レイヤーをラスタライズするには、メニューバーから［レイヤー］→［ラスタライズ］→［レイヤースタイル］を選択します。

ラスタライズすると、通常の画像レイヤーになるので、テキストの編集および適用済みのレイヤースタイルは編集できなくなるので注意してください。

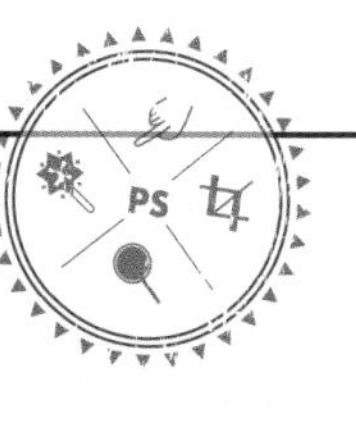

COLUMN

レイヤースタイルの関連項目

［レイヤー］パネルの［不透明度］と［塗り］

［レイヤー］パネルには、透明度を調整する機能として、［不透明度］と［塗り］の2種類が用意されています。

［不透明度］は、レイヤースタイルを含む、レイヤーの内容全体の不透明度を調整する機能です❶。

それに対し、［塗り］は、レイヤースタイルの不透明度には一切影響を与えない機能です❷。レイヤーの不透明度は変更したいが、レイヤースタイルは変更したくないような場合は［塗り］を操作します。このことから、［塗り］はレイヤースタイルを扱ううえで重要な設定であることがわかります。

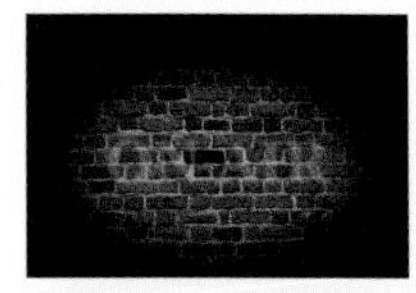

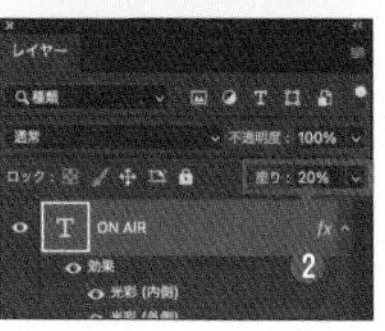

［レイヤー］パネルの［不透明度］を変更すると、レイヤー上のすべての要素の不透明度が変わります（左図）。一方、［塗り］ではレイヤースタイルは変更されないため、レイヤースタイルの効果のみを強調することが可能です（右図）。

効果の拡大・縮小

［レイヤースタイル］ダイアログで、各レイヤー効果の設定値を編集することで、効果の度合いを調整できますが、［レイヤー効果を拡大・縮小］ダイアログを使えば、直感的にレイヤースタイルの適用度合いを調整できます。

［レイヤー］パネルの効果の上でCtrl+クリック（右クリック）してコンテキストメニューを表示し、［効果を拡大・縮小］を選択します❶。

［レイヤー効果を拡大・縮小］ダイアログで、比率を指定して❷、［OK］ボタンをクリックすると、効果の度合いを調整できます❸。

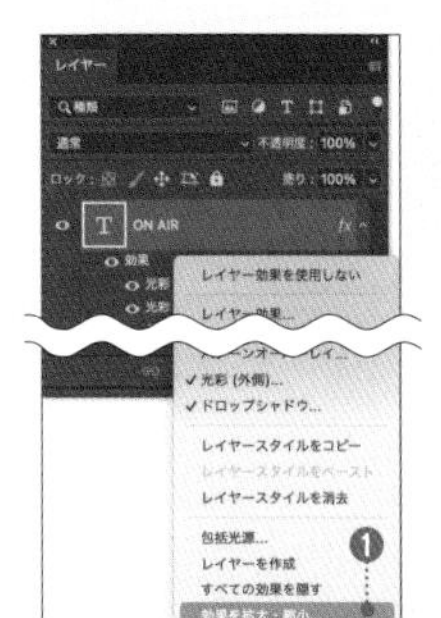

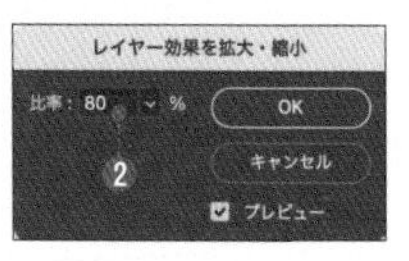

レイヤースタイルの分離

レイヤースタイルは、レイヤーに適用する特殊効果なので、適用後はレイヤーの属性として残ります。そのため、レイヤーに対して操作を行うと、通常はレイヤースタイルも影響を受けてしまいます。レイヤー効果の個々を変形したり、フィルターを適用したい場合はレイヤースタイルを分離します。

［レイヤー］パネルの効果の上でCtrl+クリック（右クリック）してコンテキストメニューを表示し、［レイヤーを作成］を選択します❶。すると、レイヤーおよびレイヤースタイルがすべて分離し、独立します❷。分離後は、レイヤースタイルの編集はできなくなるので、編集する必要がある場合は、レイヤーのコピーをとっておいてください。

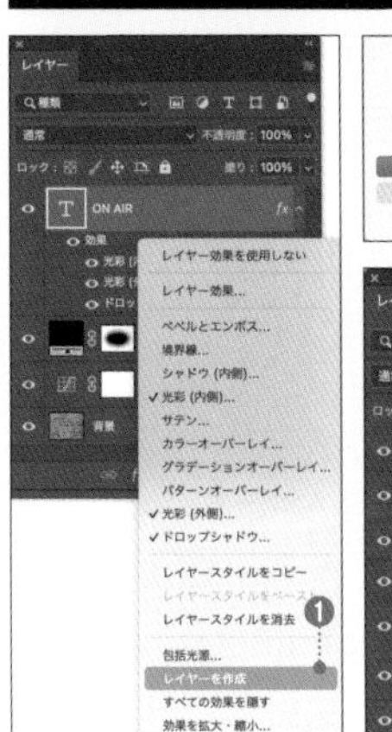

Sample_Data / Lesson05 / 5-15 /

描画モードを理解する

数あるレイヤー関連の機能のなかでも、入門者にとってわかりにくい機能の1つが「描画モード」です。ここでは簡単に基本機能を解説します。まずは全体像をざっくりと把握しておいてください。

描画モードとは

描画モードとは、複数のレイヤーを重ねている場合に、それらのレイヤーをどのように重ねるか(合成するか)を制御する機能です。

レイヤーの描画モードは[レイヤー]パネルの左上にあるプルダウンで選択します❶。

Photoshopには全部で27種類の描画モードが用意されており、それらは大きく6つのカテゴリに分類されています。

描画モードの基本

描画モードを変更すると、画像全体の色が大きく変わります。この際、変更後の色(結果色)がどのような色になるかは、上のレイヤーと下のレイヤーの色によって決定されます。

そのため、描画モードを理解するには以下の4種類の色の概念を理解しておくことが必要です。

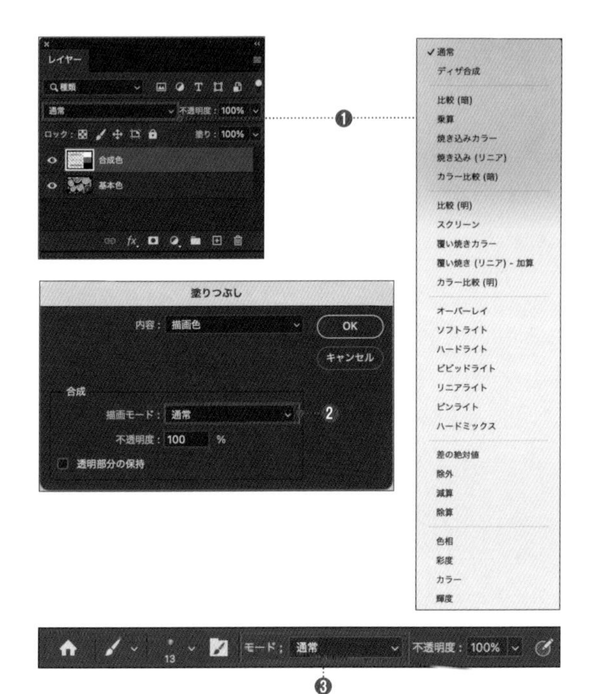

描画モードは[レイヤー]パネルだけでなく、コマンドの設定ダイアログや一部のツールのオプションバーなどでも変更できます❷❸。

● 描画モードに関する4種類の色

種類	説明
合成色	描画モードを変更するレイヤー(上のレイヤー)の色
基本色	下のレイヤーの色
結果色	合成結果として表示される色
中性色	描画モードの変更時に、下のレイヤーに影響を与えない色(無視される色)。中性色は、描画モードの種類ごとに異なる(下表参照)

● 描画モードの中性色

中性色	描画モード
なし	通常、ディザ合成、色相、彩度、カラー、輝度、ハードミックス
ホワイト	比較(暗)、乗算、焼き込みカラー、焼き込み(リニア)、カラー比較(暗)、除算
ブラック	比較(明)、スクリーン、覆い焼きカラー、覆い焼き(リニア)-加算、カラー比較(明)、差の絶対値、除外、減算
50%グレー	オーバーレイ、ソフトライト、ハードライト、ビビッドライト、リニアライト、ピンライト

※中性色が「なし」の描画モードでは、[新規レイヤー]ダイアログの[中性色で塗りつぶす]オプションは使用できません。

◩ 描画モード一覧

ここではPhotoshopに用意されている描画モードの概要と合成結果を掲載します。レイヤー構造と合わせて、結果色（合成結果の画像）を確認してください。

合成色（上のレイヤー）

基本色（下のレイヤー）

通常／初期設定値。［合成色］は［基本色］の影響を受けず、そのまま重なる（合成しない）。［中性色：なし］

ディザ合成／画像のアンチエイリアス部分にディザがかかる。ピクセルの変化は「通常」と同じ。［中性色：なし］

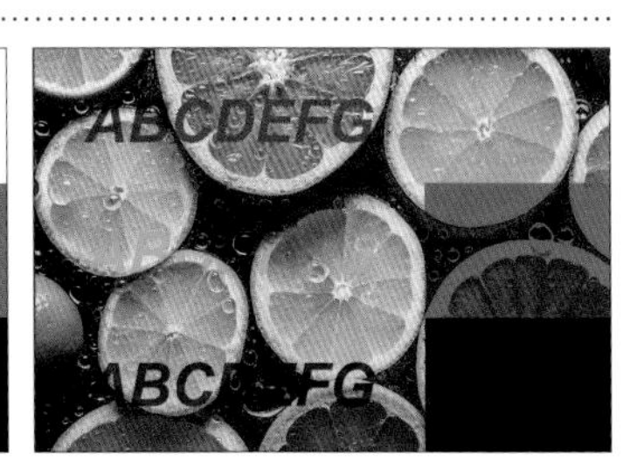

比較（暗）／［基本色］と［合成色］のうち、暗い方の色を［結果色］として表示する。［中性色：ホワイト］

乗算／［基本色］と［合成色］をかけ合わせて暗くする。［基本色］となじませたい場合に便利。［中性色：ホワイト］

焼き込みカラー／［基本色］を暗くしてコントラストを強くし、［合成色］を反映する。［基本色］となじませたい場合に便利。［中性色：ホワイト］

焼き込み（リニア）／［基本色］を暗くして明るさを減らし、［合成色］を反映する。［中性色：ホワイト］

カラー比較（暗）／［基本色］と［合成色］の全チャンネルの値を合計して比較し、値が低いほうの色を［結果色］として表示する。［中性色：ホワイト］

比較（明）／［基本色］と［合成色］のうち、明るいほうの色を［結果色］として表示する。［中性色：ブラック］

スクリーン／［基本色］と［合成色］を反転してかけ合わせて明るくする。［中性色：ブラック］

覆い焼きカラー／［基本色］を明るくしてコントラストを弱くし、［合成色］を反映する。［中性色：ブラック］

覆い焼き（リニア）-加算／［基本色］を明るくして明るさを増やし、［合成色］を反映する。［中性色：ブラック］

カラー比較（明）／［基本色］と［合成色］の全チャンネルの値を合計して比較し、値が高いほうの色を［結果色］として表示する。［中性色：ブラック］

オーバーレイ／［基本色］が50%グレーより暗いと［乗算］を適用し、明るいと［スクリーン］を適用する。［中性色：50%グレー］

ソフトライト／［合成色］が50%グレーより暗いと「暗くなる」、明るいと「明るくなる」。［中性色：50%グレー］

ハードライト／［合成色］が50%グレーより暗いと［乗算］を適用し、明るいと［スクリーン］を適用する。［中性色：50%グレー］

ビビッドライト／［合成色］が50%グレーより暗いと［焼き込みカラー］、明るいと［覆い焼きカラー］を適用する。［中性色：50%グレー］

リニアライト／［合成色］が50%グレーより暗いと、明るさを増加させて［焼き込みカラー］、明るいと、明るさを減少させて［覆い焼きカラー］を適用する。［中性色：50%グレー］

ピンライト／［合成色］が50%グレーより暗いと、［合成色］より明るいピクセルが置換される。明るいと、［合成色］より暗いピクセルが置換される。［中性色：50%グレー］

ハードミックス／［合成色］の各チャンネルの値を［基本色］に追加し、合計値が255以上になるチャンネルを255にし、255未満になるチャンネルを0にする。［中性色：なし］

差の絶対値／［基本色］と［合成色］のうち、明るさの値が大きいほうから小さいほうの色を取り除いて表示する。［中性色：ブラック］

除外／差の絶対値と似ているが、［結果色］のコントラストがより低い。［中性色：ブラック］

減算／［基本色］から［合成色］を減算する。［中性色：ブラック］

除算／［基本色］と［合成色］を分ける。［基本色］がホワイトかブラックの場合、［合成色］は［結果色］に反映されない。［中性色：ホワイト］

色相／［基本色］の輝度と彩度に、［合成色］の色相を合わせる。［中性色：なし］

彩度／［基本色］の輝度と色相に、［合成色］の彩度を合わせる。［中性色：なし］

カラー／［基本色］の輝度に、［合成色］の色相と彩度を合わせる。輝度の反対。［中性色：なし］

輝度／［基本色］の色相と彩度に、［合成色］の輝度を合わせる。カラーの反対。［中性色：なし］

ここも知っておこう！

▶ ツールのオプションバーでのみ使用できる［背景］と［消去］

描画モードは［レイヤー］パネル以外に、一部のツールのオプションバーやコマンドのダイアログでも使用できますが、ツールのオプションバーではさらに以下の2つの描画モードを指定できます。これらの描画モードは［レイヤー］パネルでは指定できません。

下図では［合成色］レイヤー上をドラッグしています。

合成色

基本色

● ツールのオプションバーでのみ使用できる描画モード　（合成色（上のレイヤー）に［ブラシ］ツールでペイントした例）

描画モード	説　明
背景	ツールのオプションバーで［描画モード：背景］を選択すると、そのツールの操作内容は、透明ピクセルのみに適用される
消去	ツールのオプションバーで［描画モード：消去］を選択すると、［描画色］の色に関わらず、ドラッグした箇所のピクセルが消去される（透明になる）

レイヤーのフィルタリング

[レイヤー] パネルのレイヤーの数が増えてくると、目的のレイヤーを探しづらくなります。レイヤーのフィルタリング機能を使えば、簡単に見つけることができます。

レイヤーのフィルタリング機能

Photoshopでは、[レイヤー] パネルの上部にあるフィルタリング機能を使うことで、パネルに表示するレイヤーの種類を絞り込むことが可能です。プルダウンメニューから[種類]を選択して❶、フィルターの条件を用意されているアイコンで指定します❷。[種類] を選択した際に指定できる条件(レイヤーの種類)は次の5種類です。

- ピクセルレイヤー (画像レイヤー)
- 調整レイヤー
- テキストレイヤー
- シェイプレイヤー
- スマートオブジェクトレイヤー

いずれかのアイコンをクリックすると、フィルタリングがONになり❸、該当するレイヤーのみ表示されるようになります。アイコンを再度クリックするとOFFになります❹。

Photoshopでは、レイヤーの種類以外にも、右図のようにさまざまな条件で表示するレイヤーを絞り込めます❺。例えば [名前] を選択すると、右側に入力フィールドが表示されるので、そこに表示したいレイヤー名を入力します❻。

フィルタリングをやめて、すべてのレイヤーを表示するには、右端のボタンをクリックして、機能を無効化します❼。

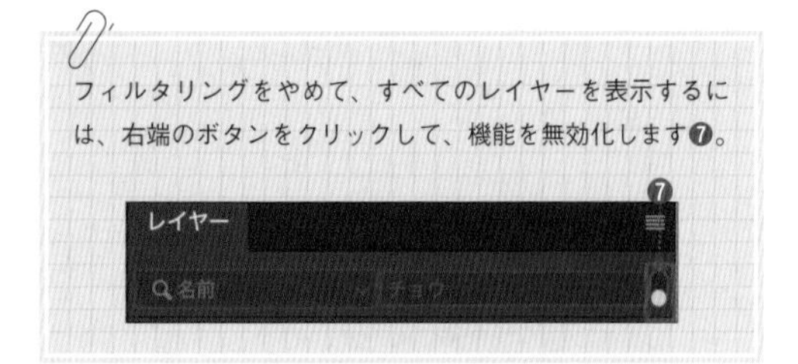

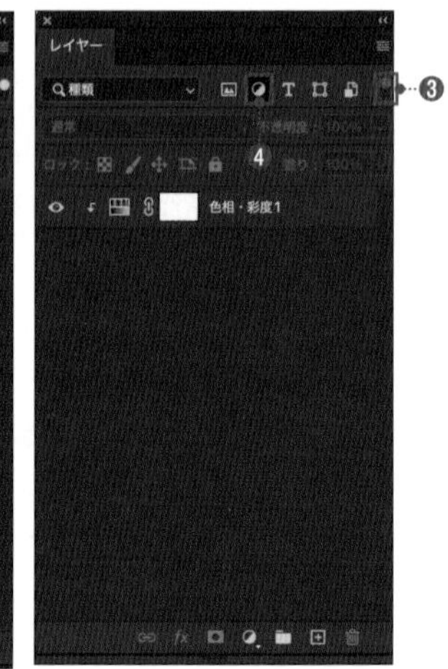

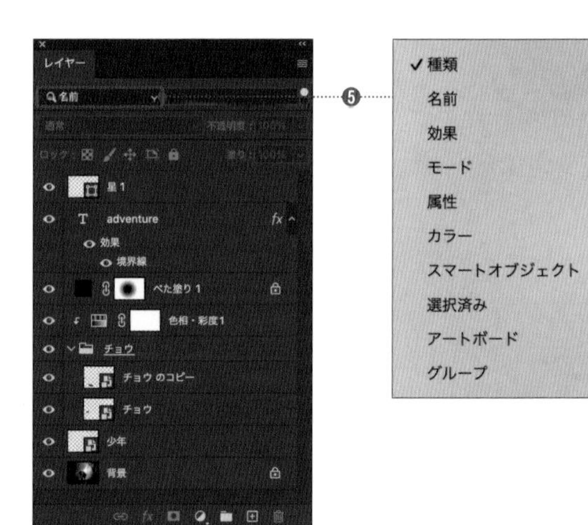

Lesson 6

Color settings and Painting.

色の設定とペイント機能

各種描画機能とグラデーション、パターンの活用

本章では、Photoshopで色を設定する方法や、グラデーションといった各種ペイント系の機能の操作方法を解説します。ペイント操作は、Photoshopでは単に着色するという用法だけでなく、選択範囲の作成・編集などでも活用します。ここで効率的な使い方を整理しておきましょう。

色の設定の基本

Photoshopでペイント作業を行う際の色の設定は、ツールパネル下部にある［描画色］と［背景色］が基本となります。まずはこの2つの色をきちんと理解してください。

描画色と背景色

Photoshopでは、ツールパネルの最下部で［描画色］と［背景色］の2つの色を設定できます。それぞれの特徴を下表にまとめますので、それぞれがどういう時に使用される色か確認しておきましょう。

なお、初期設定で、描画色は黒、背景色は白です。

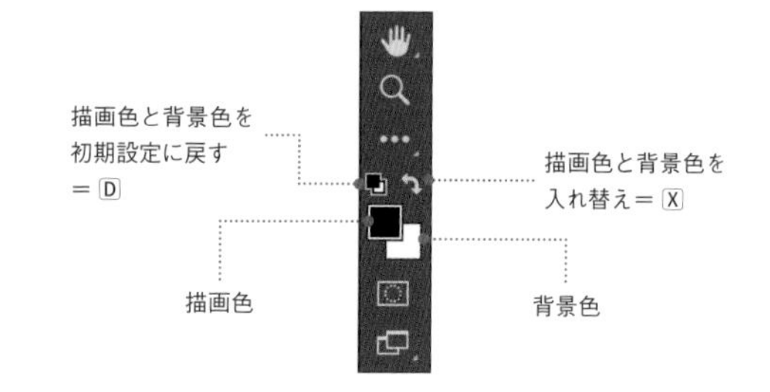

● 描画色と背景色

項　目	説　明
描画色	［ブラシ］ツールや［鉛筆］ツールなどのペイント系ツールでペイントするときに使用される色
背景色	［背景］レイヤーを［消しゴム］ツールなどで消去するときに使用される色。また、一部のブラシを使ったペイントや特殊効果フィルターなどでも使用される

［ブラシ］ツールや［鉛筆］ツールなどのペイント系ツールで画像上をドラッグすると、描画色に設定されているカラーでペイントされます。

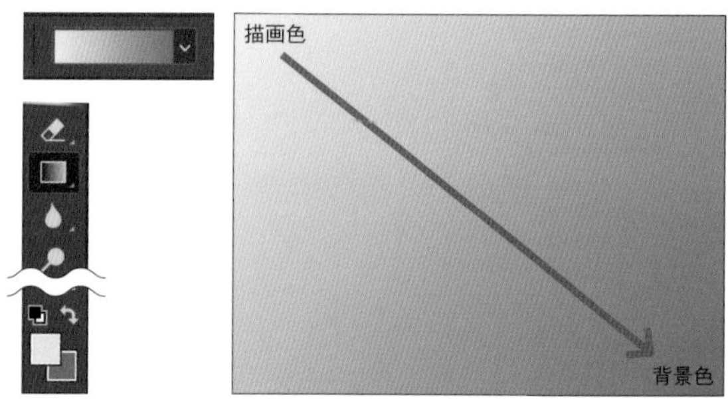

［グラデーション］ツールで［描画色から背景色へ］グラデーションに設定すると、描画色から背景色へと変化するグラデーションでペイントされます。

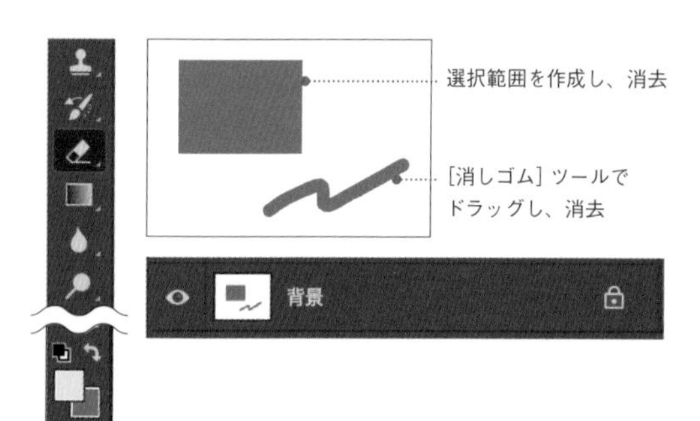

背景色は、［消しゴム］ツールで［背景］レイヤー上をドラッグして消去したり、選択範囲を作成してその中を消去する際に使用されます。

一部のブラシを使ったペイント時や、特殊効果フィルターなどの使用時は、描画色と背景色の組み合わせが使われることがあります。

カラーの指定方法

［描画色］や［背景色］に設定するカラーは、カラーピッカーや［カラー］パネルを使って指定します。作成したカラーは［スウォッチ］パネルに保存することで、簡単に指定することも可能です。

カラーピッカーでカラーを指定する

カラーピッカーは、カラーを指定するための機能です。ツールパネルの［描画色］や［背景色］のボックスをクリックすると表示されます。

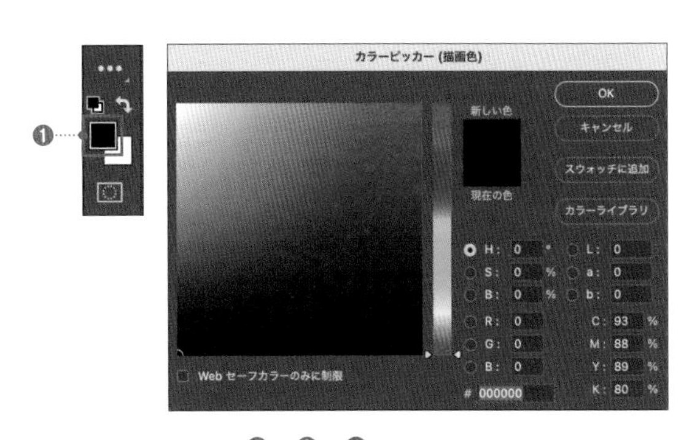

01 ツールパネル下部にある［描画色］のボックスをクリックして❶、［カラーピッカー（描画色）］ダイアログを表示します。

02 最初に［カラースライダー］をクリックして❷、色相を指定します。次に［カラーフィールド］をクリックして❸、彩度と明度を指定します。指定中のカラーは［新しい色］として表示されます❹。ここでは［現在の色］と比較できます。

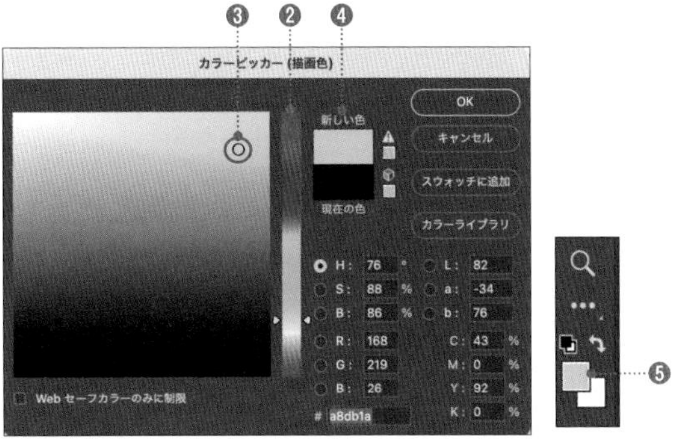

03 ［OK］ボタンをクリックすると、［新しい色］に指定されていたカラーが［描画色］に設定されます❺。

カラーフィールドでは、上部ほど鮮やかで明るいカラー、下部ほどくすんだ暗いカラーになります。

Photoshopには、カラーピッカーを使用するさまざまな機能がありますが、使い方はすべて同じです。

ここも知っておこう！ ▶ **数値でカラーを指定する方法**

カラーフィールドで任意のカラーを指定すると、随時、そのカラーのHSB値やRGB値、Lab値、CMYK値が更新されます❶。また、HTMLでカラーを指定する際に使用する16進数の値も表示されます❷。

カラーピッカーではこれらの値を直接入力することで、特定のカラーを指定することも可能です。使用しなければならないカラーの指定がある場合には、ここにいずれかのカラーモードの値を直接入力すると、正確なカラーを指定できます。

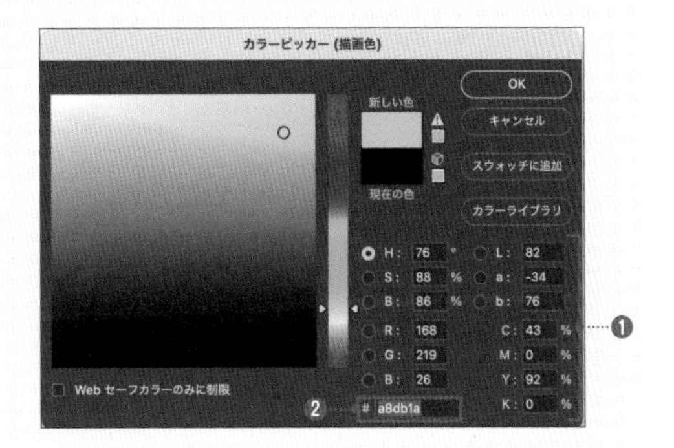

[カラー]パネルでカラーを指定する

[描画色]や[背景色]は、[カラー]パネルで指定することも可能です。

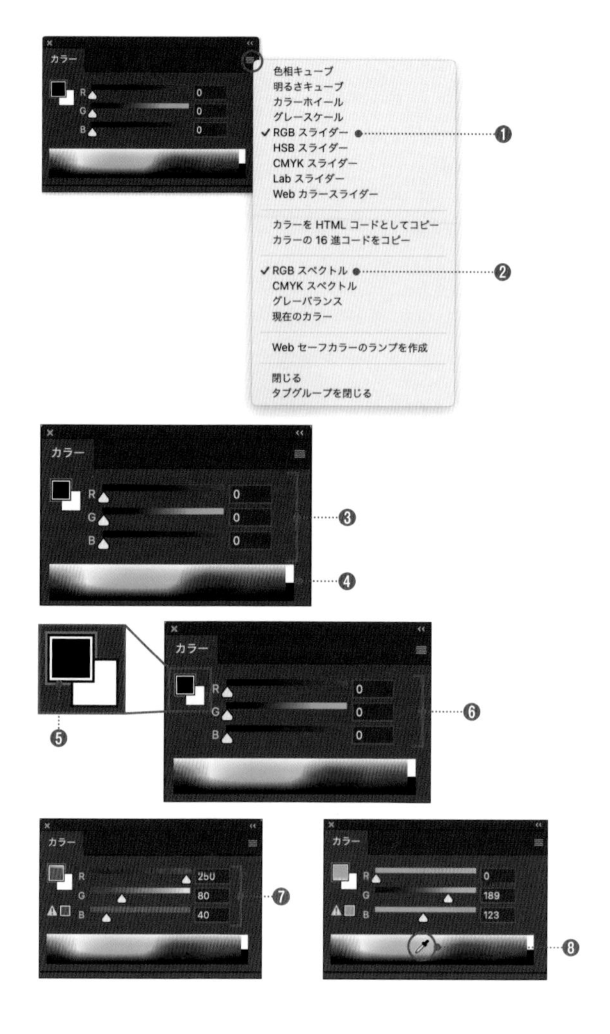

01 メニューバーから[ウィンドウ]→[カラー]を選択して、[カラー]パネルを表示します。最初にパネルメニューから、使用するカラーモードを選択します❶。ここでは[RGBスライダー]と[RGBスペクトル]にチェックを入れておきます❷。

02 [カラー]パネルの表示が[RGBスライダー]❸と[RGBスペクトル]❹になります。

03 [描画色]を変更する場合は、パネル左上の描画色のボックスをクリックして選択します❺。選択するとグレーの枠が表示されます。また、スライダーの内容が描画色のものに切り替わります。初期設定値は黒なので、RGB値はすべて0になります❻。

ボックスが選択された状態でクリックすると、カラーピッカーが表示されます。

04 カラーを変更するには、RGBの各色に値を指定するか❼、[RGBスペクトル]上をクリックします❽。

ここも知っておこう! ▶[カラースライダー機能拡張使用]の有効化

[カラー]パネルの外観が上図と異なる場合は、メニューバーから[Adobe Photoshop 2024]→[設定](Windowsは[編集]→[環境設定])→[インターフェイス]を選択して、表示される[環境設定]ダイアログの[オプション]セクションにある[カラースライダー機能拡張使用]にチェックが入っているか確認してください❶。初期設定ではチェックが入っており、ドラッグするとスライダーの表示カラーが変化します❷。

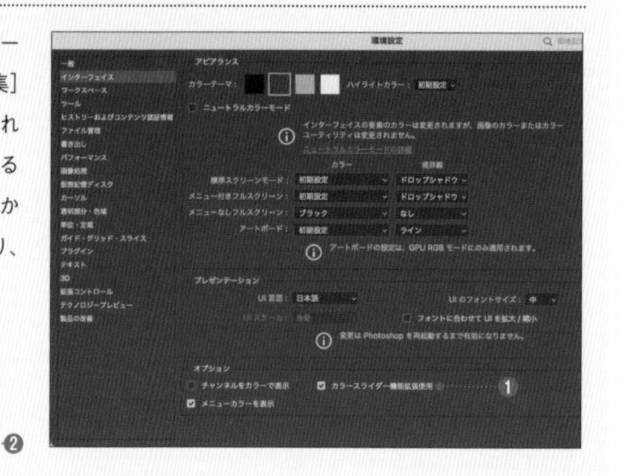

チェックが外れている場合

チェックが入っている場合

カラーを[スウォッチ]パネルに登録する

何度も繰り返し使用するカラーの場合は、[スウォッチ]パネルに登録しておくと便利です。

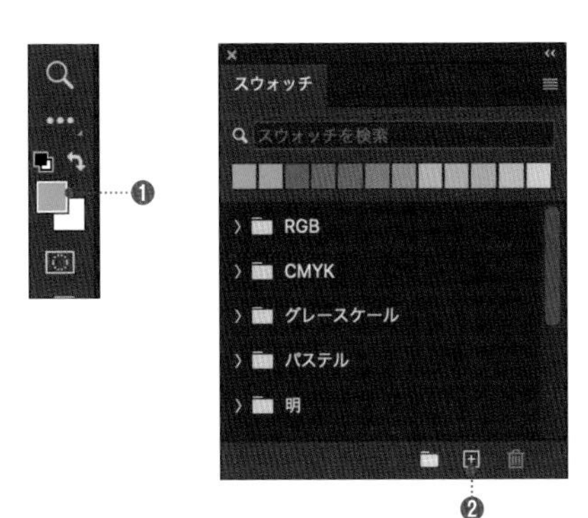

01 ツールパネルの[描画色]に登録するカラーを設定した状態で❶、メニューバーから[ウィンドウ]→[スウォッチ]を選択して[スウォッチ]パネルを表示し、パネル下部の[スウォッチを新規作成]ボタンをクリックします❷。

[新規グループを作成]ボタンをクリックすると、グループフォルダを作成することができます。

02 [スウォッチ名]ダイアログが表示されるので、任意の名前を入力して❸、[OK]ボタンをクリックします。

[現在のライブラリに追加]にチェックを入れると、[CCライブラリ]パネル(p.19)にも追加されます。

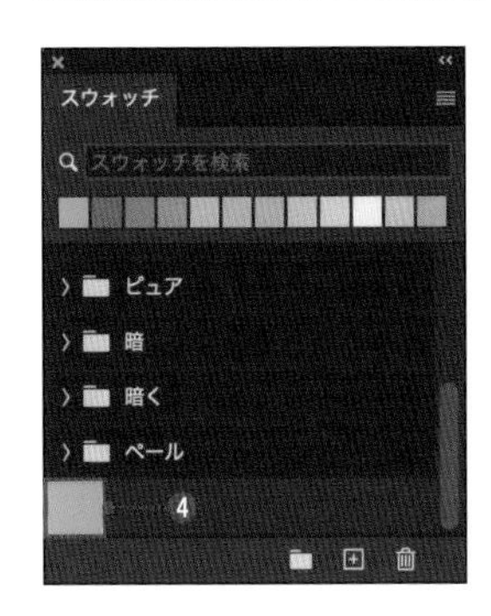

03 指定したカラーが[スウォッチ]パネルに登録されます❹。このパネルでカラーをクリックするとそのカラーがツールパネルの[描画色]に設定されます❺。

04 カラーピッカーで指定したカラーを[スウォッチ]パネルに登録する場合は、[スウォッチに追加]ボタンをクリックします❻。すると、上記の[スウォッチ名]ダイアログが表示されます。

[スウォッチ]パネルに登録したカラーを[背景色]に設定したい場合は、いったん[描画色]に設定後、[描画色と背景色を入れ替え]ボタンをクリックします。

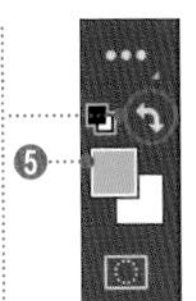

ここも知っておこう！

▶ 色域外警告と非Webセーフカラー警告

カラーピッカーや[カラー]パネルで、印刷では再現できないカラーを指定すると、それぞれのダイアログやパネルに、そのことを示す「色域外警告アイコン」が表示されます❶❷。また、カラーピッカーでは、モニタによってカラーの見え方が異なるカラーを指定すると、そのことを示す「非Webセーフカラー警告アイコン」が表示されます❸。それぞれのカラーでも問題ない場合は無視してください。一方で、印刷時やディスプレイ表示において問題のないカラーを選択したい場合は、それぞれのアイコンをクリックすると、再現可能な近似色に置き換えられて、アイコンが消えます。

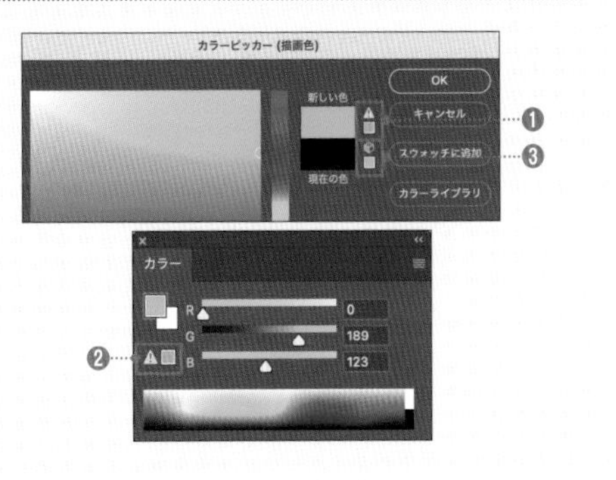

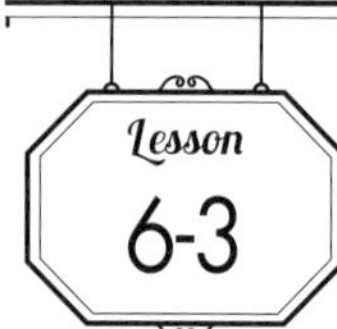

Sample_Data / Lesson06 / 6-3 /

[ブラシ]ツールの使い方

ここでは[ブラシ]ツールの基本的な使い方を解説します。[ブラシ]ツールはカラーのペイントだけでなく、Photoshopのさまざまな機能で使用する、とても重要なツールです。

[ブラシ]ツールの基本操作

[ブラシ]ツールはとても多機能なツールですが、基本的な操作方法はとてもシンプルです。ブラシの形状を設定して、ドラッグするだけです。まずは基本の使い方を習得してください。

01 ツールパネル下部の[描画色]にペイントしたいカラーを指定して❶、[ブラシ]ツールを選択します❷。

02 オプションバーで各項目を設定します。基本的には[ブラシプリセットピッカー]をクリックして開き❸、[直径]と[硬さ]を指定します❹。

03 画面上をドラッグすると、指定した形状のブラシで、指定したカラーでペイントされます❺。右図では[ハード円ブラシ]を選択してドラッグしています。

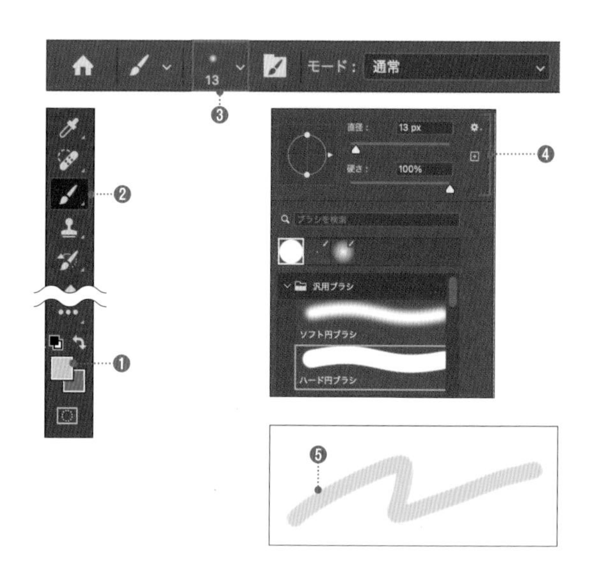

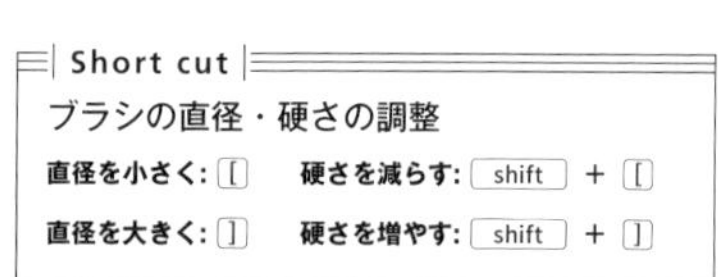

● [ブラシ]ツールのオプションバー

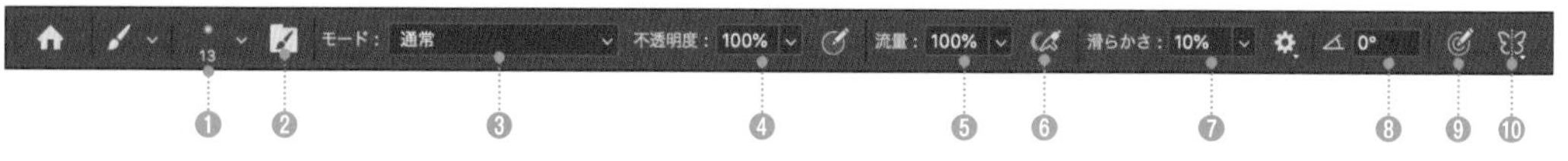

● [ブラシ]ツールのオプションバーの設定項目

項　目	説　明
❶ブラシの設定	ブラシの種類(直径や硬さ、形状など)を指定する。クリックすると[ブラシプリセットピッカー]が表示される。ブラシの種類は、ブラシプリセットピッカーのパネルメニューから追加できる
❷[ブラシ設定]パネルの切り替え	クリックすると[ブラシ設定]パネルが表示される。より細かくブラシ関連の設定を行う際に使用する
❸モード	ペイント時の描画モードを指定する(p.144)
❹不透明度	カラーの透明度を指定する。右にある[筆圧]ボタンをクリックして有効にすると、ペンタブレットの筆圧が使用される
❺流量	カラーを適用する速度を指定する。マウスを押したままにすると、徐々に指定した不透明度に近づく。例えば、[不透明度:30%][流量:100%]では、最初から[不透明度:30%]でペイントするが、[不透明度:30%][流量:30%]の場合は徐々に[不透明度:30%]に近づく
❻エアブラシボタン	クリックして有効にすると、[不透明度]と[流量]を合わせて使用している際に、マウスを押している間、徐々に濃くなっていく
❼滑らかさ	ペイントの滑らかさを指定する
❽ブラシの角度を設定	ブラシの角度を設定する
❾[サイズの筆圧]ボタン	クリックして有効にすると、サイズの調整時にペンタブレットの筆圧が使用される
❿ペイントの対称オプションを設定	指定した対称軸に沿ってペイントする。対称タイプを選択すると、対称軸を編集モードになるので、オプションバーで設定・確定してからペイントする

ブラシの追加

ブラシの種類は、ブラシプリセットピッカーのパネルメニューから追加できます❶。パネルメニューを表示すると、メニュー下部に［レガシーブラシ］が表示されます。

01 ここでは例として［レガシーブラシ］を選択して追加します❷。

02 右のダイアログが表示されるので［OK］ボタンをクリックします❸。すると、ブラシプリセットピッカーに［レガシーブラシ］が追加されます❹。ブラシグループをクリックして開くと❺、多くのブラシがあることがわかります。このように、Photoshopには丸いブラシだけでなく、さまざまなブラシが用意されています。

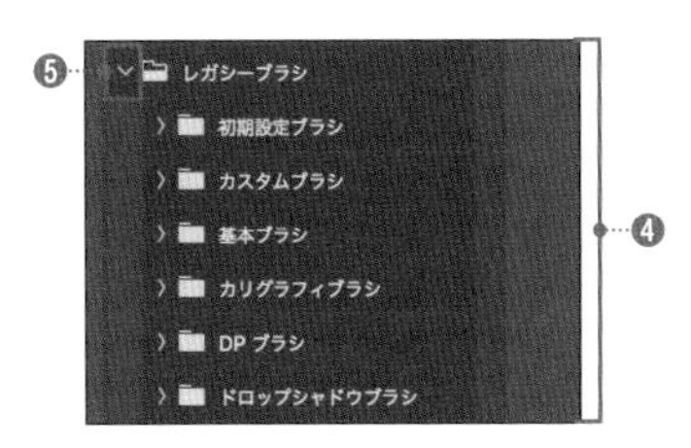

ブラシの表示形式の変更

多くのブラシを追加すると、目的のブラシを探すのが困難になります。そのような場合はブラシの表示形式を変更します。

01 ブラシプリセットピッカーのパネルメニューから❶、［ブラシストローク］を選択すると❷、ブラシのストローク（筆跡）が確認しやすくなります。ここでは［レガシーブラシ］の［特殊効果ブラシ］の［アザレア］を選択します❸。

02 画面上をドラッグすると、選択したブラシを使って描画されます❹。

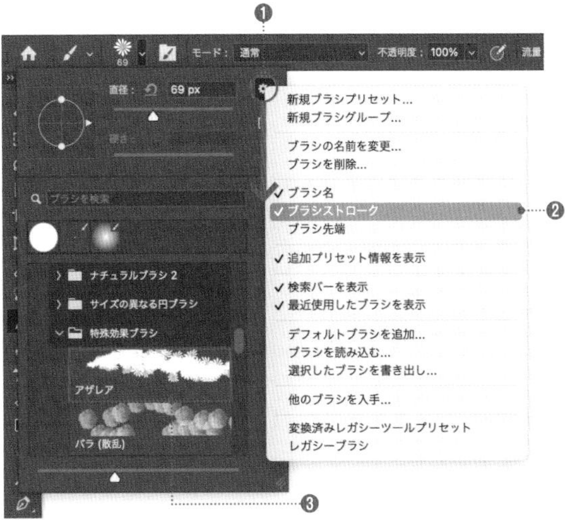

［アザレア］は、描画色と背景色の両方を使ってランダムに描画することができるブラシです。

ブラシの詳細設定

Photoshopでは、ブラシの詳細を［ブラシ設定］パネルで設定できます。基本的な設定は先述のブラシプリセットピッカーでも設定できますが、詳細設定には［ブラシ設定］パネルでの操作が必要です。

01 メニューバーから［ウィンドウ］→［ブラシ設定］を選択するか、［ブラシ］ツールのオプションバーにある［ブラシ設定パネルの表示を切り替え］ボタンをクリックします❶。

02 ［ブラシ設定］パネルには現在設定されているブラシの情報が表示されます。またパネル下部にはプレビューが表示されます❷。ここを見ながら設定作業を進めます。ここでは［間隔：150%］に設定して、花同士の間隔を広げました❸。

イメージ

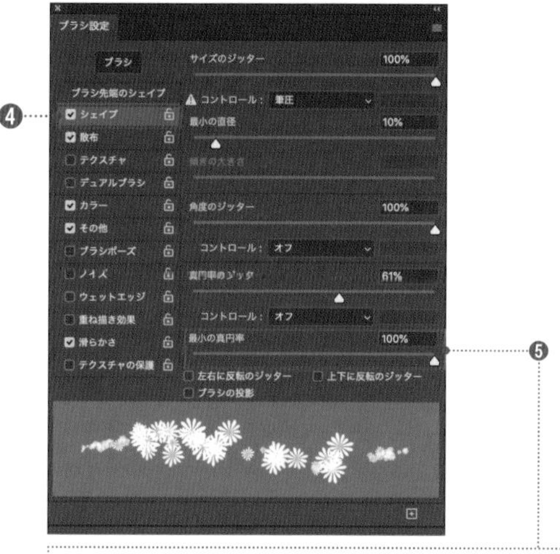

真円率を100%にすると正円になります。ここでは［最小の真円率］を100%にしたので、ジッターを最大値の100%にしても、真円率はランダムになりません。

03 左側のカテゴリから［シェイプ］を選択して❹（チェックを入れるだけでなく、反転した状態）、形状の設定を変更します。
［サイズ］［角度］［真円率］のすべてに［ジッター］がありますが、これは変動率のことです。高い値ほどストローク内のランダム度を高めます。ここでは［最小の真円率：100%］に設定して、ゆがみのない形にしました❺。

イメージ

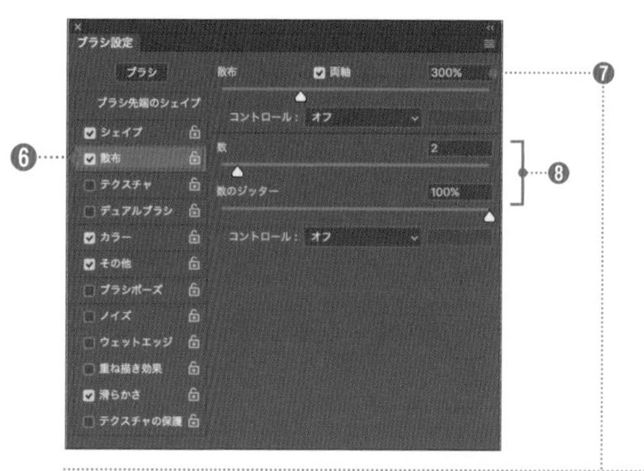

［両軸］にチェックを入れると、軸を基準に対称に散布します。散布率が高いと、散らばり感がでます。

04 左側のカテゴリから［散布］を選択して❻（チェックを入れるだけでなく、反転した状態）、散布の設定を変更します。
ここでは［散布］の［両軸］にチェックを入れて、300%にしました❼。また［数：2］［数のジッター：100%］にしました❽。

イメージ

05 左側のカテゴリから［カラー］を選択して❾（チェックを入れるだけでなく、反転した状態）、カラーの設定を変更します。
ここでは［描画色・背景色のジッター：20%］［色相のジッター：5%］に設定しました❿。ランダムに使用される描画色と背景色のカラー間隔が緩やかになります。

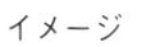
イメージ

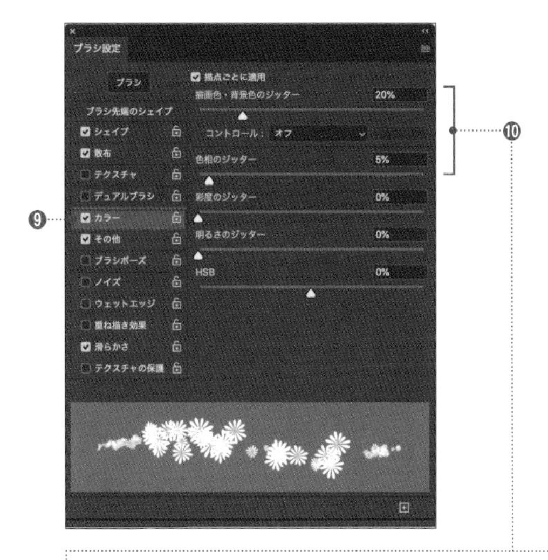

［描画色・背景色のジッター］を0%にすると、通常のペイントのように、描画色のみが使用されます。

ブラシの保存

カスタマイズしたブラシ設定は保存しておかないと消去されます。保存することをお勧めします。

01 ［ブラシ］パネル下部の［新規ブラシを作成］ボタンをクリックします❶。

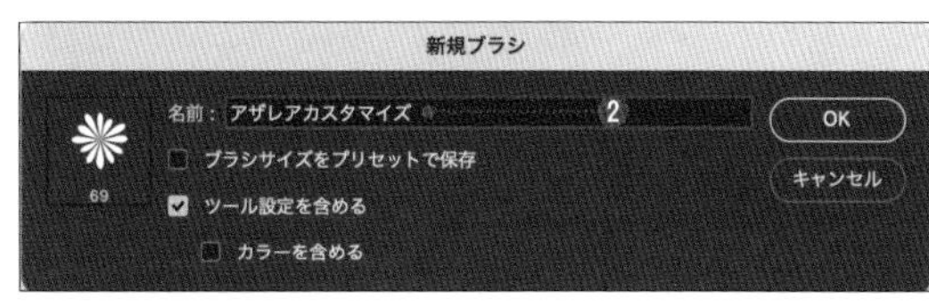

02 表示される［ブラシ名］ダイアログで、ブラシ名を入力して❷、［OK］ボタンをクリックします。

03 保存後は［ブラシ］ツール などのペイント系ツールのオプションバーのブラシプリセットピッカーで選択できるようになります❸。

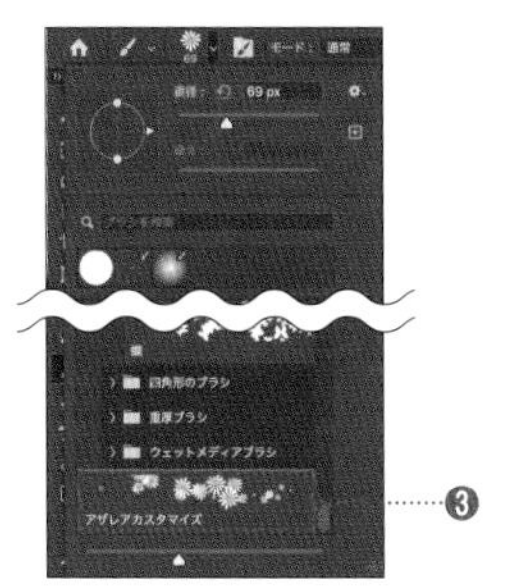

ここも知っておこう！ ▶ **ブラシを管理する**

ブラシは、削除したり、名前を変更したりできます。ブラシを選択し、パネルメニューから［ブラシを削除］を選択すると❶、ブラシを削除でき、［ブラシの名前を変更］を選択すると❷、ブラシの名前を変更できます。また、ブラシやグループを削除後、初期設定のブラシを復元するには、［デフォルトブラシを追加］を選択します❸。

Sample_Data/Lesson06/6-4/

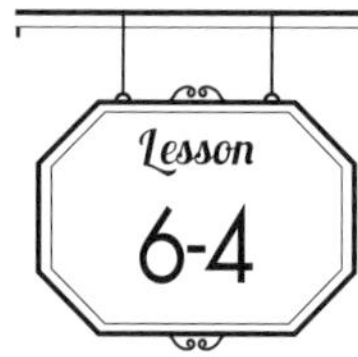

[塗りつぶし]ツールと[塗りつぶし]ダイアログ

[ブラシ]ツールが細かなペイントに向いているのに対し、[塗りつぶし]ツールは一度に広範囲を塗りつぶしたい場合に便利な機能です。[塗りつぶし]ダイアログも便利です。

[塗りつぶし]ツール の基本操作

[塗りつぶし]ツール は、クリックした範囲を指定したカラーやパターンで塗りつぶすツールです。ここでは右図を使ってぬり絵をしてみます。

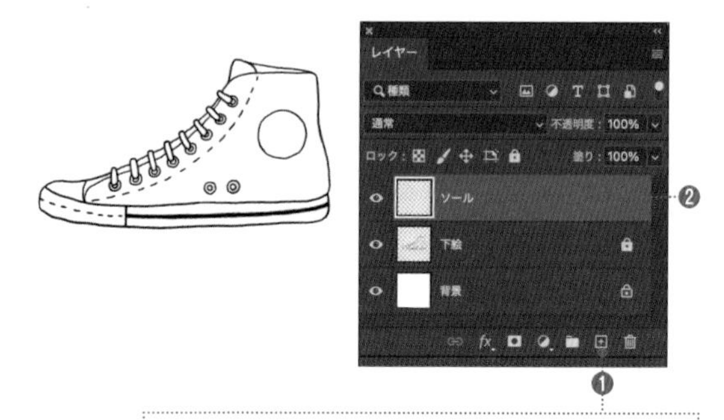

レイヤーの追加方法については、p.109を参照してください。

01 最初に塗りつぶし用のレイヤーを作成します。[レイヤー]パネル下部の[新規レイヤーを追加]ボタンをクリックして❶、レイヤーを追加し、追加したレイヤーを選択します❷。

02 ツールパネル下部の[描画色]にカラーを指定して❸、[塗りつぶし]ツール を選択します❹。
また、オプションバーで次のように設定します(下図参照)。

- [描画色]
- [モード]：通常
- [許容値]：32
- [隣接]：チェックを入れる
- [すべてのレイヤー]：チェックを入れる

任意の箇所をクリックすると、クリックした箇所とカラーが近似する箇所が塗りつぶされます❺。

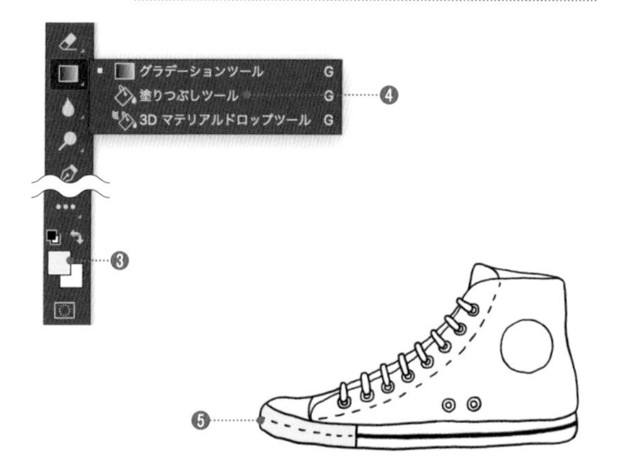

● [塗りつぶし]ツールのオプションバー(描画色)

● [塗りつぶし]ツールのオプションバーの設定項目

項 目	説 明
❶塗りつぶし領域のソース	塗りつぶしで使用するソースを指定する。描画色かパターン(p.163)を選択できる
❷モード／不透明度	ペイントの描画モード(p.144)や不透明度を指定する
❸許容値	クリックした箇所とのカラーの近似のレベルを0〜255の範囲で指定する。大きな値ほど、1度のクリックで広範囲を塗りつぶせる
❹アンチエイリアス	塗りつぶし範囲のエッジを滑らかにする
❺隣接	隣接する近似色の範囲のみを塗りつぶしの対象とする。チェックを外すと、画像内の許容値内のすべての範囲が対象となる
❻すべてのレイヤー	すべてのレイヤーのカラー値をもとに塗りつぶす

03 レイヤーを分けて作業すれば、誤って塗りつぶした場合でも簡単に修正できます❻。描画色やパターン（p.163）を変えながらStep01 ～ 02の作業を繰り返して、ぬり絵を完成させます。

塗り分けを何度も行う場合は、[スウォッチ]パネルにカラーを保存しておくと便利です(p.153)。

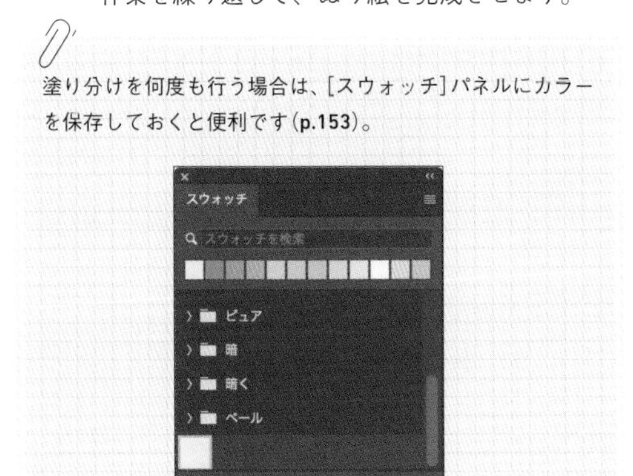

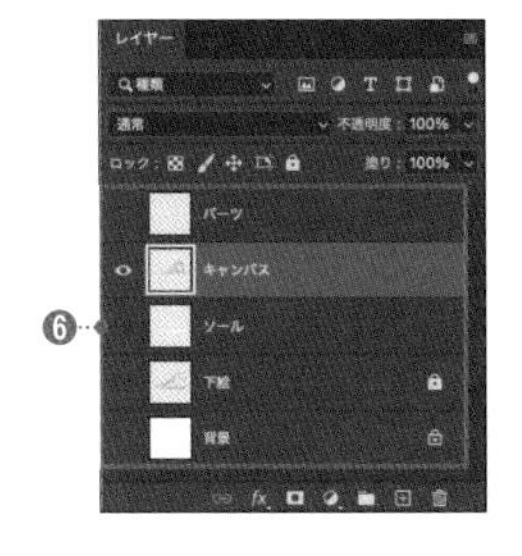

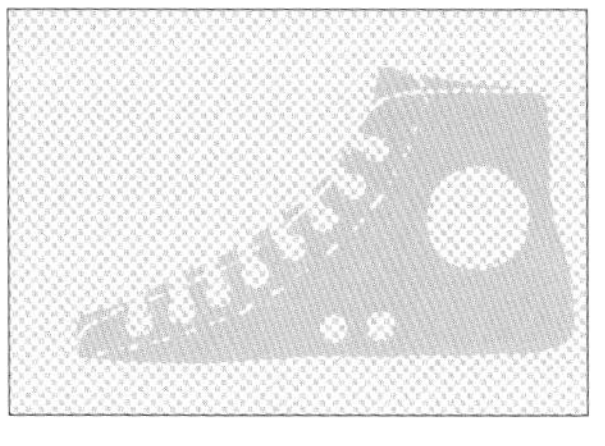

[塗りつぶし]ダイアログで塗りつぶす

Photoshopでは［塗りつぶし］ダイアログで画像を塗りつぶすこともできます。

01 ［背景］レイヤーを選択し❶、メニューバーから［編集］→［塗りつぶし］を選択して［塗りつぶし］ダイアログを表示し、各項目を設定します❷。

02 ［OK］ボタンをクリックすると、画面全体が指定したカラーで塗りつぶされます❸。

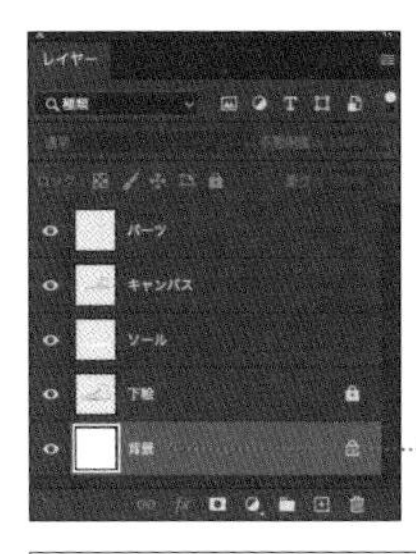

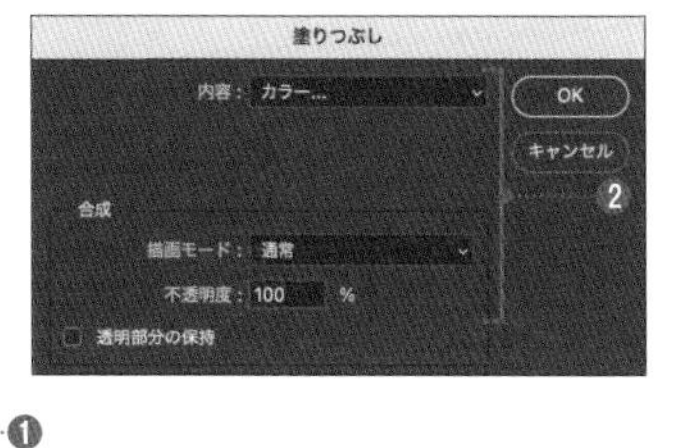

● [塗りつぶし]ダイアログの設定項目

項目	説明
内容	塗りつぶしで使用する内容を指定する。[描画色][背景色][カラー]の他に、[コンテンツに応じる][パターン][ヒストリー][ブラック][50%グレー][ホワイト]なども選択可能
描画モード／不透明度	塗りつぶすカラーの描画モード(p.144)や不透明度を指定する
透明部分の保持	チェックを付けると透明部分が保持される。透明部分を塗りつぶしたくない場合はチェックを入れる

画面全体をカラーやパターンで塗りつぶす方法には、上記の[塗りつぶし]ダイアログを使用する方法の他に、前章で解説した「塗りつぶしレイヤー」(p.118)を使う方法もあります。塗りつぶしレイヤーを使用すると、柔軟にカラーやパターンを変更ができます。一方で塗りつぶしレイヤーでは[塗りつぶし]ツールのように、細かい箇所をクリックで塗りつぶすことはできません。塗りつぶしレイヤーで画像内の一部を塗りつぶすには、事前に選択範囲を作っておく必要があります(p.118)。

ここも知っておこう！

▶ [塗りつぶし]ダイアログの使い道

［塗りつぶし］ダイアログによる塗りつぶしは、レイヤーマスク（p.126）のマスク領域の編集にも利用できます。［レイヤー］パネルでレイヤーマスクのサムネールをクリックして選択し❶、ホワイトで塗りつぶせば、レイヤーマスクをリセットできます❷。

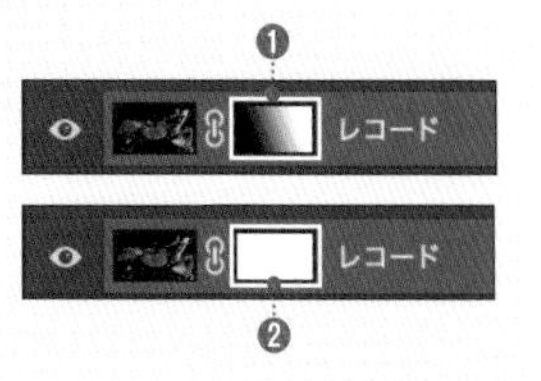

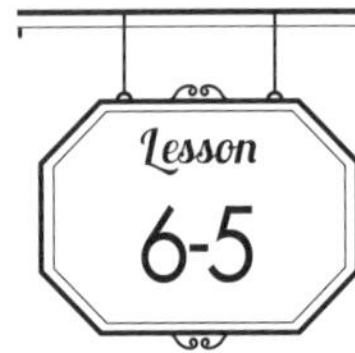

Sample_Data/Lesson06/6-5/

グラデーションをマスターする

ここでは、［グラデーション］ツールの基本的な使い方を解説します。グラデーションはペイント機能としてだけでなく、レイヤーマスクやアルファチャンネルの編集などでも使用します。

［グラデーション］ツールの基本操作

［グラデーション］ツールを使うと、あらゆる形状のグラデーションを簡単に描画できます。

01 ツールパネルで［グラデーション］ツールを選択して❶、オプションバーで各項目を設定します。ここでは次のように設定します（下表参照）。

- ［作成方法］：グラデーション
- ［形状］：線形グラデーション
- ［ディザ］：チェックを入れる
- ［方法］：知覚的

02 ［グラデーションプリセットを選択および管理］をクリックして❷、［グラデーションプリセット］を表示し、グラデーションのカラーを設定します❸（設定方法は次ページで解説します）。

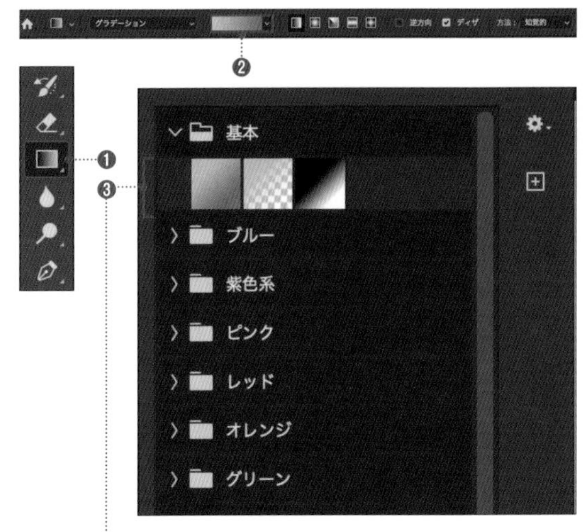

事前に［描画色］と［背景色］にカラーが割り当てられている場合は、そのカラーを使ったグラデーションが初期値となります。

● ［グラデーション］ツールのオプションバー（クラシックグラデーション）

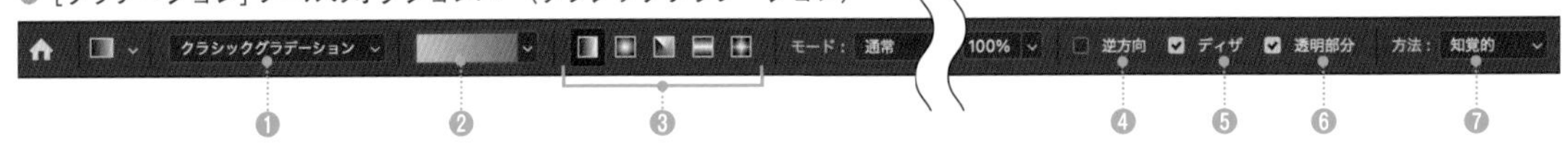

● ［グラデーション］ツールのオプションバーの設定項目

項目	説明
❶グラデーションの作成方法	塗りつぶしレイヤーを作成する［グラデーション］か、選択中のレイヤーやレイヤーマスクをペイントする［クラシックグラデーション］を指定する
❷グラデーションプリセットを選択および管理	クリックするとグラデーションプリセットが表示される
❸グラデーションの種類	グラデーションの種類を指定する。全部で5種類。左から［線形グラデーション］［円形グラデーション］［円錐形グラデーション］［反射系グラデーション］［菱形グラデーション］
❹逆方向	チェックを入れると、グラデーションの向きが逆になる
❺ディザ	チェックを入れると、ムラの少ない滑らかなグラデーションになる
❻透明部分	チェックを入れると、透明部分を含むグラデーションを作成できる
❼方法	グラデーションの塗りの方法を指定する

03 画像上をドラッグします❹。すると、ドラッグした範囲に応じてグラデーションでペイントされます。描画後、グラデーションウィジェット（画面上に表示されるバー）をドラッグして、グラデーションの角度と長さを変更できます❺。

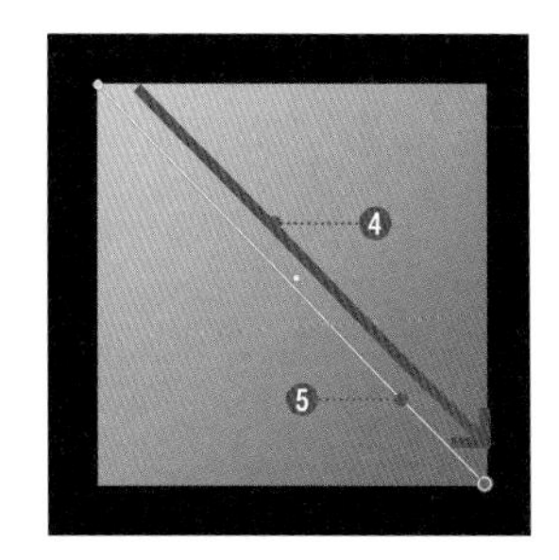

04 塗りつぶしレイヤー（p.119）ができます❻。また、［プロパティ］パネルでグラデーションの編集ができます。［プリセット］で異なるグラデーションを指定したり、［スタイル］でグラデーションの種類などを変更できます❼。また、分岐点をダブルクリックすると表示されるカラーピッカーでカラーを変更でき❽、ドラッグするとグラデーションの幅を変更できます。

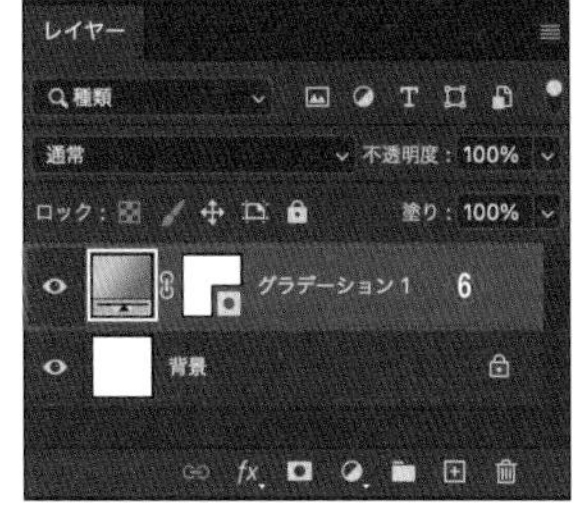

［クイックアクション］エリアの［カンバスコントロールをリセット］をクリックすると、線型グラデーションの場合、角度は90°、拡大・縮小は100%にリセットされます。また、［プリセットを保存］をクリックすると、作成したグラデーションカラーをプリセットに保存できます。

ここも知っておこう！ ▶ **クラシックグラデーション**

オプションバーで［クラシックグラデーション］を選択すると、選択中のレイヤーやレイヤーマスクが指定したグラデーションで塗りつぶされます（塗りつぶしレイヤーはできません）。描画後に塗りつぶしレイヤーのように柔軟に編集はできませんが、レイヤーマスクの編集（p.126）ではこちらの方法を使用するため、どちらの方法も使えるようになりましょう。

［クラシックグラデーション］の場合、［グラデーションサンプル］をクリックすると❶［グラデーションエディター］ダイアログが表示され、プリセットから任意のグラデーションを選択したり、オリジナルのグラデーションを作成したりできます。グラデーションのカラーを変更するには、分岐点をクリックして選択し❷、ダイアログ下部の［カラー］ボックスをクリックしてカラーピッカー（p.151）を表示し、任意のカラーを指定します❸。同様に、右側の分岐点も編集すると❹、2色のグラデーションになります。3色以上のグラデーションを作成するには、グラデーションバーの下の分岐点のない任意の箇所をクリックして、分岐点を追加し❺、カラーを指定します。グラデーションを作成後、［グラデーション名］に名前を入力し、［新規グラデーション］をクリックすると❻、プリセットに保存できます。

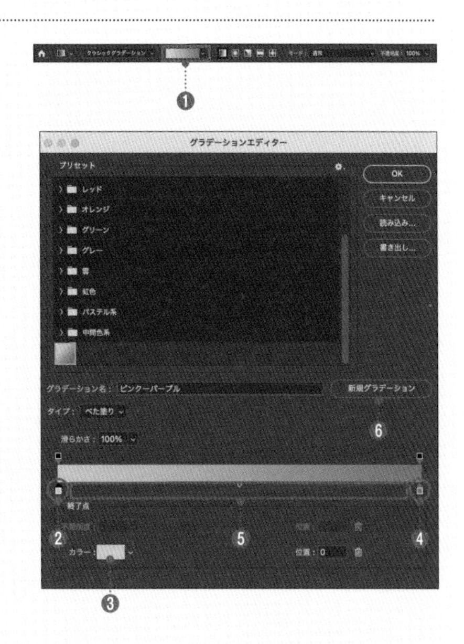

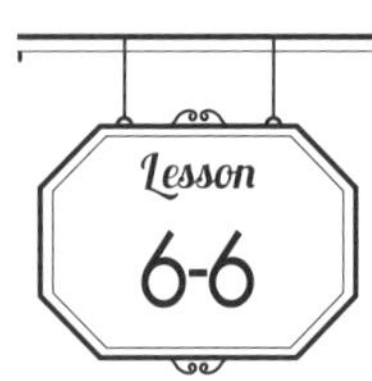

パターンでペイントする

ここでは、[パターンスタンプ] ツールを使って、登録されているパターンで画像上をペイントする方法を解説します。

[パターンスタンプ]ツール でペイントする

[パターンスタンプ] ツール を使うと、Photoshopに登録されているさまざまなパターンを、ブラシの操作感でペイントできます。

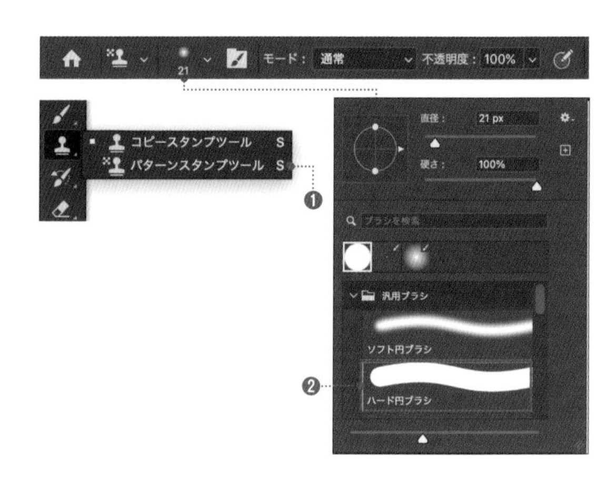

01 ツールパネルで [パターンスタンプ] ツール を選択して❶、オプションバーで各項目を設定します（次ページの表を参照）。ここでは [ハード円] ブラシを選択します❷。

02 メニューバーから [ウインドウ] → [パターン] を選択して、[パターン] パネルを表示します。パネルメニューから、[従来のパターンとその他] を選択し❸、パターングループを追加します。

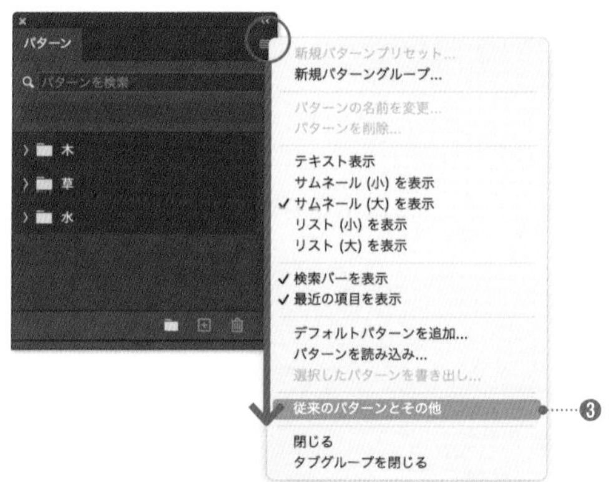

03 追加したパターングループをクリックして開くと❹、さまざまなパターンが用意されています。ここでは [従来のパターン] の [カラーペーパー] の [もみ皮テクスチャ] を選択します❺。画像上をドラッグすると、指定したパターンでペイントできます❻。

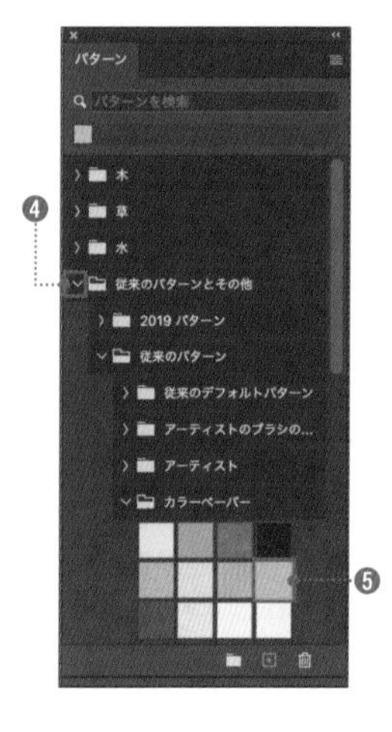

パターンの表示形式は、パネルメニューより切り替えることができます。

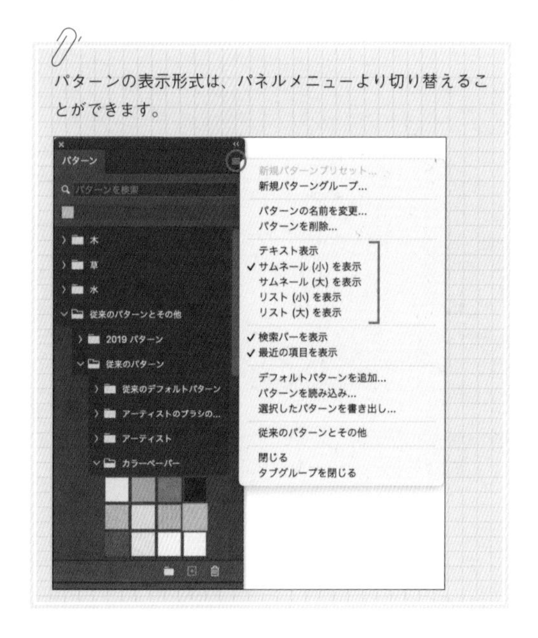

● [パターンスタンプ] ツールのオプションバー

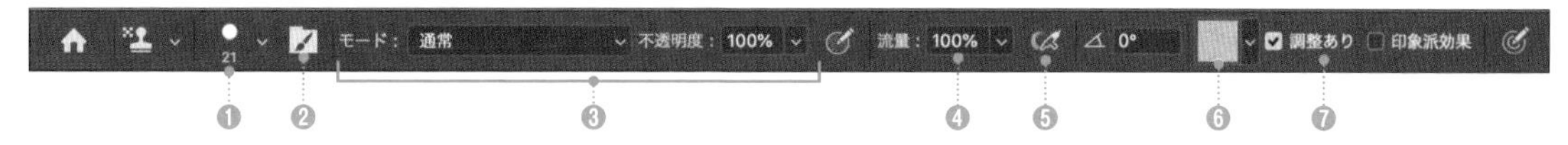

● [パターンスタンプ] ツールのオプションバーの設定項目

項 目	説 明
❶ブラシの種類	クリックして表示される[ブラシプリセットピッカー]で設定する
❷[ブラシ設定]パネルの表示を切り替え	クリックすると[ブラシ設定]パネルが表示される。ブラシの詳細設定を行う場合に使用する
❸モード／不透明度	ペイントするパターンの描画モード(p.144)と不透明度を指定する
❹流量	パターンを適用する速度を指定する。マウスを押したままにすると、徐々に指定した不透明度に近づく。例えば[不透明度:30%][流量:100%]だと最初から[不透明度:30%]でペイントするが、[不透明度:30%][流量:30%]では徐々に[不透明度:30%]に近づく
❺エアブラシボタン	[不透明度]と[流量]を合わせて使用する際に有効にすると、マウスを押している間、徐々に濃くなっていく
❻パターン	クリックすると[パターンプリセットピッカー]が表示され、パターンを指定できる。[パターン]パネルの内容と同じ
❼調整あり	チェックを入れると、ペイントを停止･再開しても、元の開始点を使用してパターンの連続性が維持される。チェックを外すと、ペイントを停止･再開するたびにパターンを最初から始める
❽印象派効果	チェックを入れると、印象派効果付きでパターンが適用される
❾[サイズの筆圧]ボタン	クリックして有効にすると、サイズの調整時にペンタブレットの筆圧が使用される

ここも知っておこう！ ▶ パターンの機能が使える箇所

Photoshopには、パターン機能を利用できる箇所がいくつか用意されています。[パターンスタンプ] ツールのオプションバー以外では主に次の箇所で使用できます。状況に応じて使い分けてください。

● [パターンスタンプ] ツールのオプションバー

本項で解説したように、[パターンスタンプ] ツールではパターンを指定して、ブラシの操作感で画像上を描画できます。

● [塗りつぶし] ツールのオプションバー

[塗りつぶし] ツールで [塗りつぶし領域のソースを設定：パターン] を指定して、任意のパターンを設定すると、指定したパターンで塗りつぶすことができます (p.158)。

● 塗りつぶしレイヤー

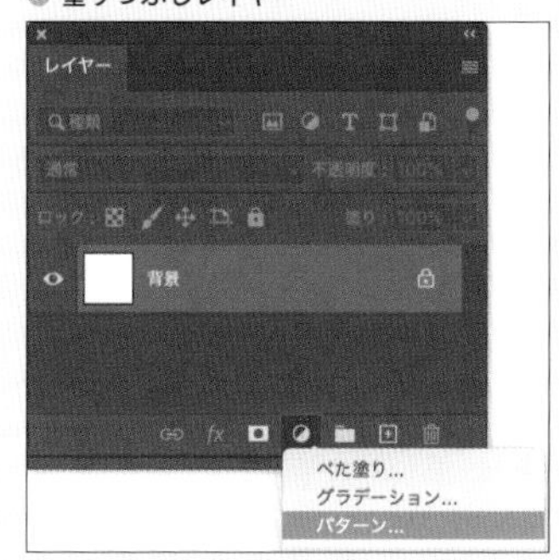

塗りつぶしレイヤーで [パターン] を指定すると、指定したパターンで塗りつぶしたレイヤーを作成できます (p.120)。

● [塗りつぶし] ダイアログ

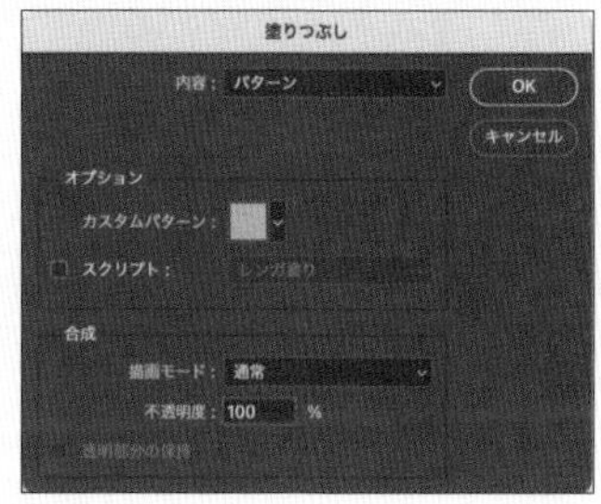

[塗りつぶし] ダイアログは、メニューバーから [編集] → [塗りつぶし] を選択すると表示されます (p.159)。

● [レイヤースタイル] の [パターンオーバーレイ]

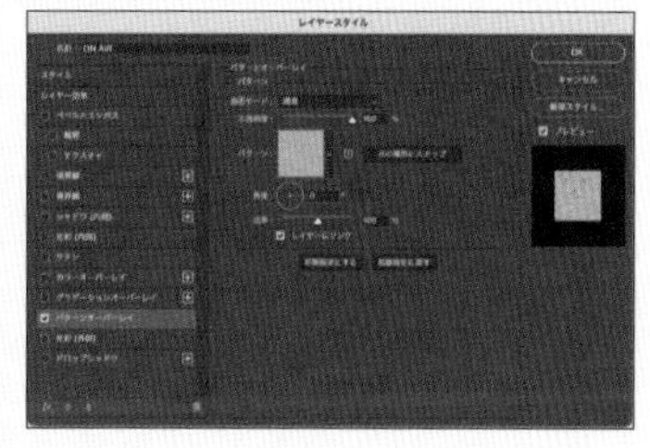

レイヤースタイル (p.140) の [パターンオーバーレイ] でパターンを指定すると、レイヤーにパターンが適用されます。

Sample_Data/Lesson06/6-7/

Lesson 6-7 さまざまな消しゴム系ツール

Photoshopには3種類の消しゴム系ツールが用意されています。いずれも、ツールを選択して画像上をドラッグ、またはクリックするだけで、画像の一部を消去できます。

3種類の消しゴム系ツール

Photoshopには右図のように、3種類の消しゴム系ツールが用意されています❶。それぞれ使い勝手が多少異なるので、消去の対象や特徴を押さえておいてください。なお、ここでは[描画色]と[背景色]が右図のような設定になっている状態で説明します❷。

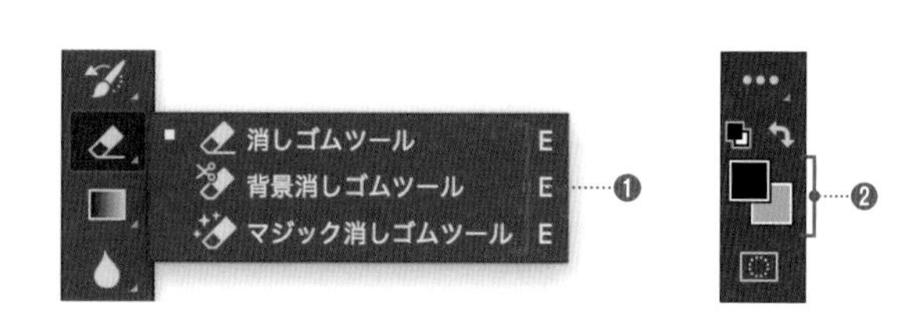

[消しゴム]ツール

[消しゴム]ツールは、ドラッグした箇所の画像を消去するツールです。通常のレイヤー(p.107)を消去した場合は、下部のレイヤーが透けて見えるようになります❸。

また、消去対象が[背景]レイヤー(p.107)の場合は、[背景色]に設定されている色になります❹。

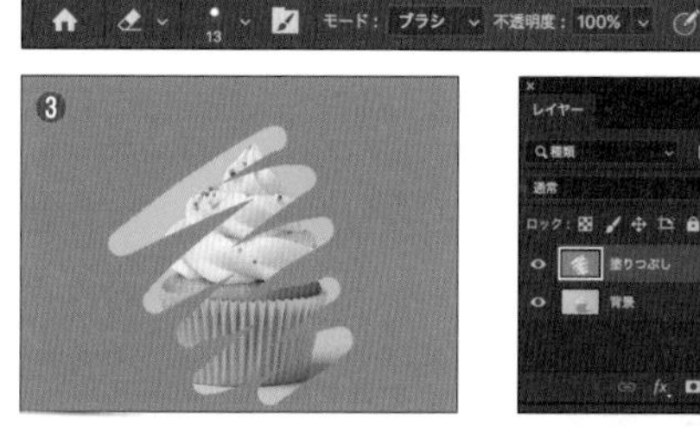
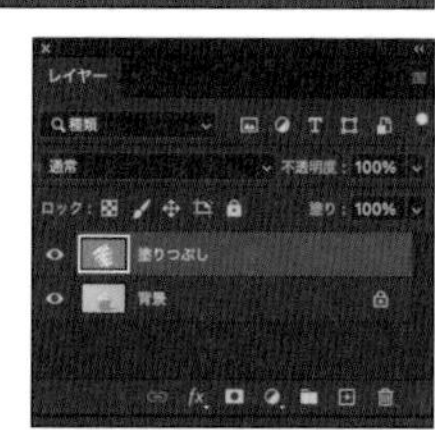

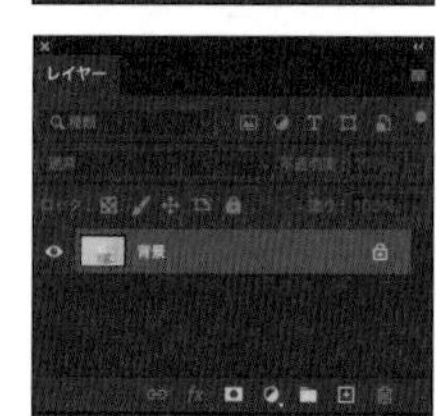

[背景消しゴム]ツール

[背景消しゴム]ツールは、ドラッグした箇所を透明にするツールです。[背景]レイヤー上をドラッグすると、通常のレイヤーに変換されます❺。

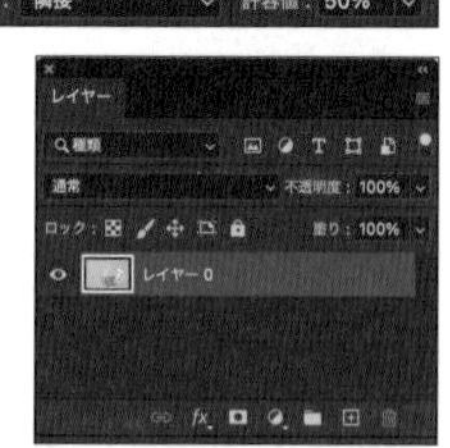

[マジック消しゴム]ツール

[マジック消しゴム]ツールは、クリックした箇所とカラーが近似する領域を一度に消去して透明にするツールです❻。近似値の範囲はオプションバーの[許容値]で設定します。許容値外の領域は消去されずに残ります。[塗りつぶし]ツール(p.158)や[自動選択]ツール(p.80)の操作感と近いツールです。

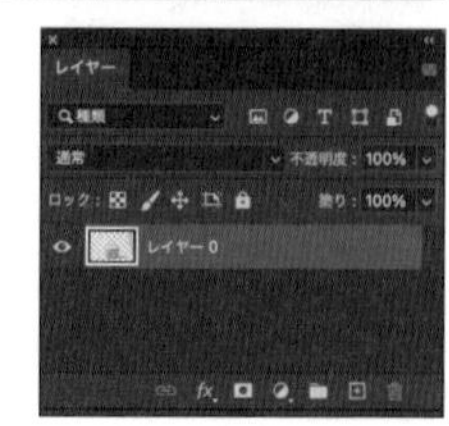

Lesson 7

Retouching & Image Compensation.

画像修正の基本

画像品質を向上させるための基礎技術

本章では、画像に写り込んでしまった不要物を除去したり、被写体の一部を移動するテクニックを解説します。Photoshopにはさまざまな機能が用意されています。画像の特性に合わせて効率的な方法を選択することが大切です。

手軽に不要物を削除する

[削除] ツールを使うと、削除したい領域を囲んで、不要物を削除できます。囲んだ領域を完全に閉じなくても、Photoshopが自動接続して塗りつぶす距離を決定するので、大きな領域も簡単に削除できます。

[削除]ツール

[削除] ツールは、削除したい領域を囲んで、手軽に不要物を削除できるツールです。

01 作業前に修正用のレイヤーを作成します。option (Alt) を押しながら [レイヤー] パネル下部の [新規レイヤーを作成] ボタンをクリックして [新規レイヤー] ダイアログを表示します❷。

02 レイヤー名に「修正」と入力して❸、[OK] ボタンをクリックし、レイヤーを作成してアクティブな状態にします❹。

作業領域がよく見えるように、あらかじめ画面を拡大しておきましょう(p.32)。

03 ツールパネルで [削除] ツール を選択して❺、オプションバーで各項目を設定します❻。

[サイズ] はショートカットを使うと素早く調整できます。[で小さく、] で大きくなります(p.154)。

図1 左図をみると、人がいることがわかります❶。[削除] ツールで修正して、人がいない風景にすることができます。

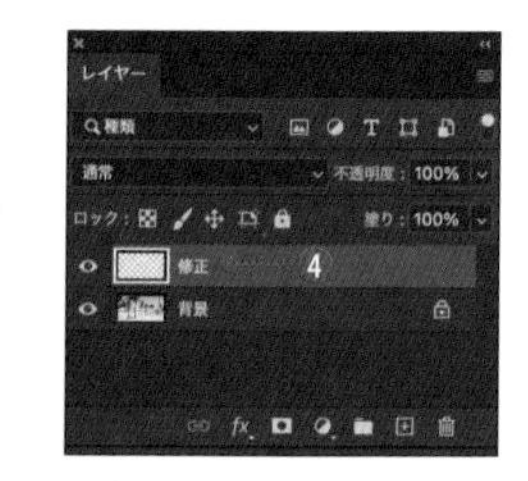

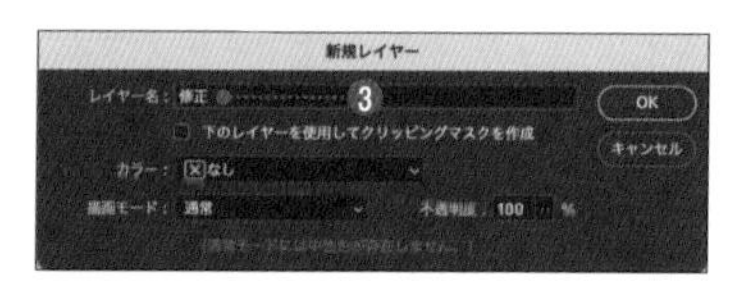

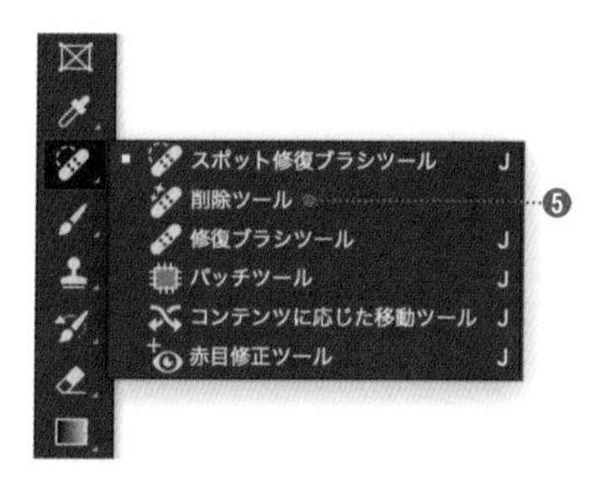

● [削除] ツールのオプションバー

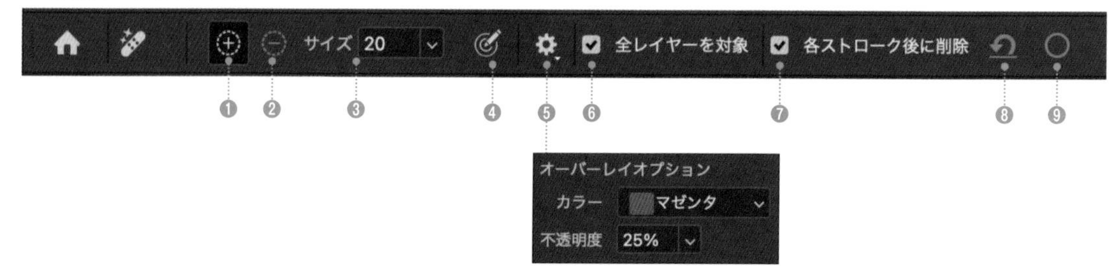

● [削除] ツールのオプションバーの設定項目

項目	説明
❶ブラシ領域に追加	塗りつぶし領域に追加する。
❷ブラシ領域から削除	塗りつぶし領域から削除する。❼のチェックが外れているときに有効
❸ブラシサイズを設定	ブラシサイズを設定する
❹[サイズの筆圧] ボタン	クリックして有効にすると、サイズの調整時にペンタブレットの筆圧が使用される
❺その他のオプションを設定	塗りつぶし領域の表示カラーを指定する
❻全レイヤーを対象	すべての表示レイヤーからデータがサンプリングされる
❼各ストローク後に削除	チェックを入れると、❾のボタンを押さなくても、自動的に削除される
❽すべてのストロークをリセット	ストロークをリセットする。❼のチェックが外れているときに有効
❾現在のストロークに適用	ストロークを適用する。❼のチェックが外れているときに有効

04 囲みやすいブラシサイズでドラッグして、削除したい箇所を囲みます❼。すると自動的に囲んだ領域にあるものが削除されます❽。

小さな領域であれば、囲まず塗りつぶしても構いません。また、大きな領域は全て塗りつぶす必要はありません。外周を囲むと自動接続して塗りつぶされます。

05 [レイヤー] パネルの目玉のアイコンをクリックして [修正] レイヤーのみを表示すると❾、修正内容を確認できます❿。このようにレイヤーを分けて作業しておけば、修正ミスを恐れず作業を進めることができます。

やり直したい箇所がある場合は [修正] レイヤーを選択して [消しゴム] ツール (p.164) でドラッグして消すことで、修正を取り消すことができます。

Sample_Data/Lesson07/7-2/

Lesson 7-2 囲むようにして不要物を除去する

［パッチ］ツールを使うと、囲んだ範囲を画像内の別のピクセルに置換して不要物を除去できます。周囲が比較的単純であり、かつ対象物が大ぶりなものに向いています。似た機能に［塗りつぶし］コマンドがあります。

［パッチ］ツール

［パッチ］ツールを使うと、不要物をドラッグで囲むだけで、きれいに除去できます。画像は再構成され、元の箇所は周囲と調和して調整されます。

図1 左図を見ると、人物が写り込んでいます❶。［パッチ］ツールを使用すると、この人物の周りをドラッグで囲むだけで、右図のようにきれいに除去することが可能です。

01 作業前に修正用のレイヤーを作成します。option（Alt）を押しながら［レイヤー］パネル下部の［新規レイヤーを作成］ボタンをクリックして［新規レイヤー］ダイアログを表示します❷。

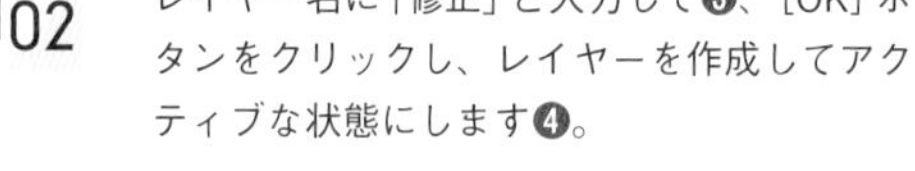

02 レイヤー名に「修正」と入力して❸、［OK］ボタンをクリックし、レイヤーを作成してアクティブな状態にします❹。

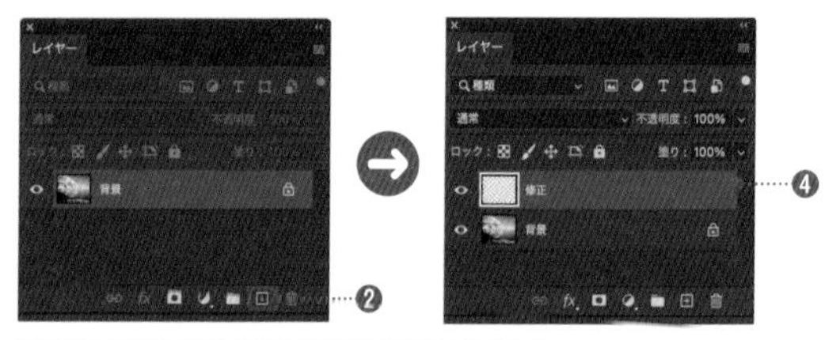

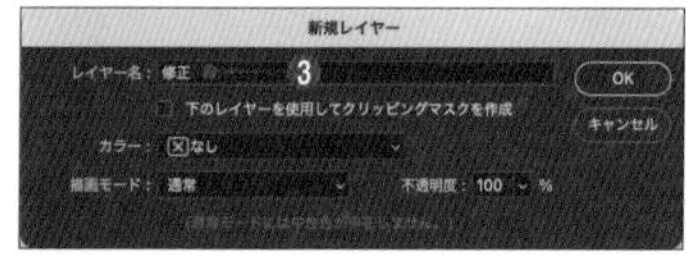

03 ツールパネルで［パッチ］ツールを選択して❺、オプションバーで［パッチ：コンテンツに応じる］を選択して、［全レイヤーを対象］にチェックを入れます❻。

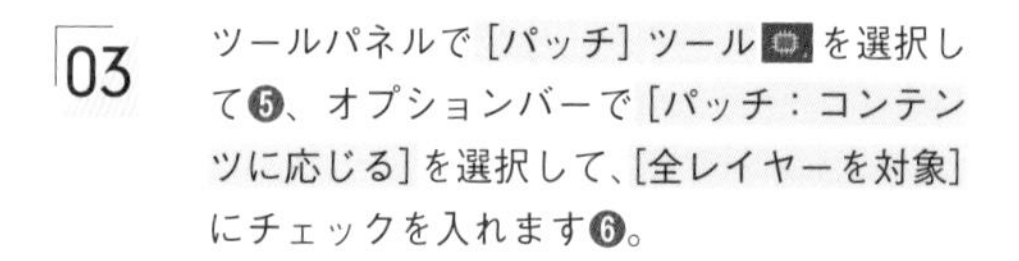

● ［パッチ］ツールのオプションバーの設定項目

項目	説明
パッチ	［通常］：囲んだ領域を修復するのか、サンプルにするのかを指定したり、パターンを使って修復したりできる。ただし［コンテンツに応じる］のほうが修復の精度が高いため、本書では割愛 ［コンテンツに応じる］：隣接するコンテンツを合成して周辺のコンテンツとシームレスに調和させる
構造	パッチが既存の画像パターンをどの程度緊密に反映するか指定する。1～7の値を入力する。大きな値を指定するほど既存の画像パターンを忠実に踏襲する
カラー	アルゴリズムを使ったカラー描画をパッチに適用する度合いを指定する。0～10の値を入力する。0でカラー描画を無効にし、10でカラー描画が最大まで適用される
全レイヤーを対象	すべての表示レイヤーからデータがサンプルされる

04 除去したい箇所をドラッグして囲み、選択範囲を作成します❼。

05 周辺のきれいな箇所にドラッグ＆ドロップします❽。すると、不要物が自動的に除去されます。

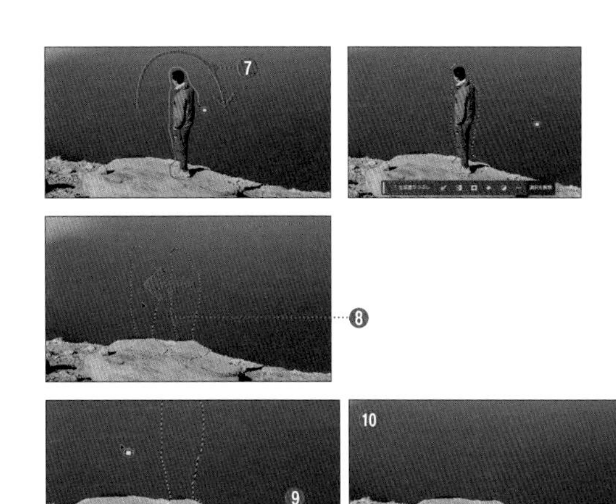

06 メニューバーから［選択範囲］→［選択を解除］を選択するか、コンテキストタスクバーの［選択を解除］をクリックして選択を解除し❾、仕上がりを確認します❿。

不要物の大きさによっては、一度で囲まず、数回に分けて少しずつ除去したほうが良い結果を得られる場合があります。また、本項の例では1度の操作できれいに除去できましたが、画像によっては不自然な結果になる場合もあります。その場合は［コピースタンプ］ツールや［修復ブラシ］ツールなどを使用して仕上げてください（p.172）。

ここも知っておこう！ ▶［コンテンツに応じた塗りつぶし］コマンド

［パッチ］ツールと似た機能に［コンテンツに応じた塗りつぶし］コマンドがあります。この機能もパッチツールと同様に、不要物を囲んで除去する機能です。

［コンテンツに応じた塗りつぶし］コマンドで不要物を除去するには、最初に［長方形選択］ツールなどで不要物を囲んで選択範囲にし❶、メニューバーから［編集］→［コンテンツに応じた塗りつぶし］を選択して❷、設定画面を表示します。

設定画面には、2つのウインドウがあり（左：修正前／右：修正後）、左のウインドウで修正で使用するサンプリング領域（デフォルトで黄緑色で表示）を編集したり、右のウインドウで仕上がりをプレビューしたりすることができます。

［出力設定］の［出力先］で［新規レイヤー］を選択して❸、［OK］ボタンをクリックすると、修正用のレイヤーが自動ででき、不要物を除去することができます。

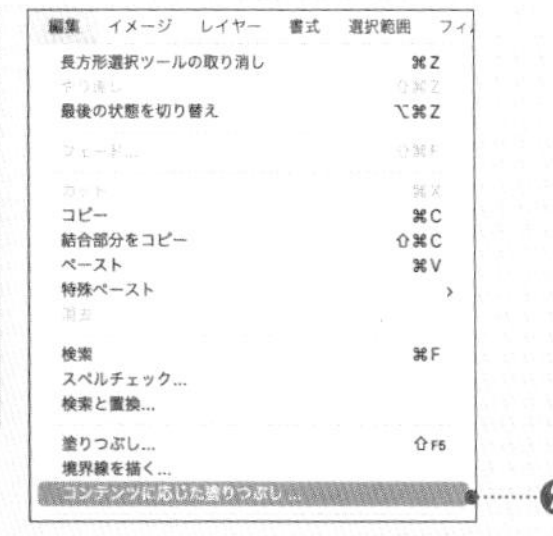

Sample_Data / Lesson07 / 7-3 /

周辺のコンテンツを使って不要物を除去する

［スポット修復ブラシ］ツールは、周辺のコンテンツを使って不要物を除去するツールです。ブラシと同じ操作感で細かな作業を行うことが可能です。

［スポット修復ブラシ］ツール

［スポット修復ブラシ］ツールは、周辺のコンテンツを使って不要物を除去するツールです。事前にサンプルを採取する必要はありません。直感的にドラッグするだけで、比較的きれいに不要物を除去できます。

図1 左図を見ると、空に傷のような汚れがあることがわかります❶。このような複雑なグラデーション上にある傷は［スポット修復ブラシ］ツールで修正できます。

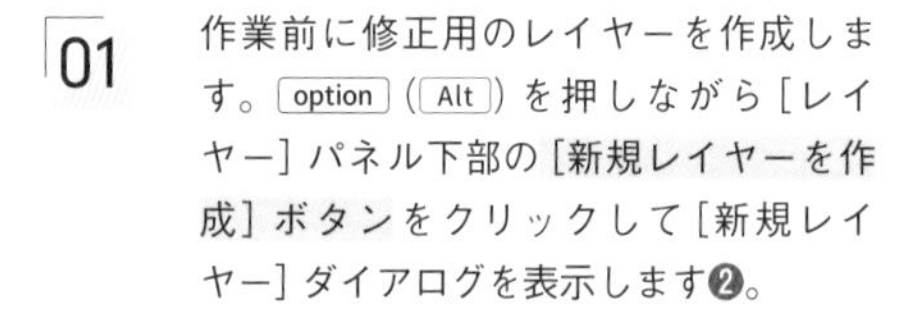

01 作業前に修正用のレイヤーを作成します。option（Alt）を押しながら［レイヤー］パネル下部の［新規レイヤーを作成］ボタンをクリックして［新規レイヤー］ダイアログを表示します❷。

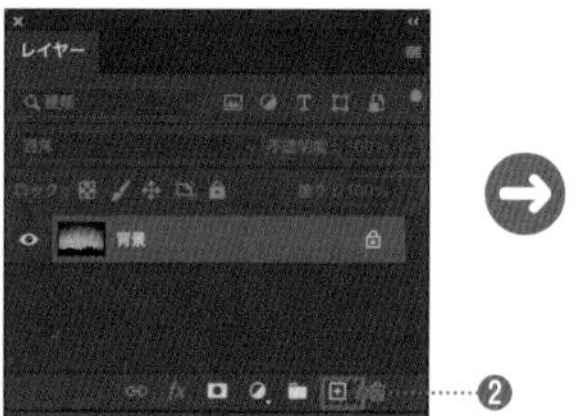

02 レイヤー名に「修正」と入力して❸、［OK］ボタンをクリックし、レイヤーを作成してアクティブな状態にします❹。

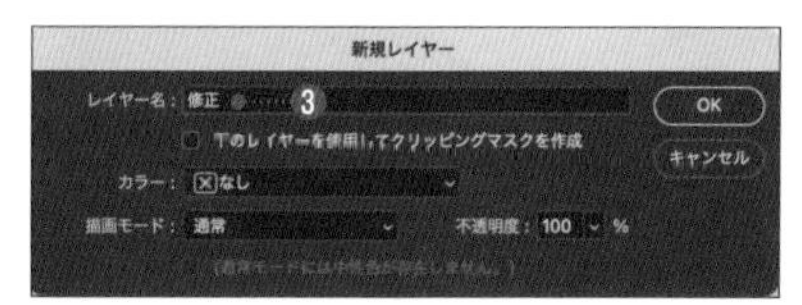

03 ツールパネルで［スポット修復ブラシ］ツールを選択して❺、オプションバーで各項目を下図のように設定します❻。

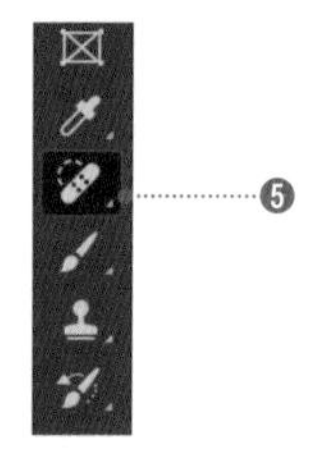

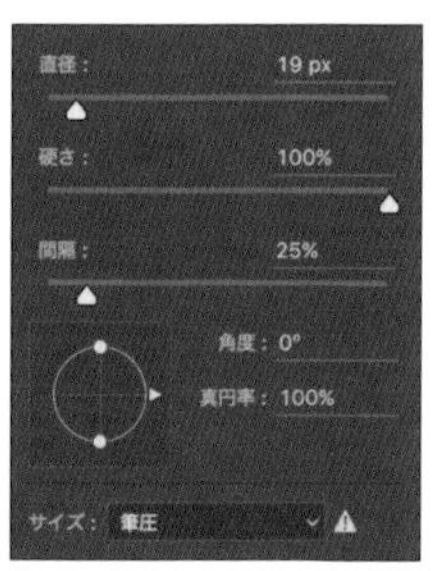

モード：通常　種類：コンテンツに応じる　テクスチャを作成　近似色に合わせる　全レイヤーを対象　0°

❻

04 除去したい箇所よりも少し大きなブラシサイズで、クリックもしくはドラッグします❼。すると自動的にサンプルが採取されて、不要物が除去されます❽。

ブラシサイズはオプションバーの［直径］で決めるよりも、ショートカットキーを操作しながら直感的に決める方法のほうが効率的に作業できます。ブラシサイズは［で小さくなり、］で大きくなります。

05 この機能を使用すると複雑な箇所の修正も簡単な操作で実現できます。他の箇所も、必要に応じてブラシサイズを変更し、除去します。修正用のレイヤーのみ表示すると❾、どのように修正されたかを確認できます❿。

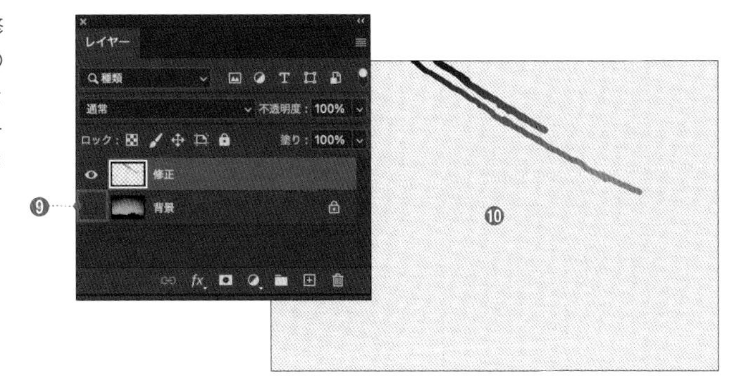

● [スポット修復ブラシ] ツールのオプションバーの設定項目

項　目	説　明
種類	[コンテンツに応じる]：隣接するコンテンツを合成して周辺領域とシームレスに調和させる。通常はこれを選択する [テクスチャ作成]：選択範囲内のピクセルを使用し、テクスチャを作成する [近似色に合わせる]：選択範囲のエッジのピクセルを使用して、パッチとして使用する領域を検出する
全レイヤーを対象	すべての表示レイヤーからデータがサンプリングされる

※[ブラシ] ツールと同じ設定項目についてはp.154を参照してください。また [修復ブラシ] ツールと同じ設定項目についてはp.174を参照してください。この表では [スポット修復ブラシ] ツール特有の設定項目についてのみ掲載しています。

ここも知っておこう！ ▶ 修復系機能の違い

本章では、さまざまな修復機能を使って不要物を除去する方法を解説していますが、それぞれに違いがあります。下表にまとめますので、画像の特性に応じて使い分けができるようになりましょう。

● 修復系機能の違い

機能名	特徴・操作感	サンプル	作業用レイヤーの利用	向いているもの
[削除] ツール(p.166)	ブラシで囲む操作感で、不要物をシームレスに除去する	不要	可能。オプションバーの [全レイヤーを対象] にチェックを入れる	大小問わず試したい機能。ただし自動検出に時間がかかることがある
生成塗りつぶし(p.176)	選択範囲を自動生成した画像で塗りつぶして除去する	不要	生成レイヤーができる	大小問わず試したい機能。ただし生成に時間がかかることがある
[パッチ] ツール(p.168)	囲む操作感で不要物を除去する	不要。[コンテンツに応じる] 機能により、隣接するコンテンツを合成して周辺領域とシームレスに調和させる	可能。オプションバーの [全レイヤーを対象] にチェックを入れる	大ぶりで、周辺が比較的単純なもの
[コンテンツに応じた塗りつぶし] コマンド(p.169)			[出力先] で [新規レイヤー] を選択すると、自動で修正用のレイヤーができる	
[スポット修復ブラシ] ツール(p.170)	ブラシで塗る操作感で、不要物をシームレスに除去する		可能。オプションバーの [全レイヤーを対象] にチェックを入れる	小さいゴミやほこりなど細かな作業向き
[コピースタンプ] ツール(p.172)	ブラシで塗る操作感で、採取したサンプルを使って不要物を除去する	必要。option (Alt) を押しながらクリックすることでサンプルを採取する。[コピーソース] パネルを使える	可能。オプションバーの [サンプル] 項目でサンプル対象レイヤーを指定	
[修復ブラシ] ツール(p.174)	ブラシで塗る操作感で、採取したサンプルを使って不要物をシームレスに除去する			

Sample_Data/Lesson07/7-4/

採取したサンプルを使って不要物を除去する

［コピースタンプ］ツールや［修復ブラシ］ツールを使うと、サンプリングしたデータを使って不要物を除去できます。ブラシの操作感で細かな作業に向いています。

2つの修復系ツール

［コピースタンプ］ツールと［修復ブラシ］ツールの2つの修復系ツールは、どちらのツールも採取したサンプルを使って不要物を除去します。また、操作感も同じです。ブラシで塗る感覚で小さなゴミやほこりなどを除去できます。

さらに、［修復ブラシ］ツールには周辺領域とシームレスになじませる機能が搭載されています。この機能は［コピースタンプ］ツールにはないので、作業の流れとしては、先に［コピースタンプ］ツールでおおまかに不要物を除去し、そのうえで［修復ブラシ］ツールで仕上げるという使い方が便利です。

それでは実際に不要物を除去してみましょう。

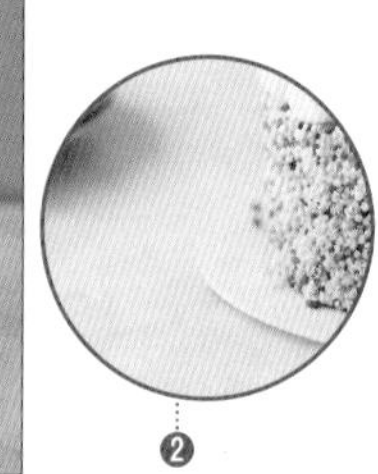

図1 上図を見ると、さまざまな箇所に細かいくずがあることがわかります❶。修復系のツールを使うと、これらのくずを除去し、下図のようにきれいな状態に修正できます❷。

01 作業前に修正用のレイヤーを作成します。option（Alt）を押しながら［レイヤー］パネル下部の［新規レイヤーを作成］ボタンをクリックして❸、［新規レイヤー］ダイアログを表示します。

02 レイヤー名に「修正」と入力して［OK］ボタンをクリックし❹、レイヤーを作成してアクティブな状態にします❺。

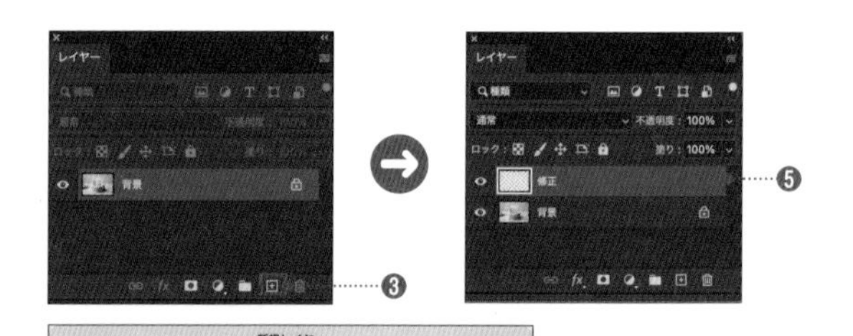

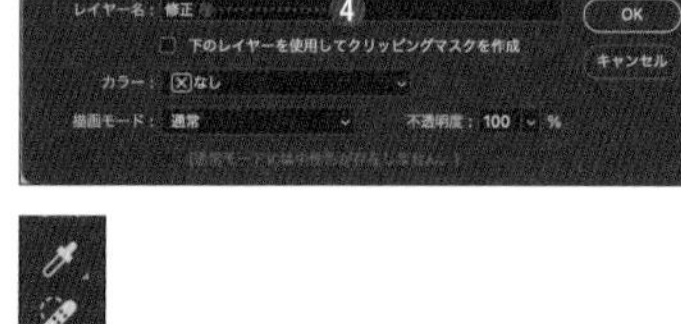

03 ツールパネルで［コピースタンプ］ツールを選択して❻、オプションバーで各項目を以下のように設定します。［サンプル：現在のレイヤー以下］を選択します❼。ブラシサイズについては次のステップで解説します。

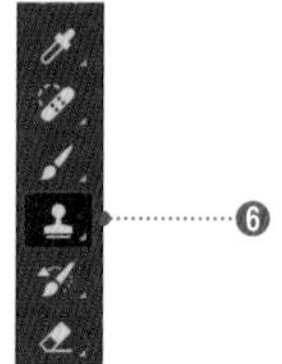

● [コピースタンプ] ツールのオプションバーの設定項目

項　目	設　定
❶調整あり	操作を停止・再開する際のサンプルの使用方法。チェックを入れると、コピーを停止・再開しても、最初のサンプルポイントを起点にしてコピーの連続性が維持される。チェックを外すと、ペイントを停止・再開するたびに最初のサンプルポイントを使用してコピーする
❷サンプル	サンプルを採取するレイヤーを指定する
❸[調整レイヤーを無視] ボタン	ボタンをクリックすると、サンプル採取時に調整レイヤーが対象外となる

※ [ブラシ] ツールと同じ設定項目については **p.154** を参照してください。この表では [コピースタンプ] ツール特有の設定項目についてのみ掲載しています。

04 今回はブラシサイズに [直径：80px]、[硬さ：0%] に設定します❽。

ブラシサイズはオプションバーの [直径] で決めるよりも、ショートカットキーを操作しながら直感的に決める方法のほうが効率的に作業できます。ブラシサイズは [で小さくなり、] で大きくなります。

[ソフト円ブラシ] (硬さ:0%) にすると、修復箇所のエッジ (境界) が目立ちにくくなります。エッジが目立つ場合は、組み合わせてみましょう。

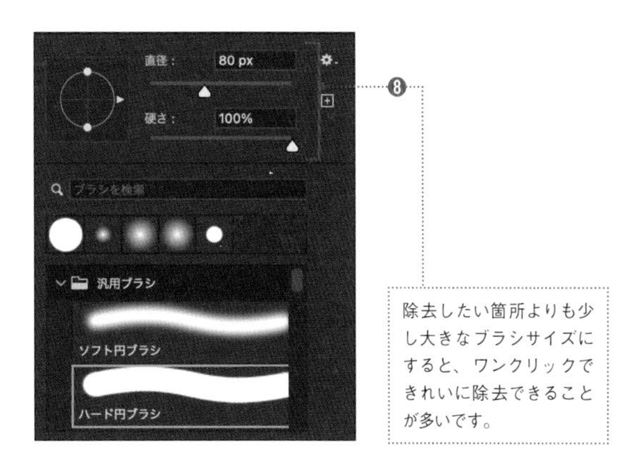

除去したい箇所よりも少し大きなブラシサイズにすると、ワンクリックできれいに除去できることが多いです。

05 [ズーム] ツール などを使用して作業領域を拡大したうえで、除去したい箇所よりも少し大きなブラシサイズを設定します❾。

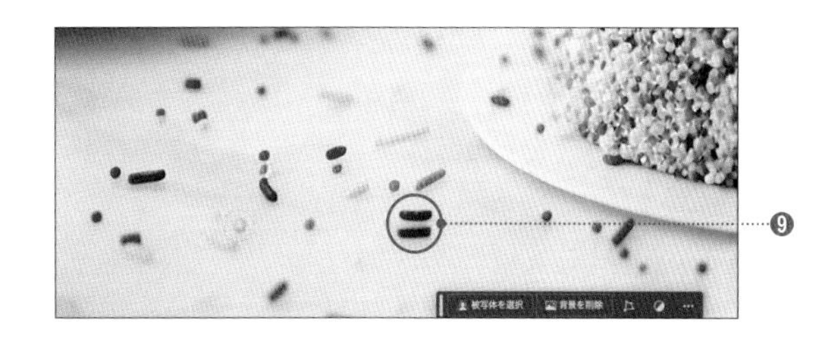

06 修復箇所周辺のきれいな箇所を option（Alt）を押しながらクリックします❿。これでサンプルを採取できました（サンプル採取後はキーをはなします）。

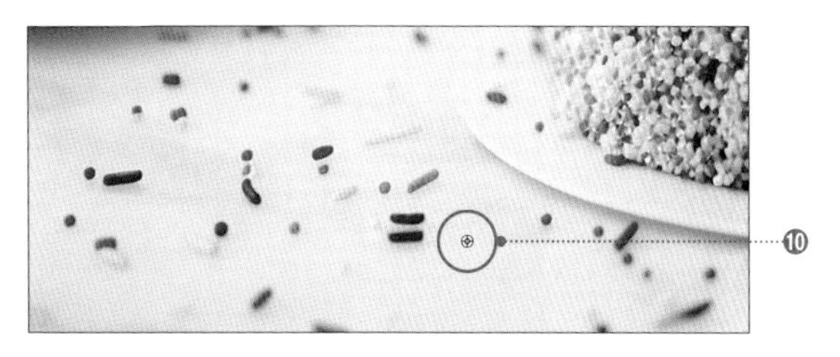

07 不要物の上をクリックもしくはドラッグすると⓫、不要物が除去されてきれいな仕上がりになります⓬。

08

［コピースタンプ］ツール はサンプリングした箇所の画像を単純にコピーするだけの機能なので、修復箇所によってはエッジ（境界）が目立ち、周辺と馴染まない場合があります。きれいに不要物を除去できない場合は［修復ブラシ］ツール を使用します。
ツールパネルから［修復ブラシ］ツール を選択して⑬、ブラシを右図のように設定します⑭。

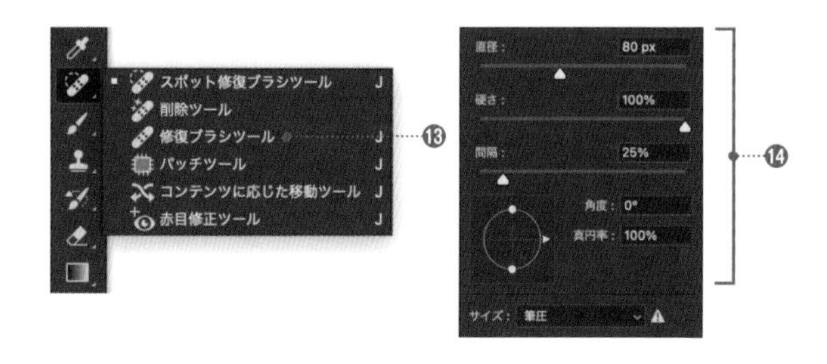

09

基本的な操作方法は［コピースタンプ］ツール と同じです。修復箇所周辺のきれいな箇所を option（Alt）を押しながらクリックしてサンプルを採取し⑮、修復箇所をクリック、またはドラッグします。すると、右図のようにきれいに修復できます⑯。

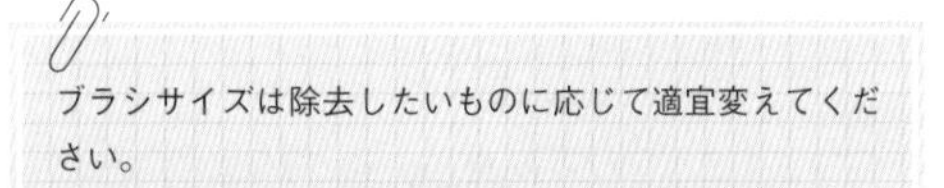

ブラシサイズは除去したいものに応じて適宜変えてください。

● ［修復ブラシ］ツールのオプションバー

● ［修復ブラシ］ツールのオプションバーの設定項目

項　目	説　明
❶ブラシの設定	直径、硬さ、間隔、角度、真円率を指定する
❷モード	描画モードを指定する。［置き換え］を選択すると、柔らかいエッジのブラシを使用時に、エッジ部分のノイズ・フィルムの粒子・テクスチャが保持される
❸ソース	［サンプル］：採取したサンプルを使用する。通常はこちらを選択 ［パターン］：パターンを使用する。選択すると使用するパターンを指定できる

※［ブラシ］ツールと同じ設定項目についてはp.154を参照してください。また、［コピースタンプ］ツールと同じ設定項目についてはp.172を参照してください。ここでは［修復ブラシ］ツール特有の設定項目についてのみ掲載しています。

10

［レイヤー］パネルの目玉のアイコンをクリックして［修正］レイヤーのみを表示すると⑰、修正内容を確認できます⑱。このようにレイヤーを分けて作業しておけば、修正ミスを恐れずに作業を進めることができます。

やり直したい箇所がある場合は［修正］レイヤーを選択して［消しゴム］ツール（p.164）でドラッグして消すことで、修正を取り消すことができます。

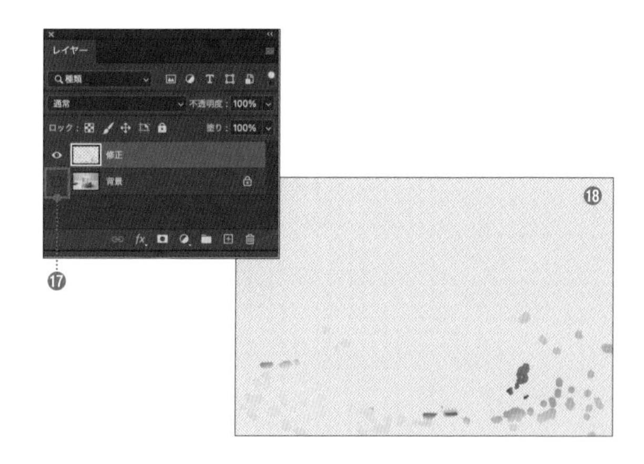

COLUMN

[コピーソース]パネルの操作

[コピースタンプ] ツールと [修復ブラシ] ツールはどちらもサンプルを採取して、不要物を除去したりコピーしたりすることができます。サンプルは、除去・コピーしたい箇所に応じて適宜取り直す必要があります。また、使用頻度の高いサンプルは [コピーソース] パネルに登録しておくことができます。ただし、登録したサンプルを使用できるのはファイルを開いている間のみです。ファイルを閉じると消去されるので注意してください。

[コピーソース]パネルの表示方法

[コピーソース] パネルは、メニューバーから [ウィンドウ] → [コピーソース] を選択することで表示できます。

または、[コピースタンプ] ツールや [修復ブラシ] ツールのオプションバーにある右図のアイコンをクリックすることでも表示できます❶。

[コピーソース]パネルの使い方

[コピーソース] パネルには最大で5つのサンプルを保存できます❷。サンプルアイコンをクリックした状態でサンプルを採取すると、そのサンプルが保存されます。保存されているサンプルの情報(位置や範囲など)は各アイコンをクリックすると表示されます❸。

複数のサンプルを保存する場合は、先に保存先のアイコンをクリックし、そのうえで、[コピースタンプ] ツールや [修復ブラシ] ツールでサンプルを採取します。

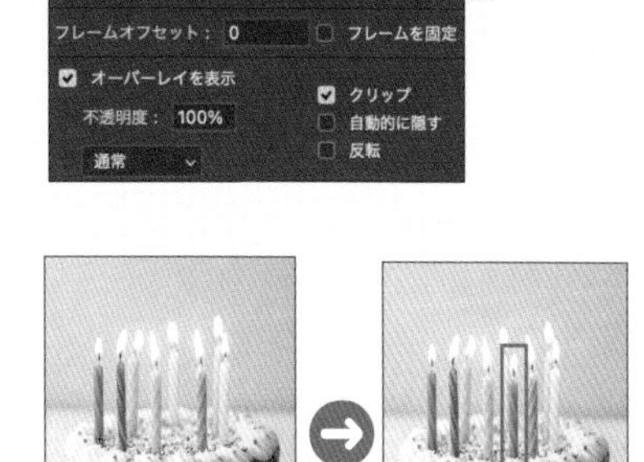

サンプルを使ってコピーする

[コピーソース] パネルを上手に利用すれば、他の箇所にサンプルをコピーをすることができます。右図の例では、オプションバーの [調整あり] のチェックを外し、青いろうそく付近のサンプルを保存してから、[コピースタンプ] ツールで保存したサンプルを使ってケーキの中心に同じろうそくをコピーしました。なお、オプションバーの [調整あり] のチェックを外してコピーすると、操作を停止・再開しても、最初のサンプルポイントを使用して繰り返しコピーすることができます。

● [コピーソース] パネルの設定項目

項 目	説 明
コピーソースの設定	最大5つまで登録可能。ソースボタンをクリックした状態で、サンプルを採取すると登録される。以後はサンプルソースを選択すれば、画像上でサンプルを採取する必要はない
サンプルソースの設定	[オフセット]:サンプルソースからの距離 修正先のサイズに合わせて、サンプルソースを拡大・縮小・回転・反転できる
フレームの設定	[フレームオフセット] および [フレームを固定] は、ビデオ・アニメーションに関する機能。本書では説明を割愛
オーバーレイの設定	[オーバーレイを表示]:不透明度やサンプルの表示方法を選択できる [クリップ]:オーバーレイをブラシサイズで表示させる

Sample_Data / Lesson07 / 7-5 /

生成塗りつぶしで不要物を除去する

アドビの強力な生成AIテクノロジー「Firefly」の技術を利用した生成塗りつぶしの機能を使って、選択範囲にある不要物を除去できます。後からレイヤーマスクを使って修復範囲を調整することもできます。

塗りつぶしで使う画像を生成する

ここでは、生成塗りつぶしの機能を使って、人物を除去してみましょう。

最初に、除去したい箇所に選択範囲を作成します。

図1 左図をみると、中央の道を人が歩いています❶。生成塗りつぶしの機能を使って、人がいない風景にすることができます。

01 ツールパネルで［なげなわ］ツールを選択して❷、除去したい箇所をドラッグして選択範囲を作成します❸。

> ここでは［なげなわ］ツールを使用しましたが、大まかに選択範囲を作成できれば、方法は問いません。

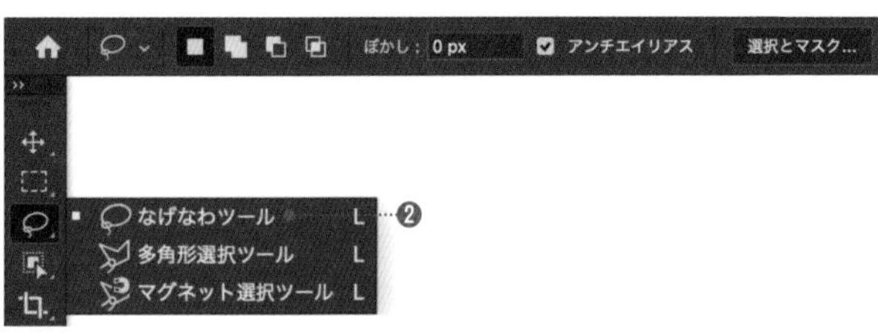

02 コンテキストタスクバーの［生成塗りつぶし］をクリックし❹、［生成］をクリックします❺。

> ここでは、テキストプロンプトの入力ボックス（p.132）は空のままで構いません。

キャンセル　生成 ❺

03 選択範囲内が塗りつぶされました❻。また、［レイヤー］パネルには、生成レイヤーができます❼。提示される3つのバリエーションを切り替えるには、＜ ＞をクリックするか❽、［プロパティ］パネルでサンプルをクリックします❾。

> 生成した画像は、生成レイヤーに作成されます。元の画像を損なうことなく（非破壊的）、無数にあるクリエイティブな可能性を最大限に活かすことができます。必要に応じて、生成レイヤーを削除して元に戻すことができます。

レイヤーマスクを編集する

生成塗りつぶしの機能を使うと、自動で生成レイヤーにレイヤーマスクを作成して、自然な仕上がりにしますが、後から編集することもできます。

01 [レイヤー] パネルの生成レイヤーのレイヤーマスクサムネールをクリックして選択すると❶、[プロパティ] パネルの表示はマスクの編集画面に変わります❷。

02 option（Alt）を押しながらレイヤーマスクサムネールをクリックすると❸、一時的にレイヤーマスクの領域のみ表示されます❹。事前に作成した選択範囲内（白い部分）がサンプル（生成した画像）で塗りつぶされていることがわかります。

03 ツールパネルで [グラデーション] ツール を選択して❺、オプションバーを以下のように設定し、人物の範囲上を上から下へドラッグします❻。

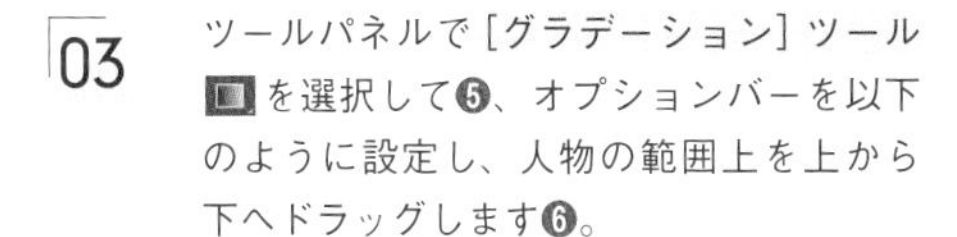

- [作成方法]：クラシックグラデーション
- [グラデーション]：黒、白

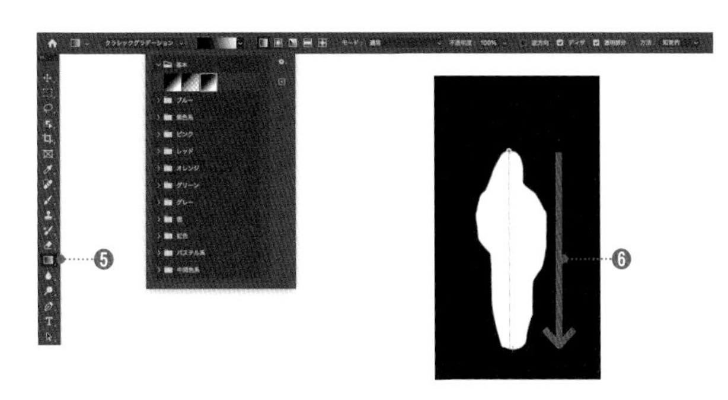

04 レイヤーマスクが編集され、人物の足元は消えていて、徐々に出現するような画像の見え方になりました❼。再度 option（Alt）を押しながらレイヤーマスクサムネールをクリックして、元の表示に戻し、左の生成レイヤーサムネールをクリックしておきましょう❽。

Lesson 7-6

Sample_Data/Lesson07/7-6/

生成拡張で足りない画像を伸ばす

生成拡張は、アドビの強力な生成 AI テクノロジー「Firefly」の技術を利用した機能です。
縦長を横長にするなど、足りない画像を伸ばすことができます。

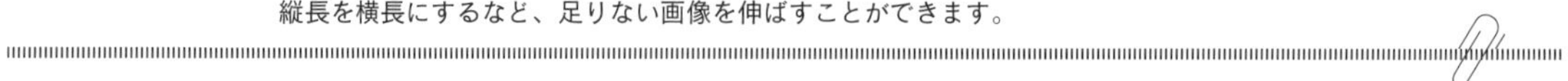

画像を生成拡張する

ここでは、縦長の画像を横長にしてみましょう。

最初に、カンバスサイズを広げます。

01 ツールパネルで［切り抜き］ツールを選択して❶、option（Alt）を押しながらサイドハンドルを水平にドラッグしてカンバスを横長に拡張します❷。

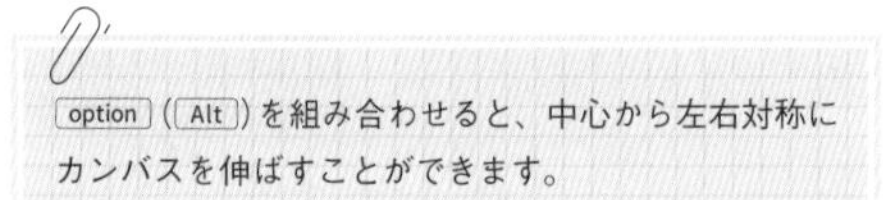

option（Alt）を組み合わせると、中心から左右対称にカンバスを伸ばすことができます。

拡張した部分は、現在の背景色（p.150）が使用されます。

図1 左図の画像は縦長ですが、生成拡張の機能を使って、足りない部分を自然に塗りつぶして横長にすることができます。

02 コンテキストタスクバーの［生成］をクリックします❸。すると、生成拡張がはじまります。

ここでは、テキストプロンプトの入力ボックス（p.132）は空のままで構いません。

03 左右のカンバス部分が自然に塗りつぶされ、拡張されました❹。また、[レイヤー] パネルには、生成レイヤーができます❺。提示される3つのバリエーションを切り替えるには、< > をクリックするか❻、[プロパティ] パネルでサンプルをクリックします❼。

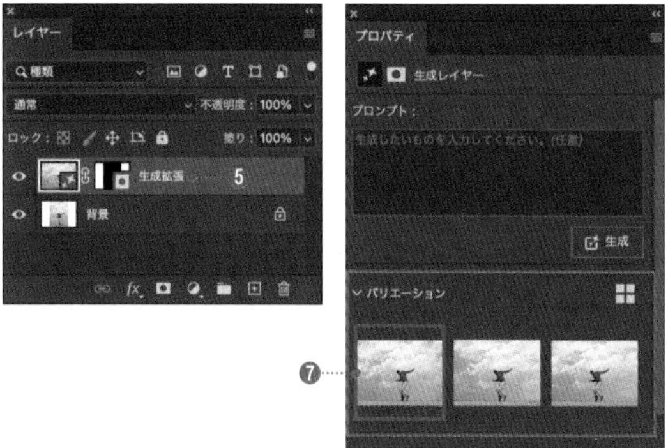

ここも知っておこう！ ▶ **サンプルを比較する**

[プロパティ] パネルに表示されるバリエーションのサンプルをクリックして、生成結果を比較できます。さらなるバリエーションを見たい場合は、[生成] をクリックすると❶、サンプルを追加生成することができます。ただし、サンプル数が増えるとファイルサイズが重くなるので、不要なサンプルは、カーソルを合わせると表示される 🗑 をクリックして削除しておくと良いでしょう❷。

Sample_Data / Lesson07 / 7-7 /

被写体を移動する

[コンテンツに応じた移動] ツールを使うと、画像内で被写体の位置を変更できます。ちょっとした位置変更のための再撮影の手間を省くことができます。

[コンテンツに応じた移動] ツール

[コンテンツに応じた移動] ツールを使うと、簡単なドラッグ操作のみで、被写体の位置を変更できます。画像は再構成され、元の箇所は周囲と調和して調整されます。

図1 画像の中央のランナーを右へ移動しています❶。右図を見ると、きれいに移動できていることがわかります。

01 作業前に修正用のレイヤーを作成します。option（Alt）を押しながら [レイヤー] パネル下部の [新規レイヤーを作成] ボタンをクリックして [新規レイヤー] ダイアログを表示します❷。

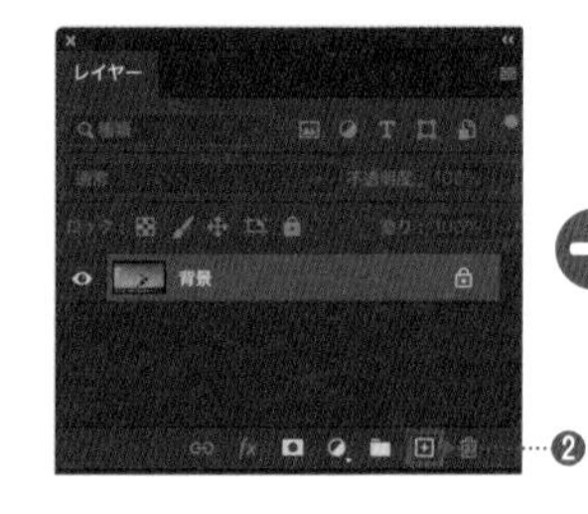

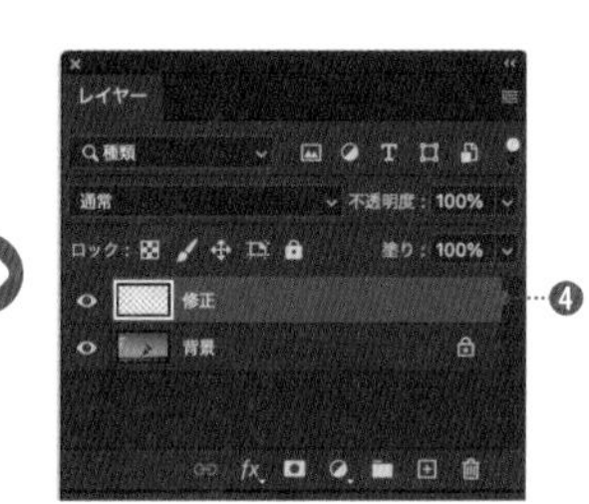

02 レイヤー名に「修正」と入力して [OK] ボタンをクリックし❸、レイヤーを作成してアクティブな状態にします❹。

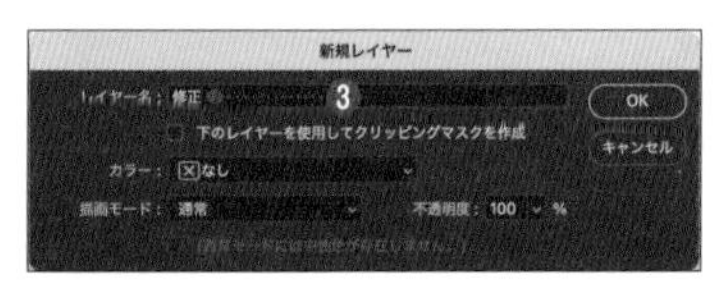

03 ツールバーで [コンテンツに応じた移動] ツールを選択して❺、オプションバーで [モード：移動] にし❻、[全レイヤーを対象] と [ドロップ時に変形] にチェックを入れます❼。

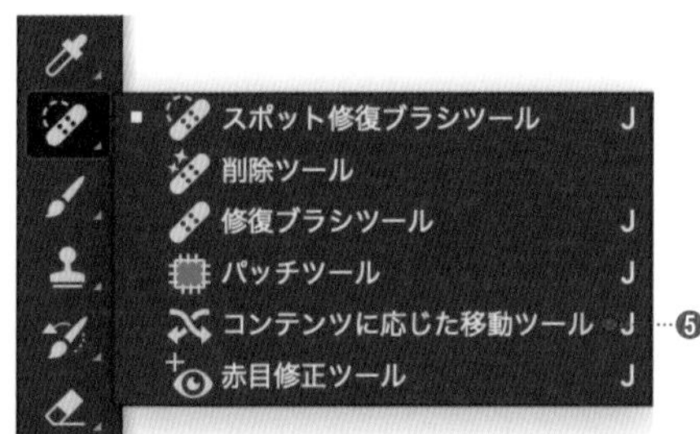

● [コンテンツに応じた移動] ツールのオプションバーの設定項目

項目	説明
モード	[移動]：オブジェクトを異なる場所に配置する [拡張]：オブジェクトを異なる場所に複製して配置する
構造	パッチが既存の画像パターンをどの程度緊密に反映するか指定する。1～7の値を入力する。大きな値を指定するほど既存の画像パターンを忠実に踏襲する
カラー	アルゴリズムを使ったカラー描画をパッチに適用する度合いを指定する。0～10の値を入力する。0でカラー描画を無効にし、10でカラー描画が最大まで適用される
全レイヤーを対象	すべてのレイヤーの情報を使用して、移動の結果を選択したレイヤーに作成する
ドロップ時に変形	選択範囲を作成しドラッグ＆ドロップした後に、バウンディングボックスが表示され、変形できる

04 移動したい被写体をドラッグ操作で囲み、選択範囲を作成します❽。

05 選択範囲内にカーソルを移動し、そのまま移動先にドラッグ&ドロップします❾。

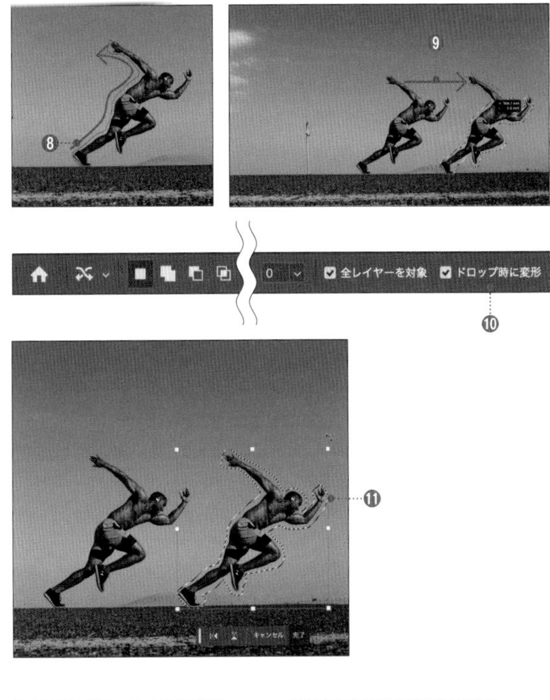

06 今回はオプションバーの[ドロップ時に変形]にチェックを入れたので❿、ドロップ直後にバウンディングボックスが表示されます⓫。

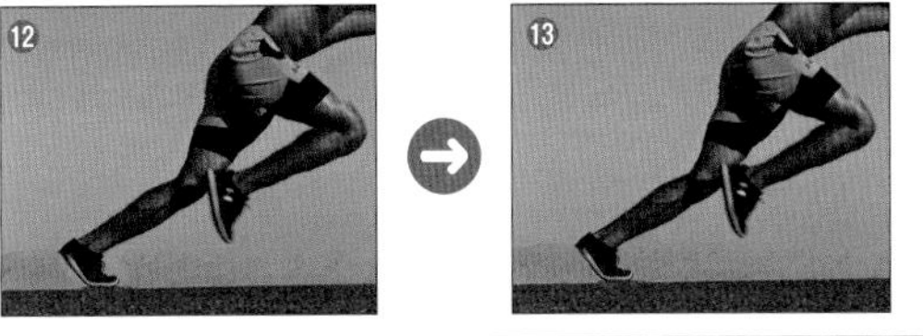

コーナーハンドルの上をドラッグすると画像を拡大・縮小できますが、画像を元のサイズよりも拡大すると画像が粗くなるので避けてください。また、コーナーハンドルの外側をドラッグすると画像を回転できます。

07 Enter を押して確定し、選択を解除します。今回の例のように、移動元と移動先で背景が異なる場合(ランナーの左足元付近)は、右図のように不自然な結果になることがあります⓬。このような場合は、[コピースタンプ]ツールや[修復ブラシ]ツールなどを使用して、周辺を整えて仕上げます⓭(p.172)。

08 [修正]レイヤーのみ表示すると⓮、修正内容を確認できます⓯。

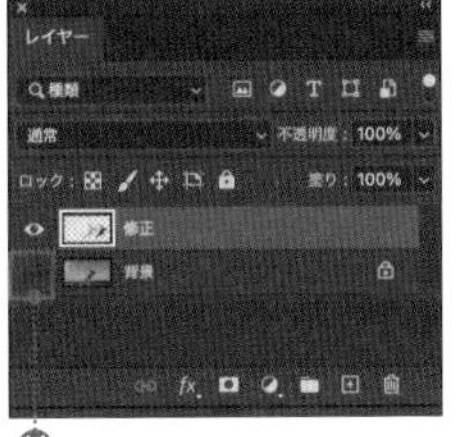

不自然な部分があれば[消しゴム]ツールを使用して整えても良いでしょう(p.164)。

COLUMN

[生成](生成塗りつぶし/生成拡張)と[コンテンツに応じる]

Photoshopには、生成AIテクノロジー「Firefly」の技術を利用した[生成](生成塗りつぶし/生成拡張)と、隣接するコンテンツを合成して周辺のコンテンツとシームレスに調和させる[コンテンツに応じる]の機能が使える箇所がいくつかあります。[コンテンツに応じる]の機能は、オプションバーで[コンテンツに応じた塗りつぶし]や[コンテンツに応じる]もしくは[生成拡張]を選択することで実行できます。

[生成](生成塗りつぶし/生成拡張)は生成AIを使った画期的な機能ですが、生成に時間がかかることがあります。狭い領域で周辺が比較的単純な場合は、[コンテンツに応じる]の機能を使った方が、効率が良いことがあるので、状況に応じて機能を使い分けるようにしましょう。

[生成](生成塗りつぶし/生成拡張)

- [切り抜き]ツール(p.35)
- 選択範囲を作成後にコンテキストタスクバーに表示される[生成](生成塗りつぶし)(p.176)
- カンバスを拡張後にコンテキストタスクバーに表示される[生成](生成拡張)(p.178)

生成塗りつぶし/生成拡張ともに、テキストプロンプトの入力ボックスを空(入力しない)にして生成します。

● [切り抜き]ツールのオプションバー

● 選択範囲を作成後のコンテキストタスクバー

生成したいものを入力してください。(任意)　…　キャンセル　生成

● カンバスを拡張後のコンテキストタスクバー

[コンテンツに応じる]

- [切り抜き]ツール(p.35)
- [塗りつぶし]コマンド(p.159)
- [パッチ]ツール(p.168)
- [コンテンツに応じた塗りつぶし]コマンド(p.169)
- [スポット修復ブラシ]ツール(p.170)
- [コンテンツに応じた移動]ツール(p.180)

● [塗りつぶし]コマンドのダイアログ

● [パッチ]ツールのオプションバー

● [スポット修復ブラシ]ツールのオプションバー

種類：コンテンツに応じる　テクスチャを作成　近似色に合わせる

Lesson 8

Use of Filters.

フィルターの活用

特殊効果を気軽に試せる優れた機能

本章では、画像にさまざまな特殊効果を適用できるフィルターについて解説します。使用頻度の高い定番のフィルターをはじめ、手軽に使える特殊効果なども試してみましょう。

Sample_Data/Lesson08/8-1/

フィルターとは

Photoshopには、さまざまなフィルター（特殊効果）が用意されています。簡単な操作で画像に適用できるので、手軽に画像の印象を変えることができます。

Photoshopのフィルター

フィルターとは画像に適用する特殊効果の総称です。Photoshopには実に100種類以上のフィルターが用意されています。

メニューバーから［フィルター］メニュー以下を確認してみてください❶。多数のフィルターが機能別に分類されていることが確認できます。例えば、［フィルター］→［表現手法］以下には［エンボス］［ソラリゼーション］［風］［輪郭のトレース］など、9種類のフィルターが登録されています。

私たちは、画像を用意してフィルターを選択するだけで、さまざまな特殊効果を容易に適用できます。

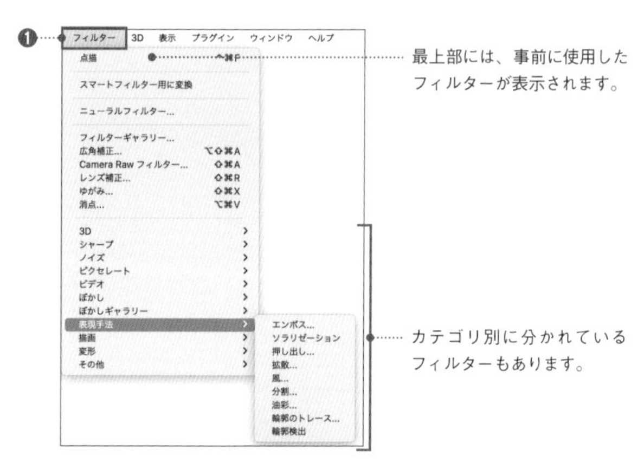

最上部には、事前に使用したフィルターが表示されます。

カテゴリ別に分かれているフィルターもあります。

フィルターを適用する前に

フィルターを適用する前に、対象のレイヤーをスマートオブジェクト（p.122）に変換しておくことをお勧めします。変換しておけば、フィルター適用後も設定を編集でき、またやり直しも気軽に行えます。

01 ［レイヤー］パネルで対象のレイヤーを選択して❶、メニューバーから［フィルター］→［スマートフィルター用に変換］を選択します❷。

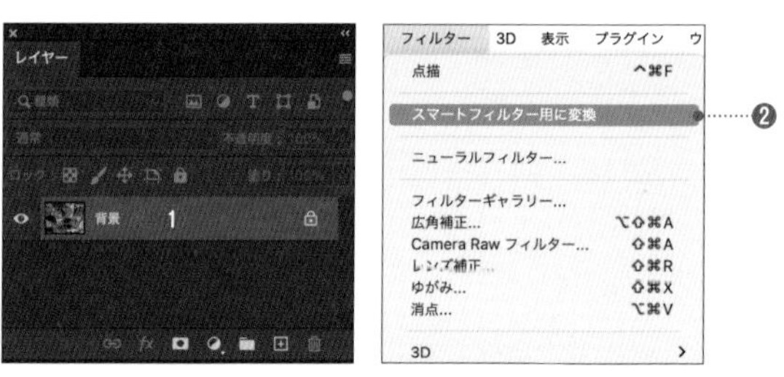

02 確認ダイアログが表示されるので［OK］ボタンをクリックします❸。

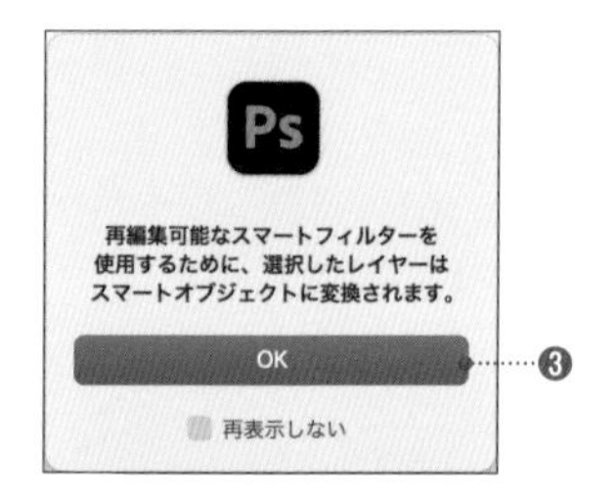

03 これで対象のレイヤーがスマートオブジェクトに変換されました。レイヤーサムネールの右下にそのことを示すアイコンが表示されます❹。また、実際にフィルターを適用すると右図のように表示されます❺。

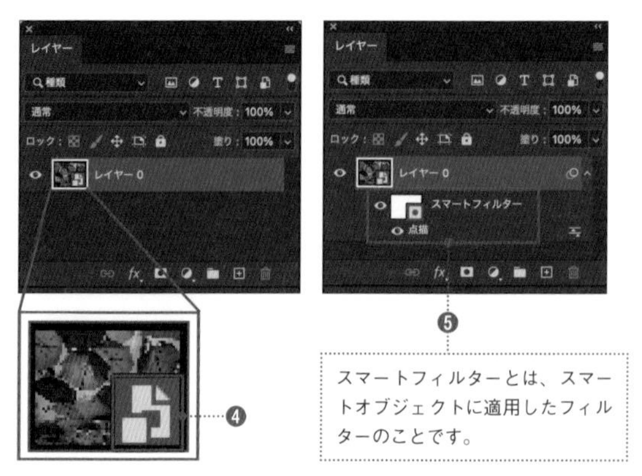

スマートフィルターとは、スマートオブジェクトに適用したフィルターのことです。

フィルターの特徴

各フィルターの具体的な使い方は次項以降で詳しく説明しますが、その前にフィルターの特徴をいくつか紹介します。

フィルターは重ねて使える

Photoshopではフィルターを複数重ねて使うことができます❶。レイヤーを先述したスマートオブジェクトに変換しておけば、[レイヤー] パネルにフィルター情報が残ります。

　また、重ねて適用したフィルターは、ドラッグ操作で順番を変更できます❷。重ね順を変えると見た目も変わります❸。

フィルターの表示・非表示

フィルター名の左横にある目玉マークをクリックすると、フィルターを非表示にでき、一時的に無効化できます❹。

フィルターの削除

不要なフィルターは、[レイヤー] パネル下部の [レイヤーを削除] ボタンの上にドラッグ＆ドロップして削除できます❺。

フィルターはメモリを消費する

フィルターの中には大量のメモリを消費するものがあります。高解像度の画像に適用する場合は注意が必要です。

　パフォーマンスを向上させるためにも、フィルター適用前に、メニューバーから [編集] → [メモリをクリア] を選択して❻、メモリ容量を確保することをお勧めします。

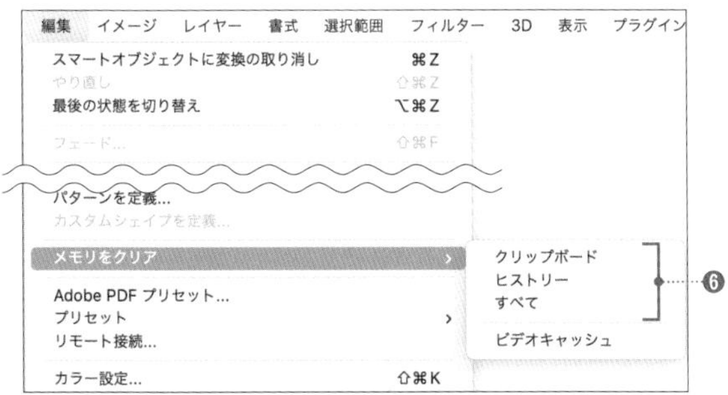

p.122で解説した [レイヤー] → [スマートオブジェクト] → [スマートオブジェクトに変換] コマンドと、本項で解説した [フィルター] → [スマートフィルター用に変換] コマンドは、いずれもレイヤーをスマートオブジェクトに変換するコマンドです。処理結果はまったく同じです。一般的に、フィルターを適用するためにレイヤーをスマートオブジェクトに変換する場合は、本項で紹介している方法で行います。

Sample_Data/Lesson08/8-2/

Lesson 8-2 シャープにする ［アンシャープマスク］

［アンシャープマスク］フィルターは、画像のエッジのコントラストを強調して、ぼやけた画像をシャープにするフィルターです。エッジを強調したい場合に有効です。

［アンシャープマスク］フィルター

［アンシャープマスク］フィルターは、隣接するピクセル間のコントラストを強調して、［量］［半径］［しきい値］の3つの設定をもとに画像をシャープにするフィルターです。

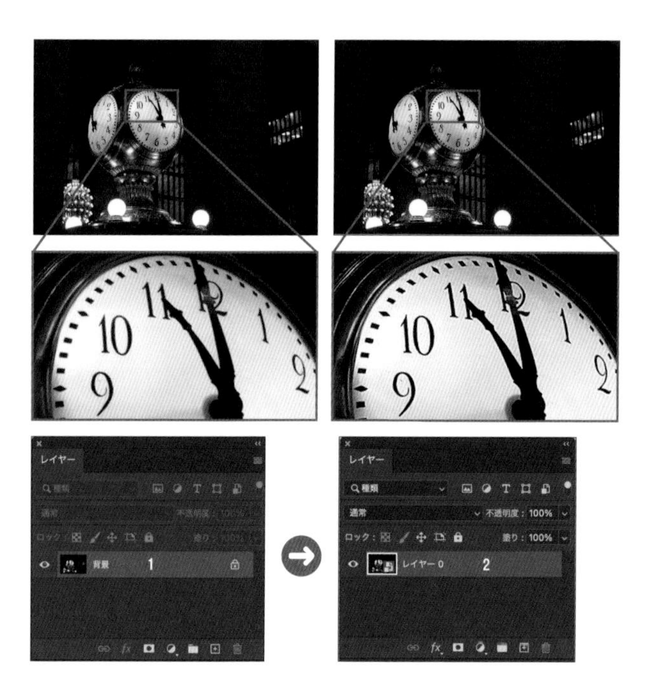

01 ［レイヤー］パネルで、［アンシャープマスク］フィルターを適用するレイヤーを選択し❶、メニューバーから［フィルター］→［スマートフィルター用に変換］を選択して、スマートオブジェクトに変換します❷。

スマートオブジェクトについてはp.122を参照してください。

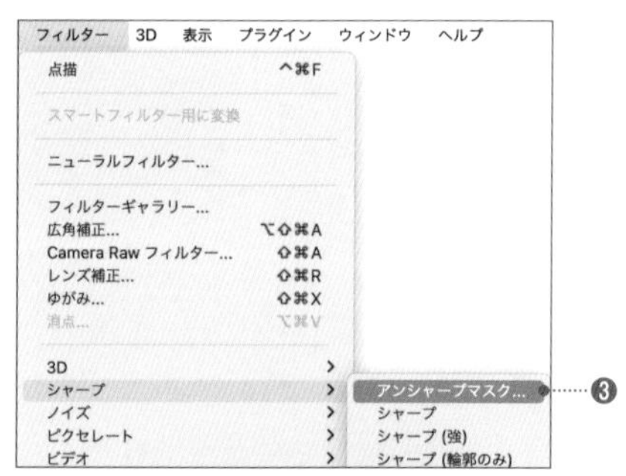

02 メニューバーから［フィルター］→［シャープ］→［アンシャープマスク］を選択して❸、［アンシャープマスク］ダイアログを表示し、設定値を入力して［OK］ボタンをクリックします❹。

今回は次の値を設定して［OK］ボタンをクリックしました。

- ［量：150%］
- ［半径：1.0 pixel］
- ［しきい値：0 レベル］

各項目については次ページの表を確認してください。

プレビュー画面上をドラッグすると、移動できます。また、長押しすると、シャープ適用前の状態を確認できます。プレビュー画面では、拡大・縮小・移動を行うことで、画像の細部を確認できます。

03 選択したレイヤーにフィルターが適用されます❺。

04 フィルター適用後は、[レイヤー] パネルに [アンシャープマスク] フィルターの情報がスマートフィルターとして残ります❻。

05 [アンシャープマスク] フィルターの名前の上をダブルクリックすると、[アンシャープマスク] ダイアログが表示され、設定項目を編集できます。

● [アンシャープマスク] ダイアログの設定項目

項　目	説　明
量	ピクセルのコントラストの増加量を指定する。高解像度画像の場合、150～200％程度が目安
半径	各ピクセルを比較する領域の半径を指定する。半径が大きいほど、エッジの効果は大きくなる。 高解像度画像の場合、1～2程度が目安。低い値にすると、エッジピクセルだけがシャープになり、高い値にすると広範囲のピクセルがシャープになる
しきい値	周囲のピクセルとの差を割り出す。この値を超えると、シャープの対象ピクセルと判断される。0～255の値を指定し、0で画像全体にシャープがかかる

ここも知っておこう！ ▶ **その他のシャープ機能**

Photoshopには全部で5種類のシャープ系フィルターが用意されています。その他のシャープ機能も確認しておきましょう❶。

● その他のシャープ系フィルター

項　目	説　明
シャープ	選択範囲の焦点を合わせてシャープにする
シャープ（強）	[シャープ]より強いシャープ効果
シャープ（輪郭のみ）	画像全体の滑らかさを保ったまま、エッジだけをシャープにする
スマートシャープ	シャドウとハイライトの領域を指定してシャープにする

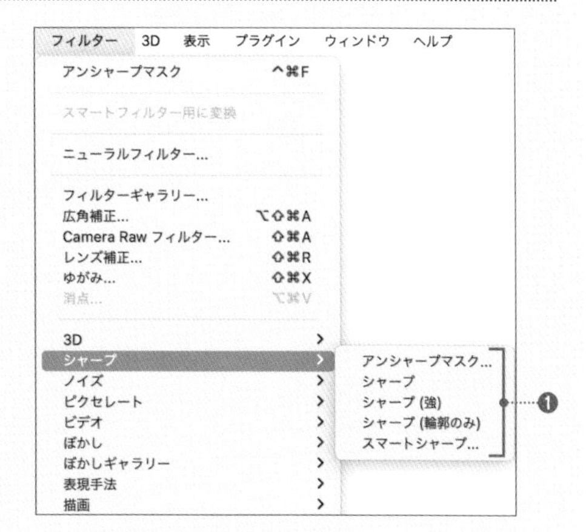

[シャープ] [シャープ（強）] [シャープ（輪郭のみ）] には、設定ダイアログはありません。選択した時点で自動的にフィルターが適用されます。

Sample_Data/Lesson08/8-3/

ぼかしをかける ［ぼかし（ガウス）］

［ぼかし（ガウス）］フィルターは、選択範囲または画像全体をぼかして、やわらかな印象にするフィルターです。画像レタッチなどでも活用できます。

［ぼかし（ガウス）］フィルター

［ぼかし］フィルターは、隣接するピクセルを平均化して、やわらかな印象に加工するフィルターです。ぼかし系フィルターにはいくつかの変換方式がありますが、［ぼかし（ガウス）］フィルターでは、ダイアログで指定した［半径］に応じて画像をぼかします。

01 ［レイヤー］パネルで、フィルターを適用するレイヤーを選択して❶、メニューバーから［フィルター］→［スマートフィルター用に変換］を選択して、スマートオブジェクト（p.122）に変換します❷。

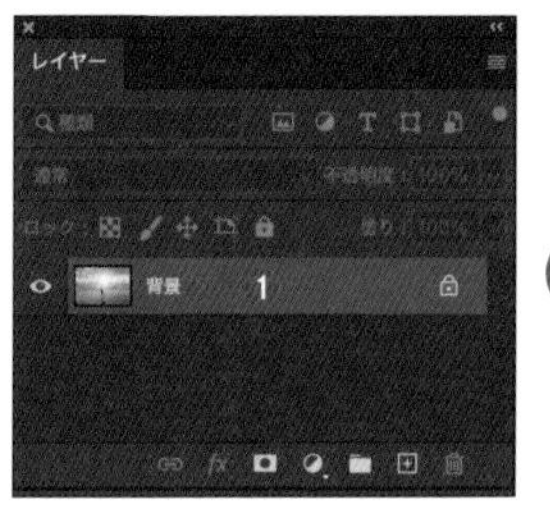

02 メニューバーから［フィルター］→［ぼかし］→［ぼかし（ガウス）］を選択して❸、ダイアログを表示し、［半径］を入力して［OK］ボタンをクリックします❹。

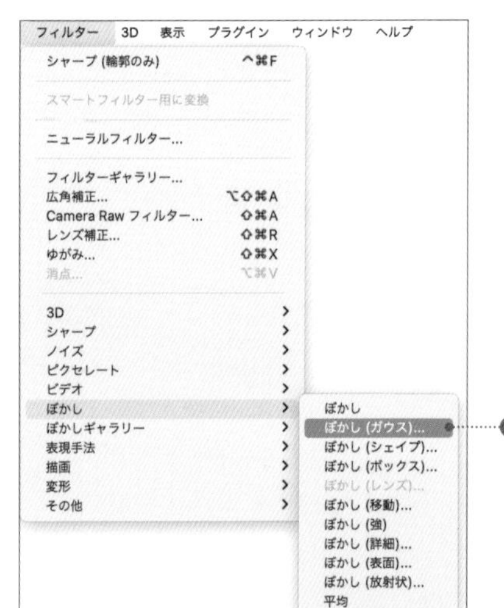

Photoshopには全部で11種類のぼかし系フィルターが用意されています。また、［ぼかしギャラリー］には特殊な手法のぼかしも用意されています。

03 フィルターを適用すると、［レイヤー］パネルに［ぼかし（ガウス）］フィルターの情報がスマートフィルターとして残ります❺。［ぼかし（ガウス）］フィルターの名前の上をダブルクリックすると、［ぼかし（ガウス）］ダイアログが表示され、適用後も編集することができます。

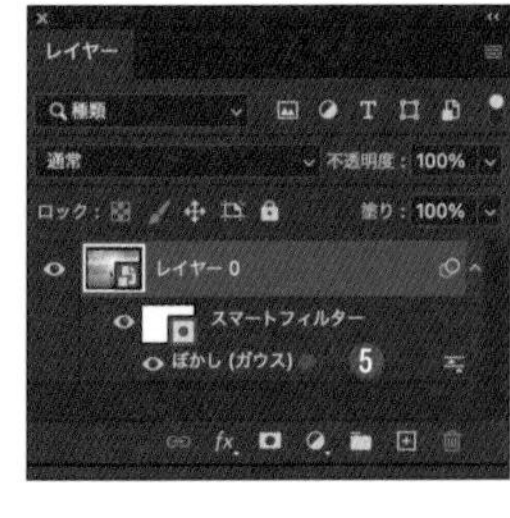

［ぼかし（ガウス）］ダイアログのプレビュー画面の操作は、［アンシャープマスク］ダイアログと同様です（p.186）。

Sample_Data / Lesson08 / 8-4 /

フィルターを画像の一部に適用する

前項までは画像全体に一律にフィルターを適用してきましたが、フィルターマスクを編集することで、部分的にフィルターを無効化したり、特定の範囲のみにフィルターを適用できます。

フィルターマスクの利用

フィルターマスクとは、先述したレイヤーマスクと同等の機能です(p.126)。画像上に選択範囲がある場合、フィルターは選択範囲内のみに適用されます。画像の一部のみにフィルターを適用したい場合は、あらかじめ選択範囲を作成しておく方法が便利です。また、[ブラシ]ツールなどのペイント系のツールでフィルターの適用範囲を編集することもできます。

01 スマートオブジェクト(p.122)に変換済みの画像上に選択範囲を作成します❶。この例では、スケートボード以外の部分に選択範囲を作成しています。

02 メニューバーから[フィルター]→[ピクセレート]→[カラーハーフトーン]を選択して、[カラーハーフトーン]ダイアログを表示し、[最大半径：20]を指定して❷、[OK]ボタンをクリックします。

03 フィルターが選択範囲内のみに適用されて、右図のようになります❸。
また、[レイヤー]パネルを確認すると、自動的に追加されるフィルターマスクに、選択範囲の状態がマスクとして設定されていることが確認できます❹。

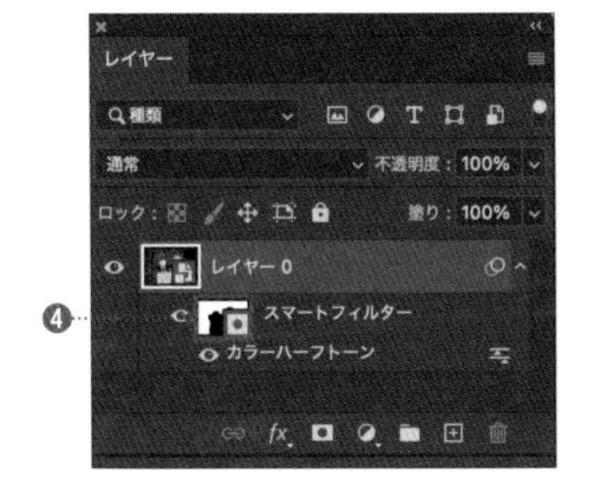

04 フィルターの適用後、フィルターの適用範囲を編集する場合は、レイヤーマスクと同様、[レイヤー]パネルでフィルターマスクを選択して、[ブラシ]ツールなどのペイント系ツールで黒〜グレー〜白で描画します。

フィルターマスクのサムネールを見ると、フィルター適用外の範囲が黒で塗られていることが確認できます❺。修正する場合は、マスクを白で塗るとフィルターが適用されるようになります。

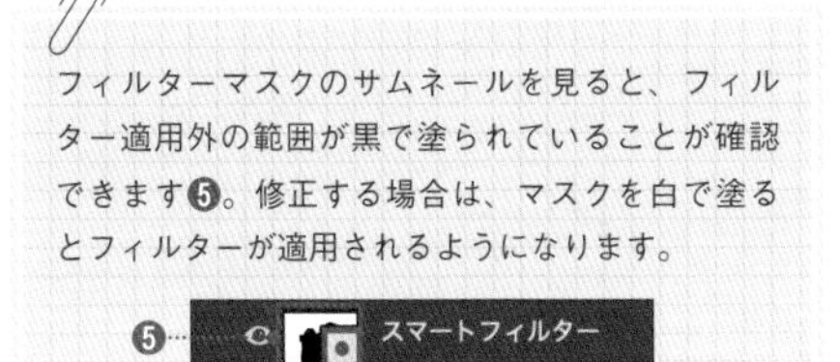

Sample_Data/Lesson08/8-5/

ニューラルフィルター

ニューラルフィルターとは、機械学習テクノロジーである「Adobe Sensei」の技術を活用したフィルターです。元の画像に実際には存在しない新しいピクセルを手軽に生成できます。

ニューラルフィルターの使用

まずはじめにクラウドからフィルターをダウンロードします。[ニューラルフィルター] パネルでは、主要なフィルターと beta 版フィルターの両方を検索して使用できます。
ここでは、モノクロ画像を [カラー化] フィルターを使ってカラー画像にしてみましょう。

図1 左図は元のモノクロ画像、右図は [カラー化] フィルターを使ってカラー化した画像です。

01 メニューバーから [フィルター] → [ニューラルフィルター] を選択します❶。

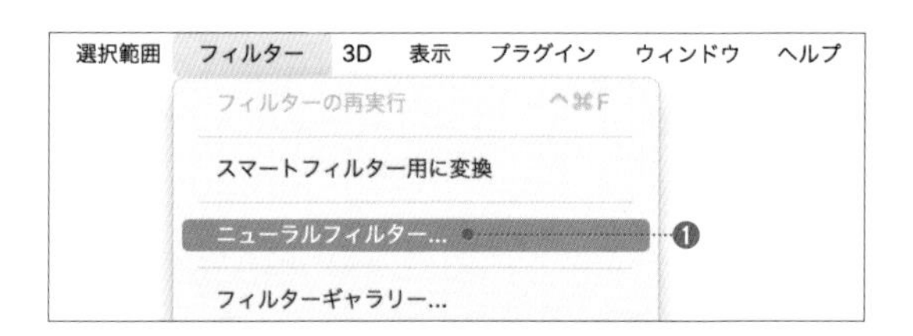

ここでは、事前にレイヤーをスマートフィルター用に変換する必要はありません (p.122)。Step 04の出力設定により、自動的にスマートオブジェクトに変換されます。

02 ニューラルフィルターの編集画面に切り替わります。[ニューラルフィルター] パネルの [すべてのフィルター] に使用できるフィルターが表示されます❷。また、[待機リスト] には、今後リリース予定のフィルターが表示されます。

使用できるニューラルフィルターは、[ポートレート]、[クリエイティブ]、[カラー]、[写真]、[復元] の5つのカテゴリに分かれています。

03 右横にクラウドアイコンが表示されているフィルターは、はじめて使用する前にクラウドからダウンロードする必要があります。クラウドアイコンをクリックして、フィルターをダウンロードします❸。

04 フィルター名をクリックして選択し、オンにして有効化します❹。右側のオプションの [画像を自動でカラー化] にチェックが入っていると❺、自動で画像はカラー化します❻。

05

必要に応じて、[色調補正] エリアで彩度、色み、ノイズの軽減などを調整します❼。ここでは、シアンと青を調整して青みを増やしました。調整後、[出力] で [スマートフィルター] を選択し❽、[OK] ボタンをクリックします❾。

[出力]で[スマートフィルター]を選択すると、現在のレイヤー(背景レイヤー)は、スマートオブジェクトレイヤーに変換され、適用したフィルターはスマートフィルターになります。そのほかの出力先(フィルターの適用先)として、[現在のレイヤー](背景レイヤーのみ選択可)、[新規レイヤー]、[マスクされた新規レイヤー]、[新規ドキュメント]を選択できます。

06

モノクロ画像がカラー画像になりました❿。[レイヤー] パネルを見ると、[ニューラルフィルター] の情報がスマートフィルターとして残っていることが確認できます⓫。[ニューラルフィルター] の名前の上をダブルクリックすると、再度編集画面が表示されます。

ニューラルフィルターの編集画面では、ユーザーからフィードバックを送信できるようになっています。ニューラルフィルターは、機械学習テクノロジーを使用した機能です。そのため、ユーザーからのフィードバックは、フィルターの改善に非常に重要となります。機能を試した結果、満足したか、[はい] [いいえ] のいずれかをクリックして回答する手軽なもので、詳細なリクエストも送信できます。

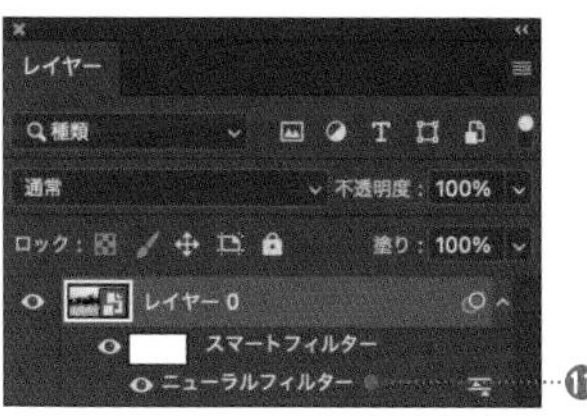

Sample_Data/Lesson08/8-6/

フィルターギャラリー

フィルターギャラリーを使うと、フィルターの設定をプレビューしながら確認・調整できます。複数のフィルターを重ねて適用したり、適用のオン／オフの切り替え、適用順序の変更なども可能です。

フィルターギャラリーの概要

フィルターギャラリーとは、特殊効果系・描画系のフィルターを、大画面のプレビューを見ながら適用できる機能です。フィルターごとに詳細を設定でき、また複数のフィルターを重ねて適用した場合の、適用順序の変更や、適用のオン／オフの切り替えなども実行できます。

フィルターギャラリーを使用するには、メニューバーから［フィルター］→［フィルターギャラリー］を選択します❶。すると、下図の画面が表示されます。

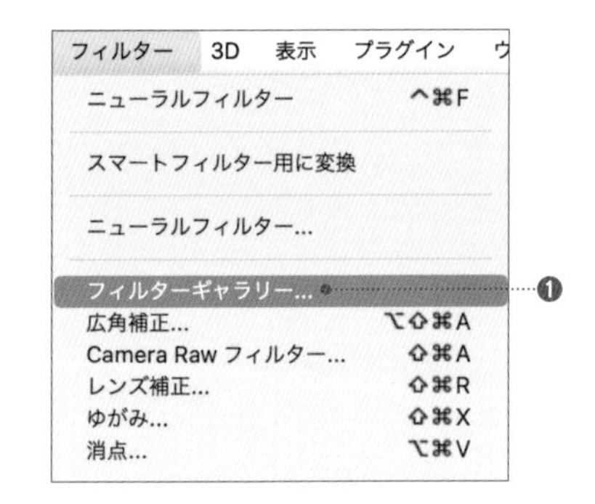

フィルターのプレビューです。画像の上にカーソルを合わせると、［手のひら］ツールになり、画像を移動できます。

フィルターのカテゴリが表示されます。カテゴリ名をクリックすると、フィルターのサムネールが表示され、フィルター名をクリックすると、選択したフィルターの設定項目が右側に表示されます。

選択したフィルターの設定項目です。項目はフィルターごとに異なります。［OK］ボタンをクリックすると、画像にフィルターが適用されます。

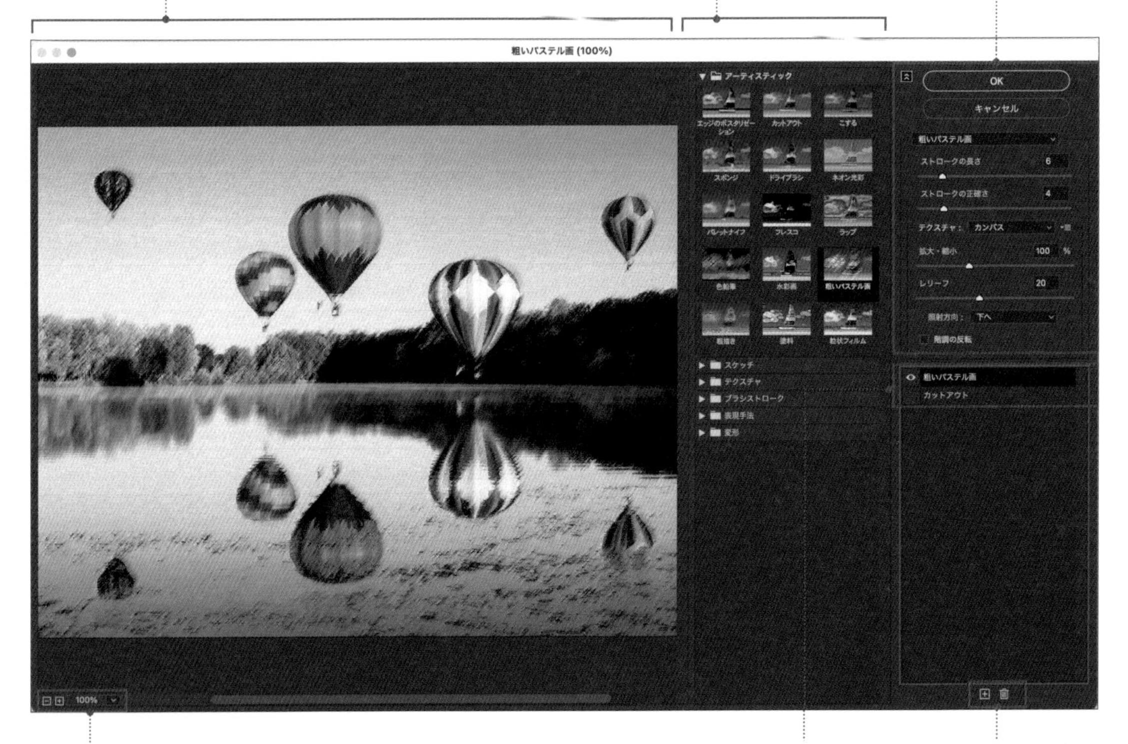

プレビューの表示倍率を指定できます。細部を確認する場合は拡大表示にします。

複数のフィルターを適用した場合の適用順序を確認できます。また、フィルター名をドラッグ＆ドロップすることで、順序を入れ替えられます。

フィルター効果を追加したり、削除したりできます。

フィルターを適用する

フィルターギャラリーを用いて、画像にフィルターを適用するには、次の手順を実行します。

01 [レイヤー] パネルで、フィルターを適用するレイヤーを選択して❶、メニューバーから[フィルター]→[スマートフィルター用に変換] を選択して、スマートオブジェクト(p.122)に変換します❷。

02 メニューバーから [フィルター] → [フィルターギャラリー] を選択してフィルターギャラリーを起動し、画面中央のフィルターのカテゴリの中から、目的のフィルターを探して、サムネールをクリックします❸。

03 画面左側にプレビューが表示され、右側に設定項目が表示されます❹。目的に合わせて各項目を設定し [OK] ボタンをクリックします。

04 [レイヤー] パネルを見ると、[フィルターギャラリー] の情報がスマートフィルターとして残っていることが確認できます❺。[フィルターギャラリー] の名前の上をダブルクリックすると、再度設定画面が表示されます。

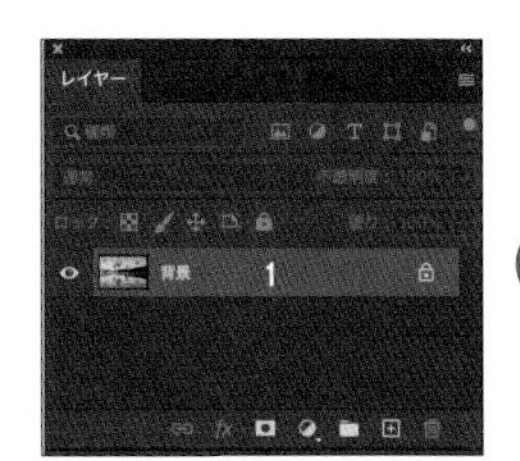

複数のフィルターを重ねる

1つの画像に複数のフィルターを適用する場合は、[フィルターギャラリー] の右下にある [新しいエフェクトレイヤー] ボタンをクリックします❶。

追加時点では既存のフィルターが二重で追加されるので❷、画面中央のフィルターのカテゴリの中から別のフィルターを選択します❸。

フィルターの適用順序は、フィルター名をドラッグ＆ドロップすることで変更できます❹。変更すると画像の見え方も変わります。

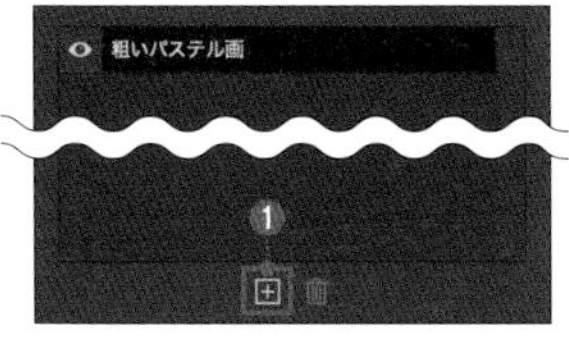

Lesson 8 フィルターの活用

フィルターギャラリーのフィルター一覧

右の元画像を用いて、フィルターギャラリーに用意されているフィルターの概要を紹介します。元画像との違いに注目しながら、見比べてみてください。

元画像

アーティスティック(15種類)ー芸術技法を使って画像を絵画調に加工する

エッジのポスタリゼーション／画像のカラー数を減らし、黒い線でエッジをなぞるように描き出します。

カットアウト／色紙を無造作に切って貼り付けたような画像を作成します。

こする／短い斜線を使用して画像を描きます。

スポンジ／スポンジで描いたような効果をシミュレートします。

ドライブラシ／ドライブラシ手法(水彩と油彩の中間)を使用して画像のエッジを描きます。

ネオン光彩／さまざまなタイプの光彩を画像のオブジェクトに追加します。

パレットナイフ／画像のディテールを減らし、下地のテクスチャが透けて見えるような効果を加えます。

フレスコ／軽く叩くように、短く丸い塗りを重ねていき、粗いタッチで画像を描きます。

ラップ／光沢のあるプラスチックで画像をコーティングしたように見せ、表面のディテールを強調します。

色鉛筆／無地の背景(背景色が使われる)に色鉛筆で画像を描いたような効果を加えます。

水彩画／標準のブラシに水と絵の具を含ませて描いた水彩画のような画像を作成します。

粗いパステル画／テクスチャを適用した背景に、カラーパステルチョークのストロークを適用します。

粗描き／テクスチャを適用した背景に画像を描き、最終的に画像をその上にかぶせます。

塗料／さまざまな大きさ・種類からブラシを選択し、絵画のような効果を加えます。

粒状フィルム／影の領域と中間調の領域に均一なパターンを適用します。

スケッチ（14種類）ー絵画調にしたり、3D効果を加えたりする

※ウォーターペーパー以外、描画時に描画色と背景色が使用されます。ここでは［描画色：黒］［背景色：白］に設定しています。

ウォーターペーパー／繊維の長い湿った紙に絵の具を塗りつけたような効果を出します。

ぎざぎざのエッジ／ずたずたに破いた紙片のように構成を変え、カラーをつけます。

グラフィックペン／細い線形のインクストロークを使用して、元の画像のディテールを描画します。

クレヨンのコンテ画／クレヨンのコンテ画のような濃さと白さのテクスチャを再現します。

クロム／画像を磨き上げたクロムの表面のように描画します。

コピー／画像をコピーしたような効果を加えます。

スタンプ／ゴム印か木製のスタンプで作成したように画像を単純化します。白黒画像に最適です。

チョーク・木炭画／ハイライトと中間調を中間調グレーの粗いチョークで描き、シャドウを黒の斜線で木炭画のようにペイントします。

ちりめんじわ／フィルム膜面の収縮と変形をシミュレートします。

ノート用紙／手製の紙で作成したような印象を加えます。

ハーフトーンパターン／ハーフトーンスクリーンを使用したような効果をシミュレートします。

プラスター／立体のプラスター（漆喰）から画像を型取り、型どった画像にカラーをつけたような効果を作成します。

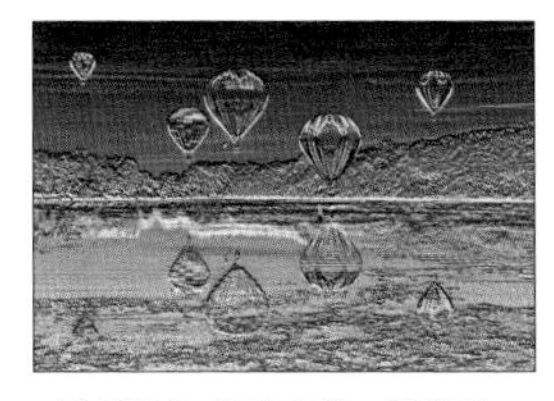

浅浮彫り／画像を浅い浮彫りにしたように変形させ、表面の変化を強調するように照らします。

木炭画／ポスタリゼーション処理されたこすったような効果を作成します。

テクスチャ（6種類）ー素材感を出す

クラッキング／細かいひび割れのような効果を作り出します。

ステンドグラス／描画色の輪郭を持つ単色のセルが連続したものとしてペイントし直します。

テクスチャライザー／選択したテクスチャを適用します。

パッチワーク／四角形に分割し、その中を最も多く使用されているカラーで塗りつぶします。

モザイクスタイル／タイルで構成されているように画像を描き、タイル間に溝を作ります。

粒状／粒状を表現してテクスチャを適用します。

ブラシストローク(8種類)ーブラシやインクの特性を使って絵画調に加工する

インク画(外形)／画像のディテールをペンとインクによる細い線ではっきりと縁取りします。

エッジの強調／エッジの明るさコントロールの設定値により、画像のエッジを強調します。

ストローク(スプレー)／画像内の主なカラーを使用して、角度を付けてスプレーしたようにペイントします。

ストローク(暗)／暗い部分を短く隙間のないストロークで、明るい部分を長く白いストロークでペイントします。

ストローク(斜め)／斜めのストロークを使用してペイントします。

はね／エアブラシで絵の具が飛び散ったような効果を加えます。

墨絵／インクをたっぷりとふくませたブラシで和紙に描いたように加工します。

網目／鉛筆で線影をつけたように、カラー部分のエッジを粗くします。

表現手法

エッジの光彩／カラーのエッジを識別し、ネオンのような光彩を加えます。

変形(3種類)ーゆがめて、3D効果を加える

ガラス／さまざまな種類のガラスを通して見たような効果を与えます。

海の波紋／画像の表面に波紋を加え、水面下にある画像を見ているような効果を出します。

光彩拡散／ソフトな拡散フィルターを通して見ているような画像を描きます。

ここも知っておこう！

▶［フィルター］メニューのカテゴリに表示する

フィルターギャラリーに登録されているフィルターは、初期設定では、［フィルター］メニューのカテゴリからは選択できません。選択できるようにするには、メニューバーから［Adobe Photoshop 2024］→［設定］(Windowsは［編集］→［環境設定］)→［プラグイン］を選択して、表示される［環境設定］ダイアログの［すべてのフィルターギャラリーグループと名前を表示］にチェックを入れます❶。

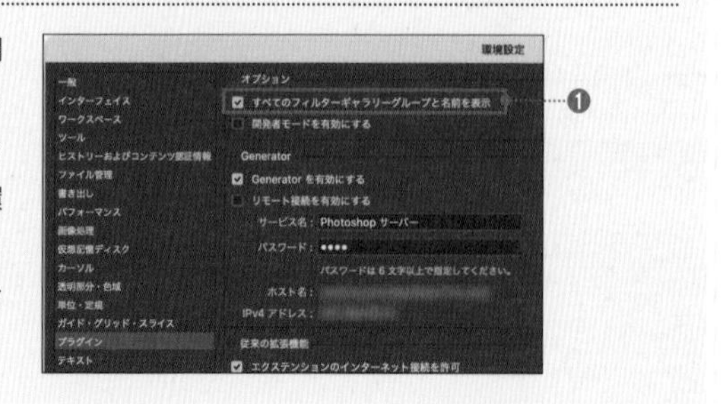

Lesson 9

Text, Path, Shape.

文字、パス、シェイプ

Photoshopのベクター系機能を理解する

本章では、文字の入力と編集、およびパスやシェイプについて解説します。Photoshopの処理対象は基本的にはビットマップ画像ですが、ベクトル画像の扱い方も重要です。

Sample_Data/Lesson09/9-1/

Lesson 9-1 文字の入力と編集

文字系のツールで文字を入力すると、自動的にテキストレイヤーが作成されます。これまでに学んできた画像レイヤーとの違いを意識しながら読み進めてください。

文字を入力するツール

Photoshopには、文字を入力するツールとして次のツールが用意されています❶。

- [横書き文字] ツール
- [縦書き文字] ツール

本書では主に [横書き文字] ツールを使用して解説を進めますが、操作方法は同じです。

また、入力した文字形状の選択範囲を作成するツールとして次のツールが用意されています❷。

- [横書き文字マスク] ツール
- [縦書き文字マスク] ツール

これらのツールを使用すると、入力した文字の形状の選択範囲を作成できます❸。

文字入力とテキストレイヤー

[横書き文字] ツールや [縦書き文字] ツールを使って画像上に文字を入力すると、自動的にテキストレイヤーが作成されます❶。文字を入力後は、テキストレイヤーのサムネールをダブルクリックすると編集モードになり、簡単に文字を修正できます。

また、詳しくは後述しますが、入力した文字のフォントや字間、行間などは [文字] パネルや [段落] パネルで設定します。これらのパネルは文字入力と密接に関係してきますので、併せて覚えておいてください。

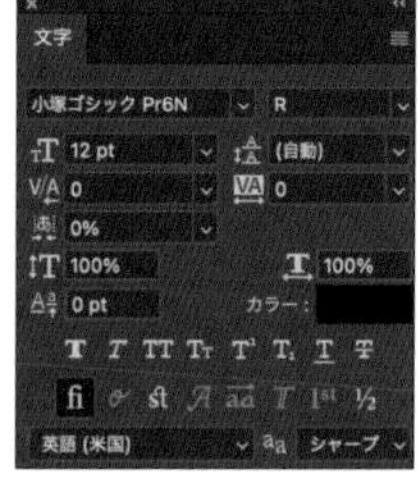

テキスト関連の各種設定は [文字] パネルと [段落] パネルで行います。なお、[テキスト] レイヤーを選択時の [プロパティ] パネルでも、テキスト関連の各項目を設定できます。

文字を入力してみよう！

実際に文字を入力してみましょう。

01 ツールパネルで［横書き文字］ツール を選択して❶、オプションバーで各項目を設定します❷（下表参照）。

02 画像上をクリックすると、「Lorem Ipsum」というダミーテキストが表示されます❸。そのままキーボードから文字を入力します❹。

03 文字を入力したら、オプションバーの○ボタンをクリックするか❺、ツールパネルで［移動］ツール を選択して、入力を確定します。
［レイヤー］パネルには、自動的にテキストレイヤーが作成されます❻。
文字を入力後は、サムネールをダブルクリックすると❼編集モードになり❽、オプションバーの設定や入力内容を変更できます。

文字入力時のダミーテキストを非表示にするには、［Adobe Photoshop 2024］→［設定］（Windowsは［編集］→［環境設定］）→［テキスト］を選択して表示される［環境設定］ダイアログで、［テキストオプション］の［新しいテキストレイヤーにサンプルテキストを表示する］のチェックを外します。以降は、ダミーテキストは非表示で解説しています。

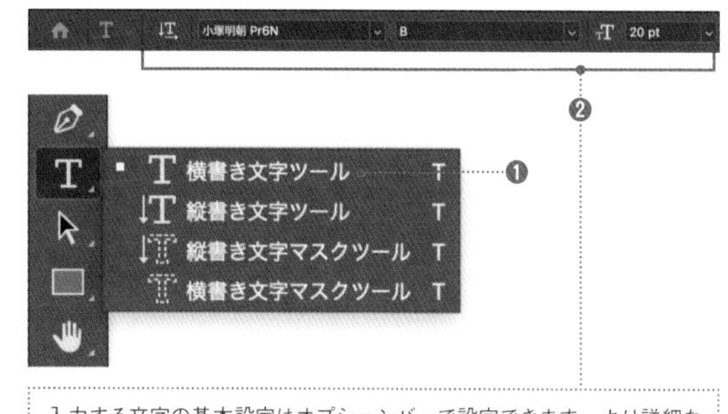

入力する文字の基本設定はオプションバーで設定できます。より詳細な設定は［文字］パネルや［段落］パネルで行います（p.201）。

文字ツールのオプションバー（文字入力・編集中）

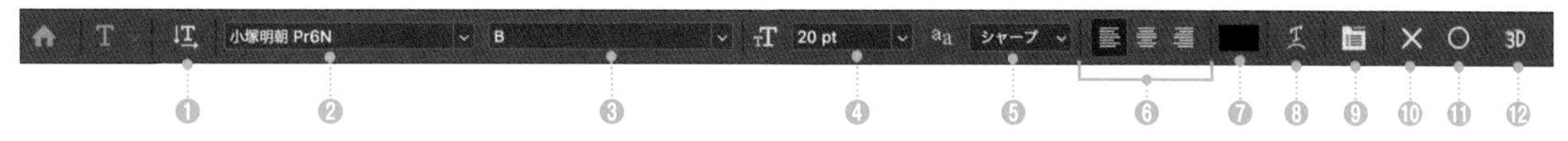

文字ツールのオプションバーの設定項目（文字入力・編集中）

項　目	説　明
❶組み方向の変換	文字の入力方向（横書き、または縦書き）を変更する
❷フォントファミリー	使用するフォント（書体）を指定する
❸フォントスタイル	フォントのウェイト（太さ）を指定する。1種類しかない場合は変更不可
❹フォントサイズ	文字の大きさを指定する
❺アンチエイリアス	文字のエッジの滑らかさを指定する。通常は［シャープ］を選択する
❻行揃え	行の揃え方を指定する。オプションバーには、左揃え、中央揃え、右揃えの3種類が表示される
❼カラー	文字のカラーを指定する。クリックするとカラーピッカーが表示される（p.151）
❽ワープテキストを作成	文字にワープをかけて変形する（p.204）
❾文字パネルと段落パネルを切り替え	クリックすると［文字］パネル（p.201）や［段落］パネル（p.202）の表示・非表示を切り替える
❿キャンセル	文字入力・編集をキャンセルする
⓫確定	文字入力・編集を確定する
⓬テキストから3Dを作成	3D編集モードに切り替わる。3D編集は特殊機能であるため、本書では解説を割愛

文字の入力方法

文字の入力方法には次の3種類があります。

ポイントテキスト

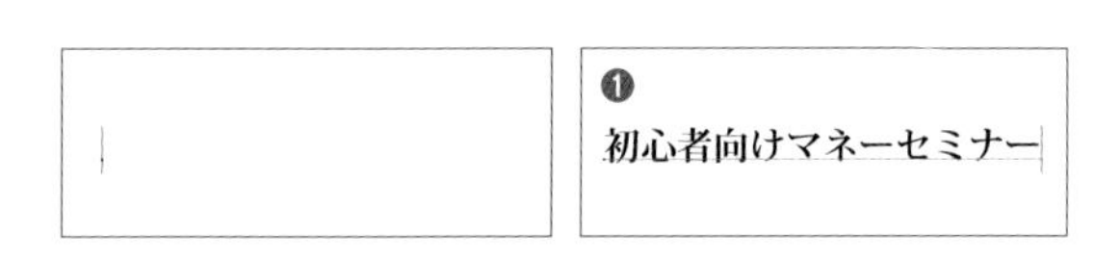

ポイントテキストとは、改行しない限り、横書きの場合は横に、縦書きの場合は縦に、文字が流れ続ける入力方法です。前ページで入力したのはポイントテキストです。タイトルや見出しなど、短文向きの入力方法です❶。

段落テキスト

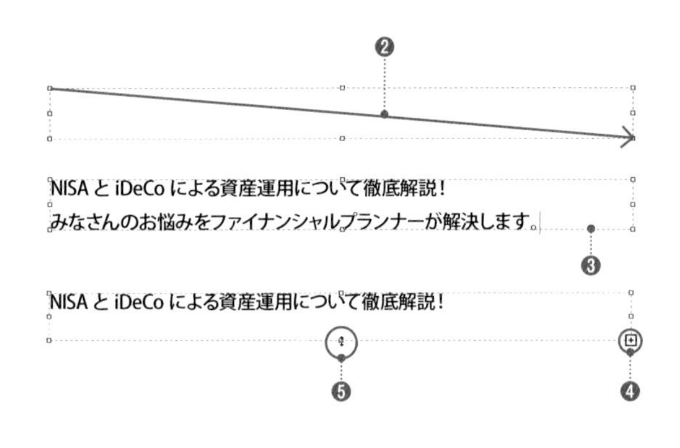

段落テキストとは、指定したテキストエリアの端まで文字が入力されると、自動的に改行される入力方法です。文字系ツールで画面上をドラッグしてテキストエリアを指定してから❷、文字を入力します❸。本文などの長文向きの入力方法です。

なお、テキストエリア内のすべての文字が表示されていない場合（オーバーフロー）、テキストエリアの右下（縦組みは左下）に［＋］マークが表示されます❹。この場合はハンドルをドラッグしてテキストエリアのサイズを調整します❺。

パス上テキスト

パス上テキストとは、パス（p.208）の形状に沿って文字を入力する方法です。事前に描画したパスの上をクリックし❻、カーソルが点滅したら文字を入力します❼。曲線のパス上に入力すると、リズミカルな印象になるため、アクセントとしても使えます。

文字の編集

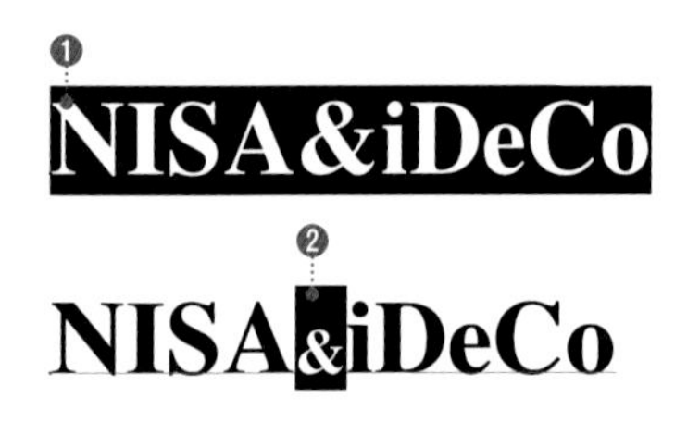

入力した文字を編集するには、テキストレイヤーのサムネールをダブルクリックして編集モードにします❶。文字の一部をドラッグして選択することができます❷。

文字の移動

文字は［移動］ツールで移動できます❶。［移動］ツールのオプションバーで［自動選択］にチェックを入れ、［レイヤー］を選択しておけば❷、画面上で文字をクリックすると自動選択され、移動できます❸。

[文字]パネル

入力した文字に関する詳細設定は、[文字]パネルと[段落]パネルで設定できます。先に[文字]パネルについて解説します。

[文字]パネルでは以下の項目を設定できます。先に[レイヤー]パネルで対象のテキストレイヤーを選択するか、または文字ツールを使って文字の一部を選択してから、各項目を設定します。

[文字]パネルのパネルメニュー❶から[文字パネルを初期化]を選択すると、パネルを初期化できます。

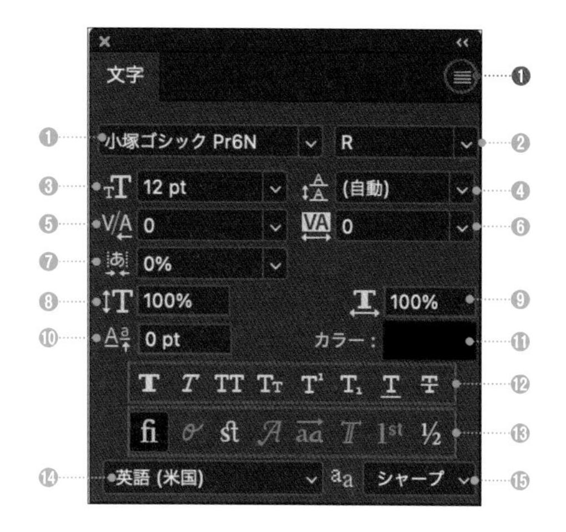

● [文字]パネルの設定項目

項　目	説　明
❶フォントファミリー	使用するフォント(書体)を指定する
❷フォントスタイル	フォントのウェイト(太さ)を指定する。1種類しかない場合は変更不可
❸フォントサイズ	文字の大きさを指定する
❹行送り	行と行の間隔を設定する。初期設定の(自動)の値はフォントサイズの175%。例えば、文字が10ptの場合は17.5ptになる
❺カーニング	特定の文字と文字の間隔を調整する。文字と文字の間にカーソルを入れて調整する
❻トラッキング	選択した文字列の間隔を調整する。選択文字列のすべての字間を一律に調整する
❼ツメの設定	文字の周囲のスペースを指定した割合でツメる
❽垂直比率	文字高の拡大・縮小率を指定する
❾水平比率	文字幅の拡大・縮小率を指定する
❿ベースラインシフト	文字のベースラインを設定する。通常は0ptのままにしておく
⓫カラー	文字のカラーを指定する。クリックするとカラーピッカーが表示される(p.151)
⓬文字の装飾	左から[太字][斜体][オールキャップス][スモールキャップス][上付き文字][下付き文字][下線][打ち消し線]。文字を選択後に各ボタンを押すことで設定できる
⓭OpenType機能	合字やスワッシュ字形、分数表記など、OpenTypeフォントに関する設定
⓮言語設定	ハイフネーションやスペルチェックを行う際に基準となる言語を設定する
⓯アンチエイリアス	文字のエッジの滑らかさを指定する。ただし、Web素材の文字を滑らかにすると、にじんで見えることがあるので注意が必要。通常は[シャープ]を選択する

ここも知っておこう！

▶ カーニングとトラッキング

カーニングとトラッキングは、ともに文字と文字の間隔を調整する機能ですが、設定方法が異なるので注意してください。カーニングは「特定の文字と文字の間隔」を調整する機能であるため、文字間にカーソルを入れて設定する必要があります❶。一方、トラッキングは「選択した文字列」を調整する機能であるため、対象の文字列に対して一律の字間を設定します❷。

なお、字間の設定はショートカットキーが便利です。カーニングの場合、カーソルを入れた状態で、option (Alt) を押しながら←(縦組みは↑)でつめる、→(縦組みは↓)で空けることができます。トラッキングの場合、文字列を選択した状態で、同様のショートカットを使って調整できます。

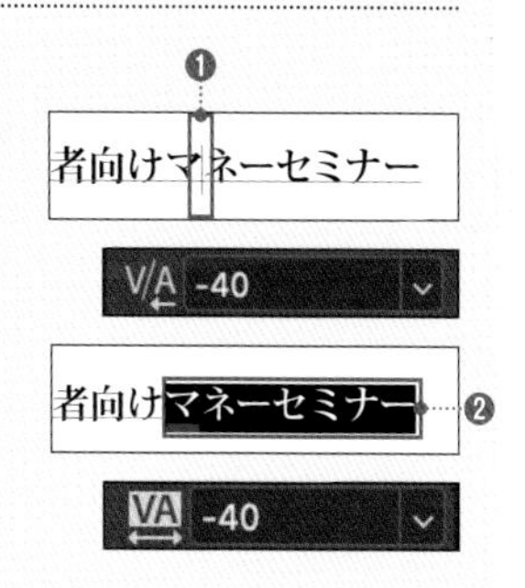

[段落]パネル

[段落]パネルでは、文字の行揃えや字下げ(インデント)、段落前後のアキの設定などを行えます。

また、パネル下部では禁則処理や文字組みに関する項目も設定できます。

[文字]パネルや[段落]パネルの設定は、テキスト編集モードでない場合でも、テキストレイヤーが選択されていれば適用できます。

● [段落]パネルの設定項目

項　目	説　明
❶行揃え	文字の行揃えを設定する
❷インデント	テキストエリアの端とテキストの間隔を設定する
❸段落のアキ	段落ごとの間隔を設定する。段落前と段落後に設定できる
❹禁則処理	禁則処理とは、行頭に「。」や「、」といった句読点や、行末に「(」のような始め括弧が配置されないように、文字組みを自動調整する機能。[強い禁則]もしくは[弱い禁則]を設定すると、Photoshopに禁則文字として登録されている文字が行頭や行末に配置されなくなる
❺文字組み	日本語の文章で使用する和欧文字や約物(句読点や括弧など)の間隔を調整する設定
❻ハイフネーション	チェックを入れると、[文字]パネルで設定した言語設定に基づいて、ハイフネーションが設定される

ここも知っておこう!

▶ 行送りの初期設定値

初期設定の自動行送りでは、行送りは「フォントサイズの175%」に設定されます。この値を変更するには[段落]パネルメニューから[ジャスティフィケーション]を選択して❶、ダイアログを表示し、[自動行送り]に任意の値を設定します❷。

一般的に、タイトルや見出しなどの文字量が少ない箇所は120%程度、本文などの文字量が多い箇所は150%〜200%に設定すると、可読性が良い文章になるといわれています。

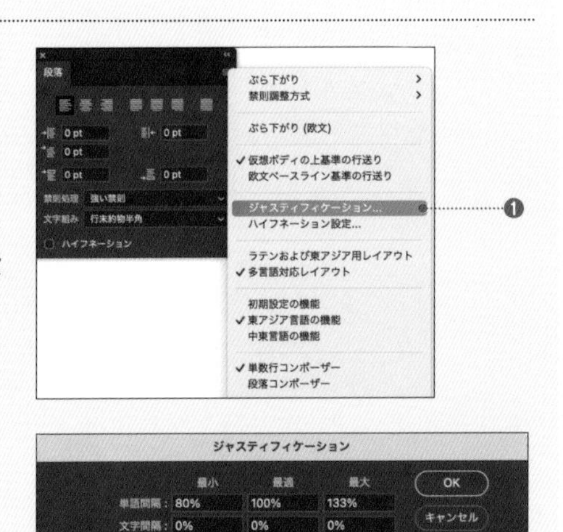

テキストのラスタライズ

フィルターやペイント系ツールなど、Photoshopのいくつかの機能は、テキストレイヤーに対して実行できません。これらの機能を利用するには、事前にテキストをラスタライズする必要があります。

ラスタライズとは、ベクトル画像であるテキストをビットマップ画像（ラスター画像）に変換する処理です。ラスタライズすると通常のレイヤーに変換されるため、Photoshopのあらゆる機能を実行できます。半面、フォントを変更したり、行間を調整したりといった、テキスト編集はできなくなるので注意してください。

テキストレイヤーをラスタライズするには、[レイヤー] パネルでテキストレイヤーを選択して❶、メニューバーから [書式] → [テキストレイヤーをラスタライズ] を選択します❷。

すると、テキストレイヤーがラスタライズされて、通常のレイヤーに変換されます❸。

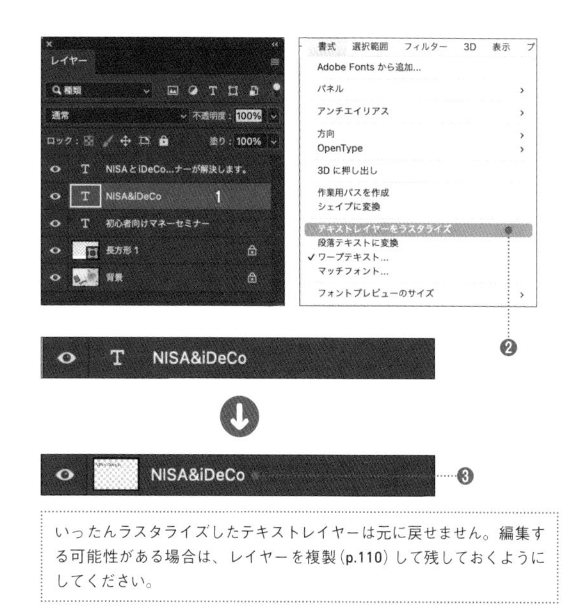

いったんラスタライズしたテキストレイヤーは元に戻せません。編集する可能性がある場合は、レイヤーを複製（p.110）して残しておくようにしてください。

作業用パスやシェイプに変換

テキストレイヤーは、作業用パス（p.209）や、シェイプに変換できます。

作業用パスを作成するには、メニューバーから [書式] → [作業用パスを作成] を選択します❶。すると、[パス] パネルに作業用パスが作成されます❷。

シェイプに変換するには、メニューバーから [書式] → [シェイプに変換] を選択します❸。すると、テキストレイヤーはシェイプレイヤーになり❹、[パス] パネルにはシェイプパスが作成されます❺。

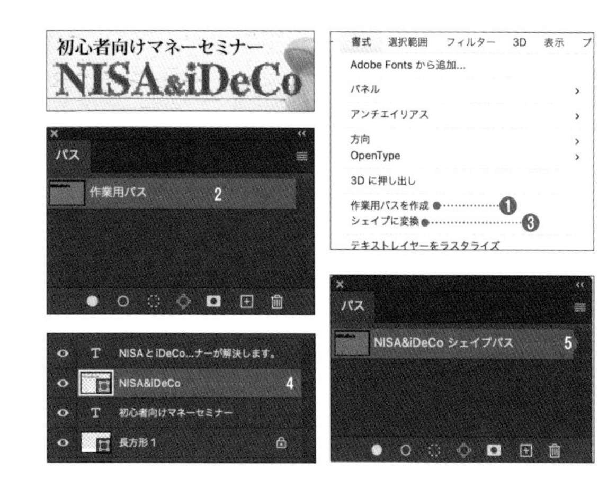

ここも知っておこう！ ▶ ポイントテキストと段落テキストの相互変換

文字の入力方法として、ポイントテキストと段落テキストがあることを説明しましたが（p.200）、これらは入力後に相互に変換できます。

変更するには、メニューバーから [書式] → [段落テキストに変換] または [書式] → [ポイントテキストに変換] を選択します❶❷。

テキスト内にカーソルが入っていない状態でテキストレイヤーを選択してこのコマンドを実行すると、ポイントテキストと段落テキストを簡単に切り替えられます。なお、オーバーフローしている段落テキストをポイントテキストに変換すると、オーバーフロー（p.200）している文字は削除されるので、変換前に確認してください。

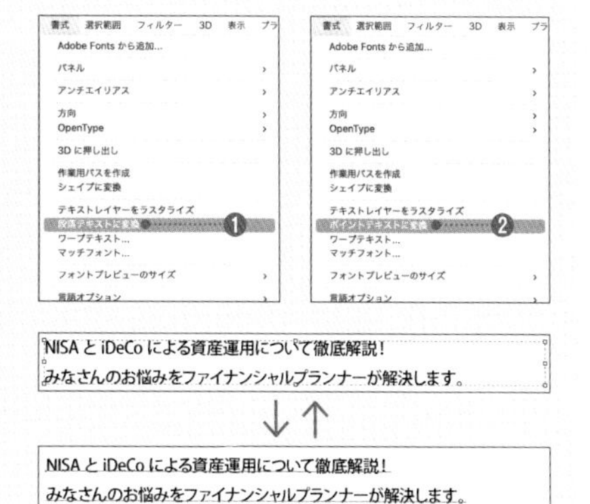

Sample_Data/Lesson09/9-2/

Lesson 9-2 文字を変形する

［ワープテキスト］機能を使うと、簡単な操作で入力した文字をさまざまな形状に変形できます。変更内容は後から何度でも修正できるので試行錯誤しながら作業を進められます。

［ワープテキスト］機能の利用

［ワープテキスト］機能を使うと、入力済みの文字列をさまざまな形状（スタイル）に変形できます。Photoshopには15種類のスタイルが用意されています。

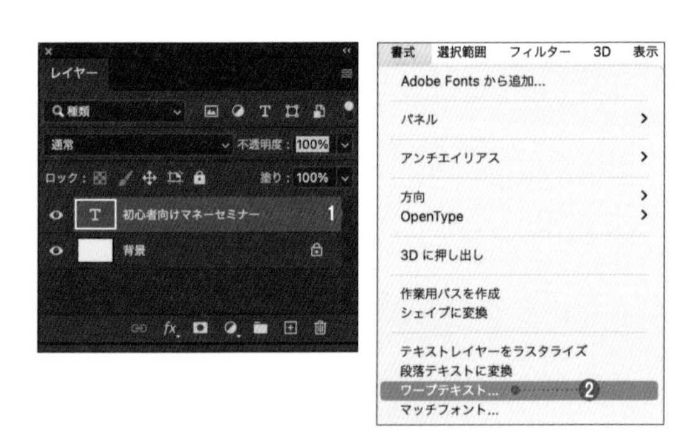

01 ［レイヤー］パネルでテキストレイヤーを選択して❶、メニューバーから［書式］→［ワープテキスト作成］を選択します❷。

02 表示される［ワープテキスト］ダイアログで各項目を設定します。今回は［スタイル：円弧］を選択し❸、［水平方向］［カーブ：30%］に設定して❹、［OK］ボタンをクリックします❺。

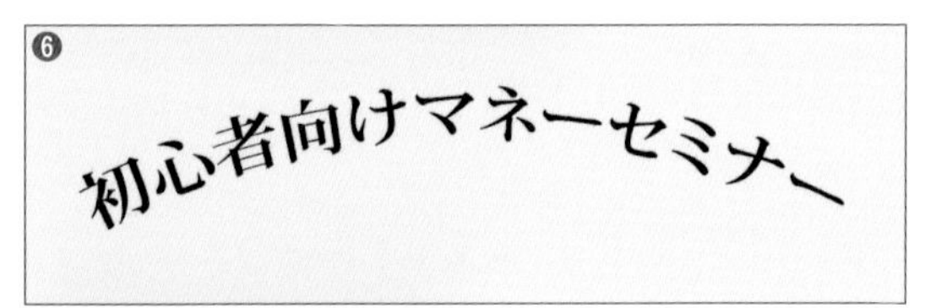

03 選択した文字が変形します❻。また、［レイヤー］パネルのテキストレイヤーのサムネールがワープを適用している表示に切り替わります❼。

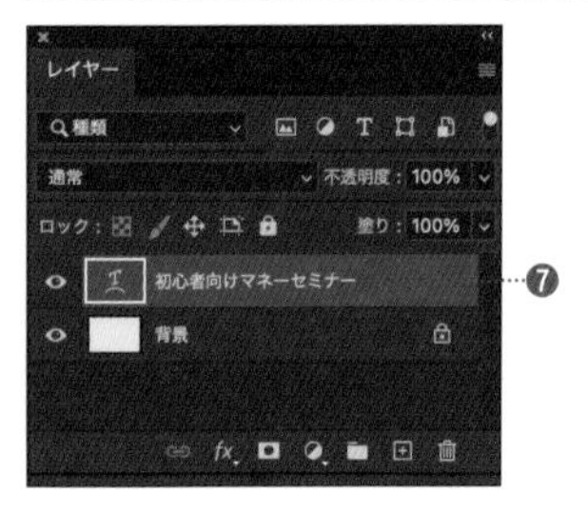

スタイルとは、ワープの形状です。最初にスタイルを設定し、次にワープの方向を水平か垂直で指定します。［ワープテキスト］機能では、画面上の文字がリアルタイムで変更されるので、実際にいろいろなスタイルを選択して、どのように変わるか確認してみてください。

ワープテキストの編集

ワープテキストの設定は保持されているので、ワープ適用後に、いつでも設定を変更できます。

01 設定を変更するには、テキストレイヤーのサムネールをダブルクリックして編集モードにし❶、オプションバーの［ワープテキストを作成］をクリックします❷。

02 ［ワープテキスト］ダイアログが表示されるので各項目を変更します。ワープの適用を無効にする（元に戻す）には、［スタイル：なし］を選択します❸。

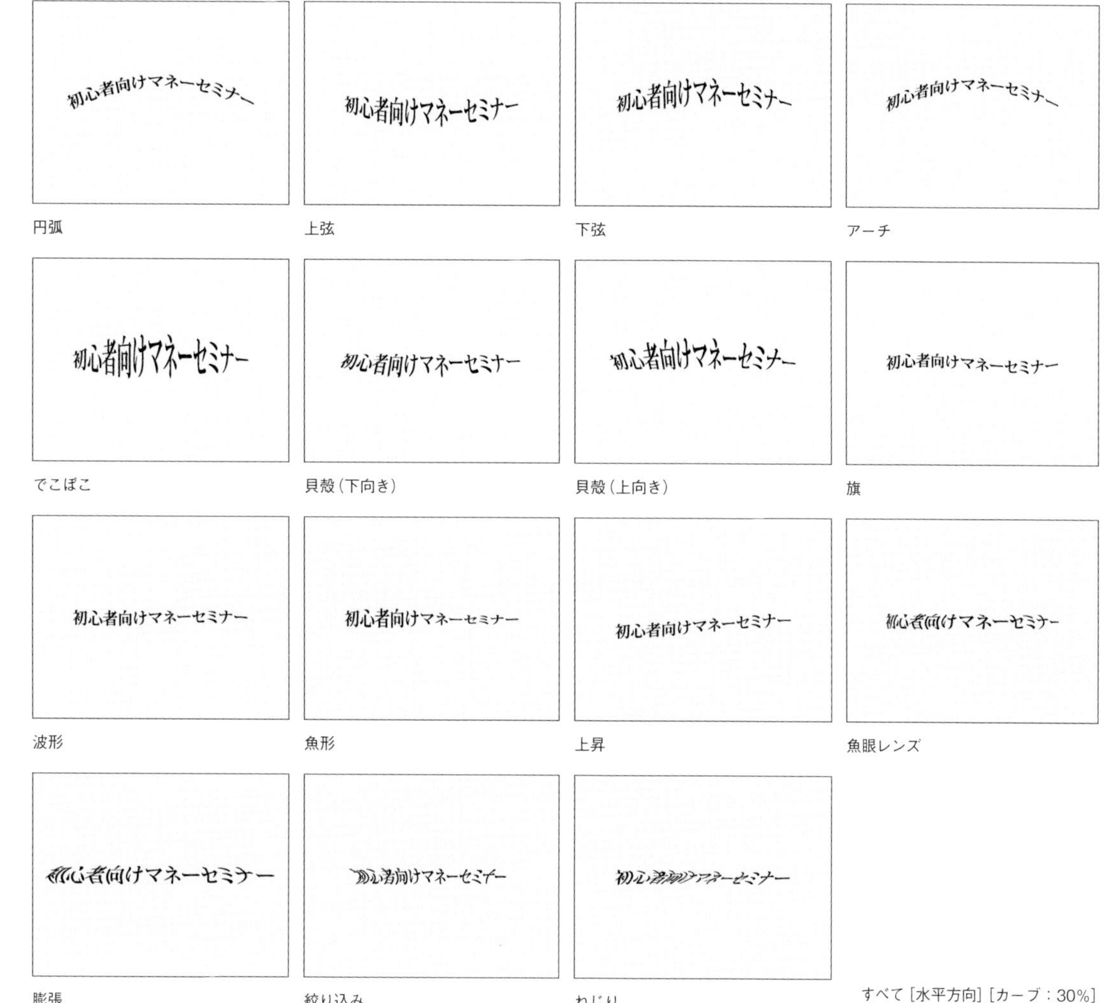

円弧　上弦　下弦　アーチ

でこぼこ　貝殻（下向き）　貝殻（上向き）　旗

波形　魚形　上昇　魚眼レンズ

膨張　絞り込み　ねじり

すべて［水平方向］［カーブ：30%］

Adobe Fontsを利用する

Adobe Fontsは、500を超える日本語フォントを含む20,000以上の高品質なフォントを印刷、webなどの制作物に使用することができるフォントサービスです。Creative Cloudプランのユーザーが利用できます。

Adobe Fontsにアクセスする

Adobe Fontsにアクセスするには、次の手順を実行します。

ファイルを開いている必要はありません。

01 メニューバーから［書式］→［Adobe Fontsから追加］を選択して❶、Adobe Fontsのサイトへアクセスします。

Creative Cloudアプリの［Adobe Fonts］をクリックしてもアクセスすることができます（p.24）。

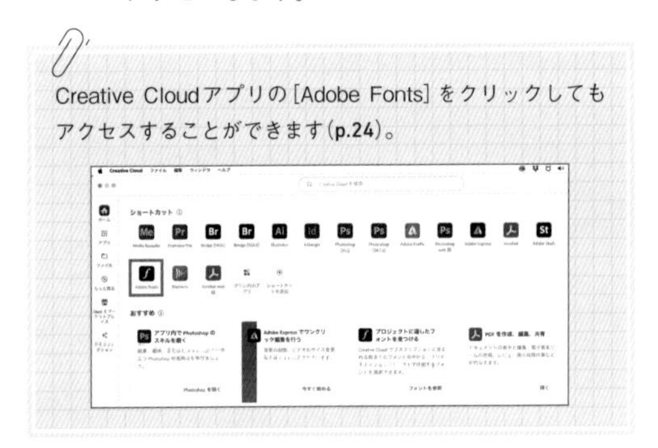

02 Adobe Fontsのサイトが表示されます。ここでは、画面右上の検索ボックスに「小塚」と入力して❷、表示される候補リストから「Kozuka Gothic Pr6N」をクリックします❸。

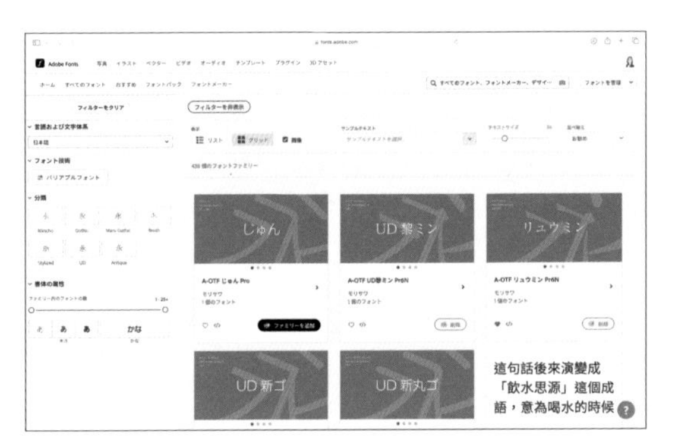

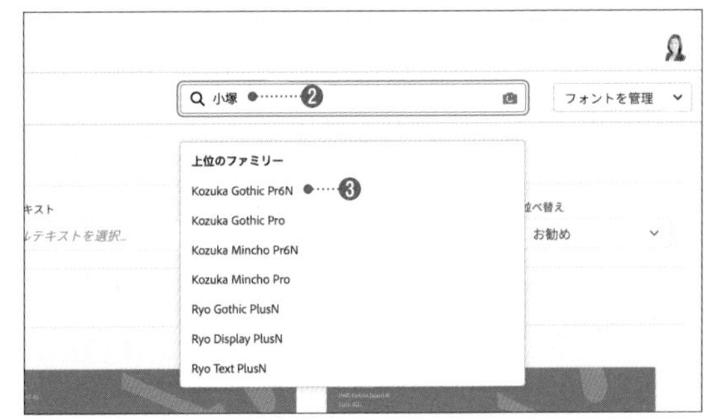

ここで検索した小塚ゴシックPr6Nと小塚明朝Pr6Nのファミリーは、9-1のサンプルファイルで使用しています。

検索時の候補リストをスキップして確定しても、次のページで表示される候補一覧から追加することもできます。

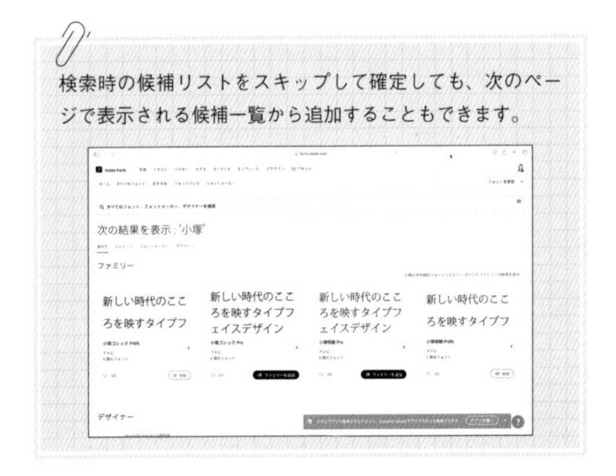

03

「小塚ゴシックPr6N」のファミリーが表示されます❹。ファミリーの全てのフォントを追加するには［ファミリーを追加］をクリックします❺。

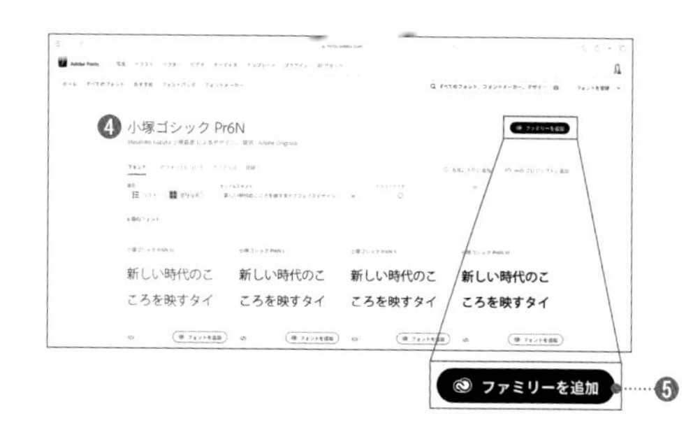

ファミリーの一部のフォントを追加するには、必要なフォントの［フォントを追加］をクリックします。

04

続いて表示される画面では［OK］ボタンをクリックし❻、追加します❼。
同様に「小塚明朝Pr6N」ファミリーも追加します。

追加後に不要になった場合、［削除］をクリックして削除することができます。

追加したフォントは、Creative Cloudアプリの右側にある［Adobe Fonts］をクリックして表示されるページでも管理できます(p.24)。

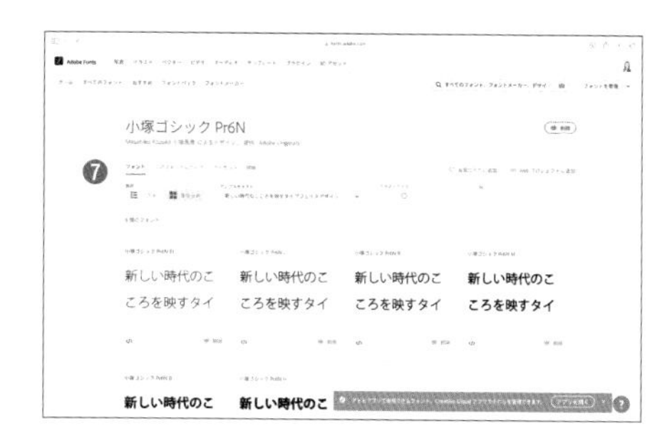

Photoshopで利用する

追加したフォントは、Photoshopの文字関連のオプションバーやパネルから選択して使用できます❶。

正常に表示されない場合は、Photoshopを再起動して試して下さい。

ここも知っておこう！ ▶ フォントリストでAdobe Fontsのフォントのみを表示する

オプションバーや［文字］パネルに表示されるフォントリストのフォント名の右横についている は、Adobe Fontsから追加したフォントであることを表します。［フィルター］の をクリックするとAdobe Fontsのフォントのみを表示できます。再度 をクリックすると元の表示に戻ります。

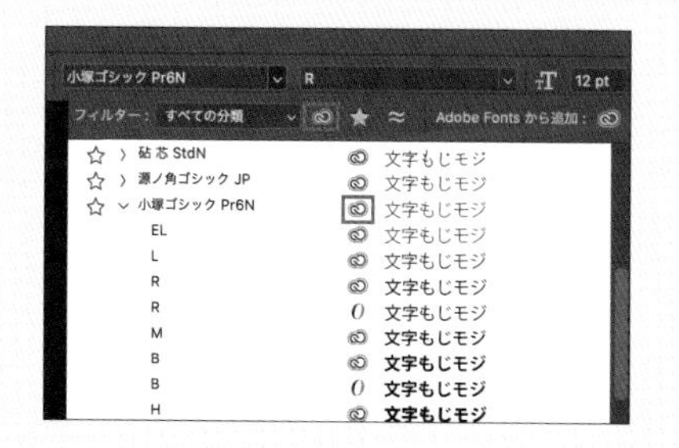

Sample_Data / Lesson09 / 9-4 /

シェイプとパスの基本

シェイプやパスは、Photoshopで扱うことのできるベクトル画像の一種です。Photoshop上でイラストやパターンを描画したり、切り抜き画像（クリッピングパス）を作成する際に利用することがあります。

シェイプとパス

シェイプとは、塗りや線にカラーやグラデーション、パターンなどを割り当てることができる図形です。また、パスとは、[ペン] ツールや [長方形] ツールなどで描画される線分のオブジェクトです。シェイプの輪郭線もパスです。パスは「ベジェ曲線」と呼ばれる描画方式で描画されます。

Photoshopの処理対象は主にピクセルで構成されるビットマップ画像ですが、シェイプやパスはベクトル画像です。ベクトル画像は解像度に依存しないため、拡大・縮小しても、エッジの滑らかさを保つことができます。この利点を使って、Photoshopではさまざまな処理を行うことができます。

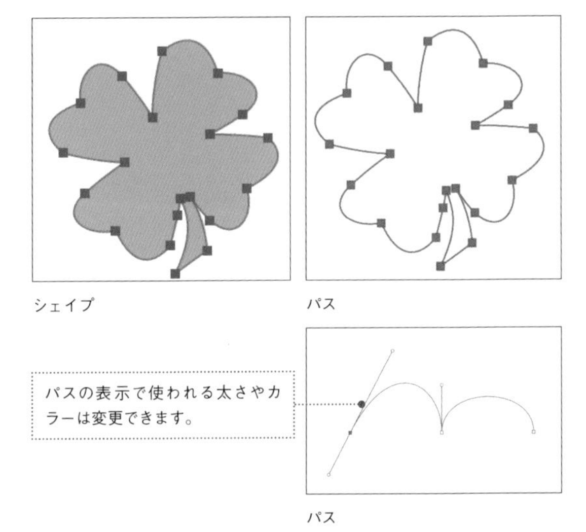

シェイプ　パス

パス

パスの構造

パスは「アンカーポイント」と呼ばれる点と、「セグメント」と呼ばれる線、および「方向線」「方向点」の4つの要素で構成されます。

セグメントには直線セグメントと曲線セグメントがあります。直線はクリックだけで描画できますが、曲線はドラッグし方向線を出して描画する必要があります（詳しくは後述します）。

また、パスには「オープンパス」と「クローズパス」の2種類があります。オープンパスとはパスの両端が別々に存在するパスです。またクローズパスとは長方形や円のようにパスが閉じているパスです。

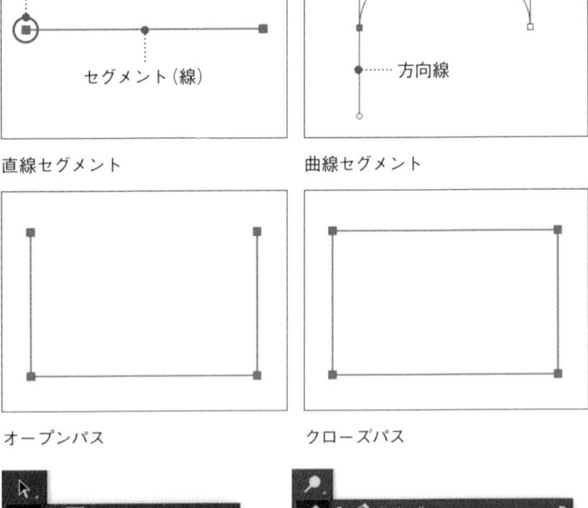

直線セグメント　曲線セグメント

オープンパス　クローズパス

パスの描画と編集

パスは、[ライン] ツールや [長方形] ツール、[楕円形] ツールなどで描画できます。また、任意の形状のパスを描画する際は、自由度の高い [ペン] ツールを使用します。

また、パスは [パス選択] ツールでアンカーポイントやセグメントを選択して編集することで、柔軟に形状を変更できます。パスの選択を解除すると方向線や方向点は非表示になりますが、アンカーポイントを選択すると再表示されます。

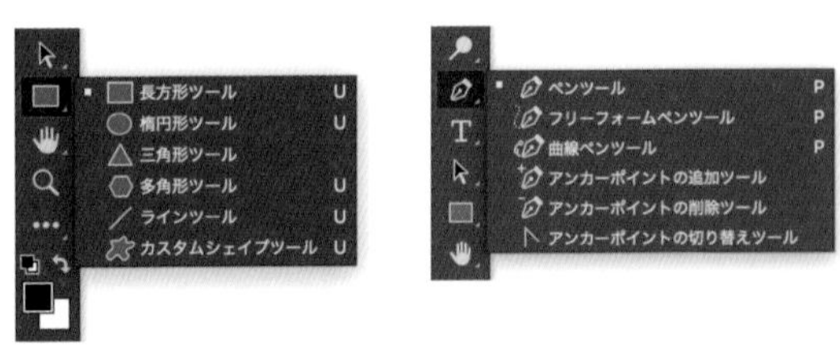

パスは上記のようなさまざまなツールで描画できます。また作成後にアンカーポイントを追加・削除したり、方向線の長さを変更したりと、すべての要素を細かく変更・修正できます。パスはベクトル画像なので、拡大や縮小を行っても画像が劣化することはありません。

シェイプの用途

シェイプを描画するには、[ペン] ツール や [長方形] ツール などのシェイプ系ツールのオプションバーでモードを [シェイプ] に設定します❶。

シェイプを描画すると、[レイヤー] パネルに [シェイプ] レイヤーが作成されます❷。[シェイプ] レイヤーのシェイプカラーを定義するサムネールをダブルクリックすると❸、[カラーピッカー (ベタ塗りのカラー)] ダイアログが表示され、描画後もカラーを変更できます。

また、[パス] パネルには、シェイプの輪郭線を定義するシェイプパスが作成されます❹。

描画したシェイプは、画像合成のビジュアルを構成するパーツの一部として利用できる他、パターン (p.218) の元絵として利用することもできます。

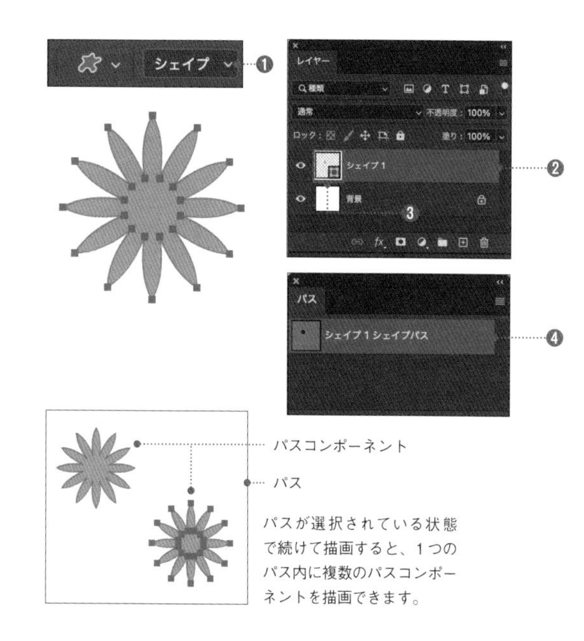

パスが選択されている状態で続けて描画すると、1つのパス内に複数のパスコンポーネントを描画できます。

シェイプを配置してアクセントにした例

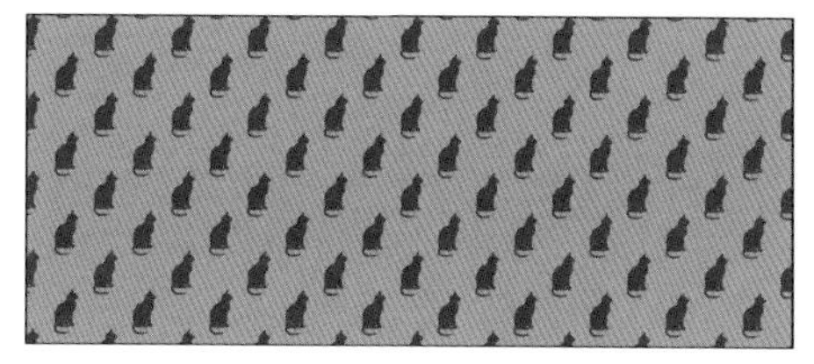

シェイプでパターンをつくった例

パスの用途

パスを描画するには、[ペン] ツール や [長方形] ツール などのシェイプ系ツールのオプションバーでモードを [パス] に設定します❶。

パスを描画すると、[パス] パネルには作業用パスができます❷。作業用パスは一時的なものなのでパスとして保存しておきましょう (p.214)。

描画したパスは次のように活用できます。

- 選択範囲に変換できる (p.99)
- 切り抜き画像を作成できる (p.214)
- ベクトルマスクのマスクオブジェクトとして活用できる (p.136)
- パスを使って塗りつぶすことができる (p.215)

上記のように、パスの利用範囲はとても広いため、基本を押さえておくだけで、さまざまな箇所で活用できます。パスの基本的な書き方や使い方は同じですので、ぜひ本項で基本を習得してください。選択範囲→パスへの変換や、パス→選択範囲への変換、またパスを用いた切り抜き画像の作成などは頻繁に利用する機能の1つです。

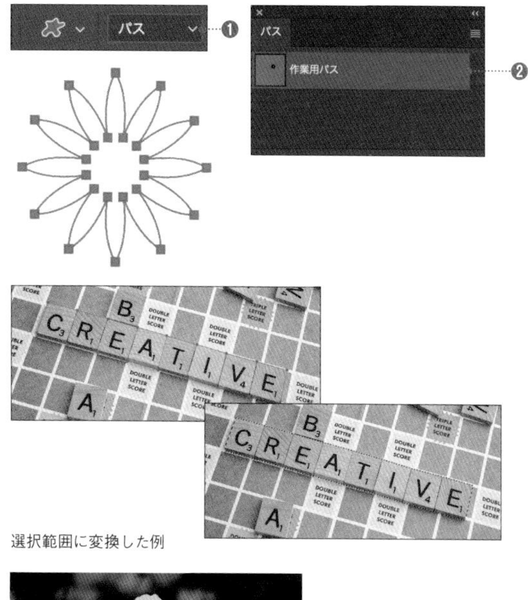

選択範囲に変換した例

パスを使って塗りつぶした例

Sample_Data/Lesson09/9-5/

パスの描画と［ペン］ツール

［ペン］ツールを使うと、自由度の高いパスやシェイプを描画できます。高品質な画像合成を行うには、パスの仕組みを理解したうえで、［ペン］ツールを使いこなせるようになることが必要です。

［ペン］ツールの概要

［ペン］ツールはパスを描画するツールです。パスを描画するには、ツールパネルで［ペン］ツールを選択して❶、最初にオプションバーで［モード：パス］を選択します❷。この状態で画像上をクリック、またはドラッグすると、行った操作に応じてパスが描画されます。直線や曲線の描き方については次ページで解説します。

［ペン］ツールのオプションバーではモードの他に、次の各項目を設定できます。

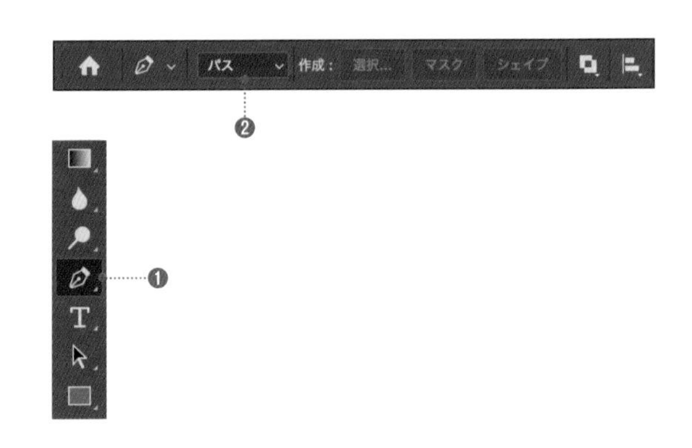

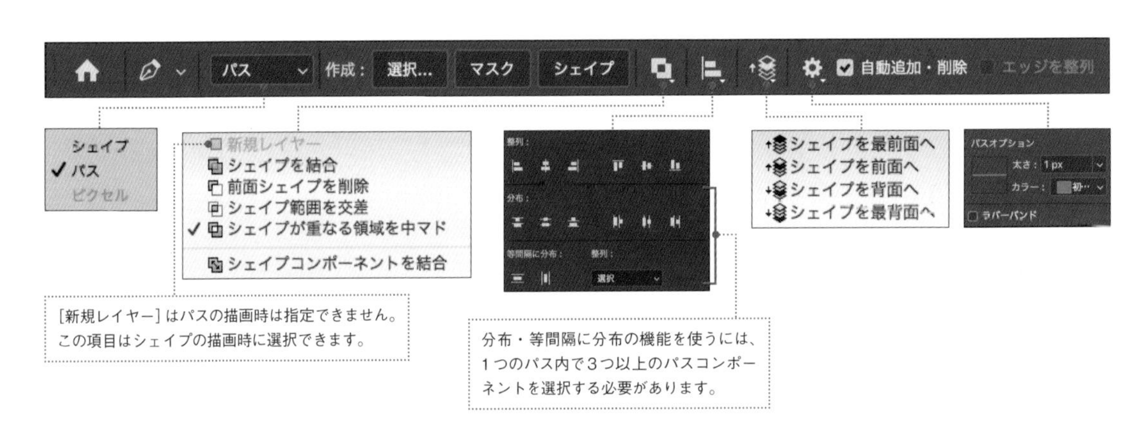

● ［ペン］ツールのオプションバーの設定項目（［モード：パス］の場合）

項　目	説　明
ツールモード	描画目的に応じて［シェイプ］または［パス］のいずれかを選択する。なお、画面上は選択項目に［ピクセル］の表示もあるが、［ペン］ツールのオプションバーでは選択不可
作成	パス描画後の操作を指定する。描画したパスを活用する場合に使用する ・［選択］：パスを選択範囲に変換する ・［マスク］：パスを使ってベクトルマスクを作成する ・［シェイプ］：パスを使ってシェイプを作成する
パスの操作	1つのパス内に描画した複数のパスコンポーネントの合成方法を指定する
パスの整列	1つのパス内に描画した複数のパスコンポーネントの整列・分布方法を指定する
パスの配置	1つのパス内に描画した複数のパスコンポーネントの重ね順を指定する
ツールオプション	・パスの表示で使われる太さ・カラーを指定する ・［ラバーバンド］機能（セグメントのプレビュー機能）のON/OFFを指定する
自動追加・削除	アンカーポイントを自動的に追加・削除する場合はチェックを入れる

※［モード：シェイプ］を選択した場合のオプションバーについては、p.218を参照してください。

[ペン]ツールの基本操作

[ペン]ツールを自由自在に使いこなすためには、ある程度の練習が必要ですが、以下の(1)～(4)の4種類の線の描き方とそのポイントを整理しておけば、スムーズに学習を進められます。

(1)直線を描画する

直線を描画するには、画面上をクリックします。最初のクリック時には1つのアンカーポイントが作成されるだけですが❶、2回目以降のクリック時には、アンカーポイントの作成と同時に前のアンカーポイントとつながり直線が描画されます❷。

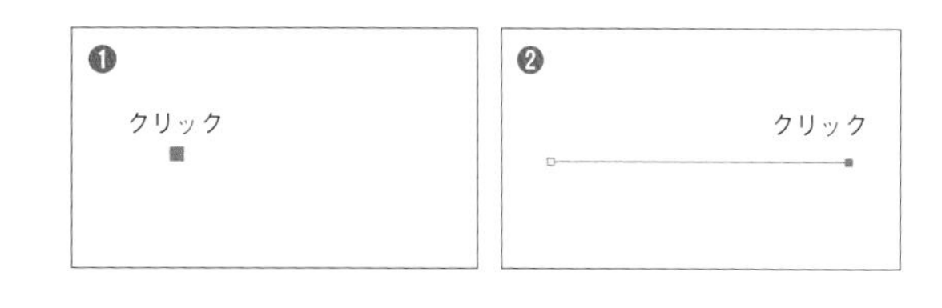

(2)曲線を描画する

曲線を描画するには、画面上をドラッグします❶。すると、アンカーポイントから方向線と、方向線をコントロールする方向点が出ます。

2回目以降のドラッグ時には、2点間のアンカーポイントの位置、および各アンカーポイントの方向線の長さや角度によって曲線が決定されます❷。

なお、方向線の長さや角度は、方向点をドラッグすることで描画後いつでも編集できるので、描画時に完璧なものにする必要はありません(p.208)。

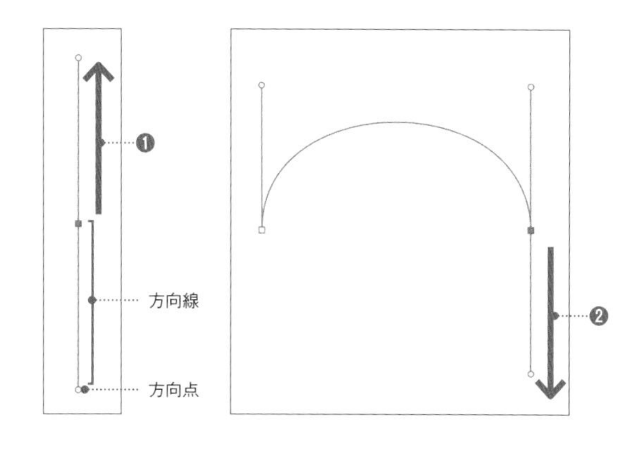

(3)直線に続く曲線／曲線に続く直線

直線に続く曲線／曲線に続く直線を描画するには、次の手順を実行します。この手順のポイントは、直線と曲線をつなぐアンカーポイントの方向線が必要か否かを判断することです。

01 直線を描画後、アンカーポイント上にカーソルを合わせます。すると、右下に/マークが表示されます❶。これは、この箇所がパスの端点であることを示します。

02 ここから曲線にするには方向線が必要なので、アンカーポイント上をドラッグして❷、方向線を出します。
続けて別の箇所をドラッグすると❸、直線から曲線になるパスを描画できます。

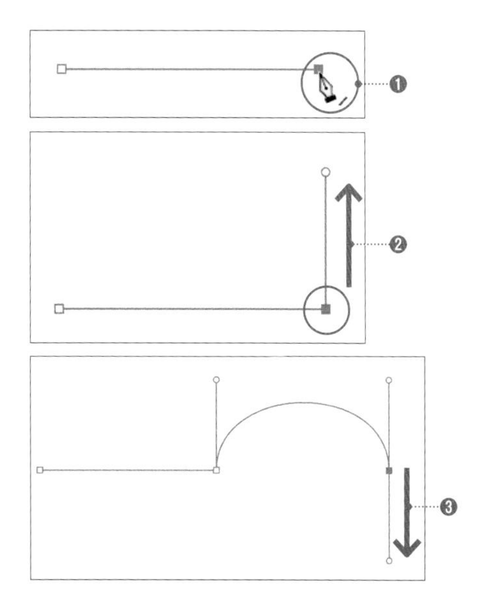

ここも知っておこう! ▶ **[フリーフォームペン]ツールと[曲線ペン]ツール**

[フリーフォームペン]ツールを使うと、フリーハンドでドラッグして、自由なパスを描画できます。また[曲線ペン]ツールを使うと、クリックしてアンカーポイントを追加することで、アンカーポイント同士をつなぐ曲線を描画できます。

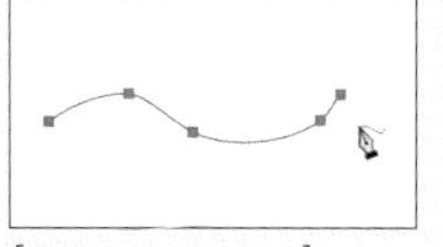
[フリーフォームペン]ツール

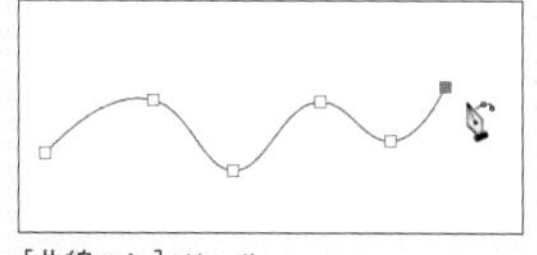
[曲線ペン]ツール

また、曲線から直線になるパスを描画するには、次の手順を実行します。

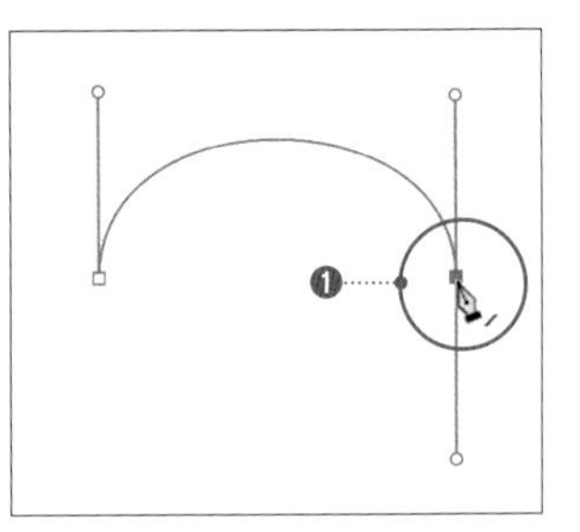

01 曲線を描画後、アンカーポイント上にカーソルを合わせます❶。すると、右下に/マークが表示されます。これは、この箇所がパスの端点であることを示します。

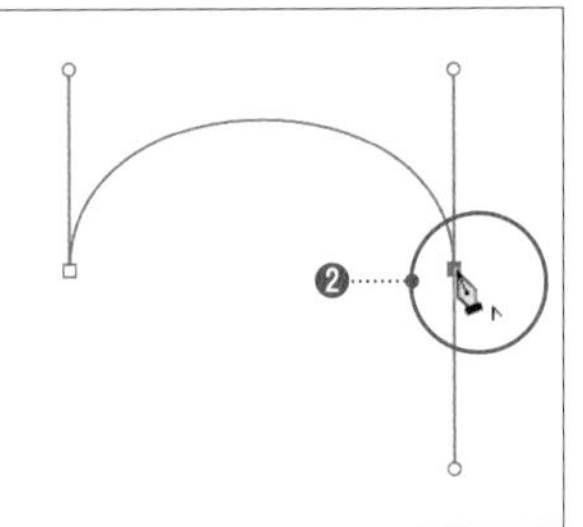

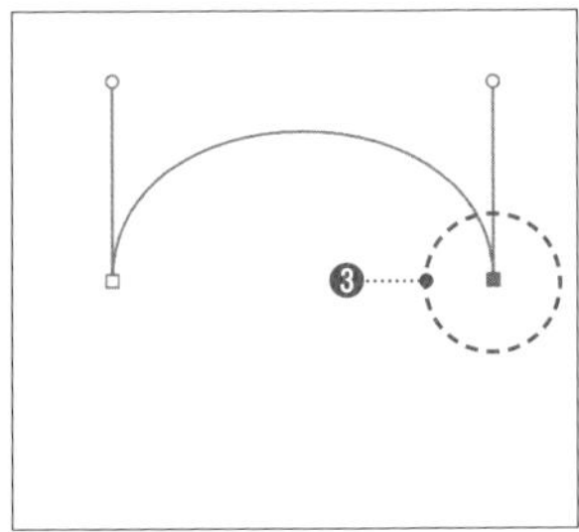

02 ここから直線にするには方向線が不要です。この状態で[option]([Alt])を押すと、右下にマークが出るので❷、アンカーポイント上をクリックします。すると、方向線が消えます❸。

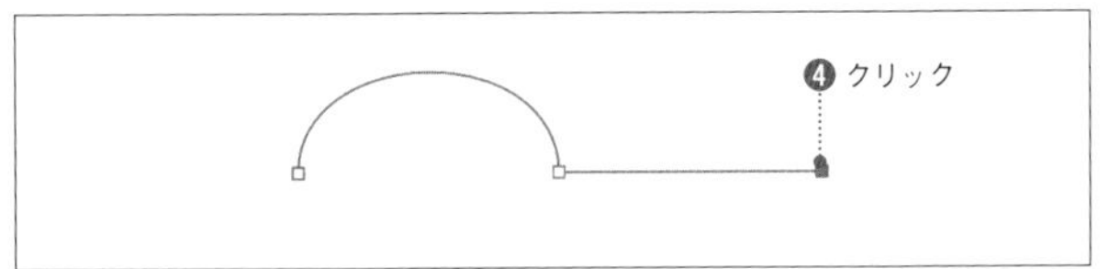

03 続けてクリックすると、曲線から直線になるパスを描画できます❹。

(4) 2つの連続した曲線

2つの連続した曲線を描画するには、次の手順を実行します。この手順のポイントは曲線と曲線をつなぐアンカーポイントの方向線と向きを変えることです。

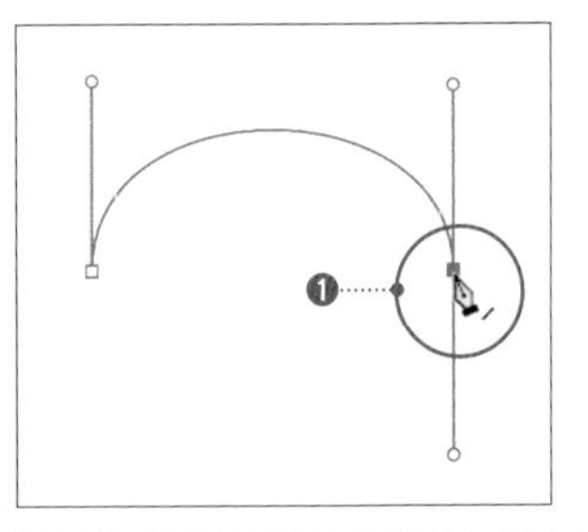

01 曲線を描画後、アンカーポイント上にカーソルを合わせます❶。すると、右下に/マークが表示されます。これは、この箇所がパスの端点であることを示します。

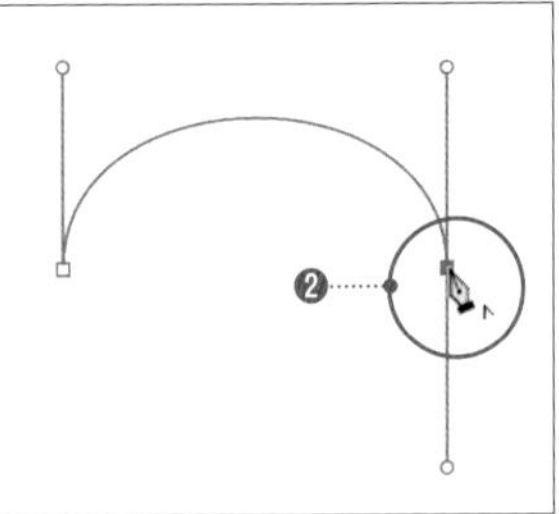

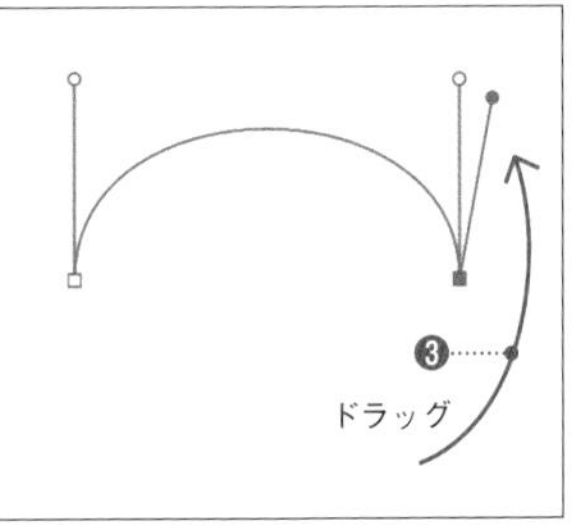

02 ここから同じ曲線を連続するには、方向線の向きを変えます。この状態で、[option]([Alt])を押すと、右下にマークが出るので❷、アンカーポイント上をドラッグします。すると、方向線の向きが変わります❸。

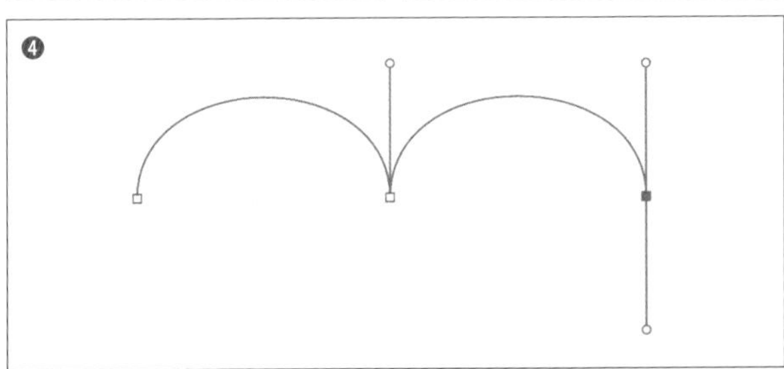

03 続けてドラッグすると、曲線から曲線になるパスを描画できます❹。

以上の4種類の描き方を念頭に練習してみてください。[ペン]ツールで思い通りのパスを描画するためには、理屈よりも、少しの慣れと練習が必要です。上記のポイントを押さえた後は、実際にいろいろと操作してみて、どのようなパスが描画されるのか確認してみてください。

パス描画を終了する方法

オープンパスの場合は、描画中に ⌘ （Ctrl）を押します。すると、カーソルが一時的に［パス選択］ツールに切り替わるので❶、その状態でパスから離れた箇所をクリックして終了します。

クローズパスの場合は、パスの始点にカーソルを合わせます。カーソルの右下に◯マークが表示されるので❷、その状態でクリックして終了します。

描画後のパスの編集

パスの状態

パスを編集にするには、アンカーポイントの状態を理解しておくことが必要です。アンカーポイントには「選択されている状態」と「選択されていない状態」の2種類があります（右図参照）。アンカーポイントや方向点を移動する際は先に対象のアンカーポイントを選択する必要があるので覚えておいてください。

アンカーポイントや方向線の調整

パスのアンカーポイントを移動するには、［パス選択］ツールでアンカーポイントを選択してドラッグします❶。すると移動できます❷。方向点をドラッグすると、方向線の長さや角度を調整できます。

アンカーポイントの追加と削除

［アンカーポイントの追加］ツールでセグメント上をクリックすると❸、クリックした箇所にアンカーポイントが追加されます❹。また、［アンカーポイントの削除］ツールでアンカーポイント上をクリックすると、アンカーポイントが削除されます。

アンカーポイントの切り替え

アンカーポイントを、コーナーポイントからスムーズポイントに切り替えたり、その逆の切り替えを行うには、［アンカーポイントの切り替え］ツールを使います。

［アンカーポイントの切り替え］ツールでコーナーポイントをドラッグすると❺、スムーズポイントに切り替わります❻。また、スムーズポイントをクリックすると❼、コーナーポイントに切り替わります❽。

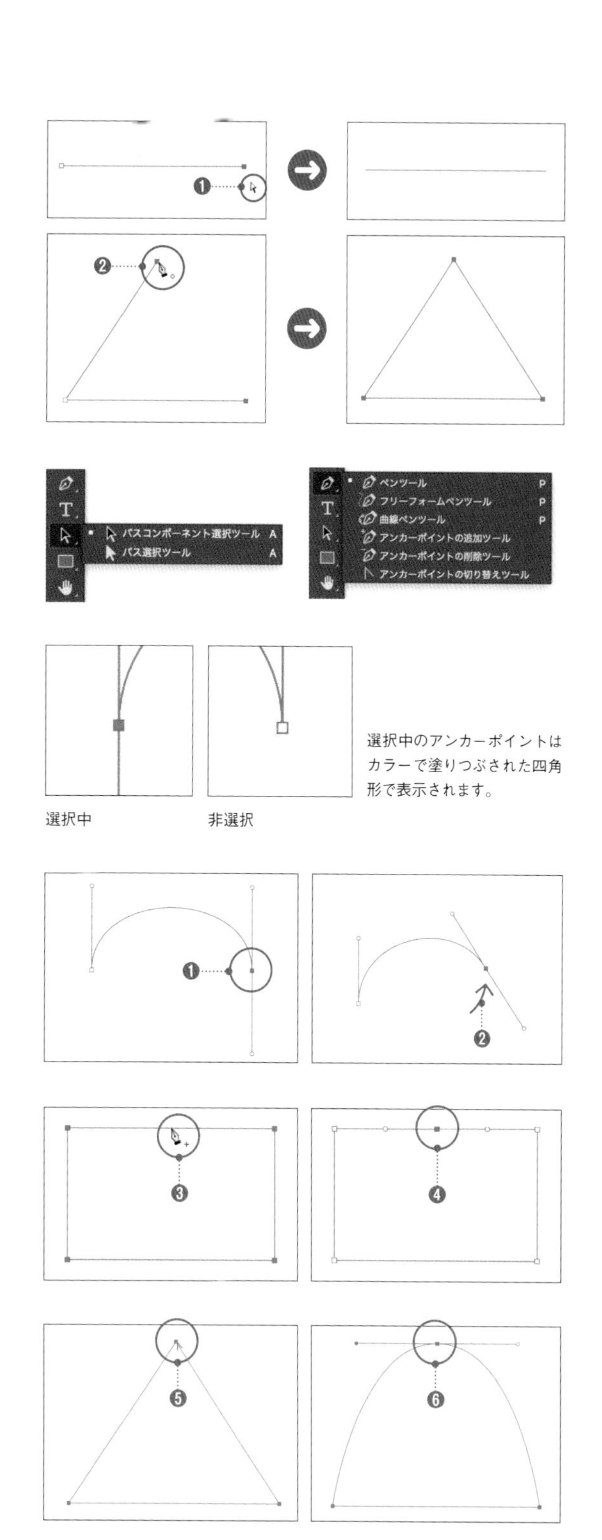

選択中のアンカーポイントはカラーで塗りつぶされた四角形で表示されます。

Sample_Data/Lesson09/9-6/

選択範囲をパスに変換する

パスは、選択範囲から作成することも可能です。[ペン] ツールや他のシェイプ系ツールでは描画できない、複雑な形状のパスを簡単に作成できます。

選択範囲からパスを作る

選択範囲をパスに変換するには、次の手順を実行します。

01 画像上に選択範囲を作成し❶、option (Alt) を押しながら [パス] パネルの下部にある [選択範囲から作業用パスを作成] ボタンをクリックします❷。

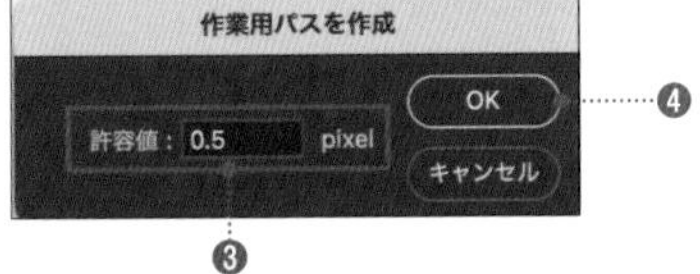

02 [作業用パスを作成] ダイアログが表示されるので、[許容値] に0.5 〜 10pixelを指定して❸、[OK] ボタンをクリックします❹。

03 選択範囲がパスに変換されて❺、[パス] パネルに作業用パスが作成されます❻。

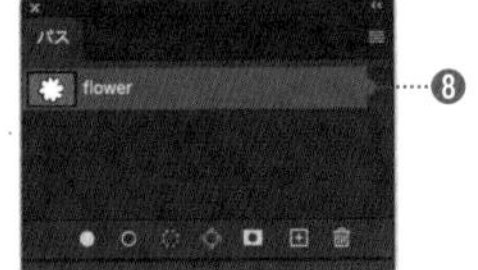

04 作業用パスは一時的なパスであり、新たにパスを作成すると消えることがあるので、[パス] パネルで [作業用パス] をダブルクリックして [パスを保存] ダイアログを表示し❼、[OK] ボタンをクリックして、パスとして保存しておきましょう❽。

本項とは逆に、パスを選択範囲に変換する方法については p.99 を参照してください。

ここも知っておこう! ▶ クリッピングパスを使った切り抜き画像の作成

切り抜き画像を作成するには、[パス] パネルでパスを選択して❶、パネルメニューから [クリッピングパス] を選択して❷、表示されるダイアログでパスを指定します❸。

　このファイルをEPS形式 (p.27) で保存し、Illustrator や InDesign で作成したドキュメントに配置すると、パス内のみが表示され、パス外は透明になります。

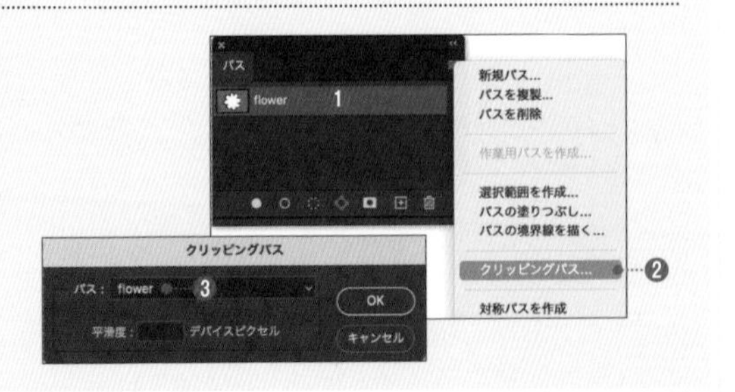

Sample_Data/Lesson09/9-7/

パスを使って塗りつぶす

[パス] パネル下部にある [パスを描画色を使って塗りつぶす] 機能を使うと、簡単に画像をパスの形状で塗りつぶすことができます。

パスの形状で塗りつぶす

画像をパスの形状で塗りつぶすには、次の手順を実行します。

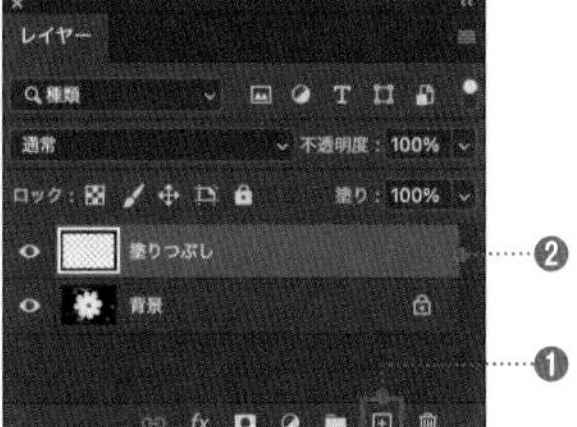
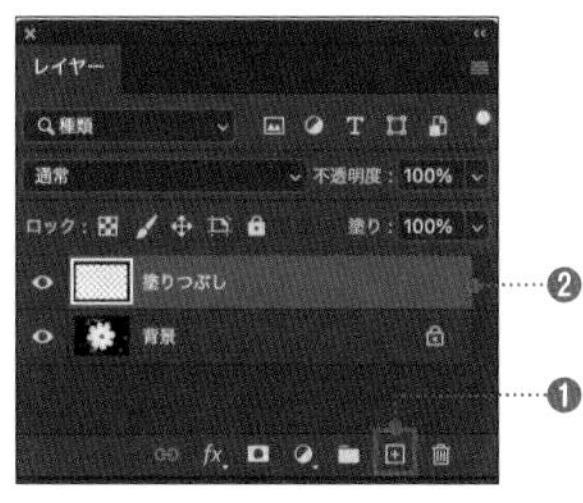
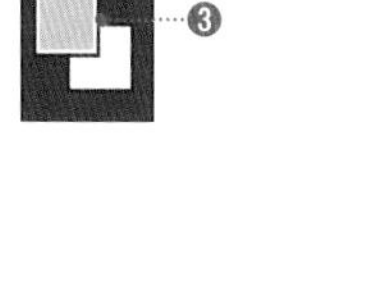

01 [レイヤー] パネル下部の [新規レイヤーを作成] ボタンをクリックして❶、塗りつぶし用のレイヤーを作成し❷、ツールパネル下部の [描画色] に任意のカラーを設定します❸。

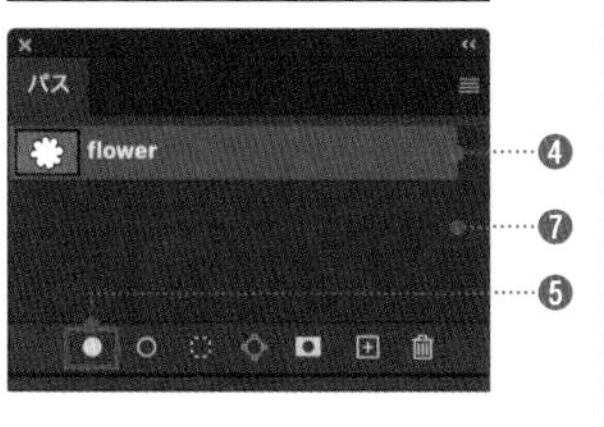

02 [パス] パネルでパスを選択して❹、パネル下部の [パスを描画色を使って塗りつぶす] ボタンをクリックします❺。すると [描画色] に設定したカラーで塗りつぶされます❻。何もない所をクリックして、パスの選択を解除します❼。

[パス] パネルのパスが選択されていると、パスの境界線カラーが表示されます。

03 [レイヤー] パネルで追加したレイヤーのみを表示すると❽、仕上がりを確認できます❾。

option (Alt) を押しながら [パスを描画色を使って塗りつぶす] ボタンをクリックすると、[パスの塗りつぶし] ダイアログが表示されます。ここでは塗りつぶしに関するより詳細な設定を行えます。

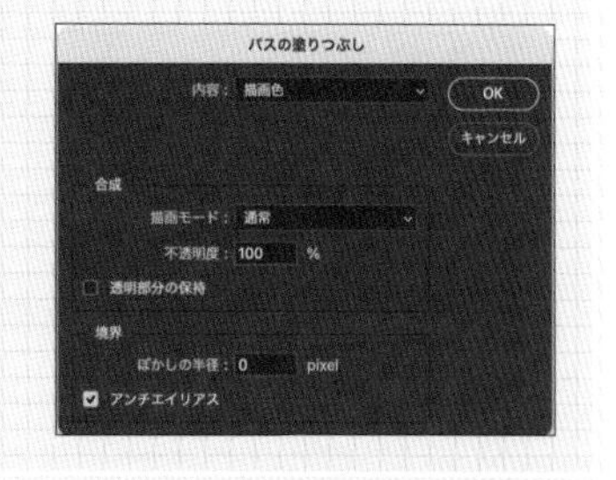

ここも知っておこう! ▶ [塗りつぶし] ダイアログとの比較

上記の [パスの塗りつぶし] ダイアログと、メニューバーから [編集] → [塗りつぶし] を選択すると表示される [塗りつぶし] ダイアログは基本的には同じ機能ですが、[パスの塗りつぶし] ダイアログでは、[ぼかしの半径] を指定できるため、パスの境界線をぼかしてから塗りつぶすことができます。

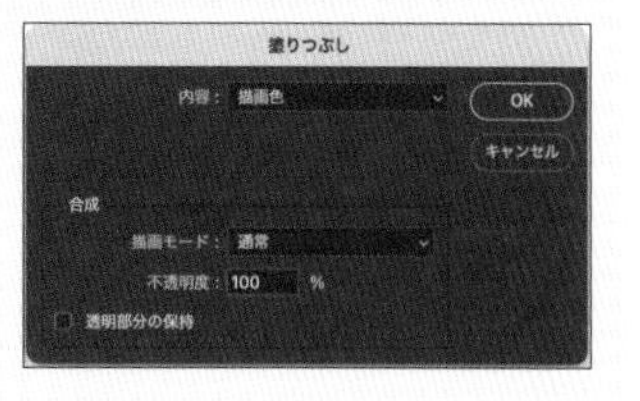

Sample_Data/Lesson09/9-8/

カスタムシェイプの定義

[ペン]ツールで描画したパスや、選択範囲から変換してできたパスは「カスタムシェイプ」として定義できます。定義後は、シェイププリセットピッカーから選択できるようになります。

カスタムシェイプとして定義する

カスタムシェイプとは、矢印やハート、封筒といった複雑な形状をしたシェイプの総称です。Photoshopにはあらかじめ多数のカスタムシェイプが用意されています。

描画したパスをカスタムシェイプとして定義するには、次の手順を実行します。

01 [パス]パネルでパスを選択して❶、メニューバーから[編集]→[カスタムシェイプを定義]を選択します❷。

02 表示される[シェイプの名前]ダイアログでカスタムシェイプ名を設定して❸、[OK]ボタンをクリックします。これで定義は完了です。

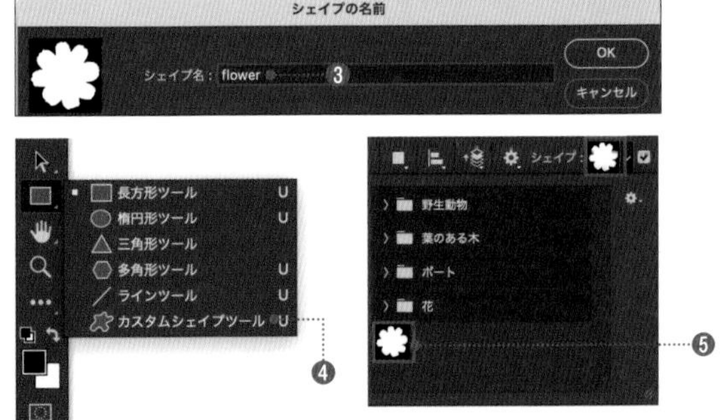

03 定義したカスタムシェイプは、[カスタムシェイプ]ツールのオプションバーにある[シェイププリセットピッカー]から選択できます❹❺。シェイプを選択して画面上をドラッグすると、定義したシェイプを使って、シェイプやパスを描画できます。

ここも知っておこう!

▶ シェイプの書き出しと読み込み

定義したカスタムシェイプを別のPCで使用したり、人に配布したりする場合は、[シェイプ]パネルのパネルメニューから[選択したシェイプを書き出し]を選択して❶、シェイプファイル(.cshファイル)として保存します❷。保存時のデフォルトの保存先は[Custom Shapes]フォルダですが、他者にシェイプファイルを渡したい場合や他の作業環境で読み込む場合は、デスクトップなどのわかりやすい場所に保存してください。

シェイプファイルを読み込むには、[シェイプを読み込み]を選択します❸。また、旧バージョンのシェイプを読み込むには、[従来のシェイプとその他]を選択します❹。

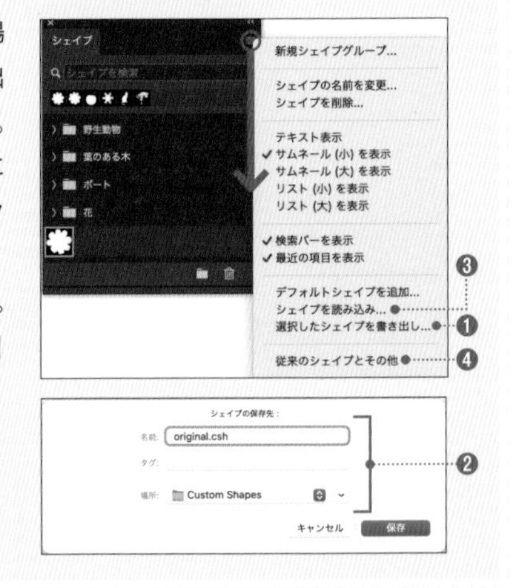

Sample_Data/Lesson09/9-9/

Illustratorのパスを活用する

パスで構成されるベクトル画像の描画はAdobe Illustratorの得意とするところです。Photoshopでは、Illustratorで描画したパスを取り込んで利用できます。

Illustratorのパスを読み込む

Adobe Illustratorで描画したパスを、Photoshopに読み込むには、次の手順を実行します。

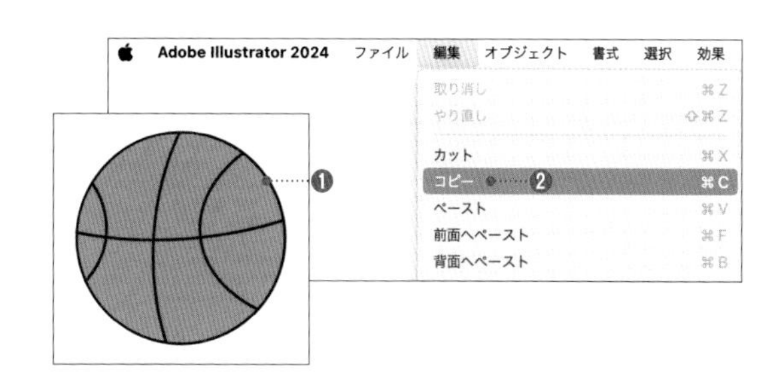

01 Illustratorを起動して、ドキュメント上のパスを選択し❶、メニューバーから［編集］→［コピー］を選択します❷。

02 今度はPhotoshopに切り替えて、メニューバーから［編集］→［ペースト］を選択し❸、［ペースト］ダイアログを表示します。

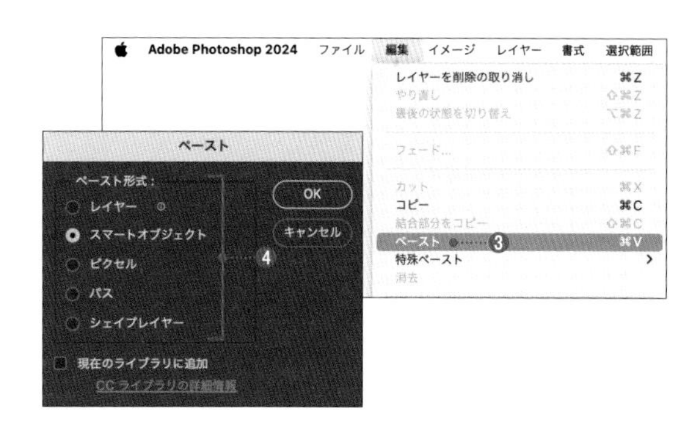

03 ［ペースト形式］を選択して❹、［OK］ボタンをクリックします（下表参照）。今回は［スマートオブジェクト］を選択しています。

04 Enter を押すか、コンテキストタスクバーの［完了］をクリックして確定すると❺、Illustratorのパスがスマートオブジェクトとして読み込まれます。［レイヤー］パネルを見るとそのことを確認できます❻。

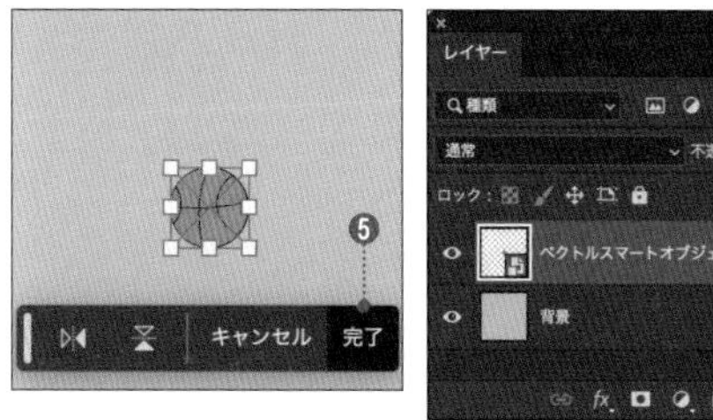

カラーや形状などの変更があった場合は、レイヤーのサムネールをダブルクリックしてIllustratorの元データを編集します。保存後に閉じてPhotoshopに戻ると、更新されます。

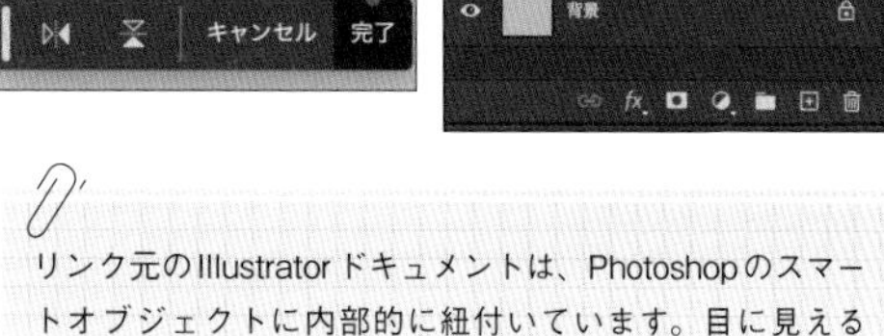
リンク元のIllustratorドキュメントは、Photoshopのスマートオブジェクトに内部的に紐付いています。目に見えるファイルとして存在するものではありません。

● ［ペースト］ダイアログのペースト形式

項目	説明
レイヤー	パスをIllustratorのレイヤー構造を保持してペーストする。［レイヤー］パネルにはグループが作成される
スマートオブジェクト	パスをスマートオブジェクト（p.122）としてペーストする。［レイヤー］パネルには［ベクトルスマートオブジェクト］が作成される
ピクセル	パスをピクセル（ビットマップ画像）としてペーストする
パス	パスとしてペーストする。パスの編集（p.213）やカスタムシェイプの定義（p.216）などを行える
シェイプレイヤー	パスをシェイプレイヤーとしてペーストする。［レイヤー］パネルには［シェイプ］レイヤーが作成される

Sample_Data/Lesson09/9-10/

パターンの定義と描画

作成したシェイプをパターンとして定義しておけば、Photoshopのパターン関連の機能（例えば、塗りつぶしレイヤーの［パターン］など）で利用できます。オリジナルのパターンを作成する際に便利です。

シェイプをパターンとして定義する

オリジナルのシェイプを描画して、パターンとして定義するには、次の手順を実行します。

01 定義用のファイルを作成します。メニューバーから［ファイル］→［新規］を選択してダイアログを表示し、右図のように各項目を設定して❶、［作成］ボタンをクリックし、ファイルを作成します❷。

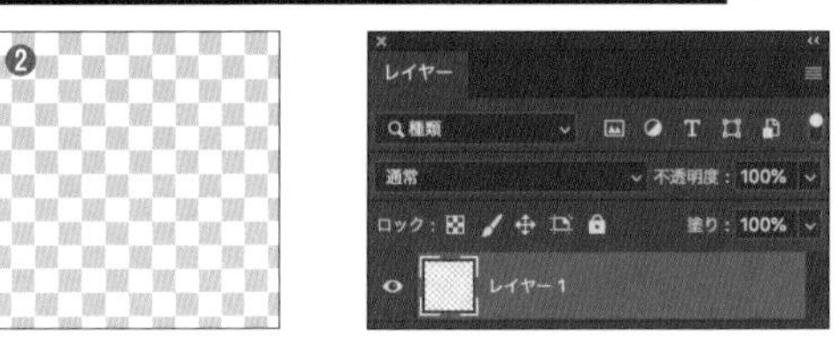

［カンバスカラー：透明］を設定して新規ファイルを作成すると、［レイヤー］パネルでは、［背景］レイヤーではなく、通常レイヤー（レイヤー1）からはじまります。

02 任意のシェイプを描画します。ここではツールパネルから［カスタムシェイプ］ツールを選択します❸。

03 ［シェイプ］パネルを表示します。パネルメニューをクリックし❹、［従来のシェイプとその他］を選択して❺、シェイプグループを読み込みます❻。

04 ここでは、［従来のすべてのデフォルトシェイプ］の［動物］の中から［猫］を選択します❼。またオプションバーのその他の項目を下図のように設定します。［塗り］のカラーは任意のカラーで構いません。

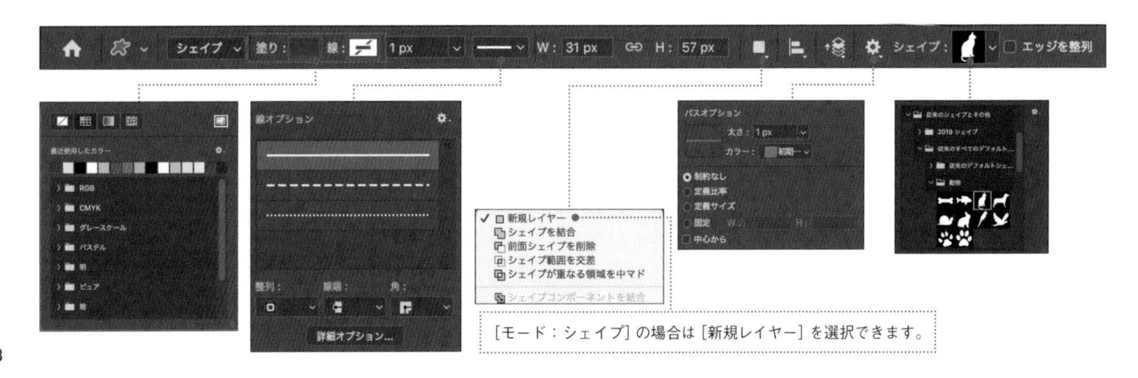

［モード：シェイプ］の場合は［新規レイヤー］を選択できます。

05

Shift を押しながら画面中央付近をドラッグして、シェイプを描画します❽。すると、指定した猫のシェイプが描画され、また［レイヤー］パネルにあった透明な「レイヤー 1」がなくなって、シェイプレイヤーが作成されます❾。この時点では、シェイプがカンバスの中心になくても問題ありません。

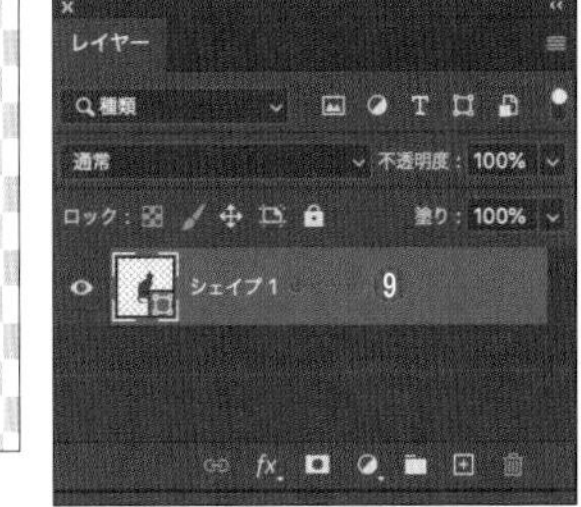

06

［レイヤー］パネルでシェイプレイヤーが選択されている状態で、メニューバーから［選択範囲］→［すべてを選択］を選択して❿、カンバス全体を選択します⓫。

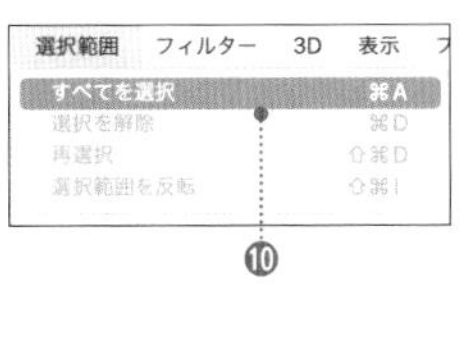

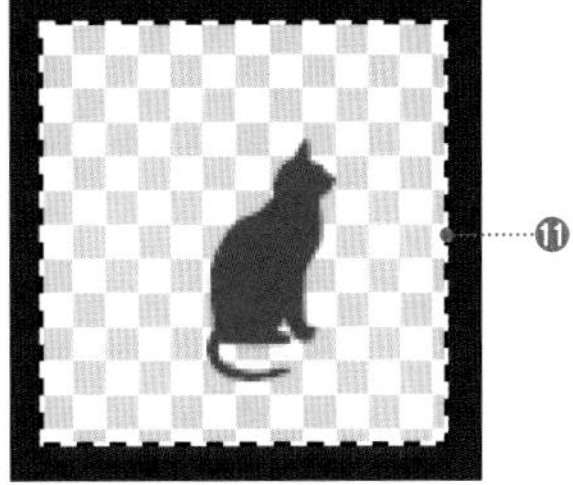

07

ツールパネルで［移動］ツール を選択して⓬、オプションバーにある［水平方向中央に整列］と［垂直方向中央に整列］を順番にクリックします⓭。

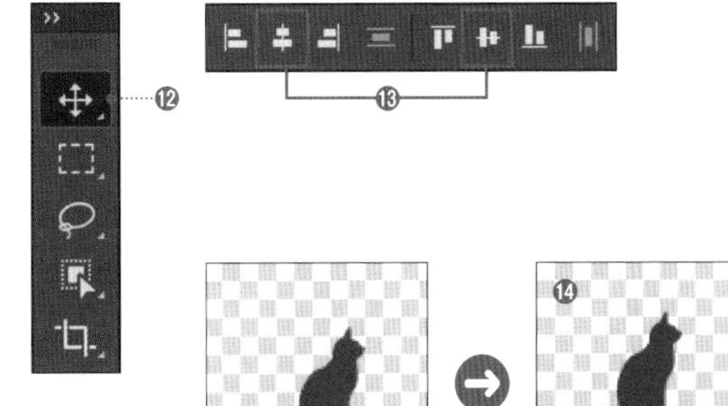

整列については、p.112 を参照してください。

08

これでシェイプがカンバスの中心に移動します⓮。整列後はメニューバーから［選択範囲］→［選択を解除］を選択して、選択を解除します。

09

シェイプレイヤーを［レイヤー］パネル下部の［新規レイヤーを作成］ボタンにドラッグ＆ドロップして⓯、複製します。

10

［レイヤー］パネルで複製したレイヤーを選択して⓰、メニューバーから［フィルター］→［その他］→［スクロール］を選択します。

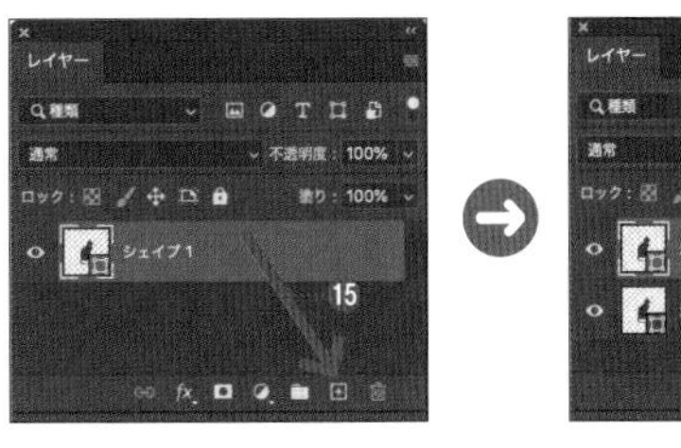

11

右のダイアログが表示されるので、今回は［スマートオブジェクトに変換］ボタンをクリックします⓱。

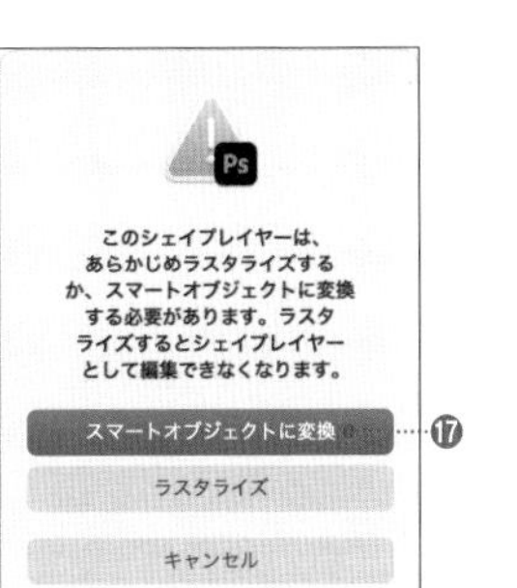

［シェイプ］レイヤーにフィルターを適用するには、メニューバーから［レイヤー］→［ラスタライズ］→［シェイプ］を選択して事前にレイヤーをラスタライズするか、スマートオブジェクト（p.122）に変換することが必要です。今回はスマートオブジェクトに変換しています。

12 ［スクロール］ダイアログが表示されるので、［水平方向］［垂直方向］の両方に、カンバスサイズの半分である［+50pixel］を指定し⑱、［未定義領域：ラップアラウンド（巻き戻す）］を指定して⑲、［OK］ボタンをクリックします。

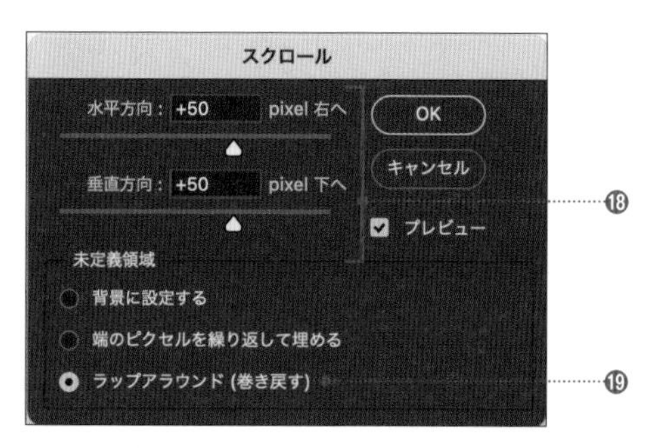

13 すると、右図のようにシェイプが四隅にも配置されます⑳。

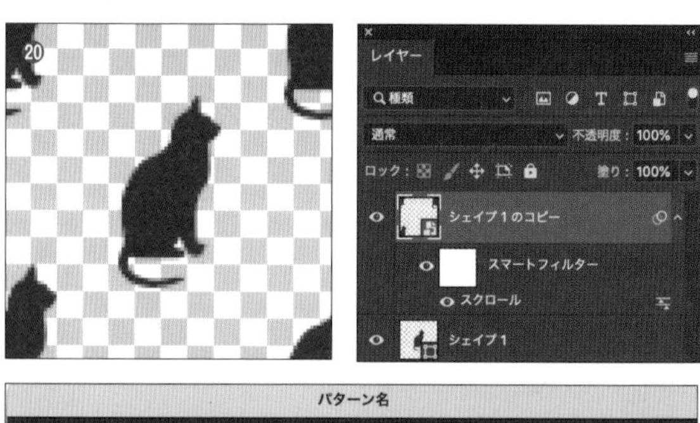

スマートオブジェクトに変換したシェイプレイヤーに適用した［スクロール］フィルターは、スマートフィルターとして情報が残ります。スマートフィルターについては、p.184を参照してください。

14 メニューバーから［編集］→［パターンを定義］を選択して［パターン名］ダイアログを表示し、パターン名を指定して㉑、［OK］ボタンをクリックします。これでパターンが定義されました。

15 新規に別ファイルを開き、［レイヤー］パネル下部の［塗りつぶしまたは調整レイヤーを新規作成］ボタンから［パターン］を選択します㉒。

16 表示される［パターンで塗りつぶし］ダイアログで定義したパターンを指定して㉓、［OK］ボタンをクリックします。

17 すると、パターンの塗りつぶしレイヤーが作成されて㉔、右図のように画面全体が定義したパターンで埋め尽くされます㉕。

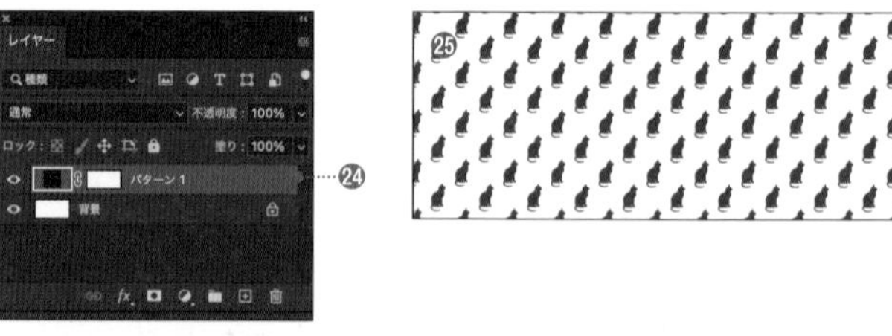

18 今回はパターンの背景を透明に設定したので、パターンの塗りつぶしレイヤーの下にカラーの塗りつぶしレイヤーを作成するだけで、さまざまなカラー展開を実現できます㉖。このことからも、定義するパターンの背景は透明にしておくことをお勧めします。

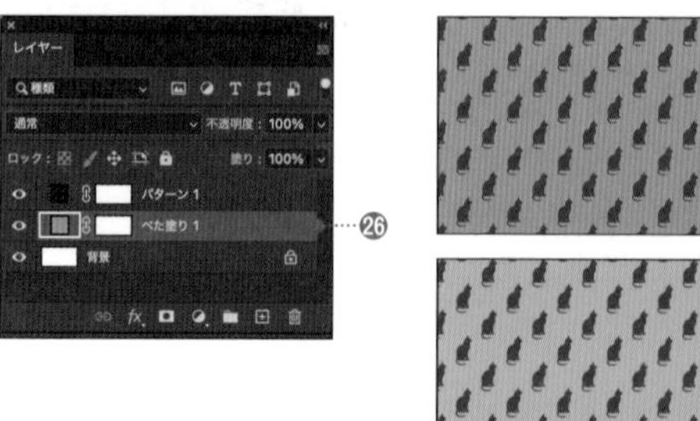

塗りつぶしレイヤー（べた塗り）については、p.118を参照してください。

Lesson 10

Exercise Lesson.

総合演習

手を動かして学ぶ、実践的な画像合成の制作実習

本章では、これまでのまとめとして実践的な制作実習を行います。実際に手を動かしながら読み進めることで、Photoshopの機能単体の使い方だけでなく、機能の組み合わせ方や実際の利用例などを確認できます。

Lesson 10-1 実践的な画像合成をやってみよう

ここでは、これまでの復習を兼ねて、YouTubeチャンネルのコンテンツを作成します。作業中は、[レイヤー] パネルのレイヤーの構造を確認しながら読み進めてください。また、こまめに上書き保存をするようにしましょう。

画像合成をしてみよう！

ここでは章全体をとおして右図のように「休日の過ごし方を紹介する」YouTubeチャンネルのヘッダー（チャンネルバナー）、アイコン、サムネイルの3点を作成します。本書の1～9章までに解説してきたさまざまな機能を組み合わせて作業を進めます。また、必要に応じて新たな機能も紹介します。ぜひ実際に手を動かして1つずつ作業を進めてスキルアップしていきましょう。レイアウトや配色などをアレンジしてオリジナルの合成を行ってみることもお勧めです。

図1 完成例

制作物のサイズ

作成する3つのコンテンツのサイズは以下の通りです。
Photoshopでは、[アートボード] の機能を使うと、1ファイルに複数の異なるサイズのコンテンツを作成することができます。また、完成後のファイルの書き出しも簡単にできます。

- ヘッダー：幅2,560ピクセルx高さ1,440ピクセル
- アイコン：幅800ピクセルx高さ800ピクセル
- サムネイル：幅1,280ピクセル×高さ720ピクセル

なお、TV、PC、タブレット、スマートフォンなどのデバイスによって表示サイズが異なります。テキストやロゴなど重要な情報は、中心の安全領域1,235px × 338pxにおさめるようにすると良いでしょう。詳しくは、YouTubeヘルプを参照ください。

素材画像

今回の総合演習では、右の4点の画像を使って合成を行います。併せて生成塗りつぶし(p.134)の機能を使って、思い描くイメージを自由に作ってみましょう。

アートの画像 (star.psd)

小物の画像 (item.psd)

人物の画像 (character.psd)

キャンプの画像 (camp.psd)

(1)作業環境を整える

作品を制作するにあたり、作業環境を整えましょう。ここでは、Webコンテンツ向けの使用単位とカラー設定に変更します。

01 メニューバーから [Adobe Photoshop 2024] → [設定] (Windowsでは [編集] → [環境設定]) → [単位・定規] を選択し、表示される [環境設定] ダイアログの [単位] エリアで、[定規] [文字] ともに「pixel」を選択します❶。

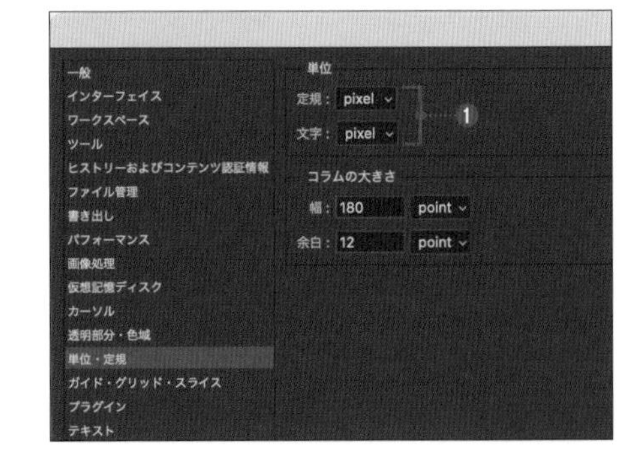

02　メニューから［編集］→［カラー設定］を選択してダイアログを表示し、表示される［カラー設定］ダイアログの［設定］で［Web・インターネット用-日本］を選択します❷。

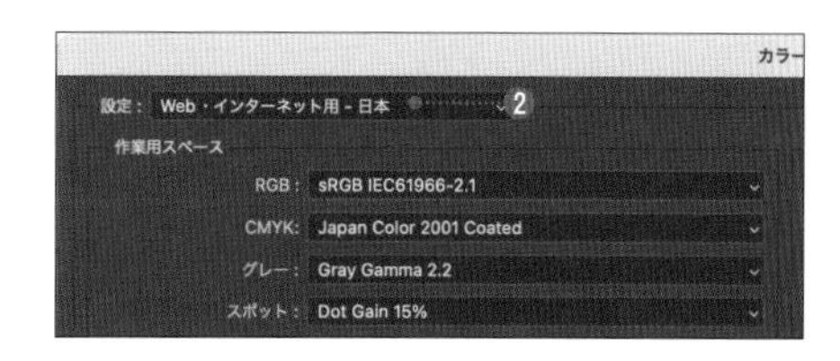

(2)新規ファイルの作成と保存

それでは実際に画像合成を行っていきましょう。まずは画像合成用の新規ファイルを作成します。

01　メニューから［ファイル］→［新規］を選択してダイアログを表示し、次のように設定して❶、［作成］ボタンをクリックします❷。

- カテゴリ：Web
- ファイル名：youtube
- 幅：2560ピクセル（ヘッダーの幅）
- 高さ：1440ピクセル（ヘッダーの高さ）
- アートボード：チェックをつける
- 解像度：72ピクセル/インチ
- カラーモード：RGBカラー/8bit
- カンバスカラー：白

通常、［カラープロファイル］（p.44）は［作業用RGB］にし、［ピクセル縦横比］は［正方形ピクセル］にします。

02　ファイルを作成すると、右図のようになり❸、［レイヤー］パネルには［アートボード1］の中に、「レイヤー 1」が作成されます❹。

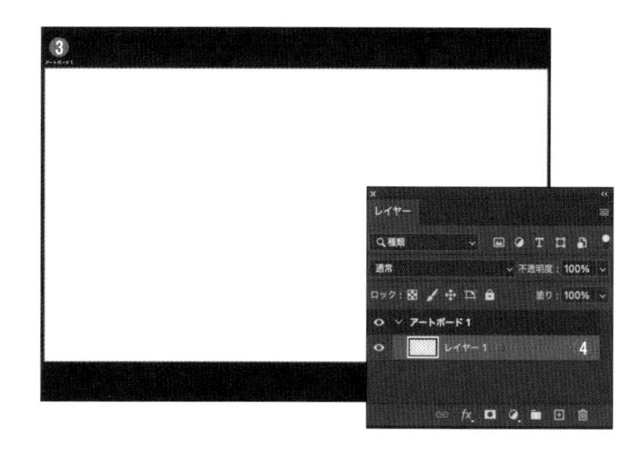

「レイヤー1」は、空の通常レイヤー（p.107）で、使用の有無に関わらず作成されます。削除しても構いません。また、後の作業で画像を配置すると、このレイヤーはなくなります。

03　アートボード名の上をダブルクリックして入力モードにし、名前を「header」に変更すると❺、アートボード左上の名前も変わります。問題なく新規ファイルを作成できたら、メニューから［ファイル］→［保存］を選択して、PSD形式で保存しておいてください。また、以降はこまめに上書き保存するようにしてください。

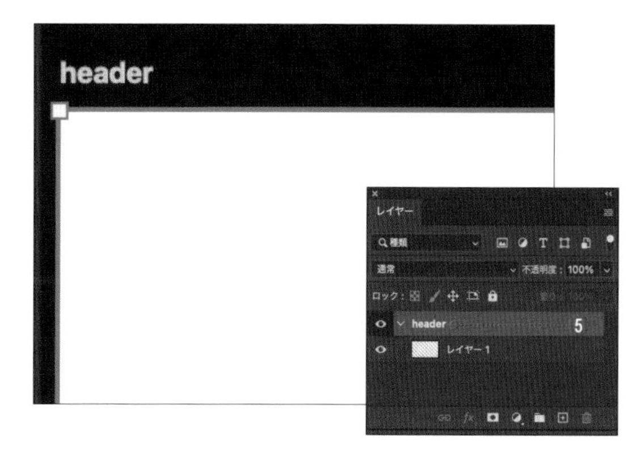

アートボード名は、後に書き出すファイルの名前になります（p.232）。アップロード時のエラーを防ぐため、ファイル名は半角英数字で入力しましょう。

(3)アートボードを追加する

新規作成したファイルに、サイズが異なるアイコンとサムネイルのアートボードを追加します。

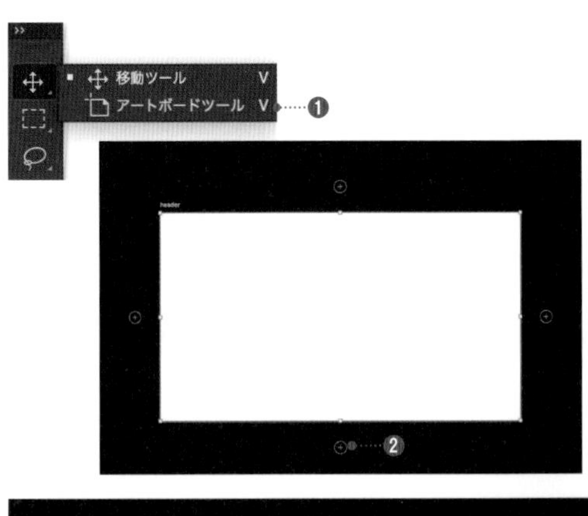

01 アイコン用のアートボードを追加します。ツールパネルで［アートボード］ツール を選択します❶。ヘッダーのアートボードの周辺に表示される追加ボタンをクリックします（ここでは下のボタン）❷。

02 クリックしたボタンの方向に、既存のアートボードと同じサイズのアートボードが追加されます❸。オプションバーで［幅］・［高さ］ともに［800］と入力して、アイコンのサイズに変更します❹。

［アートボード］ツールのオプションバーでは、アートボードのサイズのほか、アートボードの背景色（カンバスカラー）を変更できます。

03 ［レイヤー］パネルに追加されたアートボード名の上をダブルクリックして入力モードにし、名前を「icon」にします❺。

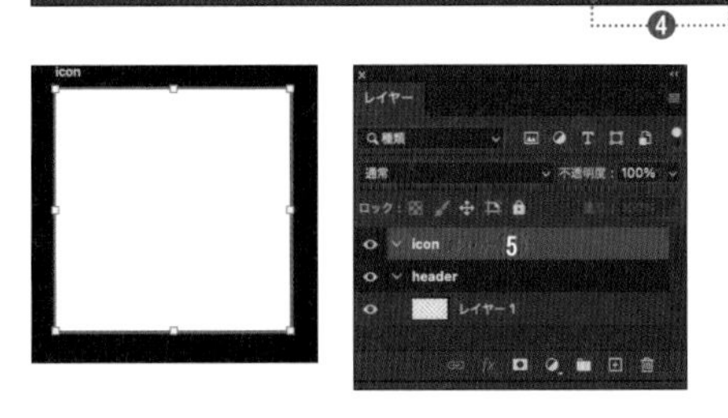

04 同様に、サムネイル用のアートボードを追加します。アイコンの右の追加ボタンをクリックしてアートボードを追加し❻、オプションバーで［幅：1280］、［高さ：720］と入力します❼。［レイヤー］パネルに追加されたアートボード名の上をダブルクリックして入力モードにし、名前を「thumbnail」にします❽。
これで3つのアートボードを作成できました。

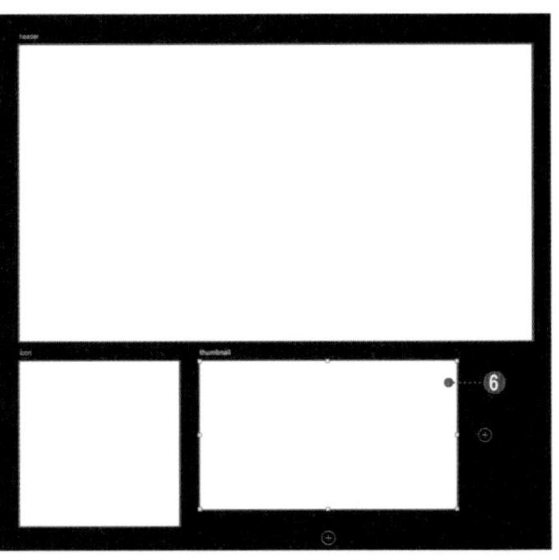

縮小画像を指すサムネイルとは、英語で「thumbnail（親指の爪）」を意味します。

アートボードの編集が済んだら、誤ってアートボードを編集しないように［移動］ツールに切り替えておきましょう。

(4)ヘッダーのビジュアルを作成する

[header] アートボードに、ヘッダーを作成します。画像を配置してビジュアルを2案作ってみましょう。

01 [header] アートボードを選択し、テキストやロゴなど重要な情報は、中心の安全領域(1,235px× 338px)におさめることを考慮して、右図のようにガイドを作成します(p.40) ❶。

- ❶水平方向:551px
- ❷水平方向:889px (高さ1440px-551px)
- ❸垂直方向:663px
- ❹垂直方向:1897px (幅2560px-663px)

ここでは、ほかのアートボードを非表示にして作業しています。アートボードの表示・非表示の操作は、レイヤーと同様です。

02 メニューバーから[ファイル]→[埋め込みを配置](p.124) を選択し、表示されるダイアログで「art.psd」(アートの画像) を配置します❷。画像サイズはカンバスサイズに合わせて自動調整されますが、今回はカンバスが埋まるように微調整します。オプションバーで [W] [H] ともに [50%] に設定して確定します❸。

03 配置したファイル名のレイヤーが作成されます❹。以降、基本的にこの画像は動かさないので、ロック(p.114) しておきます❺。
これで1案目のビジュアルができました。

04 続いて、2案目のビジュアルを作成します。アートの画像と同じ手順で、「item.psd」(小物の画像) を配置して、画像サイズや位置を調整します(配置倍率:80%)❻。[item] レイヤーをロックしておきます❼。

05 小物を増やしてみましょう。[長方形選択] ツールを選択し、任意のサイズで選択範囲を作成します(p.74)❽。コンテキストタスクバーの[生成塗りつぶし] をクリックし、テキストプロンプトの入力ボックスに「テニス」と入力し、[生成] をクリックします(p.134)❾。

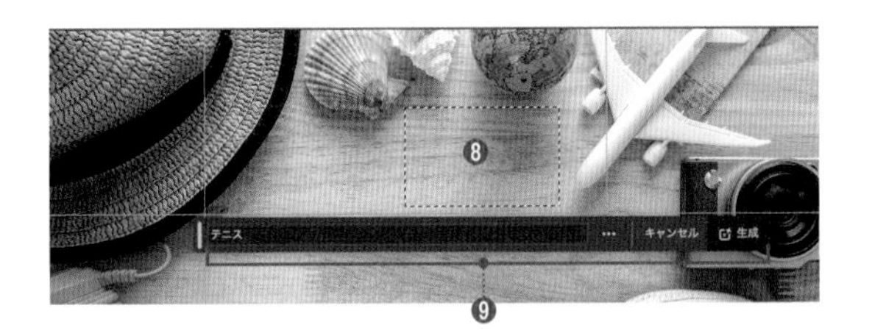

06 選択範囲内にテニスの画像が生成されます❿。また、[レイヤー] パネルには、生成レイヤーができます⓫。提示される3つのバリエーションを切り替えるには、< > をクリックするか、[プロパティ] パネルでサンプルをクリックします(p.134)。

07 [レイヤー] パネルで [header] アートボードを選択してから、同様に、別の箇所に選択範囲を作成し、[生成塗りつぶし] のテキストプロンプトの入力ボックスに「黒いペン」と入力し、黒いペンの画像を生成します⓬。[レイヤー] パネルには、新たに生成レイヤーができます⓭。

1ファイルに複数の生成レイヤーを作成できます。作成する前に、[レイヤー] パネルでレイヤーの選択を解除しないと、選択している生成レイヤー上で再生成することになります。

08 ⌘ (Ctrl) を押しながら [item] レイヤー、[テニス] 生成レイヤー、[黒いペン] 生成レイヤーの3つをクリックして選択し⓮、グループ化してグループ名を [item] にします⓯(p.110)。

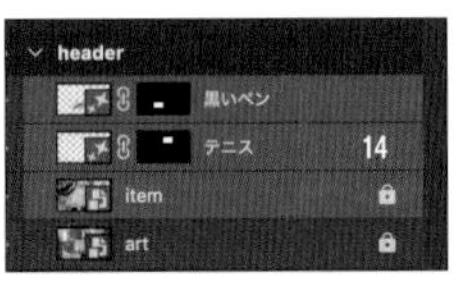

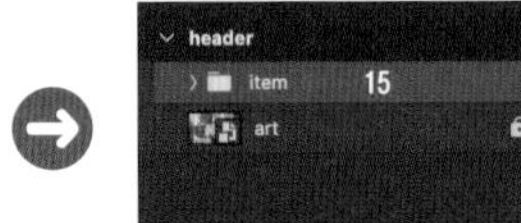

09 [色相・彩度] 調整レイヤーを追加して⓰、セピア調にします⓱(p.67)。調整レイヤーの補正は、それ以下のレイヤーすべてに適用されるため、[art] レイヤー含めすべての画像がセピア調になっています。

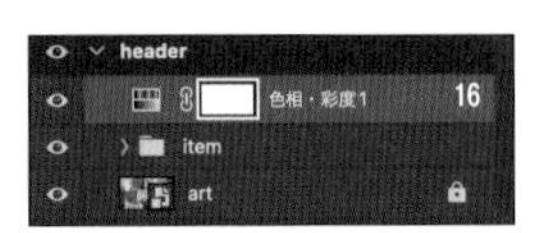

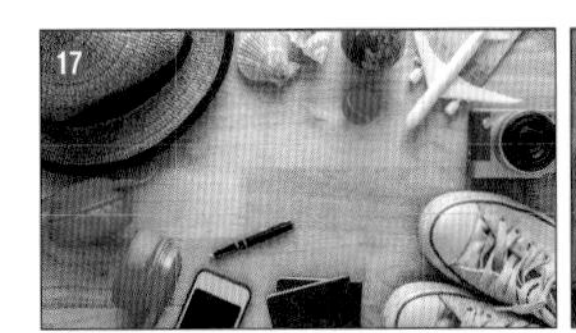

10 ［色相・彩度］調整レイヤーを選択し、クリッピングマスクを作成すると⑱、直下のグループのみに適用されます⑲（p.139）。

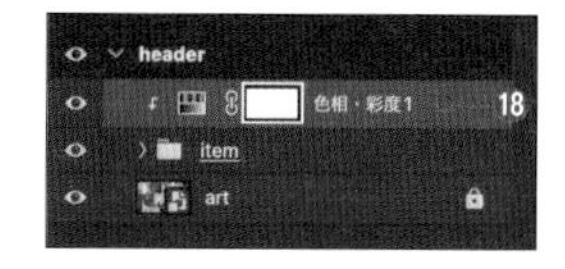

11 ［色相・彩度］調整レイヤーのレイヤーマスクのサムネールをクリックし⑳、マスクを編集します。［ブラシ］ツールを選択し、描画色を「黒」に設定してドラッグしたり（p.128）、［オブジェクト選択］ツールなどで作成した選択範囲を［塗りつぶし］コマンドを使って「ブラック」で塗りつぶして（p.159）、マスクを編集できます。
レイヤーマスクは、グレースケールで編集でき、調整レイヤーの適用範囲を決めることができます。「白」は適用範囲を表し、「黒」は適用外範囲になります（p.128）。つまり、「黒」で編集することで、調整レイヤーの適用外範囲になるため、下のレイヤーのカラー画像が見えるようになります㉑。
最後に、［色相・彩度］調整レイヤーは編集に備えて、ロック（位置をロック）しておきます㉒（p.114）。
これで2案目のビジュアルができました。

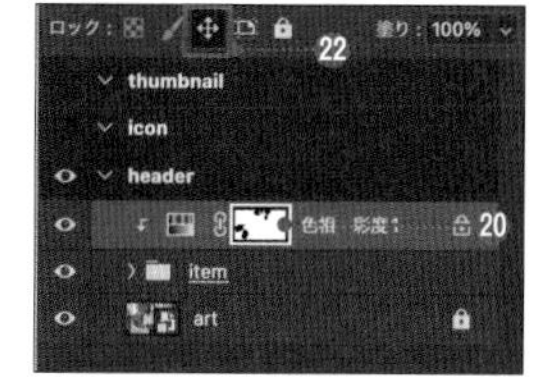

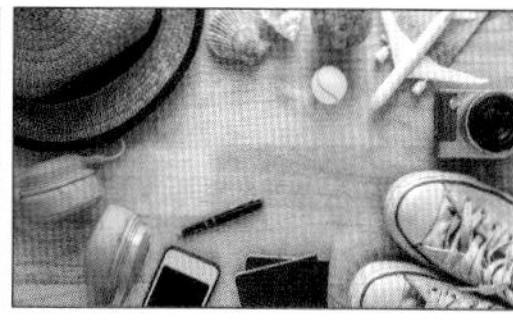

(5)ヘッダーのテキストを作成する

中心安全領域を目安にして、吹き出しのシェイプとテキストを作成します。

01 ［カスタムシェイプ］ツールを選択して、オプションバーで任意のシェイプを指定して、シェイプを描画すると❶、［レイヤー］パネルにシェイプレイヤーができます❷（p.209）。
シェイプレイヤーは編集に備えて、ロック（位置をロック）しておきます❸。

ここで使用したシェイプ
▶［従来のシェイプとその他］
▶［従来のすべてのデフォルトシェイプ］
▶［吹き出し］話3

02 [横書き文字] ツール T を選択して、オプションバーで設定し、クリックして文字を入力すると（ここでは、「How to spend the holidays」と入力）❹、[レイヤー] パネルにテキストレイヤーができます❺（p.198）。

ここで使用したフォント
▶Adobe Fonts（p.206）よりアクティベートした [Altivo Black]

フォントによってバランスは異なるため、フォントサイズや行送りは好みで調整してみましょう。

03 [レイヤー] パネルで ⌘（Ctrl）を押しながら、テキストレイヤーとシェイプレイヤーを選択し❻、[レイヤーをリンク] をクリックしてリンクすると❼❽、移動時に2つのレイヤーが別々になることを防ぐことができます（p.111）。
これで2案のヘッダーができました。

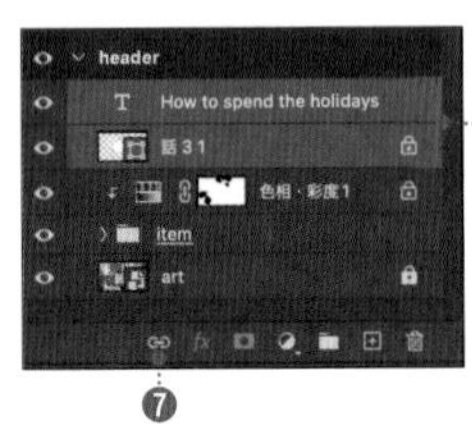

(6)アイコンを作成する

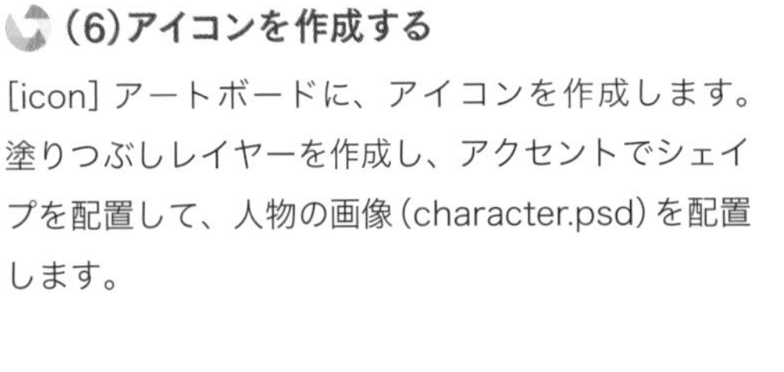

[icon] アートボードに、アイコンを作成します。塗りつぶしレイヤーを作成し、アクセントでシェイプを配置して、人物の画像（character.psd）を配置します。

01 [icon] アートボードを選択し、任意のカラーで、塗りつぶしレイヤーを作成します❶❷❸（p.118）。以降、塗りつぶしレイヤーは動かしませんが、塗りつぶしカラーの編集に備えて、ロック（位置をロック）をかけておきます❹。

ここでは、ほかのアートボードを非表示にして作業しています。アートボードの表示・非表示の操作は、レイヤーと同様です。

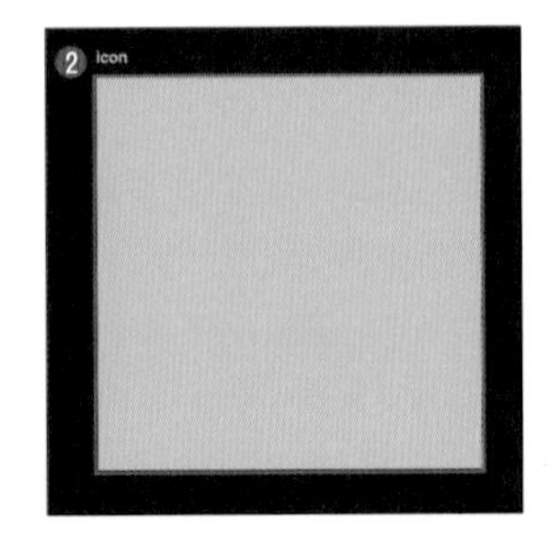

02

［カスタムシェイプ］ツール を選択し、任意のシェイプを指定して、シェイプを描画します❺（p.209）。［レイヤー］パネルにはシェイプレイヤーができます❻。

ここで使用したシェイプ
▶［従来のシェイプとその他］
　▶［従来のすべてのデフォルトシェイプ］
　　▶［自然］波

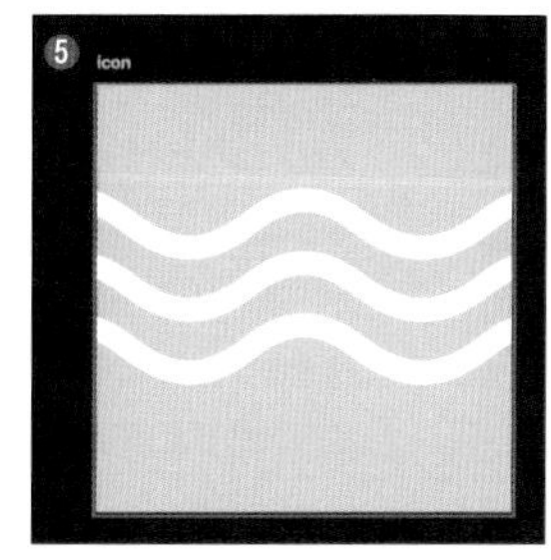

03

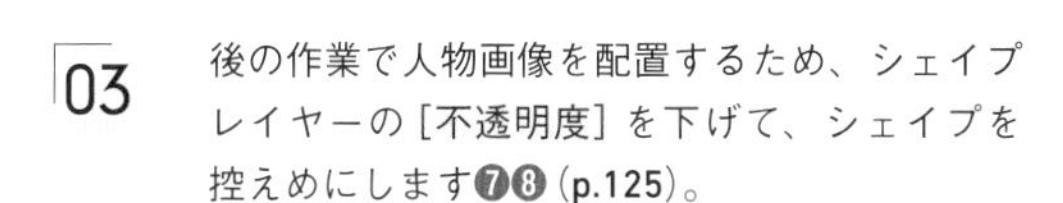

後の作業で人物画像を配置するため、シェイプレイヤーの［不透明度］を下げて、シェイプを控えめにします❼❽（p.125）。

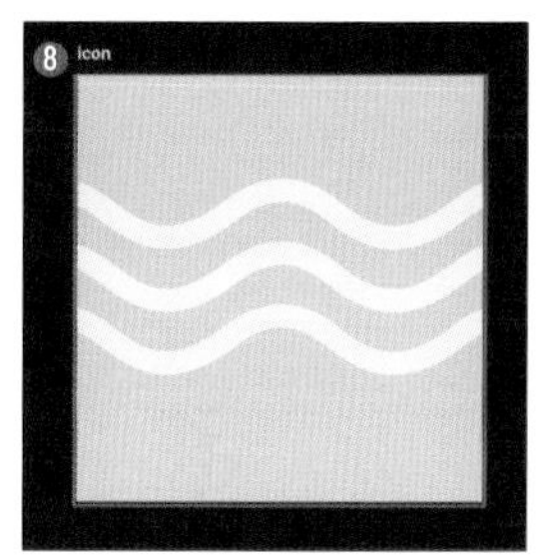

04

人物の画像（character.psd）を開いて、人物の選択範囲を作成します❾。
ここでは、［被写体を選択］コマンドを使用し（p.82）、さらにクイックマスクモード（p.92）で選択範囲を整えました。

05

メニューバーから［選択範囲］→［選択範囲を変更］→［境界をぼかす］を選択して、選択範囲の境界線を［1px］ぼかします（p.104）。［編集］→［コピー］を選択してコピーし、youtubeのファイルに切り替えて、［編集］→［ペースト］を選択して、人物の画像をペーストします❿。［レイヤー］パネルには、［レイヤー 1］ができます⓫。

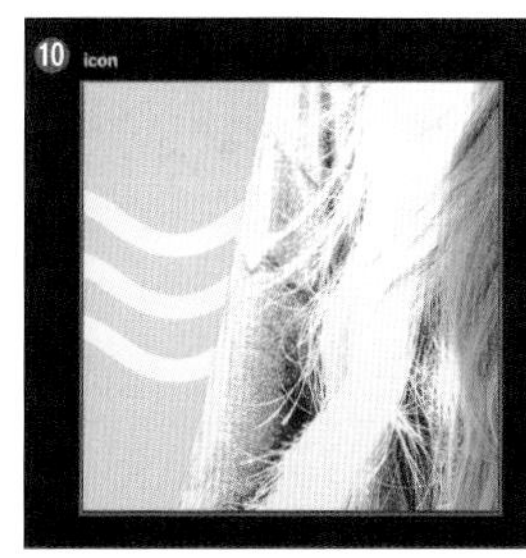

［選択とマスク］コマンドを使って、選択範囲の境界線を調整することもできます（p.100）。

06

レイヤー名を［人物］に変更します⓬。
メニューバーから［レイヤー］→［スマートオブジェクト］→［スマートオブジェクトに変換］を選択して画像をスマートオブジェクト（p.122）に変換したうえで、［編集］→［自由変形］を選択してサイズ（配置倍率：35%）と位置を調整します⓭。
これでアイコンが完成しました。

Short cut
自由変形
Mac: ⌘ + T　Win: Ctrl + T

(7)サムネイルを作成する

[thumbnail] アートボードに、サムネイルを作成します。ビジュアルとなる画像（camp.psd）を配置し、タイトルを入れます。

01　[thumbnail] アートボードを選択し、**p.225**と同じ手順で、「camp.psd」（キャンプの画像）を配置し、画像サイズを調整して（配置倍率：55%）❶、[camp] レイヤーはロックしておきます❷。

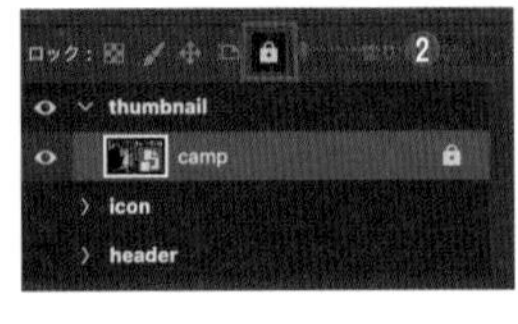

> ここでは、ほかのアートボードを非表示にして作業しています。アートボードの表示・非表示の操作は、レイヤーと同様です。

02　[横書き文字] ツール T を選択し、オプションバーで設定し、クリックして文字を入力すると（ここでは、「ソロキャンプにチャレンジ！」と入力）❸、[レイヤー] パネルにテキストレイヤーができます❹。

ここで使用したフォント
▶Adobe Fonts（**p.206**）よりアクティベートした [小塚ゴシックPr6N H]

> フォントによってバランスは異なるため、フォントサイズや字間、行送りは好みで調整してみましょう。

03　画像の上に配置したテキストは、見づらくなりやすいため、ここでは、縁取り文字にして見やすくしましょう。テキストレイヤーを選択し❺、レイヤースタイル [境界線] を追加します❻（**p.140**）。

04　[レイヤースタイル] ダイアログで境界線の設定をします❼。

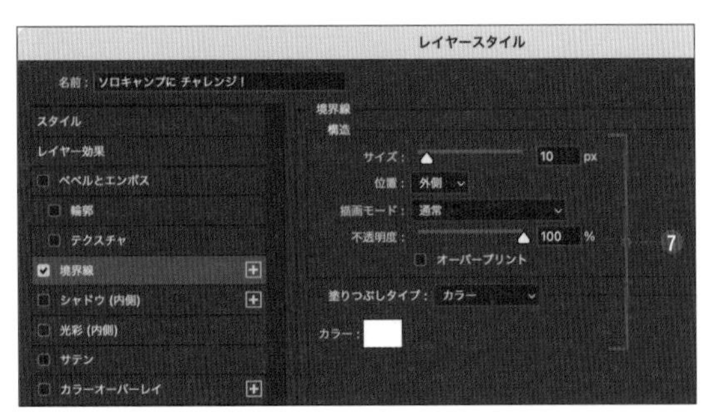

05 テキストが縁取られ、見やすくなりました❽。[レイヤー] パネルのテキストレイヤーには、[境界線] 効果が付与されます❾。

06 メニューバーから [編集] → [自由変形] を選択してバウンディングボックスを表示し、コーナーハンドルをドラッグして回転させ、テキストに動きをつけます❿。
これでサムネイルが完成しました。

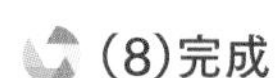 (8)完成

これで完成です❶。完成後は画面を100%表示(原寸)にして仕上がりを確認します(p.32)。[レイヤー] パネルは右図のようになっているはずです❷。

すべての手順を終えて、右図のような画像が完成したら、今度はレイヤーカンプ機能(p.115)を使って、いくつかのデザイン案のバリエーションを作り、比較してみてください。いろいろとカスタマイズすると、その分だけ応用力が身につきます。

❶

❷

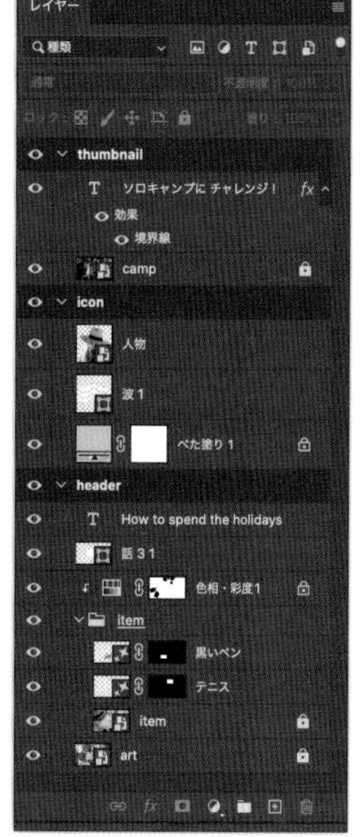

ここも知っておこう! ▶ **パネル類の表示・非表示の切り替え**

tab を押すとツールパネルとパネルの両方を非表示にできます。画面を広くできるので、仕上がりを確認しやすいです。再表示するには、再度 tab を押します。

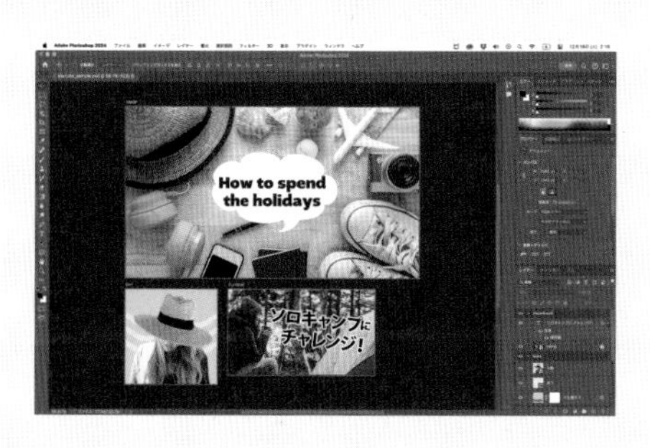

Sample_Data/Lesson10/10-2/

Lesson 10-2 アップロード用のファイルを書き出そう

Photoshopで作成したファイル内のアートボードごとに、アップロード用のファイルを書き出すことができます。規定のサイズと形式に合わせて、ファイルを書き出すようにしましょう。

アートボードからファイルを書き出す

アートボードごとに、アップロード用のファイルを書き出しましょう。アートボード名が書き出すファイル名になります。

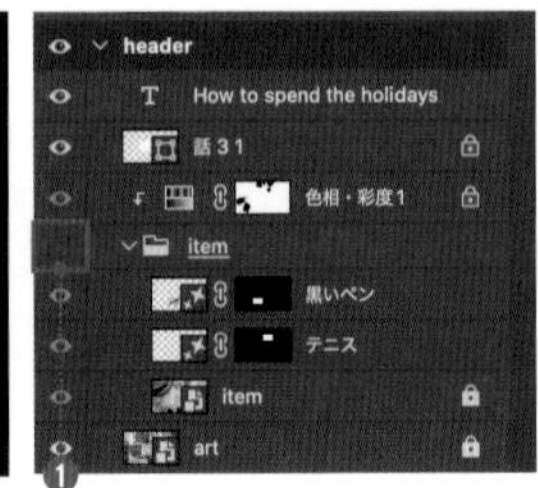

01 あらかじめ［レイヤー］パネルでレイヤーの表示状態を整えておきます。ここでは、2案作ったヘッダーのうち、1案目（art）を書き出すために、［item］グループを非表示にします❶。

［item］グループを非表示にすると、そのグループに対してクリッピングマスクを作成している［色相・彩度］調整レイヤーも同時に非表示になります。

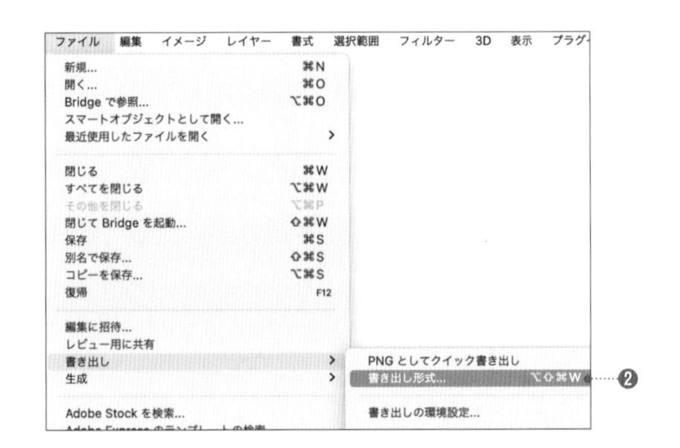

02 メニューバーから［ファイル］→［書き出し］→［書き出し形式］を選択します❷。

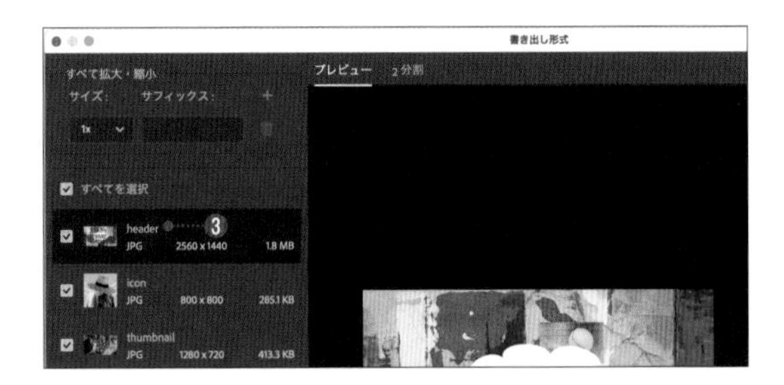

03 ［書き出し形式］ダイアログの左側のリストに、アートボード名が表示され、現在のファイル形式やサイズ、ファイル容量が表示されます❸。

04 選択したアートボードごとに、書き出しの設定をします。ここでは、［header］を選択し❹、画面上部の［2分割］をクリックして2分割に切り替えます❺。また、細部を確認しやすいように、表示倍率を［100%］にします❻。

05

右のウィンドウをクリックして選択し❼、設定を変更します。ここでは、階調豊かな写真画像を含むため、JPG形式を選択し、画質のスライダーを動かして［5］に落としました❽。

ファイル形式については、p.27を参照してください。

06

左のウィンドウ（変更前）と比較すると、画質を落としたことで、ファイル容量が下がったことがわかります❾。2つのウインドウを比較して、画質を下げたことで品質に差が出なければ、容量が軽い方を採用します。

画質を上げるとファイルサイズは重くなり、画質を下げるとファイル容量は軽くなります。ただし、軽くても品質が悪くてはいけません。見た目の品質とファイル容量のバランスを確認しながら調整します。

07

ここでは、3つとも写真画像を含むため、すべてJPG形式を選択します。残りの2つはそのままの画質でかまいません。［書き出し］をクリックし❿、ファイルの保存先を指定して⓫、［開く］をクリックします⓬。すると、保存先にファイルが書き出されます。

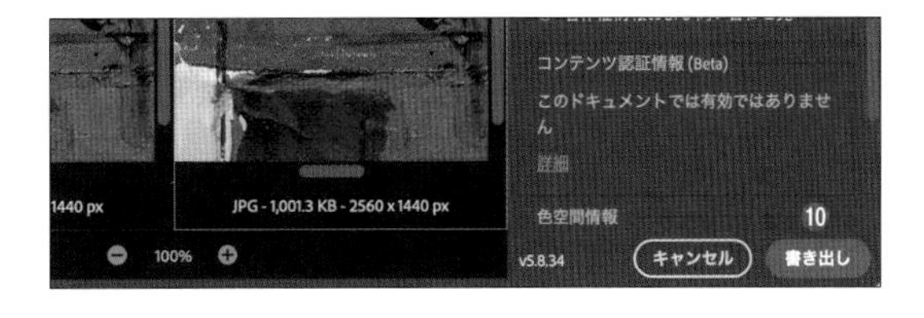

YouTubeのコンテンツは、ヘッダー（チャンネルバナー）は6 MB 以下、アイコンは4MB 以下、サムネイルは2MB 以下が規定です。JPG形式は圧縮率が高くファイル容量を軽くでき、作成したコンテンツはすべて規定以下の容量になっています。

ここも知っておこう！ ▶ ファイルの書き出し方法

アートボードやレイヤーは、さまざまな方法で個々のファイルに書き出すことができます。

■アートボードからPDF

アートボードからPDF形式のファイルを書き出します。

■アートボードからファイル

アートボードから指定した形式のファイルを書き出します。

■レイヤーからファイル

レイヤーから指定した形式のファイルを書き出します。

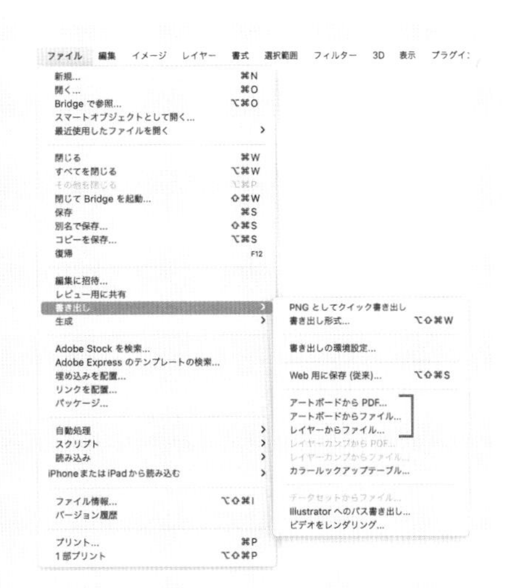

特定のアートボードのみを書き出す

同様に、2案目のヘッダーのみを書き出しましょう。

01 同様に、2案作ったヘッダーのうち、2案目(item)を書き出すために、[item] グループを表示にします❶。

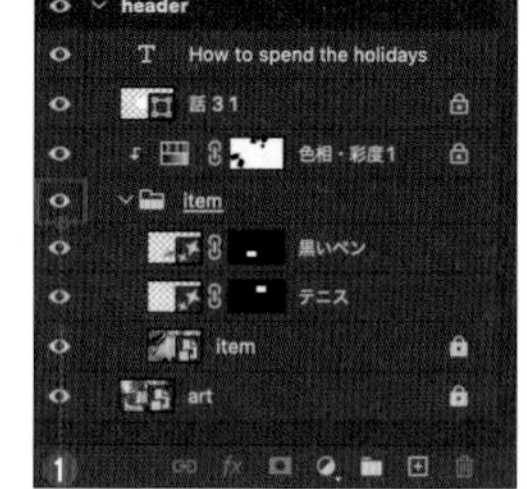

02 メニューバーから[ファイル]→[書き出し]→[書き出し形式] を選択します。ここで書き出すのは、2案目のヘッダーのみなので、[header] のみチェックを入れて書き出します❷。1ファイルのみ書き出す場合は、表示されるダイアログで名前を変更できます。ここでは、[header2] に変更して❸、[保存] ボタンをクリックします❹。

03 保存先を確認すると、設定に応じたファイルが書き出されていることがわかります❺。

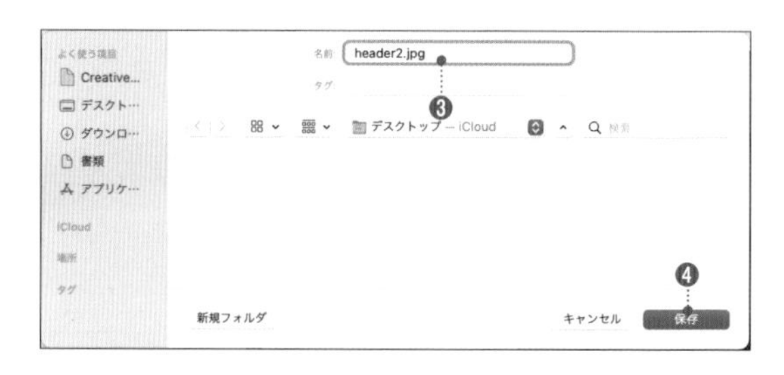

書き出したファイルは、YouTube Studioのカスタマイズページからアップロードできます。詳しくは、YouTube Studioのヘルプを参照してください。

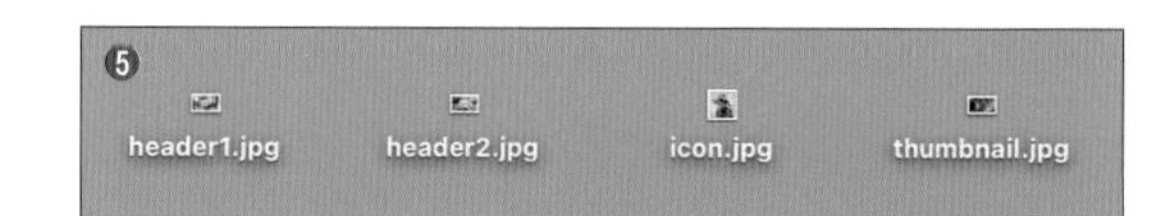

ここも知っておこう! ▶ **デバイスにより異なる表示**

TV、PC、タブレット、スマートフォンなどのデバイスによって表示サイズが異なるため、アップロード後のコンテンツの見え方も異なります。YouTube Studioのカスタマイズページでアップロードする際に、表示イメージをプレビューできます。

今回の総合演習で作成した2種類のヘッダーを比較するとわかるとおり、[item] の方は、すべてのデバイスで表示される安全領域(スマートフォンでも表示される領域)には、小物の画像があまり表示されないことがわかります。

メディアによって、コンテンツ制作におけるさまざまな規定があります。素材を選ぶ際の参考にしてみて下さい。

Lesson 11

Useful Functions.

便利な機能

操作性や作業効率を格段に向上させる設定と機能

本章では、作業をはじめる前段階でぜひ知っておいてほしい便利な機能を紹介します。知らなくても作業は進められますが、知っておくと、より効率的に作業を進めることができます。

環境設定の基礎知識

Photoshopでは、[環境設定]ダイアログでPhotoshopに関するさまざまな項目を設定できます。ここでは、知っておくと便利な主な設定を紹介します。

環境設定を確認する

Photoshopの環境設定を行うには、次の手順を実行します。

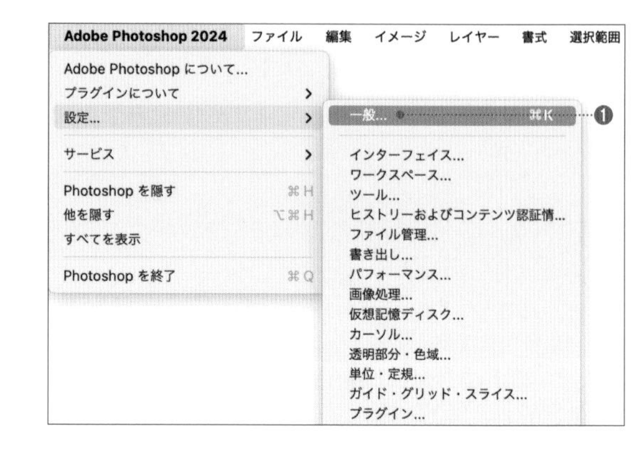

01 メニューバーから［Adobe Photoshop 2024］→［設定］（Windowsは［編集］→［環境設定］）→［一般］を選択して❶、［環境設定］ダイアログを表示します。

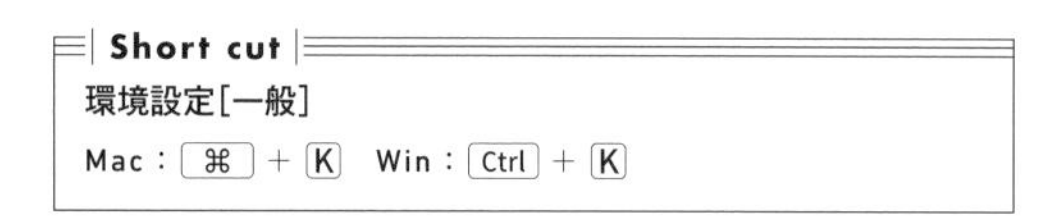

Short cut

環境設定[一般]

Mac：⌘ + K　Win：Ctrl + K

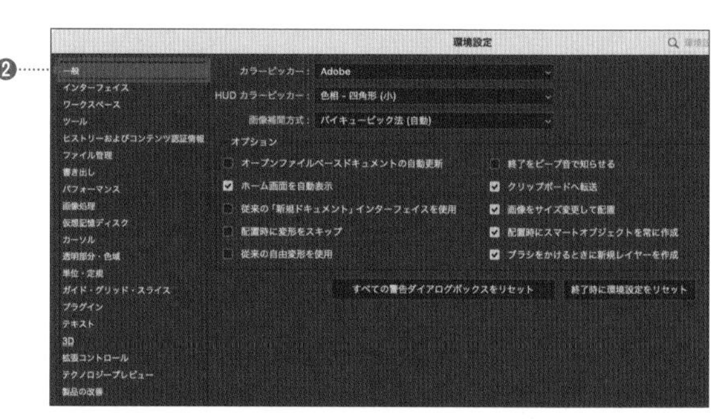

02 ［一般］カテゴリの設定項目が表示されるので目的の項目を変更します❷。

今回はメニューバーから［一般］を選択しましたが、目的の設定項目が決まっている場合は、そのカテゴリを選択します。

03 続けて別の項目を設定する場合は、最初に左側にあるカテゴリー覧から対象のカテゴリを選択します。ここでは［単位・定規］を選択して❸、［定規］と［文字］の単位を変更してみます❹。ダイアログの［OK］ボタンをクリックすると、下図のように表示される単位が変更されます❺。

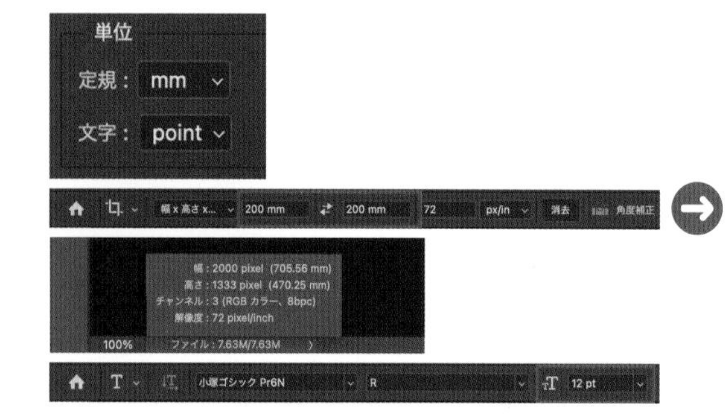

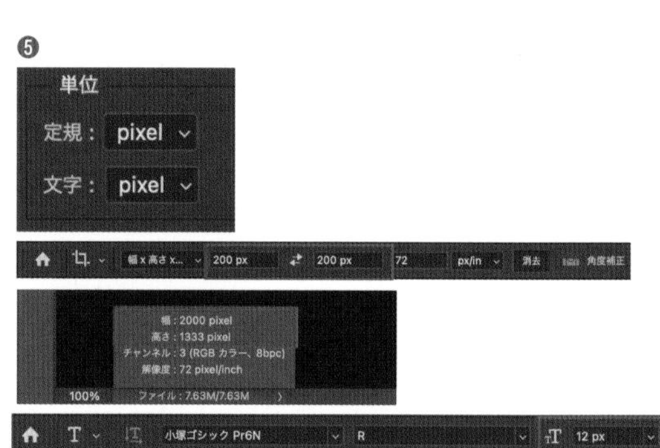

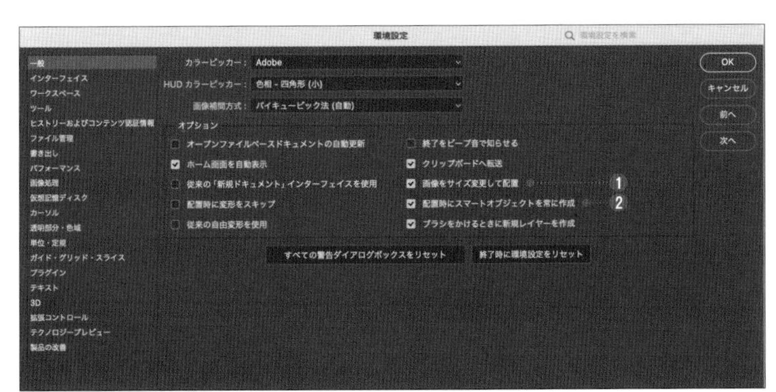

[一般] カテゴリ

使用するカラーピッカー (p.151) の設定や、いくつかのオプションを設定できます。

・[画像をサイズ変更して配置]

チェックを入れると❶、[配置] コマンドや、ウィンドウ外からドラッグ＆ドロップして画像を配置する際に、画像サイズが配置先のサイズに合わせて自動的に調整されます。

・[配置時にスマートオブジェクトを常に作成]

チェックを入れると❷、画像を配置した際にスマートオブジェクト (p.122) として配置されます。チェックを外すとピクセルとして配置されます。

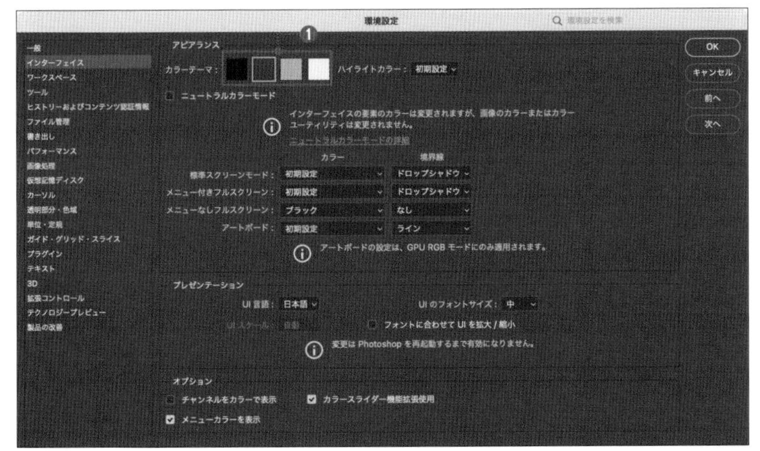

[インターフェイス] カテゴリ

Photoshopの画面の見た目 (インターフェイス) を設定できます。

・[カラーテーマ]

インターフェイスカラー (ドキュメントエリアやパネル類のカラー) を変更できます❶。

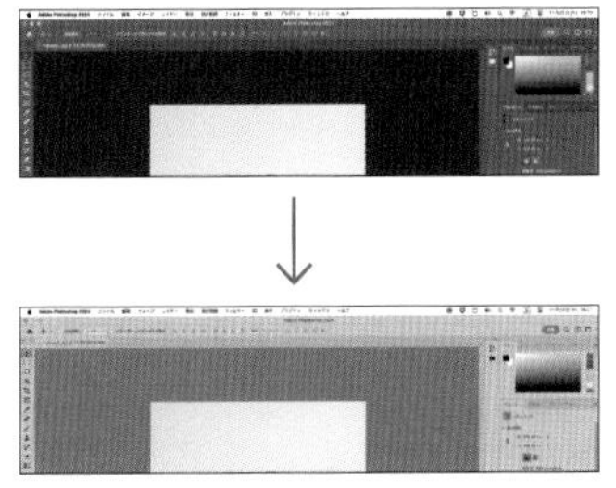

[ワークスペース] カテゴリ

Photoshopのワークスペースに関する各項目を設定できます。

・[タブでドキュメントを開く]

チェックを外すと❶、複数のファイルが別ウィンドウで表示されます (p.26)。

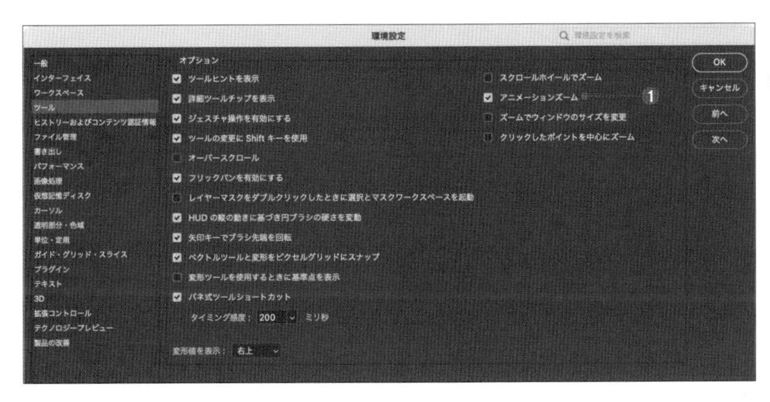

[ツール] カテゴリ

ツールヒントの表示・非表示や変形値の表示・非表示などを切り替えられます。

・[アニメーションズーム]

チェックを入れると❶、[ズーム] ツールで画面を長押しした際に徐々に拡大・縮小されます。

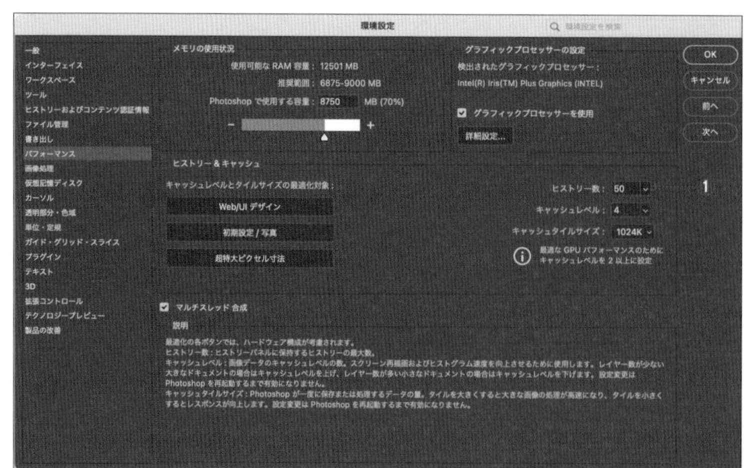

[パフォーマンス] カテゴリ

Photoshopに割り当てるメモリサイズや、保存できるヒストリー数、キャッシュサイズなどを指定できます。

・[ヒストリー＆キャッシュ] エリア
[ヒストリー数] では、[ヒストリー] パネルに保存できるヒストリーの上限数を設定します❶。多くの値を指定すれば、それだけ過去に戻れるため便利ではありますが、その分メモリを消費するので注意が必要です (p.38)。

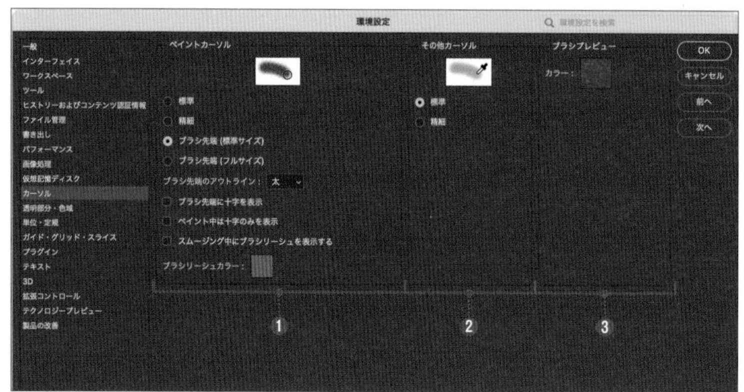

[カーソル] カテゴリ

マウスカーソルの形状やカラーなどを設定できます。編集する画像の色や特性に合わせて変更すると作業が行いやすくなります。

・[ペイントカーソル] エリア
[ブラシ] ツールなどのペイント系ツールのカーソルの表示形式を設定します❶。

・[その他カーソル] エリア
ペイント系ツール以外のカーソルの表示形式を設定します❷。

・[ブラシプレビュー] エリア
ブラシのプレビューカラーを設定します❸。

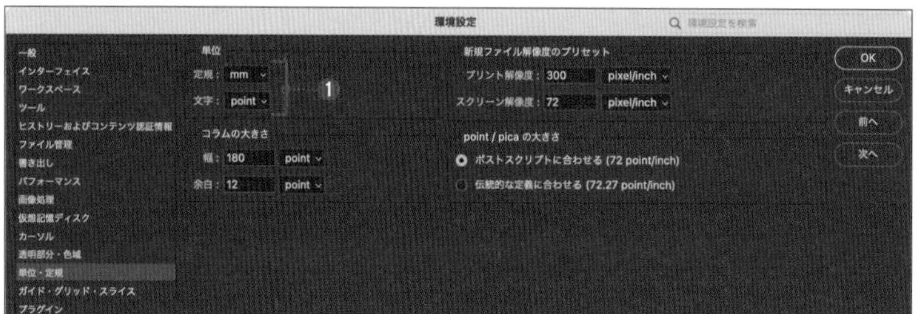

[単位・定規] カテゴリ

使用する単位などを設定できます。

・[単位] エリア
定規や文字関連で使用する単位を設定します❶。

[ガイド・グリッド・スライス] カテゴリ

ガイド、グリッド、パスのカラーやスタイルなどを設定できます。

・[ガイド] エリア
ガイド (p.40) のカラーやスタイルを設定します❶。

・[グリッド] エリア
グリッド (p.41) のカラーやスタイル、間隔 (グリッド線)、分割数を設定します❷。

・[パス] エリア
パス (p.208) の表示で使用されるカラーや太さを設定します❸。

ショートカットの活用

Photoshopの操作に慣れてきたらショートカットの活用をお勧めします。ショートカットを上手に利用すれば、各段に効率良く作業を進められます。

ショートカットの記載場所

Photoshopでは、メニューコマンドやツールパネルのツール名の右横にショートカットが記載されています❶❷。一部のコマンドやツールには割り当てられていませんが、使用頻度の高いものには割り当てられているので、必要に応じて1つずつ覚えていきましょう。

なお、右図を見るとわかるとおり、同じグループのツールには同じショートカットが割り当てられています。この場合、同じグループ内の他のツールに切り替えるには、shiftを押しながら割り当てられているショートカットを押します。例えば、shift＋Bを押すと、[ブラシ]ツールのグループ内のツールに順次切り替わります。

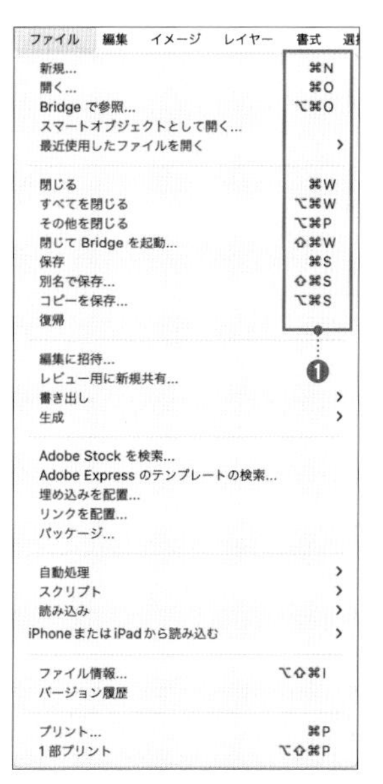

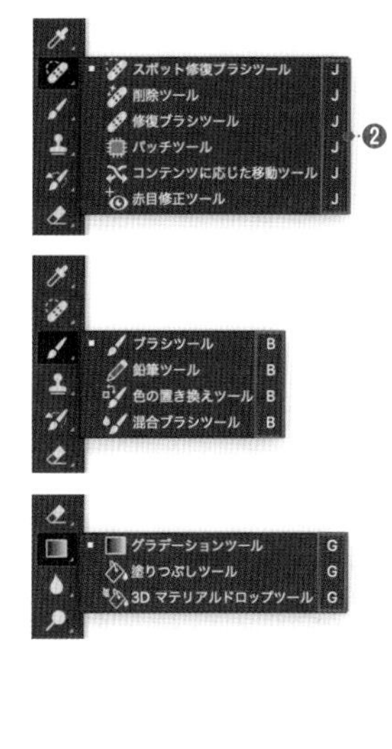

ショートカットの確認と割り当て

割り当てられているショートカットは、[キーボードショートカットとメニュー]ダイアログで確認できます。また、このダイアログではショートカットをカスタマイズして、オリジナルのショートカットを設定することもできます。

01 メニューバーから[編集]→[キーボードショートカット]を選択して、[キーボードショートカットとメニュー]ダイアログを表示し、[キーボードショートカット]タブを選択します❶。

02 [現在のショートカットセットを元に新規セットを作成]ボタンをクリックして❷、表示されるダイアログで任意の名前を付けて❸、[保存]ボタンをクリックします❹。

保存したショートカットファイルの拡張子は[.kys]です。

03

右上の［セット］が保存したセット名に変わります❺。
ここでは［イメージ］→［切り抜き］にショートカットを割り当ててみます。左上の［エリア］で［アプリケーションメニュー］を選択して❻、［イメージ］メニューの左横の 〉 をクリックして展開します❼。

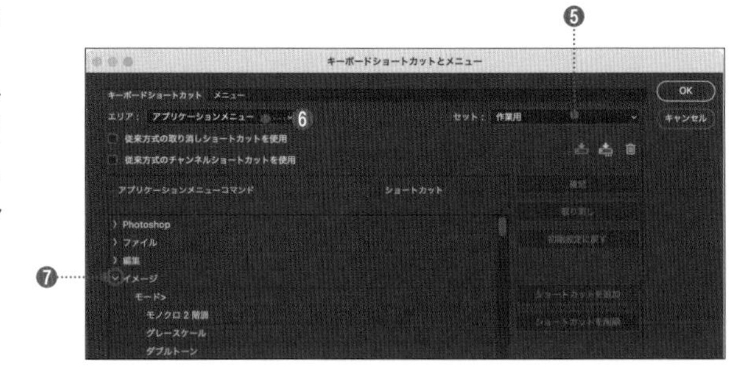

04

右側のスクロールをドラッグして❽、［切り抜き］まで移動し、クリックしてアクティブにします。すると、画面中央に入力欄が表示されます❾。
この状態でキーボードで任意のキーを入力すると、その内容が入力欄に記入されます❿。

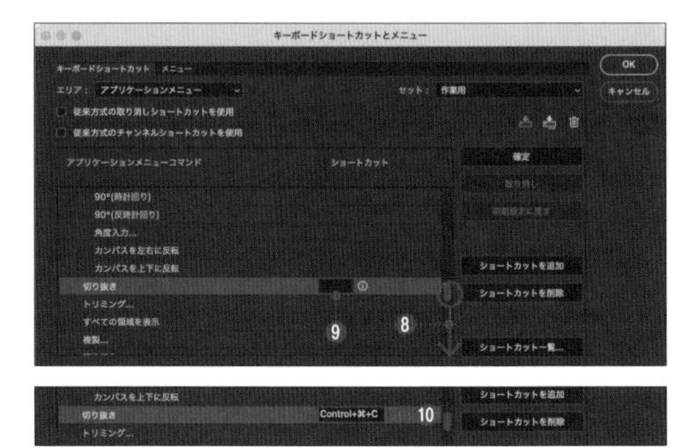

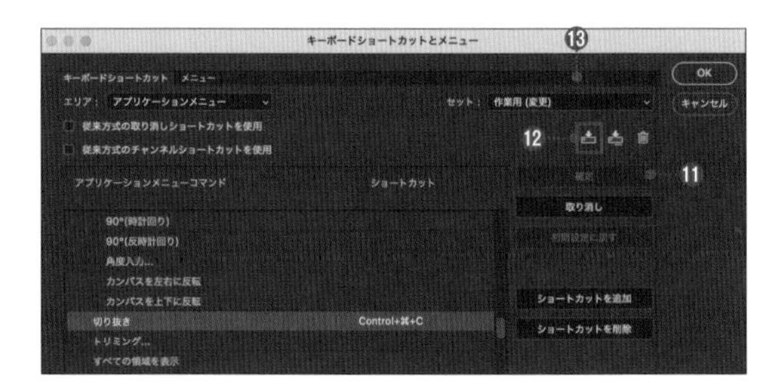

指定したショートカットがすでに別の機能に割り当てられている場合は、入力欄の右側に警告マークが表示されます。対応方法については以下の「ここも知っておこう！」を参照してください。

05

指定したショートカットを登録する場合は［確定］ボタンをクリックし⓫、［現存のショートカットセットの変更内容を保存］をクリックします⓬。これでオリジナルのショートカットの登録は完了です。保存後は、右上の［セット］で選択されているショートカットセットが使用されます⓭。元に戻す場合はここで［Photoshop初期設定］を選択して、［OK］ボタンをクリックします。

ここも知っておこう！ ▶ 割り当てたいショートカットがすでに使用されている場合

割り当てたいショートカットがすで使用されている場合は、入力欄の右側に警告マークが表示されます❶。このマークが表示された際の対応方法としては、

(1) 別のショートカットを割り当てる
(2) 現在割り当てられている機能のショートカットを変更する

のいずれかになります。現在割り当てられている機能のショートカットを変更する場合は［確定してコンフリクト先に移動］ボタンをクリックして❷、その機能のショートカットを変更します。

● 主なショートカット一覧

コマンド	Mac	Windows
[Adobe Photoshop 2024]→[設定](Mac) [編集]→[環境設定](Windows)	⌘+K	Ctrl+K
[ファイル]→[新規]	⌘+N	Ctrl+N
[ファイル]→[保存]	⌘+S	Ctrl+S
[ファイル]→[別名で保存]	⌘+shift+S	Ctrl+shift+S
[ファイル]→[開く]	⌘+O	Ctrl+O
[ファイル]→[閉じる]	⌘+W	Ctrl+W
[ファイル]→[プリント]	⌘+P	Ctrl+P
[Adobe Photoshop 2024]→[Photoshopを終了](Mac) [ファイル]→[終了](Windows)	⌘+Q	Ctrl+Q
[表示]→[画面サイズに合わせる](全体表示)	⌘+0	Ctrl+0
[表示]→[100%表示]	⌘+1	Ctrl+1
[表示]→[ズームイン]	⌘++	Ctrl++
[表示]→[ズームアウト]	⌘+-	Ctrl+-
[表示]→[定規](定規の表示・非表示の切り替え)	⌘+R	Ctrl+R
一時的に選択系ツールに切り替え(使用中のツールによって、[移動]ツール、[パスコンポーネント選択]ツール、[パス選択]ツールに切り替わる)	⌘	Ctrl
一時的に[ズーム]ツール(拡大)に切り替え	⌘+space	Ctrl+space
一時的に[ズーム]ツール(縮小)に切り替え	⌘+option+space	Ctrl+Alt+space
一時的に[手のひら]ツールに切り替え(テキスト編集時を除く)	space	space
[編集]→[コピー]	⌘+C	Ctrl+C
[編集]→[ペースト]	⌘+V	Ctrl+V
[編集]→[特殊ペースト]→[選択範囲内へペースト]	⌘+option+shift+V	Ctrl+Alt+shift+V
[編集]→[カット]	⌘+X	Ctrl+X
[編集]→[自由変形]	⌘+T	Ctrl+T
[編集]→[取り消し]	⌘+Z	Ctrl+Z
[編集]→[やり直し]	⌘+shift+Z	Ctrl+shift+Z
[編集]→[最後の状態を切り替え]	⌘+option+Z	Ctrl+Alt+Z
[選択]→[すべてを選択]	⌘+A	Ctrl+A
[選択]→[選択を解除]	⌘+D	Ctrl+D
[選択]→[再選択]	⌘+shift+D	Ctrl+shift+D
[選択]→[選択範囲を反転]	⌘+shift+I	Ctrl+shift+I
画像描画モード⇄クイックマスクモードの切り替え	Q	Q
[レイヤー]→[新規]→[レイヤー]	⌘+shift+N	Ctrl+shift+N
[レイヤー]→[新規]→[コピーしてレイヤー作成]	⌘+J	Ctrl+J
[レイヤー]→[レイヤーをグループ化]	⌘+G	Ctrl+G
[レイヤー]→[レイヤーのグループ解除]	⌘+shift+G	Ctrl+shift+G
描画色と背景色を初期設定に戻す	D	D
描画色と背景色を入れ替え	X	X
ブラシサイズを大きくする	]	]
ブラシサイズを小さくする	[	[

カラーマネジメントとカラー設定

Photoshopで編集した画像を、イメージ通りの色みで印刷するためには、カラーマネジメントの基本と、Photoshopのカラー設定についての知識が不可欠です。

出力機器ごとに色が違う?

画像の色情報(ピクセルの色)は、RGBであれば[R:100] [G : 50] [B:25] といった数値情報で管理されているので、どのような出力機器でも同じ色で出力できそうに感じます。しかし、複数のディスプレイを使っている人や、実際に印刷したことのある人の中には「出力された画像の色が、作業中に見ていたものと違う」といった経験をしたことがある人も多いと思います。

このような現象が生じる理由は主に次の3点が挙げられます。

❶ディスプレイやプリンターの設定が不適切
❷使用しているカラーモードが不適切
❸プロファイルの設定が不適切

第一の理由は「ディスプレイやプリンターの設定」です。ご存じの方もいると思いますが、各出力機器には設定メニューが用意されており、そこで出力する色の明るさや色温度などを調整できます。この設定が不適切だと、正しい色で出力することはできません**図1**。

次に「使用しているカラーモード」も重要です。Photoshopでは、RGB、CMYK、グレースケールといったいくつかのカラーモードで作業できます(**p.21**)。しかし、RGBカラーを使用するディスプレイ出力とCMYKカラーを使用する印刷出力では、表現できる色の範囲が異なります。これは、CMYKの方がRGBよりも表現できる色の範囲が狭いため、場合によっては少しくすんだ色で出力されてしまいます**図2**。

最後に「プロファイルの設定」も大切です。プロファイルとは「この画像はAdobe RGBで出力してくださいね」と書いてある指示書のようなものです。Photoshopでは、同じRGBでも、sRGB、Adobe RGBといった異なるプロファイルを設定することができますが、表現できる色の範囲は異なります。プロファイルは画像ファイルに埋め込むことで、カラーマネジメントできるのですが、この設定が不適切だと、正しい色で印刷することはできません**図3**。

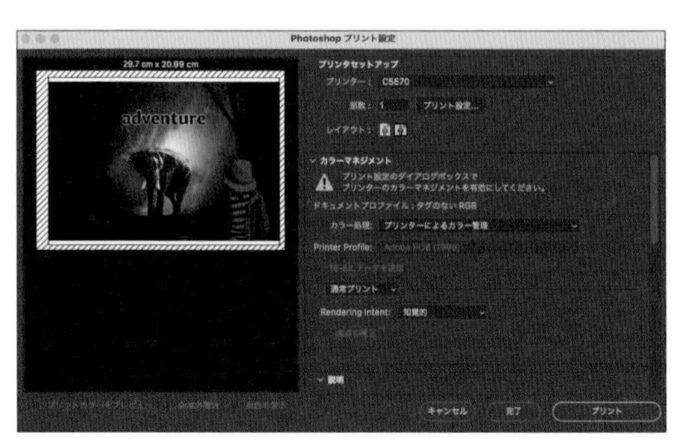

図1 出力機器では機器ごとに出力設定ができますが、この設定が不適切だと正しい色を出力することはできません。

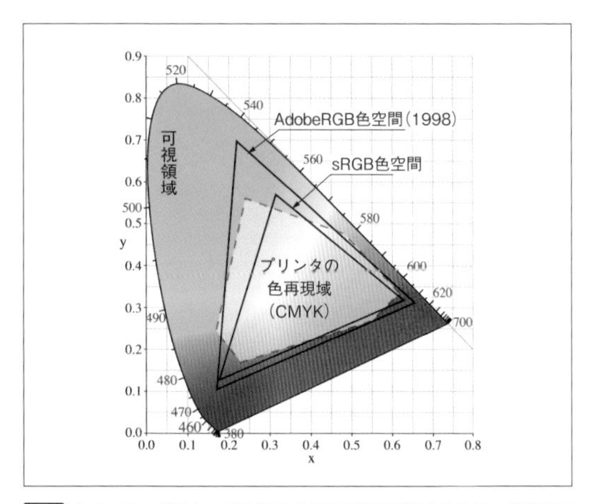

図2 カラーモードによって表現できる色の範囲が異なるため、機器間で思いどおりの色を出力するためには、各機器で扱うことのできるカラーモードを理解しておくことが必要です。

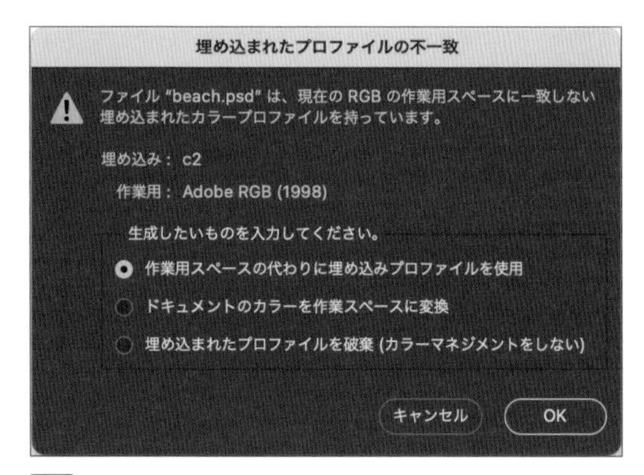

図3 カラー設定で設定した作業用のプロファイルと、画像ファイルに設定されているプロファイルが異なっていると、正しい色で出力することはできません。

カラーマネジメントとは

前ページで解説したように、実際に出力される色は出力機器にどうしても依存してしまうのですが、だからといって、そのままにしておくべきではありません。可能な限り、思い通りの色を再現できるようにするべきです。カラーマネジメントとは、さまざまなディスプレイやプリンターなどの複数の機器の間で出力する色をできるだけ統一するための手法です。先述した❶〜❸を適切に行う作業といえます。

なお、❶の「ディスプレイやプリンターの設定」に関しては、きちんと設定するにはディスプレイやプリンターの出力値を計測するための特殊な機器が必要になるので、本書では解説を割愛します。まずは、適切なカラーモードを選び、そして、正しいプロファイルを設定することからはじめてください。

カラーモードとプロファイルの設定

画像のカラーモードやプロファイルの設定は、メニューバーから[編集]→[カラー設定]を選択すると表示される、[カラー設定]ダイアログで行います❶。

なお、通常はPhotoshopに用意されているプリセット([設定]項目)のカラー設定を使用してください❷。[カラー設定]ダイアログではかなり詳細な設定も可能ですが、精通している人が十分に意図を理解したうえで使用する以外はお勧めしません。

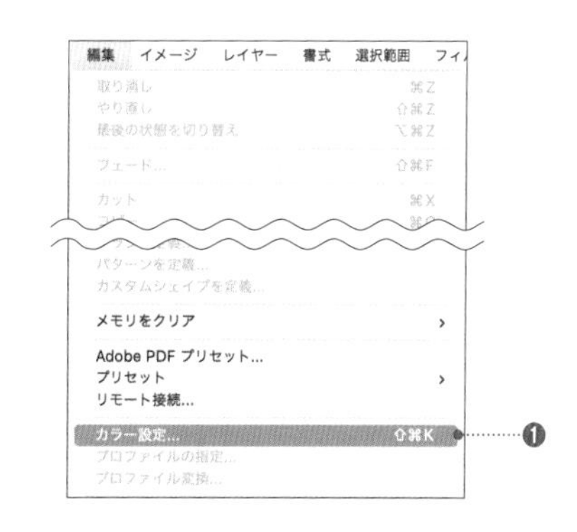

画像の使用目的と[設定]項目

画像を印刷物で使用する場合は[設定:プリプレス用ー日本2]を選択します❸。また、Webで使用する場合は[設定:Web・インターネット用ー日本]を選択します❹。[設定]項目を変更すると、それに応じて他の各項目の内容が切り替わります。

[変換オプション]セクションでは[変換方式]や[マッチング方法]、また[高度なコントロール]セクションではガンマ補正などを指定できますが、これらを適切に設定するには高度な知識が必要ですので、わからないうちは変更しないことをお勧めします。

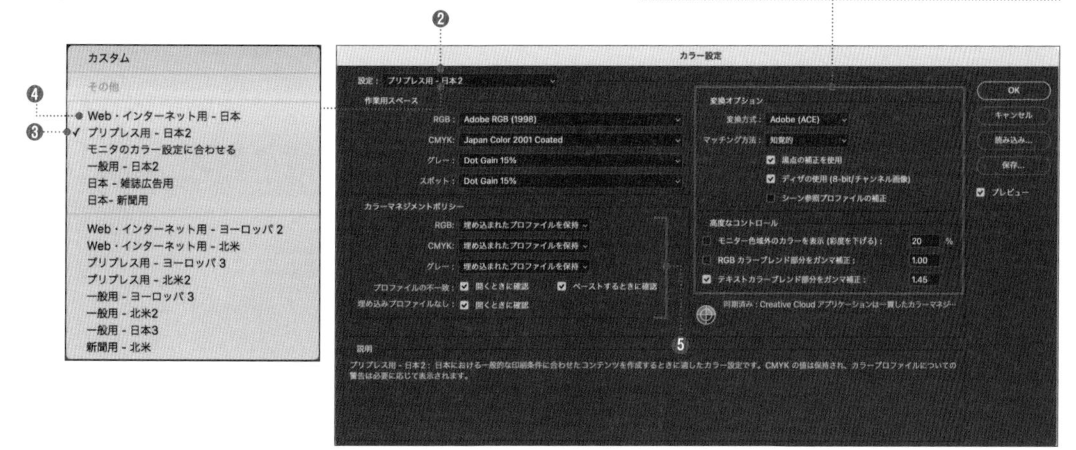

[カラーマネジメントポリシー]❺では、この画像のカラーマネージメントをどのように運用するかを指定します。特段の理由がない限り、基本的には[埋め込まれたプロファイルを保持]を選択します。また、[プロファイルの不一致]と[埋め込みプロファイルなし]は両者ともに確認すべきことなので、すべてにチェックを入れます(p.244)。なお、初期設定の[一般用-日本2]は、両者ともチェックが入っていないため、確認のダイアログは表示されません。

COLUMN

プロファイルの「埋め込みなし」と「不一致」

他者から提供された画像ファイルや、デジカメで撮影した画像をPhotoshopに読み込んだ際に、右図のような警告ダイアログが表示されることがあります。これらのダイアログは、開こうとしている画像にプロファイルが埋め込まれていない場や、埋め込まれているプロファイルとお使いのPhotoshopに設定されている作業用のカラー設定が異なる場合に表示されます。

これらの警告ダイアログが表示された際は適切に対処することが大切です。よくわからない状況のまま、適当な項目を選択すると、画像の色が意図しない状態で表示されることがあります。

なお理想的には、このような警告ダイアログが表示されないように、他者とファイルの受け渡しをする際にはお互いに設定を共有しておくことをお勧めします。

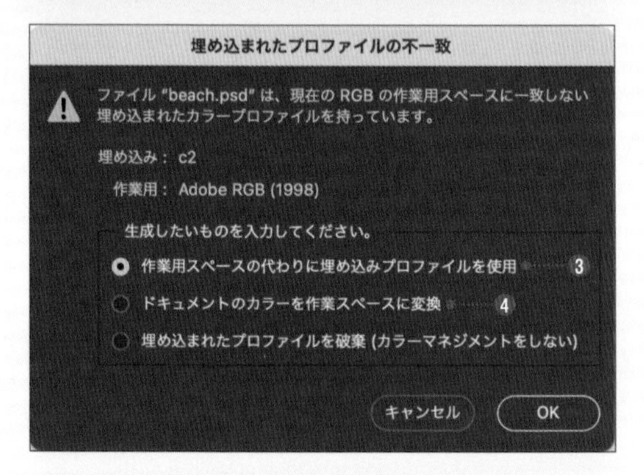

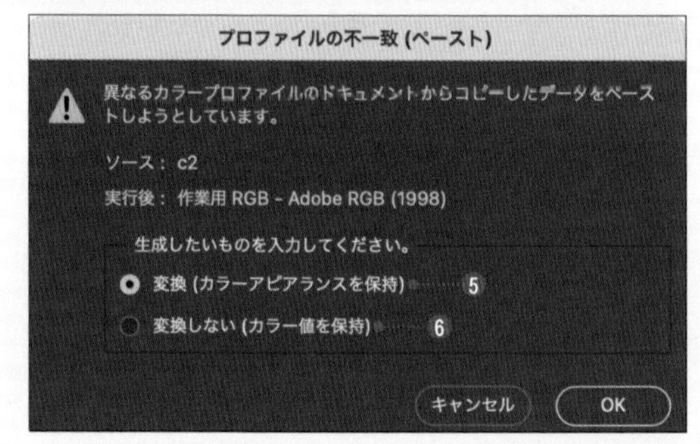

画像を開いた後に、メニューバーから［編集］→［プロファイルの指定］を選択し、表示される［プロファイルの指定］ダイアログでプロファイルを指定できます。また、［編集］→［プロファイル変換］を選択し、表示される［プロファイル変換］ダイアログでプロファイルを変換することもできます。

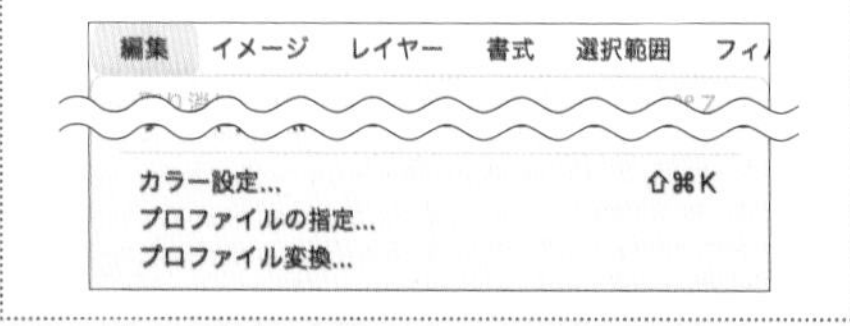

● 警告ダイアログの種類

プロファイルの状況	説　明
プロファイルなし	開こうとしている画像にプロファイルが埋め込まれていない場合に表示される。❶そのままにして開くか、❷正しいプロファイルを指定する（作業中のカラー設定に合わせるか、任意のプロファイルを指定）
埋め込まれた プロファイルの不一致	開こうとしている画像に埋め込まれているプロファイルと、カラー設定で設定した作業用のプロファイルが一致していない場合に表示される。開こうとしているファイルには意図的にプロファイルが埋め込まれていることが多いので、通常は❸［作業用スペースの代わりに埋め込みプロファイルを使用］を選択する。すると、プロファイルを変更せずにファイルを開ける。状況に応じて、❹［ドキュメントのカラーを作業スペースに変換］を選択する
プロファイルの不一致 （ペースト）	ペーストしようとしている画像のプロファイルと、ペースト先の画像のプロファイルが一致しない場合に表示される。見た目を合わせたい場合は❺［変換（カラーアピアランスを保持）］を選択し、カラー値（RGB値など）を保持したい場合は❻［変換しない（カラー値を保持）］を選択する

Lesson 11-4 頻繁に利用する設定を保存しておく

作業中に頻繁に利用する設定は、プリセットとして保存しておくと、効率良く作業することができます。

プリセットを保存して活用する

ブラシの形状や色の設定など、何度も使う設定は事前にプリセットとして保存しておきましょう。プリセット(Preset)とは「事前に用意された設定」という意味です。

ブラシ、スウォッチ、グラデーション、パターン、スタイル、シェイプ、ツールプリセットの7つのパネルは、使用頻度の高い設定をプリセットとして保存・活用して、効率的に作業することができます。

プリセットのカスタマイズ

ここでは、ブラシを例にプリセットのカスタマイズ方法について解説します。その他のプリセットも操作手順は基本的に同様です。

01 [ブラシ]パネルを表示します。ここでは不要なブラシグループを削除します。
ブラシグループを選択し❶、[ブラシを削除]をクリックします❷。表示されるダイアログで[OK]ボタンをクリックすると❸、パネルからブラシグループが削除されます❹。

⌘(Ctrl)を押しながらブラシグループをクリックすると、複数のブラシグループを選択できます。

02 従来のバージョンのプリセットを読み込んでみましょう。パネルメニューをクリックし❺、[レガシーブラシ]を選択します❻。表示されるダイアログでは[OK]ボタンをクリックすると❼、レガシーブラシが追加されます❽。

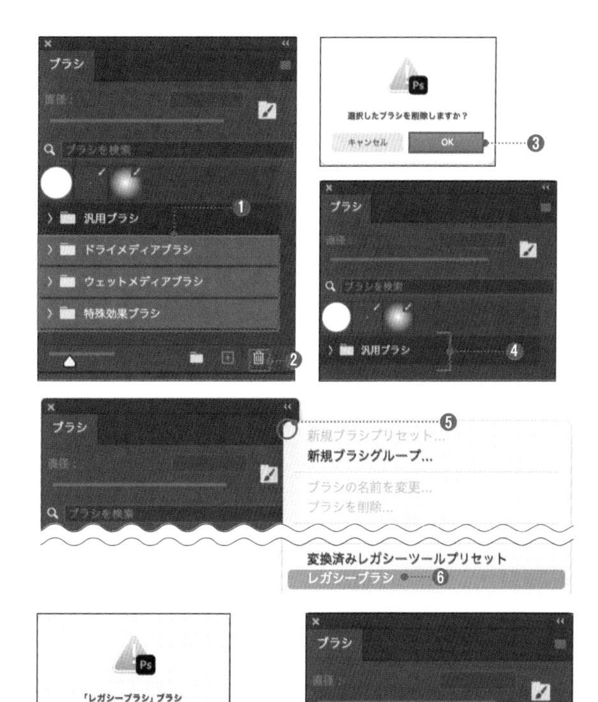

03 プリセットを共有できるブラシファイルを作成します。表示されているブラシグループをすべて選択し❾、パネルメニューをクリックして❿、[選択したブラシを書き出し]を選択します⓫。表示されるダイアログで[名前]と[場所](保存先)を指定して、任意の場所にブラシを保存します。ブラシを保存したファイルの拡張子は.abrです。

デフォルトの保存先は[Brushes]フォルダですが、他者にブラシファイルを渡したい場合や他の作業環境で読み込む場合は、デスクトップなどのわかりやすい場所に保存してください。

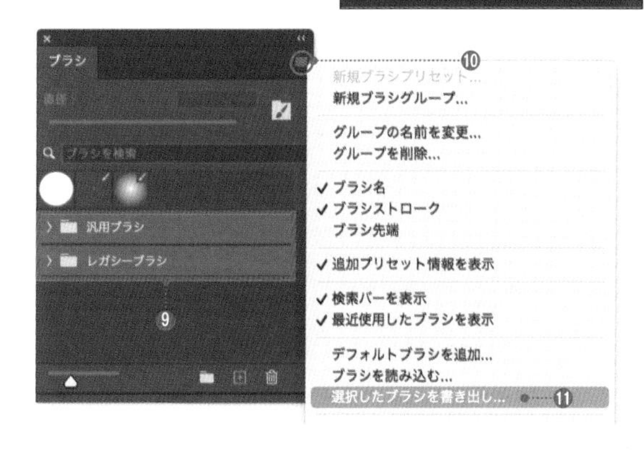

04 作成したブラシファイルは、他者に共有することができます。ブラシを読み込むには、パネルメニューをクリックして⑫、[ブラシを読み込む]を選択し⑬、表示されるダイアログで読み込むブラシファイルを指定して⑭、[開く]ボタンをクリックします⑮。すると、作成したプリセットが読み込まれます⑯。
また、ブラシファイルをデフォルトの保存先である[Brushes]フォルダに保存した場合は、パネルメニューのリストに表示されるプリセット名を選択すると、簡単に読み込むことができます⑰。

ブラシファイルを削除し、Photoshopを再起動すると、パネルメニューのリストからプリセット名はなくなります。

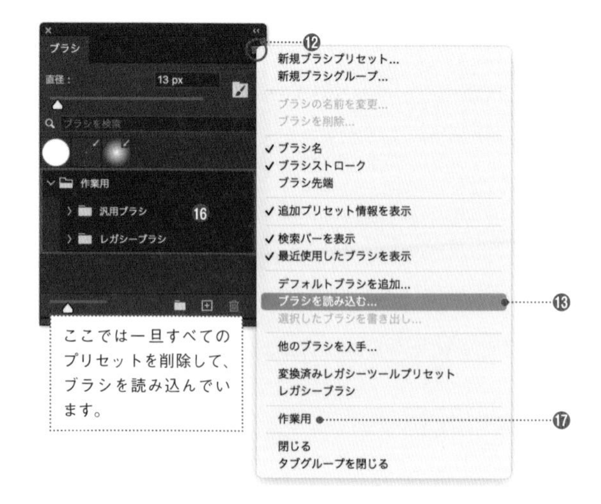

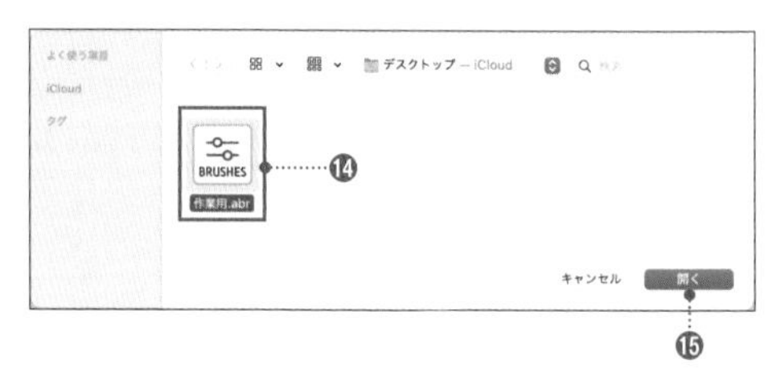

ここも知っておこう！ ▶ 初期設定のプリセットをリストに戻す方法

プリセットは自由にカスタマイズできますが、作業を重ねるうちに、初期設定のプリセットを消してしまうことがあります。

初期設定のプリセットを追加するには、プリセットを管理する各パネルのパネルメニューから、以下を選択します。

- ブラシ……………………デフォルトブラシを追加
- スウォッチ……………デフォルトスウォッチを追加
- グラデーション………デフォルトグラデーションを追加❶
- パターン………………デフォルトパターンを追加
- スタイル………………デフォルトスタイルを追加
- シェイプ………………デフォルトシェイプを追加
- ツールプリセット……ツールプリセットを初期化

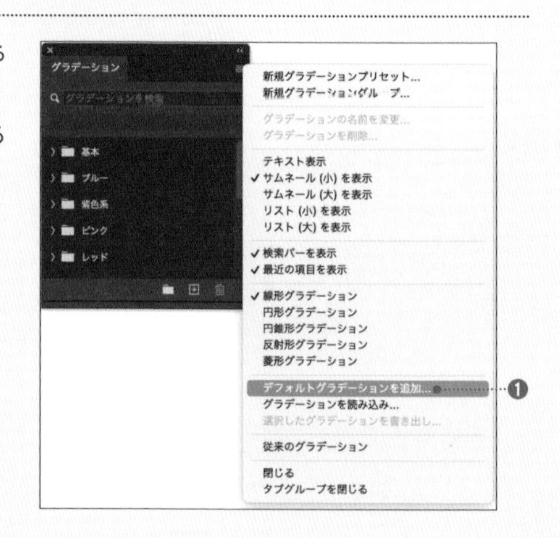

右図は、グラデーションのプリセットを例にしたものです。リストに何もない場合はそのまま初期状態に戻ります。一方、リストにいくつかのプリセットがある場合は、表示されるダイアログで[OK]ボタンをクリックします❷。[OK]ボタンをクリックすると、初期設定が追加される形で戻ります。リストが初期設定の状態にリセットされるのではなく、初期設定が追加される点に注意してください（ツールプリセットは、追加するか置き換えるかを選択することができます）。

なお、リストに初期設定がある状態で、上記の操作を繰り返すと、初期設定のプリセットがどんどん追加されていき重複します。

Adobe Stockを利用する

Adobe Stockとは、高品質で厳選されたロイヤリティーフリーのストックフォトサービスです。無料素材も多く、キーワード検索して手軽に利用することができます。

Adobe Stockにアクセスする

Adobe Stockにアクセスするには、次の手順を実行します。

01 画面右上の［ツール、ヘルプなどを検索］をクリックし❶、［もっと知る］パネルを表示して、［Stock］をクリックします❷。

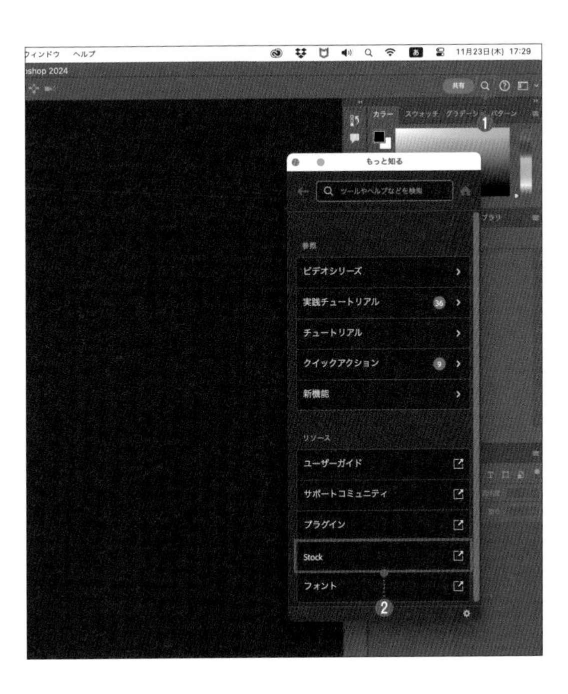

Creative Cloudアプリの［Adobe Stock］をクリックしてもアクセスすることができます(p.24)。

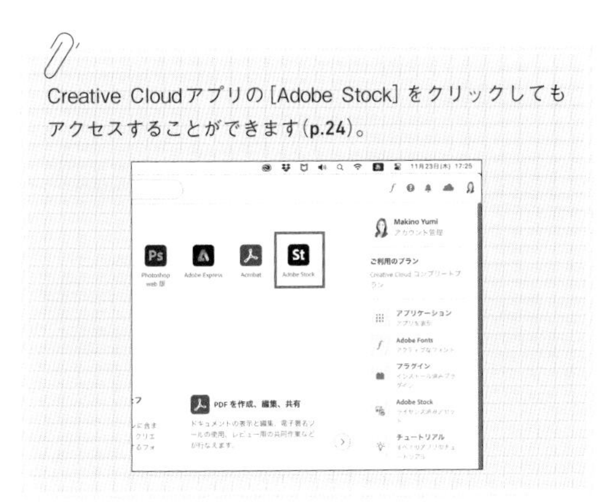

02 Adobe Stockのサイトが表示されます。ここでは、［無料素材］を選択し❸、検索ボックスに旅行」と入力して❹、画像を検索します。

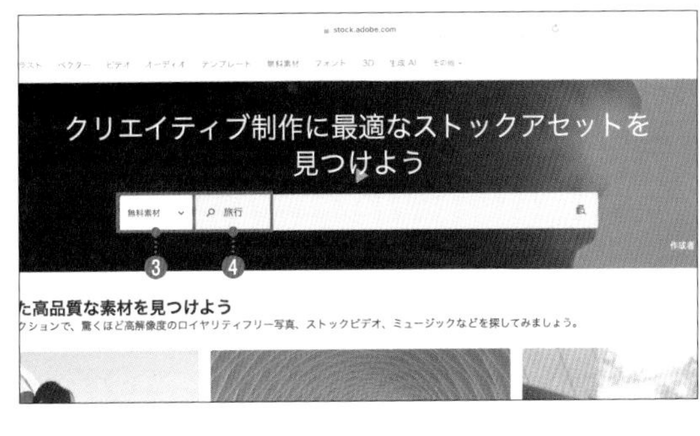

無料素材の他に、画像やテンプレートなどのカテゴリを選択することができます。有料プランについては、Adobeのサイトでご確認ください。

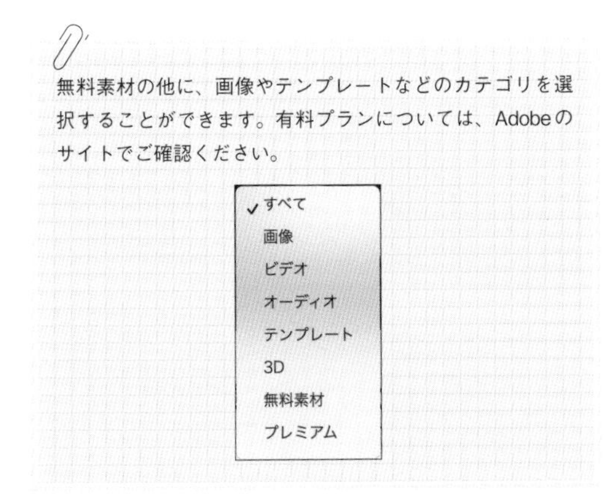

03 検索キーワードをもとに、画像が表示されます。画像の右上にカーソルを合わせると表示される［ライブラリに保存］をクリックし❺、［CCライブラリ］パネルに保存します❻。

画像のライセンスを取得する

Adobe Stockで保存した画像は、Photoshopの[CCライブラリ] パネルに保存されます。画像のライセンスを取得し活用しましょう。

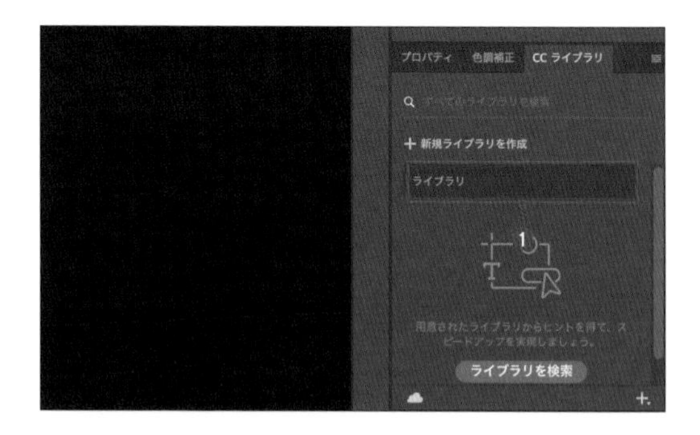

01 Photoshopに戻り [CCライブラリ] パネルのライブラリをクリックすると❶、その中に画像が保存されています。画像の左上にカーソルを合わせると表示される [画像のライセンスを取得] をクリックします❷。

[新規ライブラリを作成] をクリックすると、ライブラリを作成して、画像を整理することができます。

02 画像のサムネイルをダブルクリックすると❸、画像を開くことができます。

画像のライセンスを取得しなくても、画像を開くことはできます。ただし、画像の左下に画像番号が表記された状態になります。

ここも知っておこう！

▶ ライブラリの操作

[CC ライブラリ] パネルのパネルメニューから、ライブラリの名前変更や削除などの操作を行うことができます。Photoshop以外のAdobeソフトの [CC ライブラリ] パネルでコンテンツを共有したり、[ユーザーを招待] や [リンクを取得] を使って、プロジェクトチームでライブラリを共有したりすることができます。

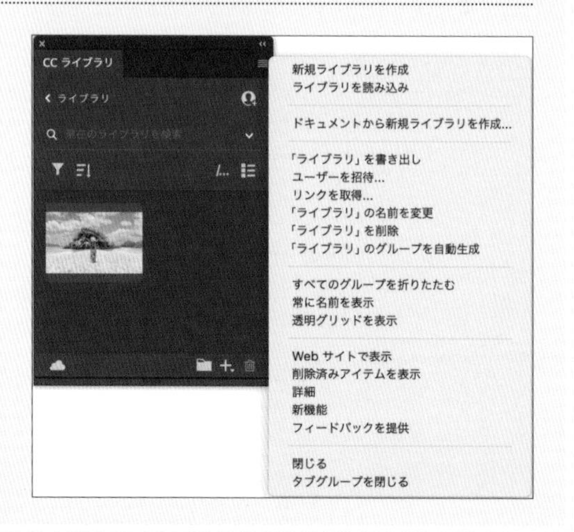

Sample_Data/Lesson11/11-6_11-7/

Lesson 11-6 [Bridge]で画像を閲覧・整理する

Photoshopのメニューバーから起動できる「Adobe Bridge」というソフトウェアを使うと、効率的に画像を見比べたり、整理したりできます。事前にBridgeをインストールする必要があります。

Adobe Bridgeとは

Adobe Bridge(以下Bridge)は、多数の画像を一元管理したり、複数の画像を見比べたりできるソフトウェアです。このソフトウェアはPhotoshopのメニューバーから[ファイル]→[Bridgeで参照]を選択すると❶、起動します。

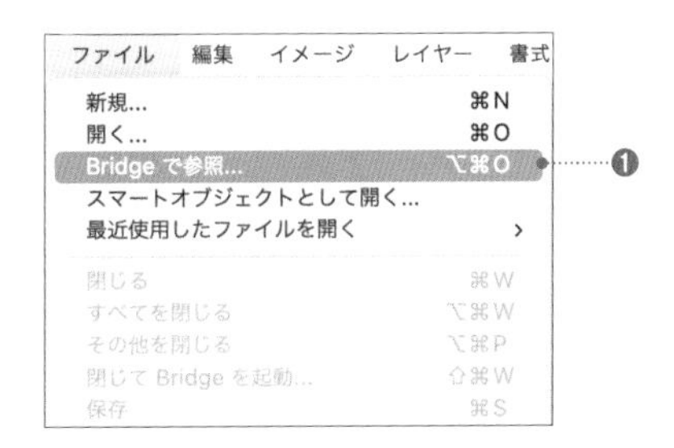

Bridgeの画面構成

構成要素	説　明
❶メニューバー	表示形式の切り替えや、ファイルへのラベル付けなど、[コンテンツ]パネル内の画像に対するさまざまな処理項目が含まれている
❷[お気に入り]パネル	使用頻度が高い参照フォルダーを登録できる。PC内の階層で指定する
❸[コンテンツ]パネル	[お気に入り]パネルで指定した階層内の画像が表示される
❹パスバー	たどってきたパスを表示する。クリックすると、その階層に戻れる
❺[プレビュー]パネル	[コンテンツ]パネルで選択した画像のプレビューが表示される
❻[公開]パネル	公開サービスをクリックし、画像をドラッグすると、その画像を公開できる
❼[メタデータ]パネル	[コンテンツ]パネルで選択した画像のメタデータ(種類やファイルサイズなどの情報)が表示される
❽[キーワード]パネル	キーワードを作成して、画像に割り当てる場合に使用する
❾[フィルター]パネル	画像に付けたキーワードやレーティングなどをもとにしてフィルタリングする場合に使用する
❿ワークスペース名	クリックしてワークスペースを切り替えることができる(上図は[初期設定])

画像を表示する

Bridgeで画像を表示するには、次の手順を実行します。

01 ［お気に入り］パネル、または［フォルダー］パネルで画像が保存されている場所を指定します❶。

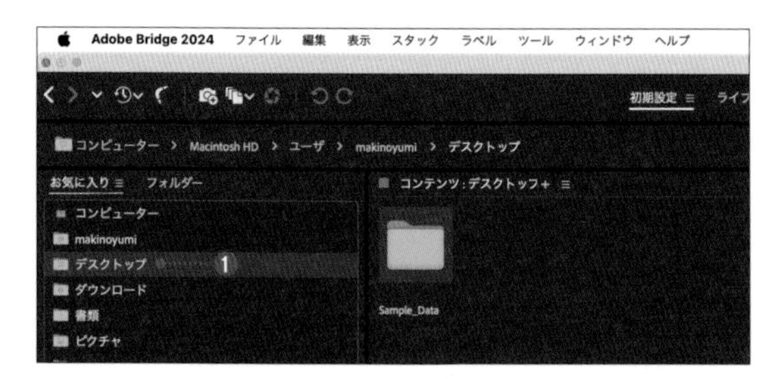

02 ［コンテンツ］パネルに画像、またはフォルダが表示されます❷。
ファルダをダブルクリックすると、その中のフォルダやファイルが表示されます。
また、パスバーには開いているフォルダのパスが表示されます❸。

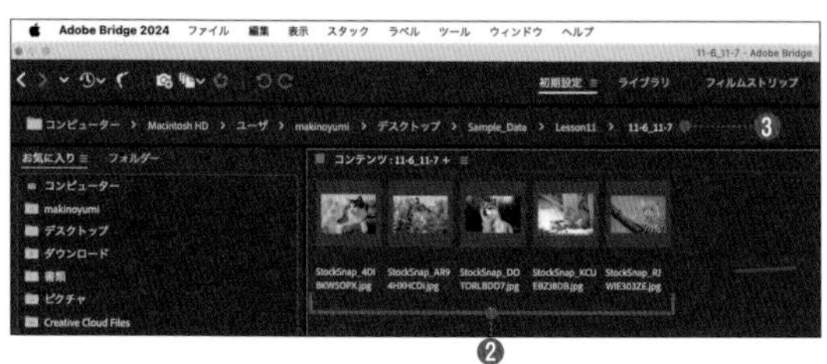

画像の拡大･縮小と表示形式

［コンテンツ］パネルに表示されるサムネール画像のサイズや表示形式は、画面下のスライダーとボタンで変更できます。

　サムネールのサイズを変更するにはスライダーを左右に動かします❶。

　また表示形式を変更するにはそれぞれのボタンをクリックします❷。

ここも知っておこう！

▶ 画像の表示形式

画面下の表示形式のボタンをクリックすると、［コンテンツ］パネルに表示される画像の表示形式を変更できます。初期設定は［サムネール表示］です。また、サムネール表示を選択している際は［グリッドロック］を設定できます。

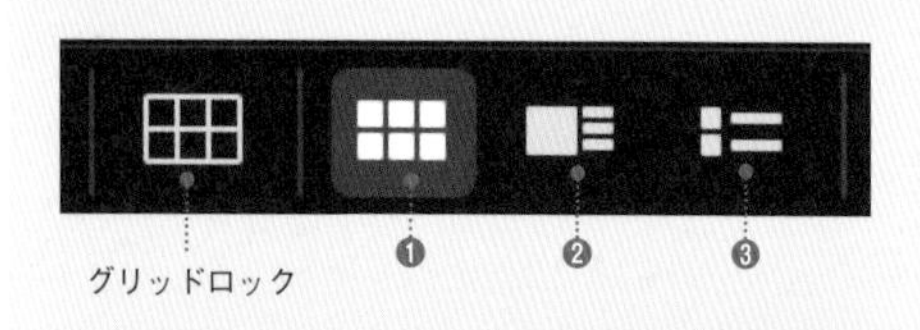

❶サムネール表示

❷詳細表示

名前 ↑	作成日	サイズ	種類	レーティング
StockSnap_4DIB...	今日, 11:58	1.35 MB	JPEG file	
StockSnap_AR94...	2022/07/25, 9:15	1.98 MB	JPEG file	
StockSnap_DOT...	今日, 11:58	901 KB	JPEG file	
StockSnap_KCUE...	2022/01/09, 14:08	3.01 MB	JPEG file	
StockSnap_RJWI...	今日, 11:57	2.18 MB	JPEG file	

❸リスト表示

ワークスペースを切り替える

右図は［初期設定］のワークスペースです。［コンテンツ］パネルで選択した画像❶は、［プレビュー］パネルに大きく表示されます❷。さらに画像を大きく表示するには、［フィルムストリップ］をクリックして❸ワークスペースを切り替えます。すると、パネルの表示が切り替わり、［コンテンツ］パネルが画面下部に配置され、選択した画像❹は、画面上部に大きく配置された［プレビュー］パネルに表示されます❺。また、矢印キー（←で左、→で右）を使って画像の選択を切り替えると、［プレビュー］パネルでの画像の確認が効率化します。

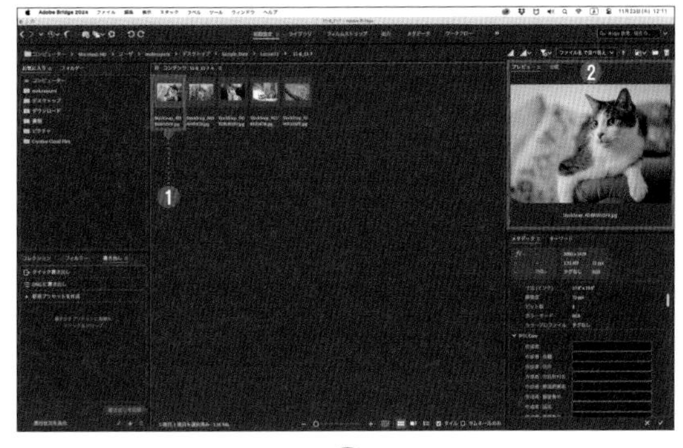

各パネルはメニューバーの［ウィンドウ］以下にあるパネル名を選択することで、表示・非表示を切り替えることができます❻。［ウィンドウ］→［ワークスペース］を選択して❼、ワークスペースを切り替えたり、保存済みのレイアウトにリセットすることができます。

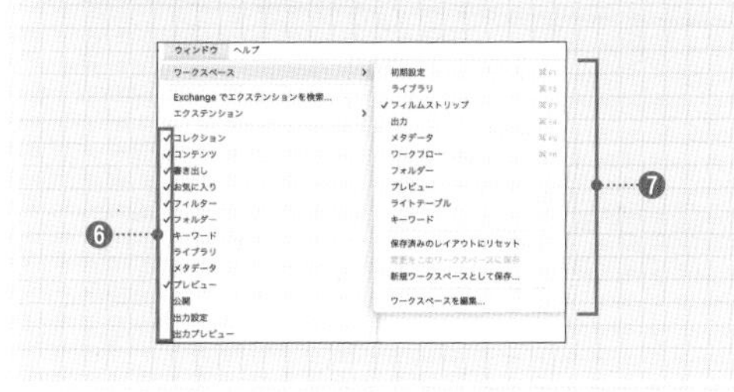

レーティングやラベルの設定

Bridgeでは、各画像にレーティングやラベルを付けることも可能です。

レーティングを設定するには、［コンテンツ］パネルで画像を選んだ状態で、メニューバーから［ラベル］→［★★★］などを選択します❶。

また、ラベルを付けるには［ラベル］→［任意のラベル］を選択します❷。すると画像にレーティングやラベルが設定されます❸❹。

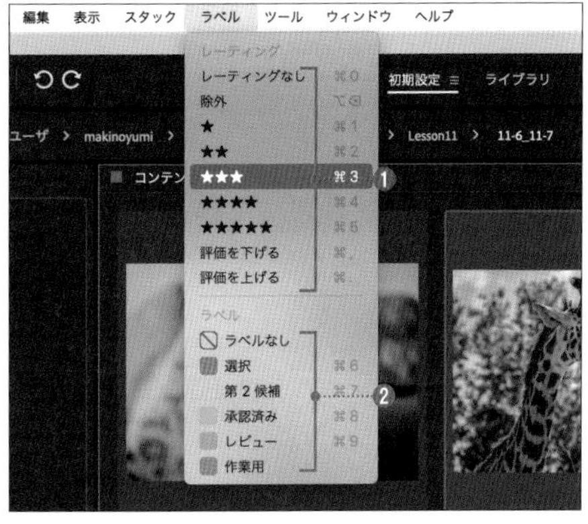

設定したレーティングやラベルは、画像をフィルタリングする際に使用できます。フィルタリングは［フィルター］パネルで指定します❺❻。チェックを入れると、該当する画像のみが表示されます。チェックを外すと、フィルタリングが解除されます。

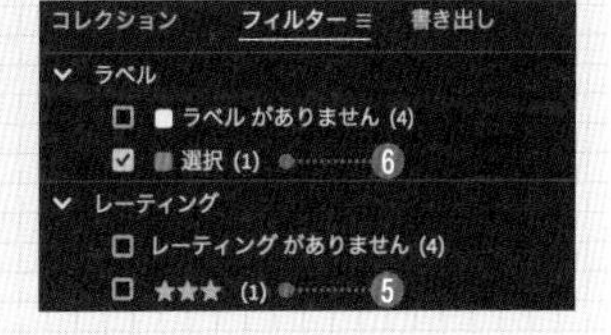

ファイル名を自動処理で変更する

Bridgeに搭載されている［ファイル名をバッチで変更する］機能を利用すると、大量の画像ファイルのファイル名を自動処理で変更できます。多数のファイルを操作する場合に便利な機能です。

Photoshopによるバッチ処理

あらかじめ決めておいた処理を、指定した回数だけ、順次繰り返して実行することを「バッチ処理」といいます。バッチ処理を使えるようになると、「同じ作業の繰り返し」といった、面倒な作業を自動化することができます。

ここでは、Bridgeに用意されている［ファイル名をバッチで変更する］機能を使って、元のファイルとは別のフォルダーに、ファイル名を変更したファイルをコピーする方法を紹介します。

01 Bridgeの［コンテンツ］パネルでファイル名を変更したい画像を選択して❶、メニューバーから［ツール］→［ファイル名をバッチで変更］を選択します❷。

メニューバーから［編集］→［すべてを選択］を選択すると、すべての画像を選択できます。また、⌘（Ctrl）を押しながら画像をクリックすると、離れている複数の画像を選択できます。

02 ［ファイル名をバッチで変更］ダイアログが表示されるので、［保存先フォルダー］エリアで［他のフォルダーにコピー］を選択して❸、［参照］ボタンをクリックします❹。

03 ［新規フォルダ］ボタンをクリックして❺、［新規フォルダ］ダイアログを表示し、任意のフォルダ名を指定して［作成］ボタンをクリックし❻、［選択］をクリックします❼。右図では、デスクトップ上に「animal」という名前の新規フォルダを作成しています。

コピー場所を正しく設定できたら、［参照］ボタンの右側にフォルダのパスが表示されます❽。

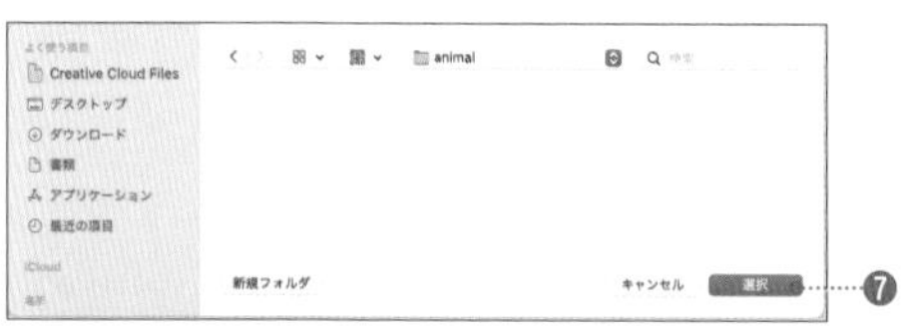

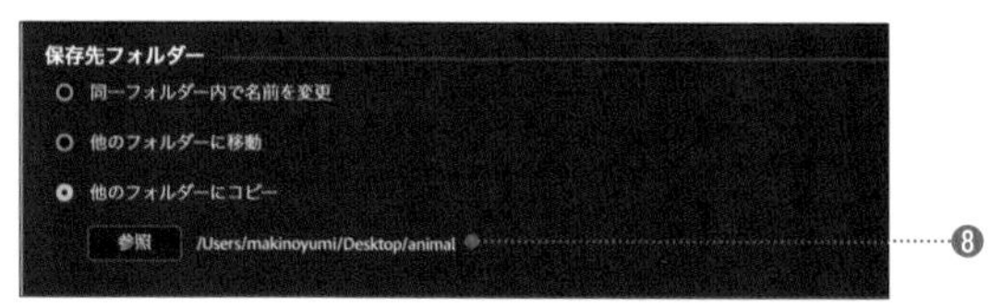

04 [新しいファイル名] エリアで、バッチ処理で変更するファイル名のルールを指定します❾。＋をクリックすると設定を追加でき、－をクリックすると設定を削除できます❿。
ここでは、[テキスト] と [通し番号] の設定を使ってファイル名を変更します。[テキスト] に任意の文字列を入力し、[通し番号] に開始番号と桁数を指定します。

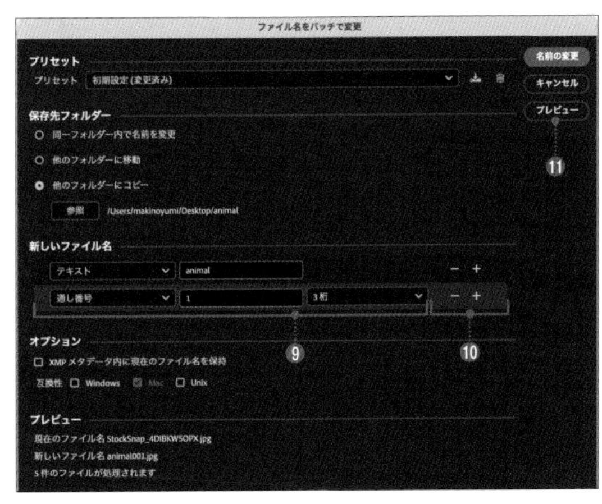

ファイル名の設定方法には以下の選択肢があります。これらの設定を組み合わせることができます。

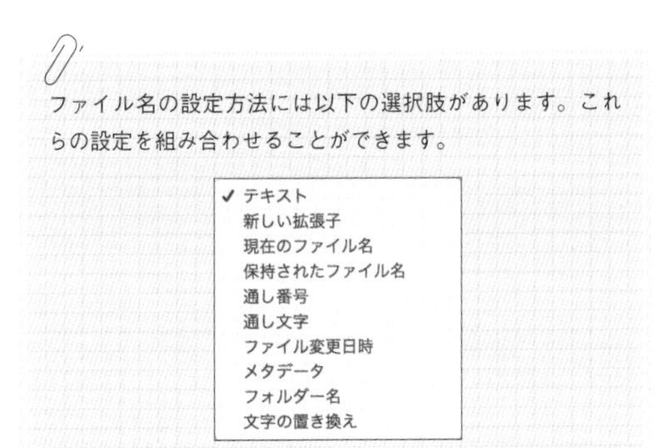

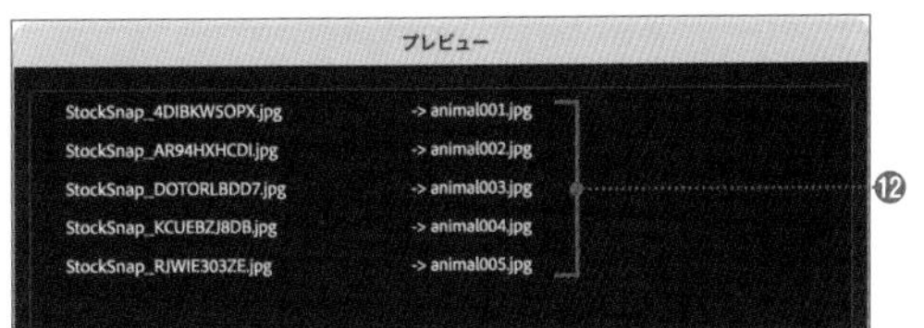

05 これで設定完了です。ダイアログの右上にある [プレビュー] ボタンをクリックすると⓫、指定したファイル名がどのように変更されるかを事前にプレビューできます⓬。画面右側が変更後(コピー後)のファイル名です。

06 プレビューを確認して問題なければ、実際にバッチ処理を実行します。[名前変更] ボタンをクリックします⓭。

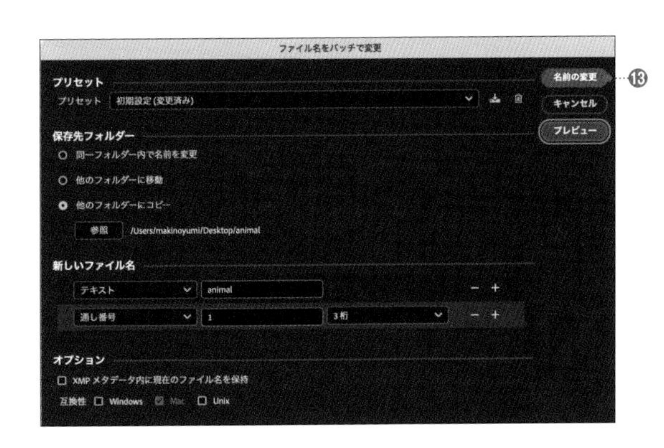

07 すると、バッチ処理が実行されて、指定した保存先(指定したフォルダ内)に、ファイル名が変更されたファイルがコピーされます⓮。

Step02で [同一フォルダー内で名前を変更] を選択した場合は、元のファイルのファイル名がその場で変更されます。また、[他のフォルダーに移動] を選択した場合は、元のファイルが指定先のフォルダーに移動します。

数字・アルファベット

2階調化(調整レイヤー)……68
Adobe Fonts……24, 206
Adobe Stock……24, 247
bit数……21
Bridge……249
CMYKカラー……21
Creative Cloudアプリ……24
GIF……27
Illustratorのパス……217
JPEG……27
Labカラー……21
PDF……27, 29
Photoshop EPS……27
Photoshop PDF……27, 29
PNG……27
PSD……27, 28
RGBカラー……21

あ行

アイコン表示(パネル)……15
明るさ・コントラスト……47, 53
アプリケーションフレーム……14
アルファチャンネル……84, 86, 88, 91
アンカーポイント……208
アンシャープマスク……186
色域外警告アイコン……153
色情報……42
エッジの検出……101
[覆い焼き]ツール……12, 61
覆い焼きカラー……146
オーバーレイ……146
オープンパス……208
[オブジェクト選択]ツール……11, 78, 83
オブジェクトの整列……112
オプションバー……9

か行

カーニング……201
階調の反転……47, 68
ガイド……40
書き出し……232
角度補正……34
カスタムシェイプ……13, 216
画像合成……116
画像の解像度……22
画像の切り抜き……36
画像の表示領域……32
画像を個別のウィンドウで開く……26
画像を統合……111
画像を並べて表示する……27
[カラー]パネル……17, 152
カラーチャンネル……21, 86
カラーバランス……47, 62
カラー範囲の選択……96
カラー比較(暗)……145
カラーピッカー……151
カラーマネジメント……242
カラーモード……21, 242
環境設定……236
カンバスサイズ……43
行送り……201, 202
境界線(レイヤースタイル)……140, 230
[切り抜き]ツール……11, 35, 36
禁則処理……202
[クイック選択]ツール……11, 79, 83
クイックマスク……13, 92, 95
クラシックグラデーション……160
[グラデーション]ツール……12, 160
グリッド……40
クリッピングマスク……52, 138
[消しゴム]ツール……12, 164
[コピースタンプ]ツール……12, 171, 172
[コピーソース]パネル……19, 175
[コンテンツに応じた移動]ツール……12, 180, 182
コンテンツに応じた塗りつぶし……169, 171, 182
コンテキストタスクバー……9, 14

さ行

作業用パス……99, 203, 209, 214
[削除]ツール……12, 166, 171
シェイプ……203, 208
色域指定……96
色調補正……17, 46
下のレイヤーと結合……111
[自動選択]ツール……11, 80, 83
[修復ブラシ]ツール……12, 171, 172
自由変形……123
定規……40
[情報]パネル……17, 42
ショートカット……239
新規ファイルの作成……44
[ズーム]ツール……13, 32
スキントーン……97
スクラブズーム……32
スクリーンモードの切り替え……13
ステータスバー……9, 22
[スポイト]ツール……11, 42
[スポット修復ブラシ]ツール……12, 170, 171, 182
[スポンジ]ツール……12, 61
スマートオブジェクト……122
生成拡張……178, 182
生成塗りつぶし……132, 134, 171, 176, 182
生成レイヤー……35, 133, 134, 171, 176, 179
セグメント……208
選択とマスク……100
選択範囲……72, 74, 76, 78, 84, 100, 106
選択範囲内へペースト……130
操作の取り消し・やり直し……38
操作履歴……38
空を選択……82

▶ た行

[楕円形]ツール……13, 136
[楕円形選択]ツール……11, 75
[多角形選択]ツール……11, 76
[縦書き文字]ツール……13, 198
[縦書き文字マスク]ツール……13, 198
タブでドキュメントを開く……26, 237
ダブルトーン……21
[段落]パネル……18, 202
段落テキスト……200
[チャンネル]パネル……18, 85, 86, 89, 91
調整レイヤー……49, 50, 107
[長方形]ツール……13, 208
[長方形選択]ツール……11, 74
通常のレイヤー……107, 114
ツールパネル……9, 10
テキストプロンプト……132, 134
テキストレイヤー……107, 198, 203
デジタル画像……20
[手のひら]ツール……13, 33
トーンカーブ……56, 63
ドキュメントウィンドウ……9
ドキュメントサイズ……22
特殊ペースト……130
取り消し……38
トリミング……36
ドロップシャドウ……141

▶ な行

[なげなわ]ツール……11,76
[ナビゲーター]パネル……17, 33
ニューラルフィルター……190
塗りつぶし……118, 121, 158, 215
塗りつぶしレイヤー……107, 118

▶ は行

[背景消しゴム]ツール……12, 164
背景色……13, 150
背景レイヤー……107, 114
背景を透明にする……81
パス……208
[パスコンポーネント選択]ツール……13, 137
パス上テキスト……200
[パス選択]ツール……13, 208
パスの塗りつぶし……215
パスを選択範囲として読み込む……99
パターン……19, 120, 162, 218
パターンオーバーレイ……140
[パターンスタンプ]ツール……12, 162
[パッチ]ツール……12, 168, 171, 182
バッチ処理……252
パネル……9, 14, 17
半透明……125
非Webセーフカラー……153
ピクセル数……22
ピクセル分布……54
被写体を選択……82
ヒストグラム……18, 54
ヒストリー……17, 38
ビット数……21
ビットマップ画像……20
描画色……13, 150
描画モード……144
標準スクリーンモード……13
表示領域……32
表示レイヤーを結合……111
ファイルを開く……26
ファイルを保存する……28
フィルター……184
フィルターギャラリー……192
フィルターマスク……189
フォーマット(ファイル形式)……27
不透明度……125
不要物の除去……171
[ブラシ]ツール……12, 154
[ブラシ]パネル……19
[ブラシ設定]パネル……18
ブラシプリセットピッカー……154
フリンジ削除……102, 117
フルスクリーンモード……13
プロファイル……242
ベクトル画像……20
ベクトルマスク……136
ベジェ曲線……208
べた塗り……118
ベベルとエンボス……140
[ペン]ツール……13, 210
ポイントテキスト……200
ポスタリゼーション……47, 50
保存オプション……28
保存形式……28

▶ ま行

[マグネット選択]ツール……11, 77
[マジック消しゴム]ツール……12, 164
マルチチャンネル……21
目玉マーク(レイヤー)……106
メニュー付きフルスクリーンモード……13
メニューバー……9
文字……19, 198, 204
モノクロ2階調……21
[ものさし]ツール……11, 34
モノトーン……66

▶ や行・ら行・わ行

[焼き込み]ツール……12, 61
やり直し……38
[横書き文字]ツール……13, 198
[横書き文字マスク]ツール……13, 198
[ライン]ツール……13, 208
ラスタライズ……123, 142, 203
リニアライト……146
レイヤー……17, 106
レイヤーカンプ……17, 115
レイヤー効果……140
レイヤースタイル……140
レイヤーの角度補正……34
レイヤーの重ね順……108
レイヤーの結合……111
レイヤーのフィルタリング……148
レイヤーの不透明度……125
レイヤーのリンク……111
レイヤーのロック……114
レイヤーマスク……126, 128, 177
レガシーブラシ……155
レンズフィルター……64
ワークスペース……9, 30
ワープテキスト……204

著者紹介

まきの ゆみ

広島県出身。早稲田大学大学院商学研究科修士課程修了。出版社・広告代理店で企画営業職として勤務後、フリーランスで広告プランナーとして活動しながら、大日本印刷関連会社でDTP業務にも携わる。現在は、Adobe製品を中心としたテクニカルライティング、コース開発、企業研修を行う他、専門学校や大学等でも講師をしており、「デザイン・ITをわかりやすく便利で身近なものに」をモットーに、次世代に知識と経験を伝えるために精力的に活動中。

■チュートリアルブログ　ameblo.jp/mixtyle

■X（旧Twitter）　@mixtyle

装禎 …… 新井大輔
本文デザイン・組版 …… クニメディア株式会社
カバー写真 …… Natalia Genelin/Moment：ゲッティイメージズ提供
表4および書籍内の写真 …… Ekaterina Pokrovsky/Shutterstock.com
Jag_cz/Shutterstock.com
BONNINSTUDIO/Shutterstock.com
Sunny studio/Shutterstock.com
Andrekart Photography/Shutterstock.com
ASTA Concept/Shutterstock.com
Song_about_summer/Shutterstock.com
145Patma/Shutterstock.com
Subbotina Anna/Shutterstock.com
mokokomo/Shutterstock.com
StockSnap.io/https://stocksnap.io/
編集 …… 岡本晋吾　小平彩華

Photoshop しっかり入門 増補改訂 第3版
[Mac & Windows 対応]

2015年10月10日　初版第1刷発行
2018年 2月28日　初版第9刷発行
2018年 6月 5日　増補改訂 第2版第1刷発行
2023年 9月18日　増補改訂 第2版第18刷発行
2024年 2月10日　増補改訂 第3版第1刷発行

著者 …… まきのゆみ
発行者 …… 小川 淳
発行所 …… SBクリエイティブ株式会社
〒105-0001　東京都港区虎ノ門2-2-1
印刷・製本 …… 株式会社シナノ

Printed in Japan ISBN 978-4-8156-2429-3